경제학 산책

경제학 산책

저자_ 조영달·홍기현

1판 1쇄 발행_ 1992. 7. 3.
1판 26쇄 발행_ 2003. 2. 27.
개정 2판 4 쇄 발행_ 2008. 7. 28.

발행처_ 김영사
발행인_ 박은주

등록번호_ 제406-2003-036호
등록일자_ 1979. 5. 17.

경기도 파주시 교하읍 문발리 출판단지 515-1 우편번호 413-756
마케팅부 031)955-3100, 편집부 031)955-3250, 팩시밀리 031)955-3111

값은 표지에 있습니다.
ISBN 978-349-1776-2 03320

독자의견 전화_ 031)955-3104
홈페이지_ http://www.gimmyoung.com
이메일_ bestbook@gimmyoung.com

좋은 독자가 좋은 책을 만듭니다.
김영사는 독자 여러분의 의견에 항상 귀 기울이고 있습니다.

꼭 알아야 할 경제지식 복잡한 원리들을 어떻게 이해할 것인가?

경제학 산책

THE GUIDE TO ECONOMICS

조영달
홍기현
지음

김영사

| 개정판 책머리에 |

이 책이 나온 지도 어언 13년이 지났다. 그동안 학생들을 비롯한 여러 독자들에게서 책의 내용에 대한 허점과 보충해야 할 사항들을 여러 차례 접하게 되었다. 그럼에도 시간에 쫓기다가 이제야 비로소 이 책의 전체 내용을 되돌아보고 미약한 내용들을 검토하고 보완할 시간이 주어졌다. 급하나마 우선 미비한 부분이나 보완해야 할 부분을 중심으로 책의 내용을 수정하고 새로운 내용을 추가했다. 물론 책의 전체적인 골격이나 의도는 원판의 것을 그대로 살렸다.

비록 전정판은 아니라 하더라도 이번 수정에서는 꽤 많은 부분이 추가되었다. 예를 들어, 경제란 무엇인가를 답하는 과정에서 경제학과 경제정책에 대한 부분을 추가했으며, 시장의 형태에서도 과점시장을 보강했다. 특히 전략적 상황과 게임이론을 추가한 것은 지난 판에서는 없었던 내용이다. 또한 '시장의 정보가 불완전하다면?' 이라는 장을 신설하여 불완전 정보 아래의 시장구성원의 행동양식을 다루었다. 이 장에서는 비대칭적인 정보 상황에 대한 서술 등이 그 핵심 내용을 이룬다. 국민경제의 분석에서도 국민소득의 창출과 처분에 대한 장을 새롭게 구성했다. 즉, 한국 경제의 개방화를 중시하여 개방경제의 틀을 중심으로 장을 새롭게 구성했다. 뿐만 아니라 국민소득의 측정과 관련해서도 과거의 국민총생산GNP을 중심으로 했던 것을 국내총생산GDP 개념으로 대체했다. 사실, 이러한 내용의 수정은 꼭 이루어져야 할 부분이었다. IMF의 구제금융 시기를 겪고 난 이후의 한국경제에 대한 분석의 관점에서나 그동안 이루어진 경제학 연구의 성과 측면에서도 개정은 시급한 것이었다. 그럼에도 불구하고 개정을 차일피일 미룬 것이 독자들에게 송구할 따름이다.

이러한 개정에도 불구하고 처음 이 책을 기획했을 때의 의도는 오히려 보강되었다. 새로이 관련된 삽화를 추가하고 이해를 도울 수 있는 그림을 그려 넣었다. 또한 시중에 이미 출판된 다른 책들을 참고하여 유용한 부분을 참고하기도 했다. 뿐만 아니라 각 장의 말미에는 과거 판에서보다 많은 수의 경제학자들을 추가로 소개했다.

물론 이러한 보강의 과정에서 의도하지 않게 책이 조금 어려워진 측면도 있으리라 여겨진다. 예를 들어, 불완전 정보 아래서의 시장행동 분석이나 게임이론 등이 이에 해당할 것이다. 또한 국민경제의 분석에서도 과거와는 달리 처음부터 개방경제를 전제로 분석 틀을 짰다. 그러나 이러한 측면은 경제적 행동 분석의 이해를 깊게 하기 위한 어쩔 수 없는 측면이라 여겨지며, 추후에 다시 더욱 쉽고 재미있게 서술하기 위한 노력을 다짐하는 계기가 되기도 했다.

이번 개정판을 내는 데에는 몇 사람의 수고가 컸다. 대학원의 전민규 군과 학부의 이영민 군, 조신 군, 김자영 양 등은 원래의 원고를 타이핑해 필자들의 수정을 가능하게 해줬다. 또한 김영사 박은주 사장의 지원이나 편집을 맡은 오미영 씨의 수고도 잊을 수 없다.

2005년 10월

관악에서 저자 씀

| 차 례 |

3. 기업은 어떻게 행동하나

4. 시장의 형태

5. 내 몫과 남의 몫

6. 시장의 정보가 불완전하다면?

7. 가격기구는 만능인가

3 국민경제의 크기는 어떻게 결정되나

123대박

| 알아볼 내용 |

1부에서 우리는 사람이 행복한 생활을 영위하기 위해 자신의 경제적 욕구를 어떻게 해결하고 있는가를 알아보려 한다. 우선, 사람의 사회생활 중 가장 중요한 생산, 소비, 분배를 둘러싼 경제문제가 과거로부터 어떻게 인식되어 왔으며, 경제문제를 알기 쉽게 분석하는 데 도움을 주는 경제학에서는 이 문제를 어떤 방식으로 설명하고 있는가를 살펴본다. 이와 아울러, 현재 경제생활을 영위하는 방식 중에서 대표적 방식인 자본주의 시장경제와 사회주의 계획경제를 비교함으로써, 각 경제체제의 특성과 그 체제 내에서 일어나는 경제 행위의 특징을 살펴본다. 물론, 오늘날 사회주의 계획경제 체제를 유지하고 있는 나라는 북한이나 중국을 제외하고는 드물다. 그럼에도 불구하고 사회주의 계획경제를 언급하는 것은 북한이 우리와 같은 민족이며, 또한 이러한 비교가 시장자본주의 체제 아래서 이루어지는 경제활동의 특징을 잘 설명해줄 수 있기 때문이다.

1
경제란 무엇인가

KOLON
효성

1

경제문제와 경제학

읽을거리

경제의 기본원리

저명한 어느 경제학자의 업적을 축하하기 위해 연회가 마련되었다. 그 자리에 참석했던 기자가 이 날의 주빈을 보고 사람들에게 하고 싶은 말은 없느냐고 묻자 그는 이렇게 대답했다.

"경제적 진리야 많지만, 보통 사람들이 이해하도록 설명하기에는 너무 복잡하고 어렵습니다. 그러나 그것들도 결국 따지고 보면 역사를 통해 거듭 증명되어온 한 가지 단순한 사실로 귀결됩니다. 즉 세상에는 공짜 점심이란 없다는 것입니다There is no such thing as a free lunch."

사실 그렇다. 이 경제학자는 아마도 설령 누구에게 점심을 얻어먹는다 해도, 그 사람은 그 시간에 일했으면 벌 수 있었을 수익을 포기하고 점심을 먹는다는 점을 지적한 것으로 보인다.

— 《한국경제신문》(1991년 1월 1일자)을 각색함

희소성과 경제문제

사람이 살아가려면 의식주 및 교통, 문화, 여가활동 등 다양한 수단이 필요하며, 사람의 무한한 욕망을 충족시키기 위해 많은 종류의 재화goods와 용역service이 있어야 한다. 그런데 사람들의 목적인 욕망 추구의 정도에 비해 그것을 달성시켜줄 수 있는 수단인 각종 자원은 한정되어 있으므로, 욕망의 크기에 비교해볼 때 자원은 상대적으로 부족한 것이 보통이다. 이를 자원의 상대적 희소성scarcity이라 부른다.

물론, 여기서 말하는 희소성은 상대적인 개념이다. 즉, 어떤 곳에서는 희소성을 지닌 것이 다른 곳에서는 그렇지 않을 수 있으며, 희소성의 정도가 다를 수도 있다.

예를 들어, 제주도 감귤은 다른 지역의 감귤에 비해 희소성이 낮다. 제주도는 다른 지역에 비해 감귤재배 지역이 많이 있기 때문이다. 또한 서울에서 맑은 공기와 물은 다른 지역에 비해 희소성이 높다. 서울은 공업화와 근대화가 급속도로 진전되어 있고, 많은 인구가 살고 있어 다른 지역에 비해 맑은 공기와 물을 접하기가 상대적으로 어렵기 때문이다.

이러한 희소성 때문에 사람들이 경제생활을 영위할 때 경제문제가 발생한다. 미국의 경제학자 새뮤얼슨P. Samuelson에 따르면, 첫째 주어진 자원을 가지고 무엇을what 만들 것인가, 둘째 그 재화를 어떻게how 만들 것인가, 셋째 누구를 위하여for whom 만들 것인가라는 세 가지 문제가 기본적으로 발생한다고 한다. 예를 들어, 한 사회에서 주어진 자원으로 당장 먹기 위한 빵을 너무 많이 생산한다면, 기계나 도구는

도표 1 | 인간의 욕망과 재화의 종류

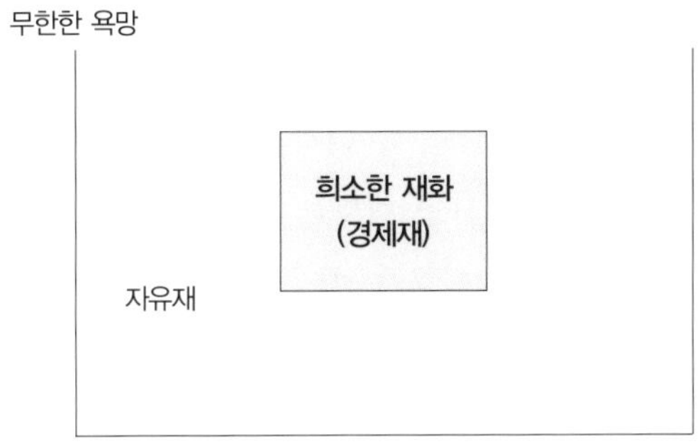

* 경제재economic goods | 공급이 제한되어 있으며, 희소성 때문에 그것을 얻기 위해 대가를 치러야 하는 재화. 용도에 따라 최종재와 중간재, 산출물과 투입물(생산요소) 등으로 나뉨.
* 자유재free goods | 욕구에 비해 풍부하게 존재하므로 대가를 치르지 않고도 소비할 수 있는 물건.

상대적으로 적게 생산될 것이다. 좀더 개인적인 예를 들어, 어떤 학생이 주어진 시간에 너무 운동에만 힘을 쏟는다면 공부할 시간이 모자랄 것이다.

이와 같이 희소한 자원을 가지고 어떤 한 욕망을 좀더 달성하려면, 다른 욕망은 달성하지 못하게 되므로 선택choice이 불가피하게 된다. 각종 재화를 생산하고, 소비하고 또한 사회의 각 개인에게 분배하는 데 있어서 선택의 문제는 점점 심각하게 나타나는데, 이를 보통 경제문제라고 한다.

그런데 욕망을 달성하고 만족감을 얻는 데 필요한 재화라 하더라도 경우에 따라서 공짜로 얻을 수 있는 것이 있다. 이를 자유재free goods라 한다. 예를 들어, 우리가 호흡하는 공기와 바닷물 같은 것은 우리의 필요량에 비해 더 많이 존재하므로 무료로 얻을 수 있다. 그렇지만 경제적 상황이 바뀌어 공기나 바닷물이라도 상대적으로 희소해지면, 반드시 비용을 들여야 획득할 수 있는 재화가 된다.

이와 같이 우리에게 필요한 많은 재화는 희소하기 때문에 그것을 얻기 위해 대가를 치러야 하는데, 이를 경제재economic goods라 한다. 흔히 우리가 시장에서 구입하는 재화는 모두 경제재다. 때때로 식수가 부족한 중동지방에서 바닷물을 이용해 식수를 만들거나 일본의 수도 도쿄에서 신선한 공기를 통에 담아 파는 것을 보게 되는데, 이는 희소성 때문에 경제재가 되는 사례들이다.

경제재는 용도에 따라 최종소비재와 투입원료가 되는 중간재로 나뉘기도 한고, 산출물output과 투입물input로 나뉘기도 한다. 때로 투입요소를 생산요소factor of production라고도 한다.

서비스 또는 용역이란 의사의 진료 행위, 음악가의 연주와 같이 물질은 아니지만 사람에게 쓸모 있는 행위를 말하는데, 서비스도 경제재와 같이 돈을 들여야 획득할 수 있으므로 경제문제의 고려 대상이 된다.

이와 같은 희소성 때문에 발생하는 경제문제의 속성에 비추어 물질적인 기준만으로 생각한다면, 인간의 행복이란 자신의 욕망에 비해 얼마만큼의 재화나 용역을 가지고 있는가에 달려 있다고 볼 수 있다. 즉, '$\text{행복} = \dfrac{\text{소비 가능한 재화와 용역의 양}}{\text{욕망}}$'으로 표시될 수 있다.

물론 위의 식에서 볼 때, 불교사상에서 강조하듯이, 욕망을 자제함으로써 행복을 달성할 수 있다면 많은 경제문제도 해소되겠지만, 이 방법을 모든 사람에게 적용시키기란 현실적으로 불가능하다. 따라서 인류는 가급적 소비 가능한 재화와 용역의 양을 늘리고, 필요한 종류의 재화와 용역을 효율적으로 생산하며, 가능하면 많은 사람들이 골고루 소비할 수 있는 제도를 만들기 위해 노력해왔다.

비용(기회비용)과 편익, 그리고 경제원칙

희소성 때문에 경제문제가 발생했으므로 욕망을 달성하기 위해 자원을 사용하더라도 가급적 자원을 낭비하지 않고 효율적으로 사용할 수 있는 선택을 해야 한다. 우선 선택을 할 때에는 비용과 편익(만족)을 생각하게 될 것이다. 예를 들어 대학 진학 여부를 결정할 때, 졸업하면 얼마의 소득이 예상되며, 어떠한 사회적 지위를 얻게 될 것인지를 생각하게 될 것이고(만족의 측면), 아울러 학비나 책값, 하숙비 및 재학 기간에 취직한다고 가정했을 때에 기대할 수 있는 소득 등도 생각(비용의 측면)해보아야 한다. 그런 다음, 이 양자를 비교해서 만족이 더 크다고 생각하면 대학진학을 택하게 될 것이다.

여기서 효율적인 자원의 이용이란 두 가지 측면에서 생각해볼 수 있다. 한편으로는 일정하게 주어진 자원으로 최대의 만족을 얻도록 하는 것이며, 다른 한편으로는 일정한 만족을 얻는 데 최소한의 자원을 사용하는 것이다. 앞의 대학진학의 예로 보면, 대학을 가기로 결정했으면 여러 대학 가운데에서 가장 많은 편익을 제공할 가능성이 있는 곳을 선택하게 될 것이며, 또한 어떤 대학에 진학하기로 했으면 장학금이나 학비융자 등을 고려하면서 가장 비용이 적게 드는 방식을 택할 것이다.

이와 같이 비용과 편익의 비교 아래 일정한 자원에서 만족을 최대화하거나, 일정한 만족을 얻기 위해 드는 비용을 최소화하는 원칙을 합쳐서 경제원칙economic principle이라 한다. 영어에서 '경제의economic'란 말이 절약한다는 의미에서 '경제적economical'이라고 쓰이는 것도 이와 같은 사고에서 나온 것이다.

여기서 비용에 대해서는 약간의 설명이 더 필요하다. 흔히 경제문제와 관련해 언급되는 비용은 기회비용opportunity cost을 의미한다. 기회비용은 어떤 활동을 선택함으로써 포기해야 하는 다른 활동들 가

진학이냐 취업이냐, 어느 대학에 진학할 것인가를 선택하는 과정에서 가장 많은 편익을 제공하면서 가장 적은 비용이 드는 곳을 우선 고려하게 될 것이다. 이처럼 일정한 자원에서 만족을 최대화하거나, 일정한 만족을 얻기 위해 드는 비용을 최소화하는 것이 바로 '경제원칙'이다.

운데 최상의 대안이었던 것next-best alternative의 가치를 말한다. 만약 우리가 2시간 정도 여유가 있어, 낮잠을 잘까, 케이블 TV에서 방영해주는 영화를 볼까 아니면 산책을 즐길까 망설이다가, 최종적으로 TV 영화를 보는 대신에 산책을 하기로 결정했다고 하자. 이 경우 산책을 하기로 한 결정의 기회비용은 산책을 하지 않으면 택했을 차선의 선택이었던 TV 영화 감상의 가치다.

여기서 특히 주의할 것은 기회비용이 선택 가능했던 모든 행동 가치의 합이 아니라, 단지 그렇지 않으면 택했을 차선의 행동이 지니는 가치란 점이다. 이렇게 생각하면 우리는 선택문제와 관련해 "내가 산책을 해야 할 것인가?"라고 묻기보다는 "내가 산책을 해야 할 것인가, 아니면 TV에서 방영해주는 영화를 감상해야 할 것인가?"라고 물어야 할지도 모른다.

기회비용은 기본적으로 이렇게 설명할 수 있지만, 이를 좀더 자세히 살펴보기 위해 기업 운영과 관련지어 생각해보자. 기업 경영을 염두에 두고 기회비용을 따져보면 주로 다음의 세 가지를 모두 합친 비용으로 생각해야 한다. 즉, 명시적으로 쓴 돈explicit cost으로 그 행동의 선택에 들어간 돈, 묵시적이지만 생각해야 할 비용implicit cost인 그 돈을 다른 곳에 두었을(은행 등) 때의 이익에 해당하는 것, 그리고 또 다른 묵시적인 것이지만 투자하거나 그 행동을 하지 않고 그냥 다른 데서 일할 때 받을 수 있었던 것으로서, 행위자 자신의 역량(예를 들어, 기업가 정신)에 대해 포기된 비용 등이 그것들이다.

참고로 이러한 점은 회계상의 비용과는 다르다. 흔히 회계상의 비용은 주로 앞에서 언급한 명시적인 비용을 중심으로 계산하기 때문이다. 이는 회계의 관심이 돈의 흐름에 있음에 기인한다.

여기서 기업가의 기회비용이란 자신이 사업을 함으로써 다른 직장에서 일할 수 있는 기회를 포기하여 발생하는 비용이라 할 수 있다. 그리고 만약 이 기업가가 자신이 보유한 1억짜리 땅을 기업활동에 썼다면, 이 땅의 자산가치에서 발생할 수 있는 연간 임대소득도 기회비용에 포함되어야 한다.

사업체 운영상의 기회비용은 명시적으로 쓴 돈으로 그 행동(혹은 사업)의 선택에 들어간 돈, 그 돈을 은행 등 다른 곳에 두었을 때의 이익, 다른 데서 일했다면 받을 수 있었던 비용 등을 포함한다.

합리적 선택과 경제적 효율성

희소성에 의해 발생하는 경제문제를 해결하기 위해서는 합리적 선택을 해야 하는데, 합리적인 선택의 기준으로 가장 중요한 것은 비용과 편익의 개념을 중심으로, 만족 최대화와 비용 최소화 같은 경제원칙에 입각한 효율성efficiency이다. 이 개념을 좀더 알기 쉽게 이해하기 위해 다음과 같은 예를 생각해자.

어떤 국가에서 이용 가능한 모든 자원인 노동, 토지, 자본 등을 써서 빵bun과 대포gun라는 두 가지 재화를 생산한다고 하자. 이때 주어진 자원을 써서 빵과 대포를 생산할 수 있는 기술적 가능성이 다음과 같이 주어졌다고 하자.

도표 2 | 빵과 대포의 생산량 조합

가능성	A_1	A_2	A_3	A_4	A_5	A_6
빵(개)	0	1	2	3	4	5
대포(문)	15	14	12	10	7	0

즉, 주어진 자원을 모두 대포 생산에만 쓴다면 대포를 15문 생산하는 반면, 모두 빵 생산에만 쓴다면 빵을 5개 생산하게 된다. 그리고 자원을 빵과 대포의 생산에 나누어 쓴다면 A_1, A_2, A_3, A_4 등과 같은 가능성이 있다.

이 가능성을 그림으로 나타내면 도표 3과 같은데, 이와 같이 한 사회에서 주어진 기술을 가지고 자원을 모두 이용해 최대로 생산할 수 있는 빵과 대포의 여러 가지 조합을 나타내는 곡선을 '생산가능곡선 production possibility curve'이라 한다.

생산가능곡선의 모양을 살펴보면 두 가지 특징이 있다. 첫째로 생산가능곡선은 오른쪽으로 갈수록 내려간다는 것이다. 이것은 빵을 더 생산하면 할수록, 주어진 자원으로는 대포를 더 적게 생산할 수밖에 없다는 사실 때문이다. 자원의 희소성이 있는 경우, 어떤 하나를 선택하는 것은 어떤 다른 것을 포기해야 함을 의미한다. 이와 같이 어떤 활동을 선택함으로써 포기해야 하는 다른 활동의 가치를 기회비용opportunity cost이라 함은 이미 설명한 바 있다. 예컨대 빵을 2개에서 하나 더 생산하는 데 드는 비용은 대포를 12문에서 10문으로 줄임에 따라 포기한 대포 2문으로 나타난다. 마찬가지로 어떤 학생이 주어진 시간 중에서 한 시간 더 노는 데 드는 비용은 한 시간 동안 하지

도표 3 | 생산가능곡선

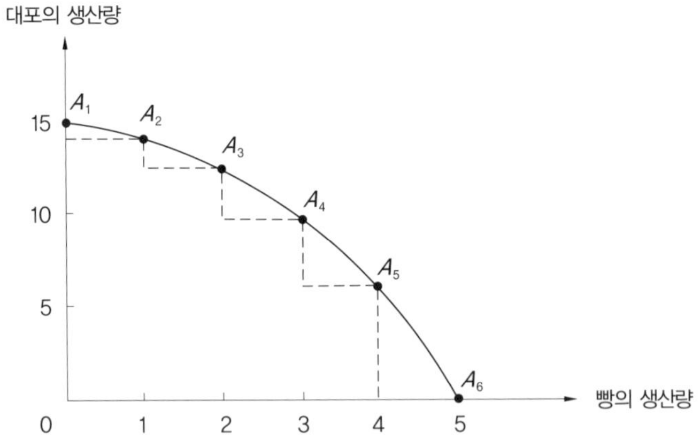

못한 다른 활동의 가치로 계산된다.

둘째로 생산가능곡선의 특징은 곡선의 모양이 원점(0)에서 보았을 때에 오목하게 보인다는 점이다. 달리 말하면 생산가능곡선은 오른쪽으로 가면 갈수록 곡선 기울기의 절대값이 점점 커져서 가파르게 된다.

이는 A_1, A_2, A_3, A_4, A_5, A_6의 순서로 빵의 생산을 한 단위씩 늘릴수록, 포기해야 하는 대포의 수가 증가하는 것을 의미한다. 이와 같이 어떤 한 재화의 생산이 증가할수록 그 기회비용이 점점 증가하는 현상을 '기회비용 체증의 법칙'이라 한다. 기회비용 체증이 일어나는 이유는 주어진 자원을 어떤 한 재화의 생산에만 계속 쓸 경우, 그 재화의 생산에 적합하지 않은 자원까지도 과도하게 사용하게 되기 때문이다.

그런데 생산가능곡선 위에 있는 A_1, A_2, A_3, A_4, A_5, A_6와 같은 점들은 기술적으로 볼 때 주어진 자원을 모두 이용해 최대로 생산한 결과 나타난 것이므로, 기술적 효율성technical efficiency을 달성했다고 볼 수 있다. 이러한 기술적 효율성은 모든 공장의 생산 과정에서 추구되는 것이며, 공학자나 기술자의 주된 관심사다. 그렇지만 이러한 기술적 효율성이 달성되었다 하더라도 생산가능곡선상의 재화조합 중에서 어떤 것이 선택될 것인가 하는 문제는 여전히 남는다.

따라서 A_1, A_2, A_3, A_4, A_5, A_6와 같은 점들 중에서 어떤 점이 선택되어야 최대한의 만족을 줄 수 있을 것인가를 판단하는 문제가 경제적 선택에 관한 문제이며, 최대한으로 만족이 달성되는 점을 찾으면 경제적 효율성economic efficiency이 달성되었다고 할 수 있다. 이러한 점은 곧 그 사회 내에서 어떤 자원이 어떻게 배분되는가를 말해주는 점이기도 하다. 위의 예에서 그 사회가 A_4를 선택했다면, 이는 빵을 3만큼 생산하고 대포를 10만큼 생산함을 의미한다.

사실상 인류는 주어진 자원을 배분하는 방식을 바꿔오면서 경제문제를 해결하는 방법을 찾아왔으며, 점차로 경제적 효율성이 더 높은 것으로 여겨지는 경제생활 방식을 추구해왔다. 이와 같이, 어떤 사회의 자원배분에 대한 경제적 선택과 관련해 그 사회가 취하고 있는 경제문제를 해결하는 방식과 그 제도를 경제체제라 할 수 있으며, 이러한 경제체제는 시대에 따라 변해왔다.

먼저 원시시대에는 생존을 위해 인간의 본능에 따라 경제생활이 운영되어왔으며, 전통적인 신분사회에서는 관습이나 명령에 의해 생산가능곡선상의 한 점이 정해졌다. 이에 비해 18세기 이후 근대화된 사회에서는 시장에서의 거래를 통해 각 개인의 욕망이 각 재화의 가격에 반영되어 각자의 만족이 달성되도록 경제생활이 운영되기 시작했다. 이러한 방식의 경제체제를 우리는 흔히 시장 자본주의 경제체제라 부르는데, 이러한 체제는 그 이후 꾸준히 발전하면서 오늘날 동서양의 많은 국가들이 채택하고 있는 제도이기도 하다.

한편, 사회주의 국가에서는 정부나 관료조직의 지시 또는 계획에 의해 자원배분이 이루어지고 생산가능곡선상의 점이 정해지도록 하는 경제생활 방식도 시도되었다. 이를 흔히 사회주의 경제체제라 하는데, 과거의 소련이나 오늘날의 북한이 채택한 제도다.

경제학의 과제

희소한 자원을 가지고 무엇을, 어떻게, 누구를 위해 생산하고 분배하느냐를 다루는 것이 경제문제이며, 이 경제문제를 다루는 인류의 생각은 사실상 인류의 역사와 함께 시작되었다. 문자로 기록된 예만 살펴보더라도 기원전 6세기경의 중국의 철학자나 기원전 5세기경의 그리스 철학자들이 그때 이미 경제문제를 언급하고 있었다. 동양에서는 무항산無恒産이면 무항심無恒心이라 하여 경제의 중요성을 언급했다. 서양에서 아리스토텔레스는 그의 저서 『정치학The Politics』에서 경제oeconomia를 자연적 영역으로 가정 경영과 관련된 것으로 봤으며, 이에 대해 이재理財, chrematistics는 비자연적인 것으로 경제와는 다른 종류의 기술art로 생각했다.

어원상으로 보더라도 영어로 경제학economics이란 단어는 그리스어의 오이코노미아oikonomia에서 온 것으로, 이 말은 가계household를 뜻하는 오이코스oikos와 경영한다 또는 규정한다nem는 말의 합성어다. 즉 고대 그리스에서 '가계를 효율적으로 경영하는 기술'이란 뜻에서 유래한 것이다. 이 말이 동양권에 들어와 번역되면서 '세상을 다스리고 백성을 보살핀다經世濟民'라는 구절의 준말로서 경제학經濟學으로 자리 잡게 되었다.

이와 같이 경제문제에 관한 사상은 오래되었지만, 경제학이 하나의 독립된 분야로서 사상계 또는 학계에 정착된 것은 인류의 역사에 비하면 그리 오래되지 않았다. 경제학이 독립된 분야로서 자리 잡게 된 것은 18세기 이후 근대화와 함께 주로 시장기구를 통해 경제생활이

도표 4 | 생산가능곡선과 경제문제

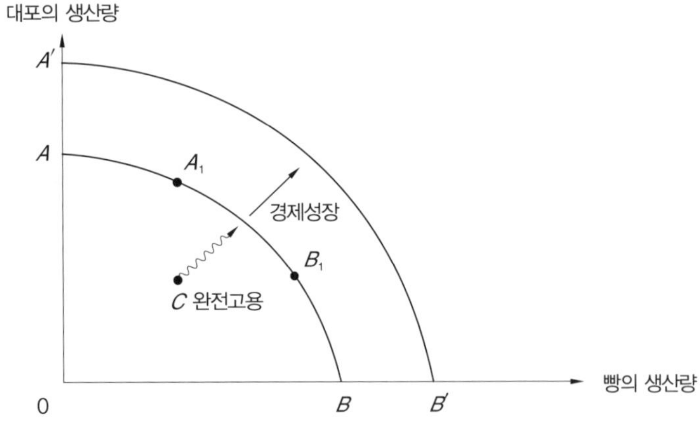

영위되고 난 후이다. 보통 1776년 영국에서 애덤 스미스A. Smith(1723~1790)에 의해 발간된 『국부론An Inquiry into the Nature and Causes of the Wealth of Nations』을 체계적인 경제학의 출발로 삼는 경우가 많다. 애덤 스미스는 이 책에서 정부의 간섭에서 벗어나 각 개인이 자신의 경제적 이익을 좇아 경제 행위를 하는 것이 한 국가를 번영시키는 데 도움이 된다고 주장했다.

이렇듯 종래 본능이나 관습에 따라 운영되던 경제생활이 합리적 개인의 선택에 따라 운영되는 시장경제 체제로 바뀐 후에는 경제문제가 정치나 문화의 영역에서 벗어나 독립적으로 탐구되었다. 그렇지만 18세기와 19세기 초반의 영국을 비롯한 각국의 경제상태는 아직 그렇게 발달하지 못한 농업국가였으며, 새롭게 공업을 중심으로 근대화를 이루어야 하는 과제를 안고 있었다. 따라서 많은 경제학자의 관심사는 어떻게 하면 국민들이 누리는 재화의 크기를 더 크게 할 수 있을 것인가에 있었다. 이를 도표 4에서처럼 생산가능곡선으로 나타내자면, 생산가능곡선이 *AB*에서 *A′B′*의 바깥 방향으로 이동하는 것이 된다. 기술개발과 이용 가능한 자원의 발굴로 인해 이와 같이 생산가능곡선의 확대가 나타나는 것을 경제성장economic growth이라고 할 수 있다. 오늘날에도 많은 후진국들이 어떻게 하면 경제 규모를 확대할 수 있을까를 고민하고 있는데, 이와 같은 경제성장 문제도 경제학의 한 과제라 할 수 있다.

다음으로, 1870년대에 들어서면서 많은 경제학자들이 어떻게 하면 주어진 자원을 가지고 더 효율적으로 생산할 수 있을까에 대해 본격적으로 탐구하기 시작했다. 특히 각자가 자신의 이익대로 행동하는 시장경제에서 어떠한 원리에 따라 자원이 배분되는가, 그 결과가 과연 경제적으로 효율적인가가 탐구의 대상이 되었다. 이러한 효율적 자원배분의 문제는 생산가능곡선 *AB*에서 시장기구에 따라 A_1이나 B_1 중에 어떤 점이 선택될 것인가, 또한 그 선택된 점이 과연 경제적으로 효율적인가를 판단하는 문제로 나타난다. 앞으로 주로 다루게 될 시장과 가격의 문제는 이와 같이 서로 관련되어 있다. 즉, 시장경제하에서 각 소비자와 각 기업가의 경제 행위를 분석하는 것은 바로 가격의 결정과 움직임을 분석하는 문제가 되는 것이다. 이와 같이 각 개인이나 개별기업의 경제 행위를 분석함으로써 경제문제를 설명하는 방법을 '미시경제학微視經濟學, micro-economics'이라 한다.

한편, 1930년대에 들어서서 여러 선진국에서 많은 실업자와 유휴설비가 발생하는 세계 대공황이 발생했다. 이 당시 경제의 주된 관심사는 어떻게 하면 이용되지 않는 자원을 최대한 이용할 수 있는가였다. 달리 말해, 어떻게 하면 도표 4의 C점과 같이 생산가능곡선 내부에 있는 상태에서 벗어나 생산가능곡선상의 상태로 변화시킬 것인가 하는 문제였다. 이와 같이 모든 자원의 완전고용을 비롯해 경제 규모의 안정을 달성하는 문제는, 영국의 경제학자 케인스J. M. Keynes(1883~1946)에 의해 본격적으로 탐구되었다.

이와 같이 한 국가의 전체 자원의 이용을 관찰하려면, 경제의 전체 모습을 분석하는 방법이 편리한데, 이 분석방법에 바탕을 둔 경제학을 '거시경제학巨視經濟學, macro-economics'이라 부른다. 개인의 행동분석을 바탕으로 가격의 움직임을 관찰하는 미시경제학과 경제 전체에 관련된 변수를 관찰하는 거시경제학은 경제학의 커다란 두 분야를 이루고 있다. 미시경제학이 마치 나무 하나하나의 특성을 파악하는 것에 해당된다면, 거시경제학은 숲 전체의 모습을 관찰하는 것과 같다.

우리가 어떤 산의 특징을 파악하기 위해서 나무와 숲의 모습을 모두 알아야 하듯이 미시경제학과 거시경제학은 모두 필요한 분야다. 그 이유를 두 가지 측면에서 생각해볼 수 있다.

첫째, 우리가 관심을 가지고 있는 구체적인 경제문제의 특성에 따라 유용한 관찰법을 택하는 것이 필요하다. 예를 들어 학생 개개인이 수업에 잘 참석하는가를 확인하기 위해서는 일일이 학생 이름을 불러야 하지만, 전체적으로 출석률이 어떠한가를 알아보려면 교실의 자리가 어느 정도 메워져 있는가를 살펴보면 충분하다. 마찬가지로 개인의 합리적 행동을 바탕으로 어떤 경제현상을 설명하려면 미시경제학적 방법이 유용하지만, 경제 전체의 흐름을 간편하게 알아보는 데는 거시경제학적 방법도 유용할 때가 많다. 때때로 병의 원인은 잘 모르더라도, 체온을 측정해 병의 진행상태를 파악하고 해열제를 먹여서 증상을 누그러뜨릴 필요가 있듯이 경제 전체의 흐름을 파악하는 것이 필요할 때가 있는 것이다. 물론 엄밀한 미시경제학적 방법으로 경제문제의 원인을 정확히 알 수 있다면 더 바람직한 것이 사실이다.

그렇지만 둘째로, 어떤 경제문제에선 개인의 행동만을 관찰해서는 문제의 소재를 파악하기가 거의 불가능하다. 예를 들어, 한 학생이 음악을 크게 틀어주는 찻집에 들어섰다고 해보자. 그곳에 앉아 있는 손님들이 서로 이야기를 하려고 목청을 높이고 있는 것을 보고, 손님들이 서로 의사를 잘 전달하고 있다고 생각한다면 그것은 잘못된 판단이 될 것이다. 서로 목청을 높이다 보면 오히려 의사전달이 더 어려워지기 때문이다. 이 경우에는 찻집을 들어선 순간 그곳 전체의 소음도를 측정해, 서로 의사전달이 안 되겠다고 판단하는 것이 좋을 것이다. 마찬가지로 모든 사람이 자신이 파는 제품과 용역의 값을 올리는 경우, 실제로는 소득이 증가되지 못하고 명목상 화폐단위로 표시된 값만 증가되는 경우가 있다. 이와 같이 전반적인 물가상승 현상은 거시적 관찰로써 파악되는 경제문제라 하겠다.

다시 정리하면, 희소한 자원의 효율적 배분에 대해 탐구하는 경제학에서는 경제성장, 가격결정, 경제안정 등의 경제문제를 분석하며, 이를 위해 미시경제학적 방법과 거시경제학적 방법을 동원하고 있다. 이와 같은 연구방법에서 언급된 용어들은 생소하게 느껴질지 모르겠으나, 우리의 일상생활 주변의 사고방식에 아주 가까운 것이라 하겠다. 따라서 본격적으로 경제문제를 다루게 될 2부의 논의를 차분히 읽어본다면, 좁은 의미의 경제문제뿐만 아니라, 일상생활에서 부닥칠 수 있는 선택문제에 적용되는 많은 삶의 지혜를 깨닫게 될 것이다.

경제학과 경제정책

그러면 이러한 경제학 연구가 그대로 경제정책으로 연결되는가? 물론, 경제학자들이 경제성장이나 안정 및 가격문제와 관련된 경제정책에 유용한 정보나 조언을 많이 제공하고 있기는 하지만, 경제학자와 경제정책가는 엄밀한 의미에서 차이가 있다. 경제학자에게는 현실에 대한 이해와 설명의 역할이 주어져 있다면, 경제정책가에게는 현실 개선의 역할이 주어져 있다. 이 점이 경제학과 경제정책의 관계를 보여주는 중요한 차이이다.

경제정책가들은 경제학자들의 정보나 조언 이외에도 가치관의 차이로 서로 다른 결정을 지지할 수 있다. 예를 들어, 상속세의 세율을 어느 정도의 수준으로 할 것인가는 상속물에 대한 정당성을 어느 정도 부여하는가에 달려 있으며, 이는 가치관에 따라 달라질 수 있다. 행동 과정이 정당하다면 그 결과의 정당성을 보장해주어야 한다고 생각하는 자유주의자들은 낮은 상속세율을 주장할 것이지만, 결과물에 대해서도 어느 정도 공평한 배분이 이루어져야 한다고 생각하는 평등주의자들은 비교적 높은 상속세율을 주장할 것이다.

또한 경제학자들 사이에서도 같은 사안에 대해 서로 다른 견해가 있을 수 있다. 과학적 판단의 차이가 서로 다른 설명을 낳는 것이다. 한국은행의 금리정책을 예로 들어보자. 일군의 경제학자들은 현재의 상태에서 저금리정책은 인플레이션을 유발할 것이라 하고, 다른 경제학자들은 오히려 경기활성화를 위해 저금리정책이 긴요하다고 주장한다. 이는 현재의 경제상태를 진단하는 것과 관련된 이론의 타당성에 대한 직감의 차이, 중요한 변인에 대한 의견차, 사용하는 데이터의 차이 등에 따라 과학적 판단도 서로 다를 수 있음을 보여주는 것이다.

경제의 분석모형과 실제 세계

경제학적 분석(주로 실증경제학을 말함)은 주로 모형을 통해 이루어진다. 여기서 경제모형(또는 경제분석모형)이란 현실경제를 단순화하고 축소해 경제의 움직임을 쉽게 이해할 수 있게 만들어놓은 것을 말한다. 이를 통해 현실세계를 잘 보여줄 수 있고, 훨씬 단순화되고 진짜 중요한 것을 볼 수 있게 해주기 때문이다. 이는 생물시간에 인체를 설명하기 위해 플라스틱 인체모형을 사용하는 것과도 유사하다.

경제분석모형은 수식이나 그림 등의 여러 형태를 띠는데, 대개 변수variables, 가정, 가설 등의 요소를 포함한다. 경제분석모형을 구체적으로 이해하기 위해 변수, 가정, 가설 등에 대해 좀더 자세히 알아보기로 하자.

여기서 변수란 여러 가지 다른 값을 취할 수 있는 수를 말한다. 예를 들어 이자율, 국민소득, 물가 등은 앞에서 언급한 거시경제의 중요한 변수다. 경제모형은 이러한 변수들 사이의 관계를 주로 함수형태로 나타낸다. 소비와 소득 사이의 관계를 표현한 소비함수가 그 예다.

또한 경제학은 그 분석에서 가정을 사용한다. 가정은 현상의 설명을 단순화시켜주고 중요한 사항을 분명히 나타내주는 장점이 있다. 그러나 가정은 그 자체의 사실적 정확성으로 평가하기보다는, 그것에 기초한 설명이 어느 정도 타당한가에 따라 그 유용성을 판단해야 한다. 경제학에서 흔히 사용하는 가정의 대표격의 하나는 '다른 조건이 일정하면ceteris paribus' 이다. 이는 단기적인 경제현상의 분석에서, 불필요한 요인을 생략하고 중요한 요인만을 잡아 경제현상을 설명할 수 있게 하고, 대체적인 윤곽을 잡은 후 그 요인 가운데에서 어느 것이 중요한 것인지를 설명하는 방식과 관련되어 있다.

가설은 현실경제 자료의 분석 결과에서 얻어질 수 있다고 여겨지는 결론을 말한다. 가설은 자주 조건부적 예측형태를 띤다. 예를 들어 '가격이 상승하면 수요량이 감소할 것이다' 는 이미 검증된 바이지만 이러한 조건부적 예측형태의 가설이다.

이러한 경제모형에서 가설이 과연 현실과 부합하는지는 검증의 절차를 거쳐야 한다. 검증을 거쳐 그 신빙성이 인정된 가설은 그러한 과정이 되풀이되면서 일반화되고 나중에는 이론으로 정립된다.

경제학의 이론은 이러한 경제모형과 실제 세계를 연결하는 가교 역할을 한다. 모형을 통해 정립된 이론은 현실 경제사회를 설명해주고 그 이해를 깊게 해주기 때문이다. 이론은 그 정의상으로도 관찰된 현상의 배후에 있거나 그 현상에서 보여지는 규칙성을 발견하는 것이며, 이는 현실의 경제현상에서 나타나는 변수들의 상관 또는 인과관계 및 그 결과에 대한 체계적 이해를 가능하게 한다. 또한 이러한 이론을 통해 우리는 경제사회에 대한 예측 능력을 갖게 된다. 예를 들어, 통화량이 다른 변수에 비해 상대적으로 과도하게 증가하게 되면, 화폐이론에 따라 물가가 상승할지 모른다는 예측이 가능하다.

여기서 생각해볼 수 있는 하나는 사람들의 경제 행위가 매우 불안정할 수 있음에도 불구하고 경제집단에 대한 이론을 구축할 수 있는가 하는 점이다. 즉, 사람들의 경제적 반응 행동이 안정적일 것으로 기대하기는 어렵다는 점이다. 그러나 경제분석은 특정 개인이 뜻밖의 반응을 보이더라도 집단의 반응은 상당히 안정적일 수 있다고 믿는다. 이는 통계학의 대수의 법칙law of large numbers을 생각하면 쉽게 이해할 수 있다. 즉, 많은 개인으로 구성된 집단의 경우, 각 개인의 반응에서 나타나는 뜻밖의 우연적 측면은 상쇄되는 현상이 나타난다는 것이다. 이렇게 생각하면 개별 경제인의 불규칙적인 행동은 전체 집단에서 보면 상쇄할 수 있는 것이어서 집단에 대한 안정적 이론의 구축이 가능해지는 것이다.

포퍼K. Popper에 따르면 검증과 관련해서도, 하나의 주장이 검증되는 과정에서 두 가지 가능성이 생긴다. 여기서 주장이란 '잠재적으로는 거짓일 가능성이 있지만 현재는 그것을 검증할 수 없는 것'을 말한다. 검증 결과가 긍정적이면 가설은 가끔 잠정적으로 진실인 것으로 여겨진다. 그러나 이것이 진실을 증명한 것은 아니다. 모든 지식은 추측에 기인한 것이다. 그리고 검증 결과가 부정적이면 가설은 거부

경제모형은 사실 지도와 같다. 지도는 그 지역을 이해하는 데 도움을 줄 수 있게 추상화되어 있으며, 실제 세계는 3차원이지만 이를 2차원에 표현한다. 도로와 산이 지도상에 표시되기는 하지만, 이는 현실의 도로와 산이 아니다. 또한 우리가 서울에서 포천을 자동차로 간다면 우리에게 필요한 것은 자세한 전체의 실제가 아니라 이용해야 할 도로와 방향일 것이며, 지도는 이러한 점에서 이동에 매우 유용하다. 이러한 점들은 경제모형에서도 마찬가지다.

＊지도 출처: NAVER 지도찾기

되고 거짓인 것으로 여겨진다. 그러나 이 역시 거짓으로 완전히 판명된 것은 아니다. 이는 단지 검증자료에 따른 거부일 뿐이다.

경제모형과 관련해 한 번 더 강조되어야 할 것은, 모형을 하나의 실제로 생각하는 것은 잘못이란 점이다. 모형은 실재하는 경제사회의 한 면을 보여주는 가설적 형태에 불과하다. 사실 전체 경제사회의 모습과 그 연관성은 누구도 그릴 수 없다. 또한 모형은 단지 실제 세계의 예측을 위한 도구이지 실제 세계 그 자체는 아니다. 사실 실제 세계는 언급했듯이 누구도 그대로 그릴 수 없으며, 또 그렇게 하는 것이 반드시 필요한 것도 아니다. 우리가 모형을 사용하는 것은 분석의 편의와 효율적 예측을 위한 것이어서 실제 세계 그 자체가 아니어도 이러한 목적은 달성될 수 있다.

요약

이 장에서는 유한한 자원에 비해 인간의 욕망이 크다는 사실에서 생긴 경제문제의 특성에 대해서 생각해보았다. 희소성이라고 불리는 이 문제 때문에 인간은 불가피한 선택을 할 수밖에 없고, 하나의 선택을 하면 다른 욕망의 일부를 포기해야 하므로 경제적 선택에는 반드시 기회비용이 따른다. 따라서 경제적 선택은 주어진 자원을 가장 효율적으로 쓰는 합리적 선택이어야 한다. 좀더 구체적으로 무엇을, 어떻게, 누구를 위해 생산, 소비, 분배할 것인가라는 문제를 생각해보는 것이 경제학의 과제다.

중요개념

- 희소성과 경제문제
- 기회비용
- 효율성
- 생산가능곡선
- 미시경제학과 거시경제학
- 경제모형

더 깊이 이해하기

우리는 이 장에서, 희소성에 따른 효율적 선택이라는 주제를 다루는 것이 경제학의 주된 과제라고 설명했다. 이렇게 볼 때 경제학의 분석방법은 생산, 소비, 분배에 관한 문제 외에도, 다양한 사회문제에 이용 가능하다. 경제학을 '사회과학의 여왕'이라고 부르는 이유도 여기에 있다. 예를 들어, 유한한 자원인 시간을 어떻게 효율적으로 쓸 것인가를 생각해볼 때, 경제학의 유용성이 잘 나타날 것이다. 하루 24시간을 어떻게 배분하며,

한 사람의 전 생애를 어떻게 활용할 것인가라는 문제가 바로 경제문제인 것이다.

여기 소개된 경제문제에 관한 논의는 가장 많은 수의 경제전문가들이 동의하는 표준적인 내용이지만, 경제학자가 10명 있으면 11가지의 견해가 있다는 농담도 있듯이, 경제문제에 대해서도 여러 가지 다른 견해들이 존재하고 있다.

경제학자 이야기 1

경제학의 아버지, 애덤 스미스

Adam Smith(1723~1790)

스미스는 스코틀랜드에서 관세청 검사관의 독자로 태어났다. 그는 스코틀랜드의 글래스고 대학을 졸업하고, 명문 옥스퍼드 대학에 갔으나 너무 딱딱하고 보수적인 대학 분위기 때문에 별로 재미있게 공부하지는 못했다.

그는 1751년에 글래스고 대학에서 교수가 되었으며 철학, 윤리학, 심리학, 정치학 등에 걸친 광범위한 분야에 대해 강의를 했다. 그는 많은 독서와 사색, 프랑스 등지의 여행을 통한 경험을 집대성해, 1776년에 불후의 명저 『국부론』을 발간했다.

이 책에서 스미스는 한 국가의 경제가 발전하려면 각 개인이 생산적인 직업에서 근면하게 일해야 하며, 이를 위해서는 각 개인이 자신의 경제적 이익을 추구하도록 허용해야 한다고 주장했다. 그는 당시 절대왕정의 영향으로 정부와 일부 특권층이 경제에 간섭하는 것을 통렬하게 비판했다.

스미스의 『국부론』은 경제학의 고전 중의 고전이며, 그의 경제사상은 영국 고전학파 경제학의 기초가 되었다. 『국부론』은 체계적인 경제학의 출발점으로 간주되며, 현재 수많은 경제학자들이 스미스를 경제학의 아버지로 높이 받들고 있다.

2
각국의 경제생활

읽을거리

세계의 경제지도

아래 도표는 과거 어느 해의 각국 국민들의 생산을 기준으로 잡아 각국의 경제 규모를 세계지도상에 면적으로 표시한 것이다. 우리나라 규모와 비교할 때 미국은 25배, 일본은 14배, 독일은 6배, 프랑스는 4배 수준이다. 한편 중국은 인구는 많지만 경제 규모는 그렇게 크지 않으며, 아프리카 대륙은 모두 합쳐 우리나라의 몇 배 정도에 불과하다.

도표 5 | 국민총생산지도

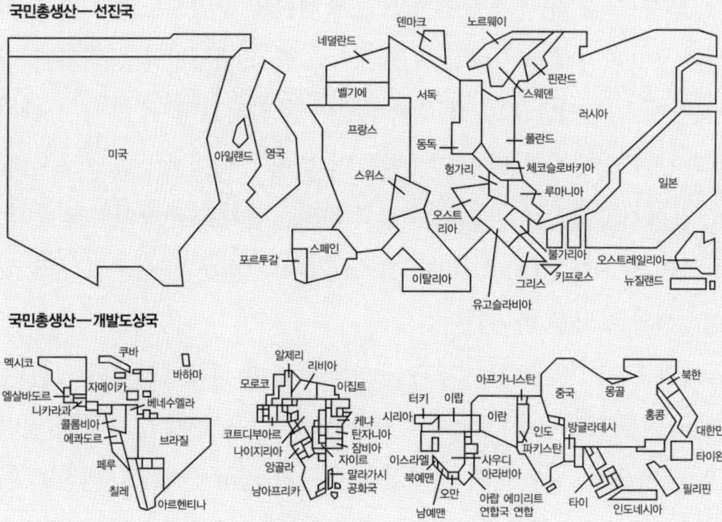

출처 〈Newsweek, 1981, Oct., 26〉

경제생활의 과거와 현재

지금으로부터 약 300만 년 전에 인류가 발생한 이후, 인류는 자연으로부터 생활에 필요한 물건을 획득하면서 경제생활을 시작했다. 이 당시 인류는 동물과 마찬가지로 자연의 산물을 채취해 살았으므로, 본능에 의해 생존하는 것이 경제생활의 전부였다고 할 수 있다. 오랜 시간이 지남에 따라 인류는 점차 도구를 이용해 자연을 가공하는 생산활동을 시작했지만, 이때 역시 자연의 힘에 크게 의존했기 때문에 경제생활은 불안정했다. 또한 자연발생적으로 생긴 집단이나 촌락에서 혈연관계를 중심으로 살아가는 것이 고작이었으므로 경제활동을 위한 사회조직도 단순했다.

기원전 3000년에서 1000년 사이에 농경사회가 발달하게 됨에 따라, 인류는 강 유역을 중심으로 정착생활을 하면서 고대문명을 이루었다. 이때 지배자인 국왕을 정점으로 한 고대국가가 성립되어 명령과 강제력을 기반으로 한 경제생활이 유지되었다. 경우에 따라서는 국가간의 전쟁에서 패배한 사람들이 노예가 되어 생산도구로서 강제로 일하기도 했다. 이와 같은 경제생활은 점차로 촌락이나 영주가 관할하는 토지를 단위로 하여 신분관계와 관심을 바탕으로 운영되는 경제생활로 차츰 바뀌었다.

이와 같이 본능, 명령, 관습을 바탕으로 한 경제생활에서 개인의 선택을 중심으로 한 경제생활로 바뀌게 된 것은 18세기 이후의 일이었다. 세계에서 가장 먼저 근대화를 이룩한 영국에서는 근대적인 사유권이 확립되고 시장을 통한 자발적 거래가 활발해지면서 공업화가

만리장성 중국에서 약 2000년 전에 지어진 성벽으로 국왕의 힘을 상징하며 그 길이가 2,700km 이상이다. 수백만 명이 동원되어 손으로 만들었다. 주로 인력을 동원해 이러한 대규모 건설이 가능했던 것은 명령에 의해 경제사회가 움직였기 때문이다.

획기적으로 진행되어, 농업중심 사회에서 공업중심 사회로 변했다. 뒤를 이어 프랑스, 독일 등 유럽 각국과 미국에서도 공업화가 진행되면서 시장경제가 확립되었다.

19세기의 유럽과 미국의 산업화 과정은 제2차 세계대전 이후 후진국의 산업화 과정과 같이 아주 빠른 것은 아니었지만, 18세기에 비하면 경제생활의 방식을 급격히 바꿔놓은 것이었다. 흔히 이 과정을 산업혁명이라고 표현하기도 하고, 로스토W. Rostow 같은 경제학자는 비행기에 비유해 이륙take-off단계라고도 부른다. 이 변화 과정 속에서 각국 경제는 공업 중심으로 급속히 개편되었고, 그 성장 속도도 대단히 빨라졌다. 또한 도시화가 진전되어 생활환경도 크게 달라지기 시작했다.

그런데 이러한 산업화 과정에서 기계화에 따른 실업자 발생, 빈부격차의 증대, 도시 생활환경의 악화 등의 부작용이 발생했다. 이에 따라 산업화에 따른 모든 사회문제가 자본주의 자체의 결함에 있다고 비판하고, 그 대안으로 생산을 위한 수단을 공유하고 경제를 계획에 의해 운영할 것을 주장하는 사회주의 사상이 등장했다. 1917년에는 세계 최초로 러시아에서 사회주의자에 의한 혁명이 성공해 사회주의 국가가 수립되었고, 제2차 세계대전 이후에는 동유럽 8개국을 비롯해 중국, 쿠바 등이 사회주의화되었다. 그 이후 사회주의 국가들은 계획경제에 의한 성장과 평등한 분배를 추구했으나 개인의 창의성을 무시함으로써 효율적인 경제운영에 실패했으며, 이 때문에 1980년대에 들어서면서부터는 시장경제원리를 도입해 자체 내 경제개혁을 도모하게 되었다.

이처럼 20세기 후반에 들어서 자본주의와 사회주의의 체제간 대립과 경쟁은 거의 끝나게 되었으며, 어떻게 하면 자국의 발전단계와 특성에 맞게 시장경제원리와 정부의 시장개입을 조화시킬 것인가 하는 문제가 경제정책 담당자의 주된 관심사가 되었다.

자본주의 시장경제와 사회주의 계획경제

이제 각국의 경제생활에 대해 자세히 생각해보기에 앞서, 경제활동에 참여하는 경제주체의 상호 관계를 규정하는 일반적인 형태에 대해 생각해보자. 지구상에 존재하는 그 어떤 국가든지, 그 국민경제는 자신이 지향하는 목적을 위해 경제 내에 존재하는 여러 가지 자원을 배분해야 한다. 이러한 배분을 위한 체계적인 장치가 바로 경제체제다. 그리고 흔히 이야기하는 특징적인 두 가지 경제체제로 자본주의 시장경제capitalist market economy와 사회주의 계획경제socialist planning economy가 있다.

자본주의 시장경제는 줄여서 자본주의 또는 시장경제라고도 한다. 이 경제체제하에서는 기계, 건물, 토지와 같이 생산에 필요한 수단이 주로 개인에 의해 소유되고, 각 개인간의 경제 행위가 시장에서의 가격기구를 통해 조정된다. 반대로 사회주의 계획경제란 생산수단이 국가 또는 공공단체에 의해 소유되고, 경제 행위가 계획당국에 의해 통제되는 경제체계다. 이를 정리하면 도표 6과 같다.

물론 완벽하게 그렇다고 말하기는 힘들지만, 순수한 형태의 시장경제나 순수한 사회주의의 예로 다음과 같은 것들이 언급될 수 있다. 20세기 초반의 미국과 같이 비교적 모든 생산수단의 사유가 허용되고 정부의 간섭이 적은 경제가 자본주의 시장경제의 예가 된다. 그리고

도표 6 | 경제체제의 비교

비교기준	자본주의	사회주의
생산수단 소유	사유	국공유
조정기구	시장	계획
의사결정 방식	개별 경제주체	중앙계획당국
동기	개인적 이익	공동목표 추구

1930년대에서 1950년대까지 존재한 스탈린 치하의 소련경제가 사회주의 계획경제의 전형적인 예다.

다시 한 번 자본주의와 사회주의의 특징을 말한다면, 자본주의란 사유재산제도와 경제적 자유를 토대로 하여 각 경제주체가 자기 책임하에서 개인적인 이익을 추구하며, 시장에서 결정되는 가격을 신호로 삼아 생산, 소비, 분배를 이루어가는 경제체제다. 그리고 사회주의는 생산수단을 개인이 소유하지 않고 국가나 공공단체가 소유하고 생산, 소비, 분배가 계획당국에 의해 이루어지는 경제체제다. 따라서 자본주의에서는 의사결정이 각 개인에게 달려 있으며, 이익과 손해를 따져가며 경제 행위를 하므로 경제적 창의성과 효율성이 추구된다. 반대로 사회주의에서는 의사결정이 일부 관료집단에게 집중되어 있고, 이들의 의사결정 과정은 경직화되기 쉬워 효율성이 저해되지만, 상대적으로 평등이 추구되는 특징이 있다.

자본주의와 사회주의에는 각각 장단점이 있으므로 체제의 성과에 대해서는 여러 가지 의견이 분분하지만, 대체로 자본주의의 경제운영 방식이 경제문제를 해결하는 데 더 효율적인 것으로 평가되고 있다. 사실 최근 중국의 변화만 보더라도 "모든 사람의 업무는 그 누구의 업무도 아니다Everyone's business is no one's business"라는 말대로 모든 사람들이 모든 사람들을 위해 일한다는 사회주의에서는 경제적 비효율성이 커다란 문제가 되었음을 알 수 있다.

경제체제는 흔히 자본주의 시장경제와 사회주의 계획경제로 나뉘기도 하지만, 현실적으로 각국의 경제체제를 구체적으로 살펴보면 모두 약간씩 다르게 마련이다. 예를 들어, 자본주의와 같이 사유재산제도를 인정하면서도 정부가 경제운영에 일일이 간섭하는 경우가 있다. 극단적인 예로는 제2차 세계대전 전에 히틀러가 주도한 독일 나치스체제하의 통제경제가 있다. 또한 미시적으로는 자본주의 시장경제를 유지하면서도 거시적으로는 정부와 금융 및 기업집단의 협력을 중시하는 경우가 있는데, 일본이 그러한 경우다. 또한 사회주의에 의해 공유제를 유지하면서도 시장기구를 도입해 경제를 운영하려는 시장사회주의도 있을 수 있으며, 과거 유고슬라비아의 예가 그러했다.

그런데 1980년대 이후부터는 사회주의 국가에서도 경제개혁을 통해 중앙집권적 계획을 폐기하고 시장기구를 활성화하는 한편, 사유재산제도와 민간기업을 도입하려는 시도를 해오고 있다. 따라서 자본주의와 사회주의의 대립이라는 도식에서 경제생활을 바라보기보다는, 각국의 경제가 시장과 계획을 어느 정도 혼합하면서 어떻게 자국 경제의 성장과 발전을 추구하고 있는가 하는 관점에서 파악하는 것이 더 유용할 것이다.

사실상 오늘날 각국의 경제는 시장경제의 요소와 계획경제의 요소가 혼합되어 있다. 1930년대의 세계 대공황 이후, 서구의 자본주의 국가에서도 정부가 공공지출 등을 통해 경제활동에 개입하는 경우가 많아졌다. 예를 들어, 몇몇 통계치에서 각국 내에서 1년간 생산된 재화나 용역, 즉 국내총생산GDP 중에서 정부지출이 차지하는 비중을 보면, 스웨덴 등은 무려 65%를 넘으며 독일, 프랑스, 영국 등은 대부분 45%를 전후하고 있고, 미국이나 일본도 30%를 훨씬 넘어서고 있다.

이와 같이 시장경제를 골격으로 하면서 정부에 의한 경제개입을 허용하는 경제를 혼합경제mixed economy라고 한다. 어떤 의미에서는 현

일본 도쿄 시내 전경 일본식 자본주의 시장경제체제는 미시적으로는 시장경제를 준수하면서도 국민경제 전체의 입장에서는 정부와 민간의 협력을 중시한다.

재 대부분의 국가가 정도의 차이는 있지만, 혼합경제의 양상을 띤다고 해도 틀린 말은 아니다. 과거 대표적 사회주의 경제국가였던 중국 역시 오늘날 시장을 통한 이익추구의 경제활동 양식을 광범위하게 채택하고 있다. 물론 혼합경제 내에서도 모든 경제활동을 개인이나 민간에게 모두 맡길 것인가, 아니면 정부가 적극적으로 경제활동에 개입할 것인가를 놓고 많은 논란이 있어왔다. 정부의 적극적인 경제 개입을 주장하는 논의를 큰 정부big government에 관한 주장이라고 하며, 반대로 정부의 최소한 개입을 주장하는 쪽을 값싼 정부론 혹은 작은 정부cheap government론이라고 한다.

어떤 나라든 역사의 전개 과정에서 경제활동의 양식은 상황에 맞게 바뀐다. 우리나라도 1960년대 이후 정부가 경제개발계획을 수립하고 집행하면서 민간의 경제활동에 많은 영향을 끼쳤다. 사실 이 당시에는 큰 정부를 주장하는 사람들이 많았다. 그러나 1980년대 이후 경제 규모가 커지면서부터는 민간주도의 경제운용을 외치면서 정부 역할의 축소를 주장하는 사람과 공공복지 지출을 중심으로 여전히 정부가 해야 할 일이 많다고 주장하는 사람들로 나뉘어, 상당한 논쟁이 벌어져왔다.

시장경제의 분석과 경제인

보통 자본주의 시장경제를 줄여서 시장경제market economy 또는 자유기업경제free enterprise economy라고 한다. 이 시장경제에서는 경제적 의사를 결정하는 권한과 책임이 개인 또는 민간에게 있다. 시장경제하의 각 개인은 자신의 능력 안에서 각자가 알아서 경제 행위를 하고 그 결과에 대해서 자신이 최종적인 책임을 지는 것이다.

보통 경제학자들은 시장경제에서 이루어지는 개인이나 집단의 행동을 설명하려 할 때, 그들이 설명하려는 인간에 대해 일정한 가정을 한다. 즉, 시장경제에 참여하는 각 개인은 자신의 경제적 이익에 따라서 합리적 선택을 한다고 가정된다. 이와 같이 합리적 선택을 추구하는 유형의 인간을 흔히 '경제인homo economicus, the self-interested model'이라고 한다. 물론 이 경제인은 전지전능하여 모든 정보를 갖고 있거나 미래의 일을 모두 아는 것은 아니며, 다른 사람의 행위에 영향을 받을 수도 있다. 여기에서 합리적인 경제인을 상정하는 것은, 주어진 여건과 주어진 정보하에서 자신에게 가장 최선이 되는 행동을 선택하는 사람을 상정해야 경제생활을 설명하는 데 가장 유용한 설명 방식이 되기 때문이다.

그런데 사실, 인간에게는 이러한 측면만 있는 것은 아니다. 사람들은 실제로 집단을 이루어 살고 있으며, 또한 그 속에서 권한을 행사한다. 실제로, 우리는 주어진 자원의 배분 과정에서 이러한 측면을 자주 경험한다. 기업의 주어진 이익을 배분하는 과정에서 노사가 대

시장경제에 참여하는 각 개인은 자신의 경제적 이익에 따라서 합리적 선택을 한다고 가정된다. 이와 같이 합리적 선택을 추구하는 유형의 인간을 흔히 '경제인'이라고 한다.

립하는 것이 그 예다. 이 점에서 보면 개인이 속한 집단의 정체성이나 행동규범의 이해는 인간의 행동을 이해하는 데에 매우 중요하다. 우리는 이러한 인간을 '사회인the social model' 으로 개념화할 수 있을 것이다.

또한 인간에게는 자신이 생각하는 옳고 그름의 기준과 믿음에 따라 행동하는 측면이 있다. 이러한 믿음은 자신이 속한 세계와 삶의 공간에 대한 문화적인 세계관에 의해 형성되는 것이다. 물론 이것이 인간이 종교적으로 행동한다는 것을 말하는 것은 아니다. 단지 사람들은 자신이 믿는 대로 체계를 정립하고 이와 대립되는 행동에 대해서는 갈등을 일으킴이 분명해 보인다. 이러한 인간을 우리는 '도덕인the moral model' 이라 부른다.

이 책에서 설명하고자 하는 것은 자신의 경제적 이익에 따라 합리적 선택을 추구하는 경제인의 행동이다. 예를 들어, 자녀를 양육하는 것은, 사회인의 견지에서 보면 가족이란 집단의 형성을 위한 것으로 볼 수 있지만, 도덕인의 견지에서 보면 전통과 종교에서 출발하는 책임을 완수하기 위한 것으로 이해할 수 있다. 그런데 이를 경제인의 견지에서 보면, 자녀의 양육이 주는 만족과 비용 사이의 선택으로 이해할 수 있는 것이다. 이 책은 이러한 경제인을 가정하고 인간의 경제활동을 설명하고 있다.

시장경제의 경제주체

시장경제에서 각 개인은 그 행위 방식에 따라 몇 가지 경제주체로 나뉜다. 우선 소비생활의 주체가 되는 소비자consumer가 있다. 소비자는 보통 주어진 소득을 가지고 자신의 욕구를 최대한 달성할 수 있도록 합리적으로 재화와 용역을 구매하는 소비 행위를 한다. 보통의 경우 소비의 단위는 가계household 또는 가족family인 경우가 많으므로, 소비자라 하더라도 한 개인과 일치하지 않을 수 있다.

예를 들어, 식탁과 같은 가구류나 전자레인지 등은 한 가족이 하나를 사서 공동으로 소비하므로 가족 전체가 한 소비자로서 하나씩을 구매하게 된다. 이때 어떤 모양, 어떤 색상의 식탁을 어떤 가격에 살 것인가를 가족구성원 내부에서 결정하는 방식은 엄밀한 의미에서 경제 행위가 아니다. 따라서 편의상 가족회의를 하든 가장이나 주부가 알아서 정하든, 가계나 가족은 한 소비자로서 개별 경제주체가 되어 행동한다고 볼 수 있다.

가계는 보통 재화나 용역의 구매자로서 재화나 용역을 사고파는 시장에서 수요자로 나타난다. 말하자면, 우리나라의 각 가정에서 욕구하는 각 재화의 수량이 모여서 각 재화시장에서의 수요량으로 나타나는 것이다.

이와는 대칭적으로 재화나 용역을 생산해 공급하는 경제주체가 있는데, 통상 재화생산과 판매를 담당하는 조직체를 기업firm이라고 부른다. 기업은 노동, 토지, 자원과 같은 각종 생산요소를 결합해 산출물을 생산하고 이를 시장에 내다 팖으로써, 판매액과 들어간 비용의 차이인 이윤을 최대화하는 것을 목적으로 활동한다.

밑지고 파는 장사가 없다는 말과 같이, 기업은 판매량을 조절해 밑지는 것을 피할 뿐만 아니라 더 많은 이윤을 남기기 위해 노력한다. 이와 같은 기업 간의 노력은 가격을 통한 경쟁으로 나타나며, 이것이 시장경제의 효율성을 보장하는 큰 힘이 되고 있다. 사실상 기업가는 이윤을 최대화하기 위해 어떤 물건을 만드는 데 비용이 가장 적게 드는 방법을 끊임없이 채택하고 개발해야 할 뿐만 아니라, 소비자의 기호에 맞는 재화를 공급해 판매액을 높이도록 노력해야 한다. 이와 같은 일에 실패한 기업가는 도산할 수밖에 없다.

따라서 시장경제에서는 소비자의 기호가 생산물의 종류뿐만 아니라 가격과 수량을 결정하는 데 큰 영향을 주게 되는데, 이를 '소비자 주권consumer sovereignty'이라 부른다. 반대로, 기업은 광고와 같은 수법으로 소비자의 기호와 욕구에 직접적으로 영향을 주는 작용을 한다. 이와 같이 기업이 직접 소비자의 기호에 영향을 주어 소비를 자극하

도표 7 | 돌고 도는 시장경제

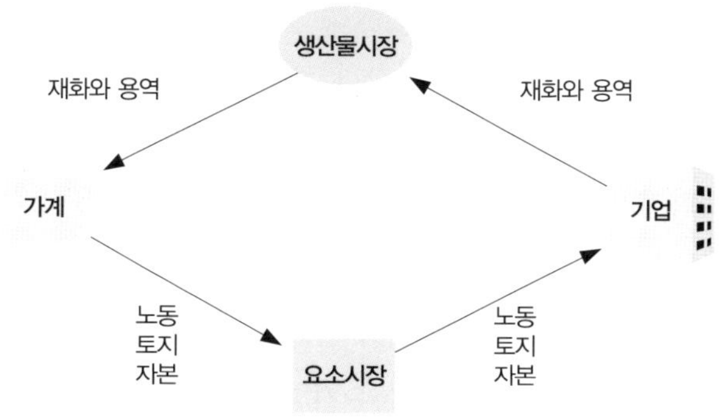

는 효과를 미국의 경제학자 갤브레이스J. K. GAlbraith는 '의존효과dependence effect'라고 불렀다. 그렇지만 주로 경제학에서는 각 경제주체가 독자적인 판단을 한다고 전제하고 설명하므로 시장거래를 통하지 않는 효과들은 가격기구의 움직임을 이해하고 난 후에 따로 생각해보는 것이 편리하다. 이 책에서는 주로 가격기구의 독립적인 움직임을 다룰 것이다.

그런데 소비의 주체가 되는 가계는 소득을 얻기 위해서 자신이 소유한 생산요소인 노동, 토지, 자본 등을 기업 측에 제공하고, 그 대가로 임금, 지대, 이자 등의 수입을 얻게 된다. 따라서 가계는 재화시장에서는 재화의 수요자이지만, 생산요소시장에서는 공급자가 되는 셈이다.

거꾸로 기업 측 입장에서 보면, 재화를 만들어 팔기 위해 계속 생산요소를 구입해야 하므로, 기업은 재화의 공급자이자 생산요소의 수요자가 된다. 도표 7과 같이 돌고 도는 경제활동은 상호작용 속에 계속되므로, 어떤 한 재화시장만을 파악해서는 시장경제의 특성을 완벽하게 이해하기 힘들며, 따라서 모든 시장을 한꺼번에 고려하는 것이 좋다.

그렇지만 한꺼번에 모든 시장의 움직임을 동시에 분석하는 것은 복잡하고 어려운 일이므로, 보통 한 재화시장의 움직임을 파악한 후, 다른 재화시장과의 관련성을 나중에 파악하는 방법을 쓰는 것이 무난할 것이다.

시장경제에서 소비자나 기업과 같은 경제주체를 논의할 때, 한 가지 유의해야 할 사항은 소비자나 기업이 반드시 자연인으로서의 개인과 일치하지는 않는다는 점이다. 예를 들어 한 개인은 소비자로서 소비활동도 하지만 기업인으로서 생산활동도 하는 경우가 있다. 또한 자영농민의 경우 토지, 노동, 자본을 모두 자신이 소유하면서 생산활동도 하고 생산된 농산물의 일부를 자신이 소비하는 경우도 있다. 이 경우에 만약 자영농민의 행동이 시장경제하에서 합리적으로 이루어진다면 그의 경제활동을 기업가로서의 활동과 소비자로서의 활동으로 나누어 고찰할 수 있다. 또한 이 농민의 소득도 지대소득, 임금소득, 이자소득으로 나눌 수 있다.

이처럼 시장경제에서 각 개인은 각 경제주체로서 합리적으로 행동

시장경제에서 경제주체를 논의할 때 유의해야 할 사항은 소비자나 기업이 반드시 자연인으로서의 개인과 일치하지는 않는다는 점이다. 한 개인은 소비자로서 소비활동도 하지만 기업인으로서 생산활동도 병행하게 마련이다.

하여 자신의 경제적 이익을 도모하는데, 과연 그렇다면 각자의 개인적 이익만을 좇아서 하는 경제활동의 결과가 바람직할 것인가 하는 의문이 생긴다. 다른 사람에 의해 지시받거나 간섭받지 않으면서도 사회적으로 적절하게 자원이 배분되어 경제문제가 해결될 수 있을 것인가.

이와 같은 의문에 대한 답은 이미 200여 년 전에 경제학의 아버지라 불리는 애덤 스미스에 의해 제시되었으며, 그 이후 오랫동안 많은 경제학자들이 탐구한 결과 그 대답은 긍정적인 것으로 나타났다. 즉 시장경제에서 가격을 신호로 삼아 개인이 자신의 이익을 좇아 소비, 생산, 교환활동을 하면 결과적으로 비교적 효율성 있게 자원이 배분된다는 것이다.

여기에서 '비교적 효율적'이라고 말한 것은, 어떤 예외적인 경우에는 가격기구를 통한 자원배분이 반드시 효율적인 것은 아니라는 뜻이다. 예를 들어, 마약중독자는 한 번의 소비로 마약가격과 상관없이 계속 마약을 소비하려 한다. 이처럼 가격기구로는 적절하게 소비를 제한할 수 없는 경우가 있다.

그 밖에 좀더 흔히 일어나는 예로는 공공도로가 있다. 공동으로 소비하는 도로 같은 재화는 일단 만들어지면 통행을 제한하기가 어려우므로, 개인은 도로건설을 하는 데 돈을 내지 않고 공짜로 도로를 이용하려고 한다. 이 경우 가격기구로는 적절한 양의 도로가 공급되기 힘들어지므로, 정부가 나서서 도로건설을 하고 세금과 같이 더욱 강제적인 방식으로 재원을 조달하게 된다.

말하자면, 가격기구가 모든 경제문제를 한꺼번에 해결하는 만병통

치약은 아니지만, 다른 어떤 경제조정 메커니즘보다는 상대적으로 효과적인 수단인 것이다.

경제적 선택의 특성

지금까지 시장경제의 특성을 개괄적으로 소개했다. 이제 시장경제하에서의 경제 행위의 특성을 더 자세히 이해하기 위해, 각 개별 경제주체의 입장에서 경제 행위의 특징을 생각해보자. 이를 위해서 순수한 시장경제하에서 엄밀한 의미의 경제 행위와 경제 행위가 아닌 행위의 차이를 생각해보는 것이 좋겠다.

첫째, 시장경제하에서 경제 행위에는 언제나 비용이 따른다는 특징이 있다. 경제문제란 무한한 욕망과 유한한 자원의 차이에서 빚어지는 희소성을 해소하는 문제이므로, 모든 경제 행위와 선택에는 언제나 기회비용이 따른다.

어떤 학생이 주어진 용돈을 컴퓨터 게임을 하는 데에 쓴다면, 책을 살 돈은 그만큼 모자라게 될 것이다. 마찬가지로 정부가 주어진 예산 범위 내에서 청소비용에 과도하게 지출하면 그만큼 나무 심는 데 드는 비용이 줄어들 수밖에 없다. 만약 정부가 예산을 늘려 청소비용과 나무 심는 데 드는 비용을 확보한다면, 그만큼 누군가가 세금을 더 내야 하고, 세금을 더 낸 만큼 민간인의 소비는 줄어든다. 어떤 경우, 정부가 채권을 발행해 몇 년 후에 돈을 갚기로 하고 민간인에게 돈을 빌려 쓸 수도 있으므로 세금을 덜 걷을 수도 있지만, 결국 정부의 빚은 우리의 자손 중 누군가가 갚아야 할 것이 된다.

때때로 우리는 골목 앞 하수도 수리, 쓰레기 청소에서부터 뒷산에 나무 심는 것까지 모두 정부가 해주어야 한다고 요구하는 이야기를 듣는다. 그렇지만 이런 모든 일들은 결국 우리 경제 내의 누군가의 부담이 된다. 경제적 선택은 비용을 회피할 수 없다. 물론 이때의 비용은 앞에서 설명한 기회비용을 의미한다.

둘째, 경제 행위의 선택범위를 볼 때, 참가 여부가 자유롭고 경제 행위의 결과에 대해서 당사자들만 책임을 진다는 특징이 있다. 우리말에 '잘되면 제 탓, 못되면 조상 탓' 이라는 말이 있지만, 이것은 관습적 행위에 해당되는 말이며, 경제 행위에서는 잘되든 못되든 모두 내 책임이며, 그와 동시에 그 행위를 할 것인가 하지 않을 것인가가 모두 각 개인의 권한에 속한다.

우리가 시장에서 물건을 살 때, 어떤 물건을 사든 자유로우며, 가격이 비싸거나 마음에 들지 않으면 사지 않으면 그만이다. 아무도 이를 벌할 수 없다. 때때로 사기 싫은 물건을 억지로 파는 장사도 있지만, 이것은 경제 행위가 아니라 강제적인 행위다. 또 우리가 산 물건이 썩 좋지 않을 경우 그 손해는 물건을 산 당사자가 당하고 마는 것이지 다른 사람이 피해를 입지는 않는다.

이와는 달리 비경제적 행위의 예로서 정치행위를 생각해보면, 선택의 범위가 좁고 그 결과에 대해서 모든 사람이 함께 영향을 받음을 알 수 있다. 예를 들어 한국인으로 태어난 이상, 아주 특별한 경우를 제외하고는 한국인으로서 각종 법적 제한을 받으며, 설혹 내가 선택한 사람이 대통령에 당선되지 않았다 하더라도 국가가 시행하는 각종 정책에 의해서 내가 영향을 받는다.

범위를 좀더 좁혀서 가족과 같이 혈연과 관습에 의해 행위가 결정되는 경우를 생각해보자. 설혹 마음으로 어머니와 자식 간의 관계를 끊었다 하더라도 여전히 한 가족으로 남을 수밖에 없으며, 그 자식이 한 나쁜 행동은 그 부모를 욕되게 하는 것이다. 이것은 어떤 한 학생이 말썽을 부려서 학교의 명예를 더럽힐 경우 그 피해가 학교 전체에 미치는 것과 같다.

이와 같이 선택의 자유와 결과에 대한 영향의 범위가 경제 행위와 비경제 행위에서 확연히 다른 데 착안해, 미국의 경제학자 허쉬먼A. O. Hirshman은 의사결정 방식을 다음과 같이 두 가지로 나누어 설명한다. 즉, 좋고 싫음을 참가와 불참으로 표시하는 '탈퇴exit'와, 참가 여부가 부자유스러운 상태에서 좋고 싫음을 직접 표시하는 '목소리voice'가 그것이다. 즉 탈퇴란 어떤 관계나 조직에서 아무런 강제 없이 자유로이 빠져나올 수 있고, 새로운 관계나 조직에 참여할 수 있는 메커니즘이다. 이에 비해 목소리란 어떤 조직 내에서 다른 구성원들에게 직접 자신의 의사를 알리는 메커니즘이다.

허쉬먼의 이와 같은 구분을 따를 때 대체로 경제적인 의사결정은 탈퇴의 원리에 따르게 된다. 우리가 시장에서 물건을 살 때 어떤 상인이 파는 물건값이 너무 비싸다고 생각한다면 그 물건을 안 사고 다른 상인이 파는 싼 물건을 사면 그만이다. 이 경우 첫 번째 상인은 고객에게 아무런 제재도 가할 수 없다. 시장경제에서 보장된 직업선택의 자유도 탈퇴의 원리가 적용되는 경우라 하겠다. 다른 한편 정치적 의사결정에서, 선거의 결과는 내가 원치 않는 결과가 나오더라도 나

탈퇴와 목소리 경제학자 허쉬먼은 의사결정 방식을 좋고 싫음을 참가와 불참으로 표시하는 '탈퇴'와, 참가 여부가 부자유스러운 상태에서 좋고 싫음을 직접 표시하는 '목소리'로 분류했다.

에게 영향을 주므로, 투표나 유세 등으로 각자 자신의 의사를 다른 사람에게 알리는 목소리의 원리가 작용할 수밖에 없다.

앞에서 경제주체를 설명하면서, 가계 내부에서 가족구성원의 욕구를 파악하고 어떤 물건을 살 것인가를 결정할 때, 그 결정 과정은 관습이나 정치적 결정 과정이라고 말했다. 가족구성원은 가족을 떠날 자유가 거의 없으므로, 자신의 의사를 때로는 나긋나긋하게 때로는 싸워가면서 목소리를 통해 전달할 수밖에 없다. 기업의 경우 기업 내부의 의사결정도 목소리의 원리에 의존하게 되는데, 만약 이 의사소통이 원활하게 이루어지지 않아 기업을 떠나는 사람이 생기면 그 기업은 쇠퇴할 것이다. 이것은 사회주의 국가에서 경제개혁을 늦춤으로써 많은 국민들이 위험을 무릅쓰고 탈출하게 되고, 그로 인해 국가적 위기를 맞게 되는 예와 같다.

이와 같이 시장경제에서의 경제 행위는 자유로운 반면 비용이 수반되며, 그 비용과 결과를 당사자가 책임진다는 특징을 갖는다. 물론 비경제 행위인 정치적 의사결정도 자원배분에 영향을 주므로 함께 고려해야 하지만, 우선 순수한 시장경제에서의 자발적 경제 행위를 따로 생각해보는 것이 시장경제의 특징을 파악하는 데 편리할 것이다.

요약

이 장에서 우리는 각국의 경제활동을 자본주의, 사회주의와 같은 경제체제 면에서 비교해보았다. 그리고 앞으로 주로 다루게 될 자본주의 시장경제의 특징을 경제주체의 경제 행위 면에서 파악해보았다. 즉 시장경제에서는 각 개인이 자유롭게 경제적 선택을 하는 반면, 그 선택에는 비용이 따른다. 또한 각 개인의 이익추구가 사회적으로 효율적인 자원배분을 가져올 수 있다.

중요개념

- 자본주의와 사회주의
- 혼합경제체제
- 경제인
- 시장경제와 경제주체
- 탈퇴와 목소리

더 깊이 이해하기

각국 경제생활의 차이를 비교해보기 위한 경제체제 면에서의 구분이 얼마나 유용한가 생각해보자. 그 밖에 그 나라의 발전 정도, 정치 · 문화 · 관습과 같은 비경제적 요인의 차이는 어떻게 경제생활에 영향을 주는지도 생각해보자.

이와 같은 다양한 요인이 존재함에도 왜 시장경제의 특성을 파악해 일반적 원리를 이해하는 것이 필요한지 논의해보자. 또한 우리나라 경제에서 시장경제의 원리가 우리의 경제생활에 어느 정도 적용되고 있는지 생각해보자.

경제학자 이야기 2

풍운아, 마르크스

Karl Marx(1818~1883)

마르크스는 프로이센에서 태어나 베를린 대학, 본 대학, 예나 대학에서 철학을 공부해 박사학위를 받았다. 그러나 급진적 사상으로 인해 학계 진출이 좌절되자, 언론계에 투신해 프로이센 정부를 비판했다. 그로 인해 그는 프로이센에서 쫓겨나 프랑스, 벨기에 등지에서 망명생활을 한 끝에, 1848년에 친구 엥겔스F. Engels의 도움으로 마침내 영국 런던에 정착하게 된다.

런던에서 마르크스는 궁핍한 생활을 하면서도 한편으로는 사회주의 운동을 하고, 다른 한편으로는 도서관에서 경제학을 독습했다. 그 결과 1867년에 『자본론Das Kapital』 제1권을 출판하게 된다. 마르크스가 죽은 후 엥겔스에 의해 제2권과 제3권이 발간된 『자본론』은 자본주의의 움직임을 해명한 책으로, 사회주의 경제체제의 실제적 운영이나 효율적 자원배분에 관한 분석은 없다.

마르크스는 그의 이론을 통해 자본주의에 대한 비판적 사상을 고취시키는 데는 기여했지만, 시장경제를 이해하거나 사회주의 경제를 운영하는 데는 별 도움이 되지 않았다.

| 알아볼 내용 |

2부에서는 시장경제에서 재화의 가격이 어떻게 결정되는가를 알아보려고 한다. 시장에서는 사는 쪽인 수요자와 파는 쪽인 공급자가 만나서 거래하는데, 이때 가격은 수요하려는 양과 거래하려는 양이 일치하는 곳에서 결정되는 것이 보통이다. 소비자는 다른 재화에 비해 상대적으로 값이 오른 재화의 소비량을 줄이므로, 가격과 수요량 간에는 반대 방향으로 움직이는 관계가 있다. 다른 한편, 재화의 공급자인 기업은 상대적으로 값이 오른 재화의 공급량을 늘리게 되므로 가격과 공급량 간에는 같은 방향으로 움직이는 관계가 관찰된다. 이와 같이 수요와 공급의 움직임에 따라 결정되는 가격기구를 통해 어떻게 자원이 배분되고, 생산, 소비, 분배 등의 경제문제가 해결되었는지를 살펴보는 것이 2부의 목적이다.

2
가격은 어떻게 결정되나

완전평면

1

시장과 가격

읽을거리

희소성과 인심

산에 살면서 계곡에 내려가 물을 길어 먹는 사람들은 축제 때 물을 서로 선물로 주고받는다. 늪지대에 살면서 습기 때문에 고생하는 사람들은 일꾼을 고용해 개천을 파 배수를 시킨다. 흉년인 해의 봄에는 어른은 물론 어린아이들도 먹을 것이 없지만, 풍년인 해의 가을철에는 지나가는 손님도 풍성하게 대접받는다. 이것은 사람들이 자신의 처자식에게는 무관심하면서 지나가는 손님에게 관대하기 때문에 생긴 일이 아니다. 이것은 가지고 있는 식량의 양의 차이 때문에 일어나는 일이다.

— 한비자(?~BC 233)

시장이란?

시장경제에서는 각 경제주체가 가격을 신호로 삼아 경제활동을 한다. 가격은 재화나 용역의 상대적인 희소성을 나타내는 신호가 되는데, 사과와 연필 같은 물건의 값으로 나타나기도 하고 노동의 대가인 임금일 수도 있다.

또한 집값, 전세금, 상가 임대료도 모두 가격이며, 빌려 쓴 돈에 매겨지는 이자율, 외국 돈과 우리나라 돈의 교환비율인 환율도 모두 가격의 하나다. 이와 같은 가격은 모두 시장기구market mechanism에서 결정된다.

일반적으로 말하면 시장이란, 모두 가격을 통해 재화나 용역에 대한 수요량과 공급량이 조정되며, 사는 쪽인 수요자와 파는 쪽인 공급자가 거래를 하는 메커니즘이다. 따라서 시장이란 주부들이 가서 필요한 물건을 사는 가게들이 모여 있는 구체적인 장소만을 뜻하는 것이 아니라, 재화와 용역에 대한 수요와 공급이 만나서 가격이 형성되는 추상적인 기구를 말하기도 한다.

예컨대, 고등학교 졸업자가 일자리를 찾기 위해 어떤 회사에 입사원서를 낸다면, 그 졸업자는 고졸인력에 대한 공급자가 되며, 고졸인력을 구하려는 기업은 수요

자가 된다. 여기에서 양자가 임금이라는 가격을 통해 거래를 하는 고졸인력시장이 형성되는 것이다. 또한 기업의 소유권을 주식이란 형태로 사고파는 주식시장도 시장이며, 정부가 돈을 빌려 쓰기 위해 발행한 채권도 채권시장에서 거래되고 있다. 이와 같은 거래에는 거래인이나 중개소 같은 장소가 있기도 하지만, 거래하는 장소가 흩어져 있거나 없다 하더라도 시장이란 개념을 쓸 수 있다.

결국, 시장기구 또는 가격기구란 수요자와 공급자 사이에 가격을 신호로 하여 거래가 이루어지는 방식이다. 애덤 스미스는 이와 같은 방식을 '보이지 않는 손invisible hand'이라고 표현했다. 따라서 시장을 알기 위해서는 어떤 특정인이나 특정집단의 계획, 간섭 없이도 자율적으로 가격기구에 의해 자원배분이 이루어지는 신비한 과정을 이해하는 것이 필요하다.

유량과 저량

수요와 공급에 의해 시장에서 이루어지는 거래는 수요량과 공급량으로 나타난다. 여기서 한 가지 유의할 점은, 이러한 수요량이나 공급량이 어떤 기간 동안의 매매량의 흐름을 나타낸다는 점이다. 예를 들어, 같은 100개의 사과라 하더라도 하루 동안 수요하느냐 한 달 동안 수요하느냐에 따라 수요의 정도는 큰 차이를 보인다. 이와 같이 그 의미가 경과시간에 의존하는 양을 물의 흐름에 빗대어 '유량流量' 또는 '플로우flow'라고 한다. 플로우는 경제현상을 이해하는 데 참으로 중요한 개념 중 하나다.

이와 대비되는 개념으로서, 어떤 주어진 시점에서 의미를 가지는 양을 '저량貯量' 또는 '스톡stock'이라고 한다. 예를 들어, 물통에 찬 물의 양을 어떤 시점에서 측정하면 그것은 물의 스톡이다. 반면, 매분 이 물통에서 새나오는 물의 양은 플로우다.

좀더 재미있는 예로 9월 18일 2교시 현재 어떤 학급에서 수업을 받는 학생 수는 스톡이지만, 수업이 끝나고 매 분 교실을 빠져나가는 학생 수는 플로우다. 경제변수 중에서 현재의 국토면적, 인구 수, 건물 수, 자본량 등은 저량(스톡)이지만, 매일의 교통량이나 한 달 동안 분양되는 아파트 수, 한 해 동안 기업이 투자한 양, 국내에서 생산된 물건의 시장가치의 총량GDP은 유량(플로우)이다.

이렇게 스톡과 플로우의 개념을 구분한다면, 수요량은 플로우고 시장에서 일정 기간 거래되는 상품의 양도 플로우임을 알 수 있다. 예를 들어 기존 주택의 수가 상당히 많다 하더라도, 어떤 기간 동안

물통에 찬 물의 양을 어떤 시점에 측정하면 그것은 물의 스톡이다. 반면, 매분 이 물통에서 새어나오는 물의 양은 플로우다.

주택시장에 팔려고 내놓은 주택 수가 수요량에 비해 많지 않으면 주택값은 오르게 되어 있다. 물론 이때 기존 주택값도 덩달아 높게 평가되는 것이므로, 물건값에 영향을 주는 것은 플로우로서의 양이라는 것이 분명하게 드러난다.

사는 쪽과 파는 쪽

시장에는 사는 쪽인 수요자와 파는 쪽인 공급자가 있다. 수요demand란 소비자가 재화나 용역을 구매하고자 하는 욕구를 말하며, 수요량quantity demanded이란 소비자가 일정 기간 동안 수요하고자 하는 재화나 용역의 양을 말한다. 이 수요량은 어떤 가격에서 소비자가 구매하고자 하는 의도를 나타내는 양이므로, 반드시 다 실현되는 것은 아니다. 시장에서는 반드시 상대방인 공급자가 있으므로, 사려는 욕구와 돈이 있다 하더라도 마음먹은 양대로 살 수 있는 것이 아니다.

수요에는 특정재화에 대한 개별 소비자의 수요인 개별수요individual demand와 이 개별수요를 합해 특정 재화시장에서 나타나는 시장수요market demand가 있다. 시장수요는 개별수요의 합이므로, 개별 소비자의 행동을 분석하면 수요에 영향을 주는 요인을 알 수 있다.

어떤 재화에 대한 수요를 결정하는 요인으로는 그 재화의 가격, 그 재화 외의 다른 재화들의 가격, 어떤 소비자의 소득, 그 소비재의 기호가 있으며, 그 밖에 시장수요에 영향을 주는 것으로는 인구의 수와 소득의 분포가 있다. 예를 들면, 어떤 소비자의 소득이 증가하면 보통 재화의 수요는 증가하기 쉬우며, 인구 중에서 노인층의 비율이 증가하면 노인들이 쓰는 복지아파트의 수요도 증가할 것이다.

이와 같이 다양한 요인이 수요에 주는 영향을 한꺼번에 생각하는 것은 힘든 일이므로, 어떤 재화에 대한 가격이 그 재화의 수요에 미치는 영향만을 따로 생각하는 것이 보통이다. 말하자면, 어떤 재화에 대한 가격 이외의 '다른 사정들이 동일하다면other things being equal', 그 재화의 가격이 그 재화의 수요에 어떻게 영향을 주는가를 고려한 후, 다른 재화의 가격이나 소득의 변화가 주는 영향을 나중에 고려하는 것이 편리할 것이다.

이와 같이 수요에 영향을 주는 요인을 단순화하여 해당 재화의 가격을 중심으로 생각해보았을 때, 우리는 보통 그 재화의 가격과 수요량 간에 반대 방향으로 움직이는 관계를 발견할 수 있다. 즉, 어떤 재화의 가격이 올랐을 때 그 재화에 대한 수요량은 감소하며, 반대로 어떤 재화의 가격이 내렸을 때 그 수요량은 증가한다. 이와 같은 가격과 수요량의 역관계를 '수요의 법칙law of demand'이라 하고, 이 법칙을 함수 형태로 표시한 것을 '수요함수demand function'라 한다. 즉 어떤 재화의 가격을 P_n이라 하고, 그 재화의 수요량을 D_n이라고 했을 때 수요함수는 다음과 같다. 여기에서 함수 f란 가격(P_n)과 수요량(D_n) 간에 어떤 일정한 관계가 있음을 의미한다.

$$D_n = f(P_n)$$

위와 같은 수요함수를 그림으로 그리기 위해 어떤 재화의 가격을

도표 8 | 수요곡선

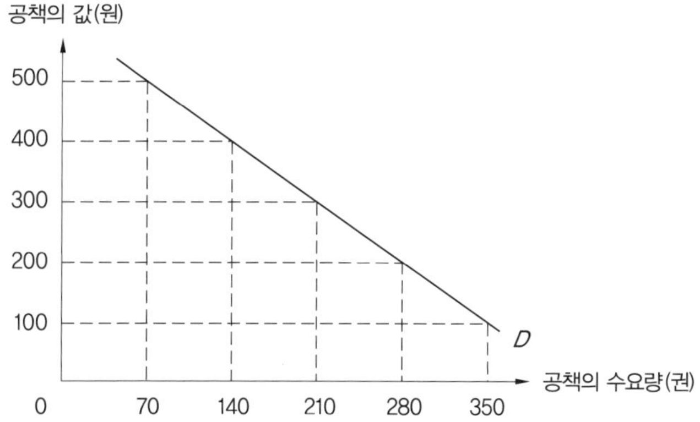

세로축으로 잡고, 그 수요량을 가로축으로 잡는다면, 오른쪽으로 갈수록 내려가는 우하향곡선이 나타난다. 이 곡선을 '수요곡선demand curve'이라고 한다. 예를 들어, 공책의 시장에서 공책값이 500원에서 400원으로 내려갈 때, 매일의 공책 수요량이 70권에서 140권으로 증가한다면, 우하향하는 곡선이 나타날 것이다.

그런데 왜 수요곡선을 우하향하게 그리는 것이 보통일까? 다시 말하면 어떤 재화의 가격이 내렸을 때, 그 물건에 대한 수요량은 왜 증가할까? 이 질문을 만약 여러 소비자에게 물었을 때, 직관적으로 나올 수 있는 대답은 다음 두 가지일 것이다.

첫째, 그 재화의 가격이 다른 재화에 비해서 상대적으로 저렴해졌기 때문이다. 통속적으로 표현하자면, 다른 재화에 비해 '싼 맛에' 사는 것이다. 이와 같이 어떤 재화의 가격이 하락함에 따라 다른 재화를 사는 대신 그 재화를 사게 되는 효과를 '대체효과substitution effect'라 한다.

둘째, 주어진 소득 수준에서 어떤 재화의 가격이 내리면, 같은 소득으로 구매할 수 있는 재화의 양은 상대적으로 커지는데, 이때 실제로 그 재화를 더 많이 산다면 수요량이 증가하기 때문이다. 통속적으로 표현하자면, 종래보다 '많이 살 수 있으니까' 그 재화를 산다는 것이다. 이와 같이 실제로 구매할 수 있는 재화의 양이 많아지는 것과 같은 효과를 실질소득real income의 증가에 빗대어 '소득효과income effect'라 한다.

물론 어떤 재화의 가격이 내려서 실질소득이 증가한 것과 같은 효과가 생기더라도, 왜 반드시 가격이 내린 재화의 수요량이 증가하는가는 의문시해 보아야 한다. 경우에 따라서는 그 재화를 더 소비하지 않고, 다른 필요한 재화를 살 수도 있기 때문이다. 예를 들어, 보리의 가격이 내렸을 때, 어떤 사람이 실질소득이 증가했다고 생각한다면 보리 대신 쌀을 살 수도 있다. 따라서 소득이 증가할 때 소비량이 증가하는 재화인 경우에만 가격이 내렸을 때 소득효과에 의해 수요량이 증가함을 알 수 있다. 보통, 소득이 증가할 때 수요량이 증가하는 재화를 '정상재normal goods'라 하는데, 정상재의 경우에는 가격저하가 소득효과를 통해 수요량 증가를 가져온다.

이와 달리 소득이 증가하면 오히려 그 수요량이 줄어드는 재화를 생각할 수 있는데, 이를 흔히 '열등재inferior goods'라 한다. 열등재의 경우에는, 앞에서 예로 든 보리와 같이, 그 가격이 떨어져 실질소득이 증가한 것과 같은 효과가 생겨도 오히려 소비는 줄어들게 된다.

다음으로, 생산자가 재화나 용역을 판매하고자 하는 욕구를 나타내는 공급supply에 대해서 알아보자. 공급량quantity supplied은 공급자가 공급하려는 의도를 나타내는 양이며, 플로우 개념에 해당된다. 예를 들어, 현재 존재하는 주택의 수는 스톡이지만, 연간 50만 채씩 공급하는 새 주택의 양은 플로우다.

공급을 결정하는 가장 중요한 요인은 그 재화의 가격이다. 비용은 일정하게 드는 상황에서, 어떤 재화의 가격이 오르면, 기업으로서는 비용을 충분히 제하고도 상품을 판매하고 얻는 수입이 증가하는 것과 같으므로 가격이 오른 재화의 공급량을 늘리게 될 것이다.

그 밖의 요인으로는 다른 재화의 가격, 생산요소의 가격, 기술 수준, 기업목표 등이 있다. 예를 들어, 다른 조건은 변화가 없는 상태에서, 은행의 대출이자율이 높아지거나 임금이 급상승한 경우와 같이 생산요소의 가격이 오르면, 기업으로서는 수입은 일정한데 비용이 늘어난 것과 같다. 따라서 기업은 생산단위의 증가에 따라 들어가는 비용과 수익이 비슷할 때까지 공급량을 줄일 가능성이 크다. 또한 기

도표 9 | 공급곡선

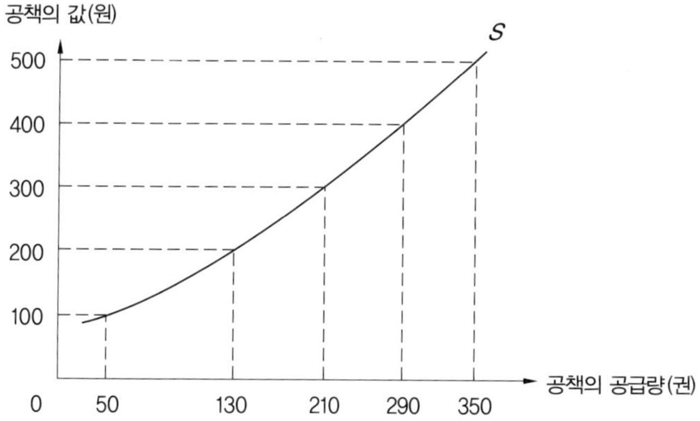

술 수준이 높아지면 같은 비용으로도 더 많은 생산을 할 수 있으므로 공급량은 늘어나게 될 것이다.

앞에서 이야기한 것처럼, 재화의 가격을 제외한 다른 사정이 동일하다면, 그 재화의 가격이 상승할 때 공급량은 증가한다. 예를 들어, 쌀 가격이 상승하면 쌀의 공급량은 증가하는 것이다.

이와 같이 가격과 공급량이 같은 방향으로 움직이는 관계를 '공급의 법칙law of supply' 이라고 한다. 어떤 재화의 가격을 P_n, 그 재화의 공급량을 S_n 이라고 할 때, 공급함수supply function는 다음과 같이 표현되며, 여기에서 함수 g란 가격(P_n)과 공급량(S_n) 사이에 어떤 관계가 있음을 의미한다.

$$S_n = g(P_n)$$

이 관계를 그림으로 나타내면 오른쪽으로 갈수록 올라가는 곡선이 나타난다. 이 우상향하는 곡선을 '공급곡선supply curve' 이라 한다.

그러면 공급곡선이 우상향하는 이유는 무엇일까? 다시 말해, 어떤 재화의 가격이 상승할 때, 공급량이 느는 이유는 무엇일까? 그것은 생산자가 다른 물건을 만드는 것보다, 가격이 오른 재화를 만드는 것이 상대적으로 이윤을 많이 남길 수 있기 때문이다. 즉 상대적으로 가격이 오른 재화의 생산량이 증가하고, 그 재화의 생산 쪽으로 자원이 더 많이 쓰이게 되는 것이다.

가격은 시장경제의 신호등

사는 쪽인 수요와 파는 쪽인 공급에 대해서 자세히 알아보았으므로, 이제 양측이 서로 만나서 이루어지는 시장가격의 결정을 쉽게 이해할 수 있을 것이다. 어떤 시장에서 수요량과 공급량이 일치하는 상태를 우리는 '시장에서 균형equilibrium을 이루고 있다' 고 한다. 이때 수요량과 공급량이 같도록 만든 가격을 '균형가격equilibrium price' 이라 하며, 그때의 거래량을 '균형거래량equilibrium quantity' 이라 한다.

다음의 도표 10에서 보듯이 공책의 가격이 권당 300원일 때 수요량과 공급량은 모두 210권으로 같다. 이때 균형가격은 300원이며, 균형거래량은 210권이다. 또한 수요곡선과 공급곡선이 만나는 *E* 점의 상태를 균형상태라고 한다.

원래 균형이란 말의 영어 어원을 살펴보면, 똑같다는 말equil과 밸

도표 10 | 균형가격과 균형거래량

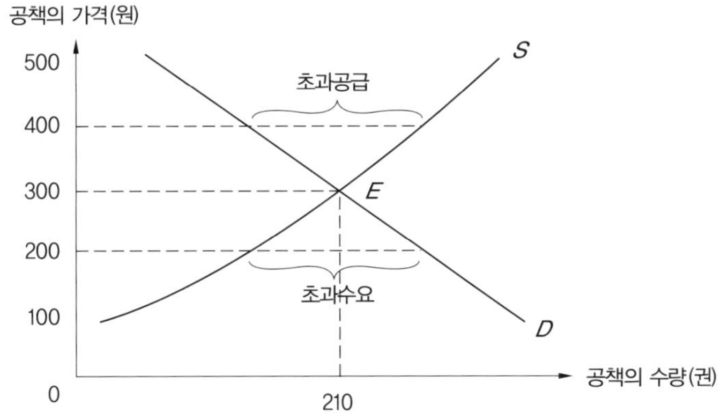

런스라는 말libra의 라틴어 합성어다. 이 어원이 보여주듯이 균형이란 일반적으로 두 가지 상반된 힘이 일치되어 일단 달성되면 다른 여건이 변하지 않는 한 벗어나지 않으려는 상태를 뜻한다. 시장경제에서는 수요와 공급 양쪽의 힘이 일치해 수요량과 공급량이 같도록 만든 균형가격이 달성되면, 수요와 공급에 영향을 주는 다른 요인이 변하지 않는 한 벗어나지 않는 경향이 있으므로 균형이라는 말을 쓰게 되었다.

이를 다르게 표현해보면, 주어진 여건하에서 균형이 아닌 상태에서는 가격이 균형 쪽으로 움직이는 경향이 있음을 뜻한다. 따라서 보통 시장경제에서는 가격이 상대적으로 빨리 변해서 균형상태가 회복된다고 보고, 균형상태를 중심으로 가격의 움직임을 이해하는 것이 편리하다.

만약 어떤 시장에서 가격이 균형가격보다 높게 매겨져 있다면, 공급량이 수요량보다 많다. 이와 같은 상태를 초과공급excess supply 상태에 있다고 한다. 도표 8과 도표 9에서 공책값이 400원이라면 초과공급량은 (290－140＝)150권이 될 것이다. 이 경우 시간이 지남에 따라 가격이 하락할 것이 예상된다. 이같이 초과공급 상태에 있는 시장을, 소비자의 입맛대로 물건을 고를 수 있다는 뜻에서 '구매자의 시장buyer's market'이라고 한다.

반대로 공책값이 200원이라면 수요량이 공급량을 초과하는데, 이 상태를 '초과수요excess demand'라 한다. 초과수요가 존재하는 경우 가격은 오를 것이 예상된다. 또한 초과수요 상태의 시장에서는 파는 사람이 어깨에 힘주면서 판다는 뜻에서 '판매자의 시장seller's market'이라

고가의 김홍도 그림 김홍도와 같이 유명한 화가의 그림은 수요량에 비해 공급량이 크게 부족해 초과수요 정도가 커 그 가격이 매우 높다.

고 부른다. 만약, 유명한 화가의 그림과 같이 그 공급량은 제한되어 있고 수요량은 매우 많아 시장에서 초과수요 정도가 커지면 결국 그 재화의 가격은 아주 높아질 것이다.

지금까지 균형가격의 결정에 대해서 알아보았으므로, 이제 수요와 공급에 영향을 주는 다른 요인이 변했을 때 균형이 어떻게 이동하는가를 생각해보자.

먼저, 수요에 영향을 주는 요인으로서 그 재화의 가격 이외에 다른 요인 중의 하나가 변했다고 생각해보자. 예를 들어, 현미가 건강에 좋다는 의사의 이야기를 듣고 현미에 대한 기호가 변한 경우, 같은 가격에서도 현미의 수요량은 증가할 것이다. 이때 수요곡선은 우측 방향으로 이동shift할 것이다. 도표 11의 (가)에서 보듯이 수요곡선이 D에서 D'의 우측 방향으로 이동하면, 균형가격은 P_0에서 P_1으로 상승하고,

도표 11 | 균형의 이동

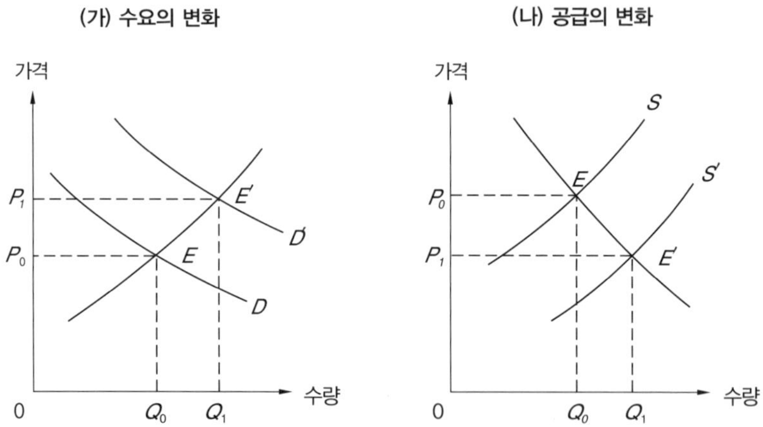

균형거래량은 Q_0에서 Q_1으로 증가할 것이다. 이와 같이 수요가 증가하면 균형가격과 균형거래량은 함께 올라간다.

한편, 만약 공급 측의 요인으로 기술변화가 일어나 같은 수량을 생산하는 데 비용이 적게 들게 되었다면, 공급곡선은 S에서 S'의 우측 방향으로 이동하게 된다. 이때 (나)에서 보듯이, 균형가격은 P_0에서 P_1으로 하락하지만, 균형거래량은 Q_0에서 Q_1으로 증가한다.

지금까지 설명한 가격과 거래량의 움직임을 살펴보면, 가격은 시장경제에서 신호등과 같음을 알 수 있다. 사람들이 더 원하는 물건의 값은 상승하며, 이 경우 가격과 거래량이 동시에 증가한다. 한편, 기술혁신에 의해 값이 내린 물건은 더 많이 팔리게 되므로, 가격은 하락하지만 거래량은 증가한다.

시장에서 가격이 수요와 공급의 양측 요인에 의해 결정되는 원리를 보통 수요공급의 원리라고 부른다. 경제학자들은 과연 수요 측 요인과 공급 측 요인 중에서 어떤 요인이 가격에 더 결정적인 영향을 주는가에 대해 많은 논란을 벌여왔다. 그렇지만 수요와 공급이 동시에 가격결정에 영향을 주는 것이 일반적임을 알게 되었다.

영국의 경제학자 마셜A. Marshall은 수요공급의 원리를 '가위의 양날'에 비유했다. 가위의 위쪽 날과 아래쪽 날 중 어느 쪽이 종이를 자르느냐를 논쟁하는 것이 무의미하듯이, 수요 측과 공급 측 요인은 모두가 가격에 커다란 영향을 준다는 것이다.

탄력성과 가격변화

우리는 시장에서 가격이 결정되는 데에 수요와 공급 양측의 요인이 모두 작용함을 알았다. 흔히 개별 소비자의 입장에서 보면, 시장에서 소비자는 판매자가 매겨놓은 값으로 어쩔 수 없이 물건을 살 수밖에 없다고 느낄지 모르지만, 사실상 소비자에게도 사지 않을 수 있는 자유가 있으므로 개별 소비자의 수요량이 모여서 가격에 영향을 주는 것이다. 반대로, 상인의 입장에서는 물건을 살 것인가 아닌가의 여부가 소비자의 선택에 달린 것이므로 자신이 영향력이 없다고 생각할지 모르지만, 실제로는 자신이 매겨놓은 값이 판매량에 영향을 주고 있는 것이다.

그러나 물건의 종류와 시장상태에 따라 상대적으로 소비자의 힘이 큰가 아니면 판매자의 힘이 큰가가 좌우된다. 이러한 문제를 알아보기 위해서는 균형가격의 결정과 변화의 방향뿐만 아니라, 변화의 정도도 생각해보아야 한다. 이러한 문제를 생각하는 데 유용한 개념이 탄력성elasticity이다. 이 개념은 원래 물리학에서 어떤 충격에 대해 어떤 변수가 얼마만큼 잘 움직이는가를 측정하기 위해 고안된 개념이다.

우선 수요 측에서 생각해보면, '수요의 가격탄력성price elasticity of demand'이란 개념이 있다. 수요의 가격탄력성은 가격변화에 대해 수요량이 얼마나 민감하게 반응하는가를 나타내는 지표다. 좀더 엄격하게 표현하면, 수요의 가격탄력성은 가격의 변화비율에 대한 수요량의 변화비율의 절대값으로 측정된다.

$$\text{수요의 가격탄력성}(e_p) = \frac{\text{수요량의 변화율}}{\text{가격의 변화율}}$$

예를 들어, 공책값이 100원에서 200원으로 올랐을 때 수요량이 350권에서 280권으로 줄었다면 가격탄력성은 다음과 같이 구해진다.

$$e_p = \frac{(350-280)/315}{(100-200)/150} = \frac{\frac{70}{315}}{\frac{100}{150}} = \frac{1}{3}$$

단, 이 공식에서 변화의 기준으로서 100원과 200원의 중간값인 150원을, 350권과 280권의 중간값으로 315권을 잡은 것은 가격상승 시와 가격하락 시의 기준이 각각 달라짐으로써 탄력성이 달라지지 않도록 하기 위해서다.

수요의 가격탄력성은 가격변화에 대해 수요량의 변화가 얼마나 민감한가를 아는 데 유용하다. 만약 가격이 변했음에도 수요량이 전혀 변하지 않는다면 그 값은 0이며, 이때 수요는 가격변화에 대해 '완전히 비탄력적perfectly inelastic'이라고 말한다. 반대로, 가격이 조금만 내려도 수요량이 무한히 증가한다면, 가격탄력성은 무한대(∞)이며, '완전히 탄력적perfectly elastic'인 것이다. 대체로 가격탄력성이 1인 것을 기준으로 하여 그 값이 0에서 1 사이에 있으면 '비탄력적인 수요'라고 하고, 그 값이 1에서 무한대 사이에 있으면 '탄력적인 수요'라고 한다.

수요가 비탄력적인 경우에는 가격변화에 대해 수요량의 변화가 둔

도표 12 | 어느 나라 상품의 가격탄력성 사례

상품의 가격탄력성			
레스토랑의 음식	1.63	자동차	1.35
맥주	1.19	영화	0.87
국외 비행기 요금	0.77	커피	0.25
오페라	0.18		

＊Fisher, R., *State and Local Public Finance*, Chicago: Irwin, 1996

감하다. 보통 농산물과 같은 필수품의 경우, 가격이 좀 내렸다고 해서 수요량이 많이 증가하지는 않는다. 쌀값이 내렸다고 밥을 한 그릇 먹던 사람이 두세 그릇 먹지 않으므로 수요량의 변화는 미미하다. 이때, 만약 쌀의 공급량이 증가한다면 수요량의 증가 폭이 작으므로 가격이 폭락할 가능성이 크다. 해마다 농산물 가격이 폭락하거나 때때로 급등하는 것은 농산물의 수요가 비탄력적인 데 원인이 있다.

공급 측에서도 마찬가지로 '공급의 가격탄력성price elasticity of supply'

토지의 공급탄력성이 작은 대도시 중심부의 모습

을 생각해볼 수 있다.

$$\text{공급의 가격탄력성}(E_P) = \frac{\text{공급량의 변화율}}{\text{가격의 변화율}}$$

공급탄력성도 0에서 ∞값 사이에 있는데, 그 값이 0에서 1 사이에 있으면 비탄력적inelastic이라 하고, 1에서 ∞ 사이에 있으면 탄력적elastic이라 한다. 예를 들어, 토지나 유명한 화가의 그림처럼 공급량이 쉽게 늘 수 없는 것은 공급탄력성이 거의 완전히 비탄력적이다.

토지와 같이 비탄력적인 공급을 가진 요소에 대해 갑자기 수요가 증가하면, 공급량은 별로 늘지 않고 가격이 급등한다. 국토가 비좁고 택지가 부족한 우리나라에서 때때로 땅값이 급등하는 이유는 땅의 공급탄력성이 작기 때문이다. 이 경우 소비자는 마치 주인이 부르는게 값이라고 느끼지만 이때도 수요증가가 가격상승에 영향을 주고 있음을 잊어서는 안 된다.

그런데 다음과 같은 것들은 이러한 탄력성의 크기에 큰 영향을 미친다. 예를 들어, 대체재의 유무나 시간 등은 수요나 공급탄력성 모두의 크기에 커다란 영향을 끼친다. 특히 소득에서 차지하는 비중은 수요탄력성에, 생산요소의 대체성 등은 공급탄력성의 크기에 큰 영향을 준다. 사실, 쉽게 바꾸어 쓸 수 있는 것이 있으면, 가격이 올라도 다른 것으로 쉽게 대체하면 될 것이므로 이러한 재화의 가격탄력성은 매우 클 수 있다. 또 시간이 오래 지나면, 대체재가 개발될 가능성이 커져 탄력성이 커질 것이다.

그리고 소득에서 차지하는 비중이 작거나 생활에 필수적인 것이면, 사람들은 그 가격 변화에 크게 신경 쓰지 않으므로 가격탄력성은 작다. 소금값이 좀 올랐다고 해서 우리는 소금의 수요를 크게 줄이지는 않을 것이다. 또한 기업에서도 생산요소를 쉽게 대체할 수 없으면, 상품값이 올랐다 해도 생산요소를 쉽게 구할 수 없어 생산공급량을 크게 변화시킬 수 없다. 이 경우, 가격의 공급탄력성은 작아지게 된다.

가격규제와 암시장

지금까지 수요공급의 원리를 이용해 시장에서의 가격의 움직임을 설명했다. 수요공급의 원리는 정부나 계획당국이 시장을 규제하는 경우의 경제의 움직임을 이해하는 데도 유용하다.

그 한 예로서 정부가 어떤 물건의 값이 너무 비싸게 결정되지 않도록 값을 싸게 책정하고, 그 값이 지켜지도록 규제하는 경우를 생각해 보자. 이와 같은 정부의 규제 방식을 최고가격제maximum price라고 한다. 최고가격제의 사례로는 아파트의 분양가 상한선을 정하는 것이 있다.

도표 13에서 보듯이 정부가 균형가격인 P_E 이하에서 가격이 결정되도록 최고가격 P_m을 책정했다고 하자. 이때 시장은 초과수요 상태에 있게 되고, 초과수요량은 Q_1Q_2로서 주어져 있다. 초과수요가 있는 상태에서 공급량 $0Q_1$을 배분하는 방법으로 다음과 같은 것을 생각해볼 수 있다.

첫째는 선착순first-come-first-served으로 물건을 파는 방법이다. 예를 들면, 사회주의 국가에서 물건이 부족할 때, 무작정 몇 시간씩 줄 서기를 해야 하는 경우가 있다. 가격 대신 줄 서는 시간으로 대가를 지불해 그만큼 물건을 비싸게 사는 효과를 가져오는 방법이다.

둘째로는 판매자의 선택에 의해 엿장수 마음대로 팔고 싶은 사람에게 파는 경우다. 이때 물론 가까운 친척이나 아는 사람에게 팔고 나서, 나중에 감사의 말을 듣거나 선물을 받음으로써 그 대가를 받을 수 있다.

셋째는 정부가 배급제rationing를 통해 똑같은 양을 나누어주는 경우로, 전시하에서 필수품을 배급할 때 활용된다. 물론 배급을 통해 경제적 자유뿐만 아니라 정치적 자유를 구속할 가능성도 있다.

그런데 이와 같은 판매 방식이 오래 계속될 수 있을까를 생각해보면, 그 대답은 부정적이다. 현재의 공급량 수준에서 소비자들이 지불할 용의가 있는 가격은 P_b 만큼 높으므로, 판매자는 정부의 규제를 피해 웃돈premium을 받고 물건을 팔 수 있다. 이와 같은 비공식적인 시장을 '암시장black market'이라 하는데, 만약 암시장을 단속할 강한 행정력이 없다면, 공급자는 높은 가격을 받는 암시장을 통해 공급을 늘리려 할 것이다. 만약 암시장에 대한 규제가 거의 없다면, 결국 공급량은 서서히 증가해, 원래의 균형가격인 P_E 수준으로 가격이 형성된다.

이와 같이 시장기구라는 '보이지 않는 손'은 생각보다 강력한 힘을 갖고 있다. 정부는 필요에 따라 일시적으로는 가격을 규제할 수 있을

도표 13 | 최고가격제와 암시장

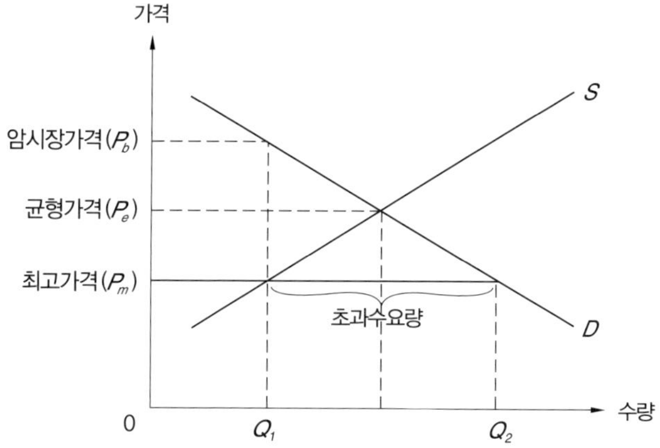

지 모른다. 그러나 개인의 이익을 좇는 경제주체의 행위를 통해 가격을 낮게 유지하려는 정부의 의도는 암시장 발생이라는 부작용side-effect을 낳게 되는 것이다. 이러한 부작용은 정부가 어떤 정책을 시장에서 실행하려 할 때에 크게 유의해야 할 점이다.

요약

이 장에서 우리는 시장에서의 가격결정을 수요와 공급의 원리를 이용해 알아보았다. 가격이 오르면 수요량이 감소한다는 수요법칙과 가격이 오르면 공급량이 증가한다는 공급법칙, 그리고 수요와 공급의 상반된 힘이 작용해서 수요량과 공급량이 일치하도록 조정되는 균형가격의 개념을 이해하면 가격결정의 방식은 쉽게 이해된다.

나아가 수요공급의 원리를 이용해 경제적 여건의 변화가 가격에 미치는 영향을 알았다. 또한 탄력성이란 개념을 이용해, 가격변화의 방향뿐만 아니라, 가격과 거래량 변화의 정도를 예측할 수 있음을 알았다. 이러한 분석도구를 이용하면 현실의 시장 움직임을 비교적 간명하게 이해할 수 있다.

중요개념

- 시장
- 대체효과와 소득효과
- 플로우와 스톡
- 수요법칙과 공급법칙
- 수요곡선과 공급곡선
- 균형가격과 균형거래량
- 탄력성
- 초과수요와 초과공급
- 최고가격제
- 암시장

더 깊이 이해하기

수요에 영향을 주는 소득이 변했을 때 어느 정도 수요량이 변하는가를 측정하는 소득탄력성이란 개념이 있다. 소득이 증가할 때 수요량이 증가한다면 소득탄력성은 양이며, 이 경우 이 재화를 정상재라 한다. 반대로 소득이 증가할 때 수요량이 감소하는 재화를 열등재라 한다.

한편, 이 장에서 설명된 내용은 균형가격의 결정과 같이 균형상태에만 관심을 갖는 정학적static 분석인데, 현실에서 매일 변동하는 가격과 거래량의 움직임은 균형에서 벗어난 상태에서 생긴 현상일 수 있다. 예를 들어, 공책에 대한 선호가 갑자기 커져서 수요가 증가한다고 예상하는 경우, 문구점 주인이 공책을 매점매석한다면 일시적으로 가격이 급등하면서 오히려 거래량은 줄어들 수도 있다. 이와 같이 균형상태에서 벗어났을 때, 시간에 따라 가격과 거래량이 어떻게 움직이는가를 분석하는 방법을 동학적dynamic 분석법이라고 한다. 새로운 균형에 이르는 과정을 분석하는 동학적 관점에 따르면 소비자와 공급자의 예상expectation에 따라 가격과 거래량이 함께 서서히 상승하지 않는 경우도 설명될 수 있다.

경제학자 이야기 3

완벽주의자, 마셜

Alfred Marshall (1842~1924)

영국 케임브리지 대학의 경제학 정교수로서 가격이론을 체계화시킨 마셜은 30년이 넘는 연구의 결과로 1890년에 『경제학 원리Principles of Economics』를 발간했다. 마셜은 애덤 스미스 이래 고전파적 전통과 1870년대 초엽에 새로운 경제학을 제창한 제번스W. S. Jevons의 가격이론을 종합해 미시경제학의 토대를 완성했다. 마셜은 수요와 공급의 원리에 따른 가격이론을 '가위의 양날'에 비유했으며, 경제학이 인간의 일반적인 경제생활을 다루는 학문이라고 생각해 이론적 방법뿐만 아니라 역사적 이해도 중요함을 강조했다. 그는 케임브리지 대학을 졸업하면서 수학 부문에서 2등을 했을 정도로 수학을 잘했지만, 그의 저서 『경제학 원리』에서는 수식과 도표를 모두 부록이나 주로 처리했다.

마셜의 고집스러운 완벽성 추구로 말미암아 후대 경제학자들 중 어떤 사람은 마셜의 경제학이 모든 것을 다루려고 해 혼란에 빠졌다고 평가한다. 그렇지만 누구도 마셜의 철저한 탐구정신을 낮게 평가할 수는 없다.

2

합리적인 소비생활

읽을거리

학생들의 용돈은 왜 늘 부족할까?

부모님으로부터 용돈을 타 쓰는 학생들은 늘 돈이 모자란다고 생각한다. 그 이유는 무엇일까? 우선, 많은 학생들은 자신이 받는 용돈의 액수 자체가 꼭 필요한 물건을 사는 데 턱없이 적다고 생각할지도 모른다. 정말 학교 갈 버스를 탈 돈이 없어서 몇십 리 길을 걸어가야 할 학생이라면 이 생각은 타당하다고 보아야 한다.

그렇지만 곰곰이 생각해보면, 수업준비물과 같이 꼭 필요한 물건이 생기면 부모님께 돈을 타 쓸 수 있다는 생각에서, 받은 용돈을 미리 헤프게 써버린 경우도 많을 것이다. 만약 부모님으로부터 한 달 용돈을 받아 그것으로 한 달간 지내야 하고 더 이상 받을 가능성이 전혀 없다면, 애초에 계획을 빈틈없이 세워 꼭 필요한 데만 쓸 것이므로 오히려 용돈이 부족하지 않을 것이다. 아주 급한 경우에 부모님께 다시 받을 수 있다는 안일한 생각 때문에 용돈이 늘 부족하게 되는 것이 아닐까?

지나침과 모자람

어떤 소비자가 물건을 사는 방식은 어떻게 설명될 수 있을까? 단순하게 다른 사람이 하는 대로, 또는 과거로부터 해온 방식에 따라서 소비를 한다고 설명할 수도 있겠지만, 좀더 합리적인 설명은 없을까? 1870년경 영국의 경제학자 제번스, 오스트리아의 멩거C. Menger, 그리고 스위스의 발라L. Walras는 소비자의 합리적인 소비 행동을 바탕으로 가격과 수요량의 관계를 설명하는 새로운 이론을 제시했다.

먼저 어떤 소비자가 주어진 소득을 가지고 자신의 만족도를 최대한 높이려 할 때, 어떤 방식으로 자신의 소득을 나누어 써야 할까를 생각해보자. 우선 이를 생각해보기 전에 몇 가지 기초적 개념에 대한 이해가 필요하다. 먼저 어떤 소비자가 재화나 용역을 소비함으로써 얻는 만족감의 총량을 '총효용total utility'이라 한다.

과학자들의 연구는 만족utility이 높을수록 좌측 뇌의 활동이 높다는 사실을 보여주었다.

보통 소비를 통해 얻는 만족감은 재화 소비량이 많을수록 증가한다. 다다익선多多益善이라고나 할까, 재화 소비량은 많을수록 좋다. 그렇지만 이 총효용은 재화 소비량이 증가함에 따라 무한정 증가하는 것이 아니라, 재화 소비를 늘릴수록 효용증가의 폭이 점점 줄어든다.

따라서 무슨 재화든지 무조건 많이 소비하는 것이 최상이 아니라 주어진 소득을 가지고 적당히 나눠 써서 자신의 만족감을 최대화하는 것이 합리적이다. 재화 한 단위를 더 추가 소비해 얻는 만족감의 양을 '한계효용marginal utility'이라 하는데, 보통 양陽의 값이지만 그 값은 재화 소비량이 증가함에 따라 결국 감소한다. 이를 '한계효용체감' 이라고 부른다. 예를 들어, 배고픈 사람이 밥을 먹을 경우 첫술은 매우 큰 만족감을 주지만, 밥을 먹을수록 그 만족의 증가 정도는 점차로 감소할 것이다.

만약 총효용의 증가폭이 점차로 감소한다면, 다시 말해 한계효용이 체감한다면, 어떤 원리에 따라 자신의 소득을 배분해야 총효용을 최대화시키는 것이 될까? 그 해답부터 말하자면, 자신의 소득 1원을 써서 얻는 한계효용이 모두 같아지도록 소비량을 적절하게 정하는 것이 좋다는 것이다.

좀더 구체적인 예로, 어떤 사람이 쌀과 책을 각각 소비해 만족을 얻고 있는데, 각 소비량이 늘어남에 따라 총효용은 증가하지만 효용의 증가분인 한계효용은 줄어드는 경우를 생각해보자. 또한 쌀과 책을 1단위씩 늘림에 따라 추가적으로 얻을 수 있는 총효용의 증가분은 도표 14와 같은 '한계효용표' 에 따라 주어진다고 해보자. 이 표를 보면, 쌀을 1단위 소비하면 8만큼 효용을 얻지만, 2단위 소비하면 효용은 7만큼 증가하는 식으로 이 사람의 만족도가 변화하도록 가정되어 있다.

이때 쌀과 책의 값이 똑같이 1원이라고 하고 이 소비자가 소득이 7원이라고 하자. 이 소비자는 쌀과 책의 소비량의 합이 7이 되도록 소비해야 할 텐데, 어떤 조합으로 소비하는 것이 자신의 총효용을 최대화하는 것이 될까?

답부터 말하자면 한계효용표에서 동그라미를 쳐놓은 대로 쌀의 한계효용과 책의 한계효용이 똑같도록 된 조합, 즉 쌀의 3단위와 책 4단위를 소비하는 것이다. 그 이유를 알기 위해 이 소비자가 조합을 바꾸어 쌀 4단위와 책 3단위를 소비하는 경우를 생각해보자. 소비자가 쌀을 1단위 더 소비해 얻는 효용의 증가분은 5인데 비해, 책을 1단위 덜 소비함으로써 잃은 효용은 6이 되므로, 총효용은 1만큼 손실을 보게 된다(즉 5-6=-1). 반대로 쌀을 2단위, 책을 5단위 소비하는 경우 얻는 효용은 4이지만 잃는 효용은 6이므로 2만큼 손해가 된다(즉 4-6=-2).

이와 같이 주어진 소득 내에서 1원을 더 소비함으로써 얻는 한계효용을 같도록 만들어주는 것이 총효용을 최대화하는 것임을 알 수 있다. 그런데 우리는 여기서 계산상 편리하도록 쌀과 책의 값이 모두 1원이라고 했는데, 만약 쌀의 값이 2원이라면 추가적인 1원의 소비를 통해 쌀을 반 단위씩밖에 사지 못할 것이다. 따라서 추가적인 1원의 효과가 같도록 만들어주려면 쌀의 한계효용을 2원으로 나눈 값과 책의 한계효용을 일치시켜야만 7원 소득을 모두 써서 효용을 최대화시

도표 14 | **한계효용표**

소비량(개)	쌀의 한계효용	책의 한계효용
1	8	12
2	7	10
3	⑥	8
4	5	⑥
5	4	4
6	3	2
7	2	0
8	1	-2

도표 15 | 가중한계효용표

소비량(개)	쌀의 한계효용/2	책의 한계효용/1
1	④	12
2	3.5	10
3	3	8
4	2.5	6
5	2	④
6	1.5	2
7	1	0
8	0.5	−2

키는 방법을 알 수 있게 된다.

이처럼 가격으로 나누어진 한계효용을 표로 나타내보면 도표 15와 같다.

이때 효용을 최대화시키는 쌀과 책의 소비량 조합은 쌀 1단위와 책 5단위가 된다. 왜냐하면 도표 15에서 본 것과 같이 쌀을 더 소비하거나 덜 소비하는 경우를 생각해보면 총효용은 오히려 줄어들기 때문이다.

따라서 주어진 소득을 가지고 소비량을 결정하는 공식은 다음과 같다.

$$\frac{\text{쌀 소비에서 얻는 한계효용}}{\text{쌀 1단위의 가격}} = \frac{\text{책 소비에서 얻는 한계효용}}{\text{책 1단위의 가격}}$$

이러한 원리를 '가중한계효용균등의 원리'라고 부르며, 소비하는 재화의 개수가 여러 개라 하더라도 똑같은 원리가 적용될 것이다. '가중한계효용표'에서 우리는 쌀 1단위와 책 5단위를 소비하면, 이 원리가 맞게 될 뿐만 아니라, 7원을 가지고 소비 가능함을 알 수 있다(즉 8/2=4/1원, 또한 2원×쌀 1단위+1원×책 5단위=7원).

또 한 가지 '한계효용표'와 '가중한계효용표'를 비교함으로써 알 수 있는 사실은, 쌀의 가격이 1원에서 2원으로 높아짐에 따라 합리적인 소비자는 쌀의 소비량을 3단위에서 1단위로 줄이는 반면, 책의 소비량을 4단위에서 5단위로 늘린다는 것이다. 다시 말하면, 상대적으로 값이 비싸진 재화의 소비량이 줄어든다는 것이다. 이는 앞장에서 수요법칙이라고 부른 관계와 동일한 내용인데, 우리는 합리적인 소비자의 행동을 분석함으로써 좀더 엄격하게 수요법칙을 유도해낼 수

가격기구는 소비자의 만족 정도를 전달해주는 정보전달 기능도 갖고 있다. 가격을 통한 자원분배 방식은 소비자의 만족을 최대화할 수 있어 효율적이다.

있게 되었다.

가격이 오르면 수요량이 줄어드는 현상은 경험상으로 누구나 잘 알고 있는데, 왜 이 현상을 복잡하게 한계효용균등의 원리로 설명하는가 의아하게 생각하는 사람이 있을지도 모른다. 경제학의 역사상 소비자 효용과 가격과의 관계를 밝히는 것은 하나의 큰 수수께끼였다. 200여 년 전 스미스와 같은 학자는 물이 효용은 크지만 값이 싸고 다이아몬드가 효용은 적지만 값이 비싼 이유를 풀지 못해, 효용과 가격 간에는 관계가 없다고 생각했다.

그러나 1870년대에 한계에 영향을 주는 요인은 총효용이 아니라 한계효용임을 밝혀냈다. 즉, 시장의 수요곡선은 개별 소비자가 주어진 소득하에서 자신의 효용을 최대화한 결과 나타나는 반응형태임을 알게 되었다. 따라서 가격을 통한 자원분배 방식이 소비자의 만족을 최대화할 수 있는 효율적인 방식임을 알 수 있다. 다시 말하면, 스미스가 말하는 '보이지 않는 손'인 가격기구는 소비자의 만족 정도를 전달해주는 정보전달 기능도 함께 갖고 있다는 것이 밝혀졌기 때문에, 효용과 수요를 고려하지 않고 경제운영을 하려는 시도는 실패하기 쉽다는 것이다.

예산제약과 합리적 소비

이제 한계효용균등의 원리와 똑같은 내용을 그림을 통해 시각적으로 이해하는 방법을 생각해보자. 이 부분의 내용은 간단한 기하학적 설명이므로 이해하는 데 큰 어려움은 없겠지만, 생략해도 내용상 큰 지장은 없음을 미리 밝혀둔다.

우선 소비자가 주어진 소득을 가지고 살 수 있는 재화의 범위를 나타내기 위해, 주어진 소득을 M원이라고 하고 쌀(X재화)의 값을 P_x, 그 소비량을 x, 책(Z재화)의 값을 P_z, 그 소비량을 z라고 하자. 이 경우 M원을 가지고 소비할 수 있는 각 재화의 조합을 '예산제약budget constraint'이라고 한다. 이때 소비자가 M원을 써서 쌀과 책을 구입한다면 이 소비자가 소비할 범위를 나타내는 예산제약을 표시하는 선은 다음과 같이 표현한다.

$$M = P_x x + P_z z$$

또한 이 식을 풀어서 다시 정리하면 다음과 같다.

$$z = \frac{M}{P_z} - \frac{P_x}{P_z} \cdot x$$

이를 그림으로 나타내면 세로축의 절편이 $\frac{M}{P_z}$, 기울기가 $(-\frac{P_x}{P_z})$인 실선으로 나타난다. 이때 예산제약선 내부의 삼각형 부분은 소비 가능한 재화의 조합이 된다. 물론, 만약 어떤 재화든지 많이 소비할수록 총효용이 증가한다면, 실제 소비점은 예산제약선상의 어떤 점이 될 것이다.

한편 원점에서 볼 때 예산제약선보다 더 멀리 있는 점은 소비가 불가능한 점이다. 때때로 어떤 학생들이 부모님께 돈을 더 타낼 것을 예

도표 16 | 예산제약

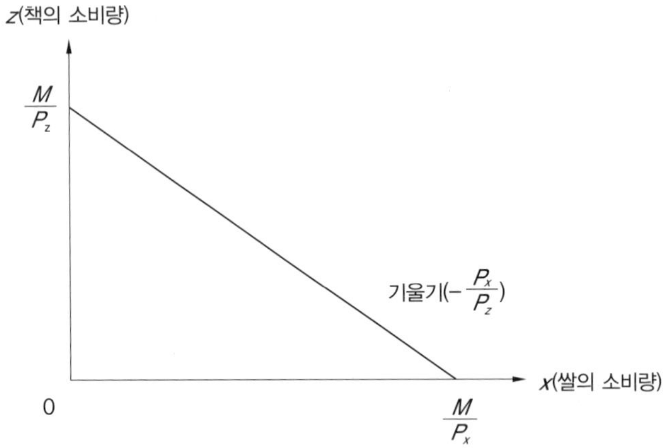

상하고 외상으로 물건을 산다든지 사회주의하의 기업들이 적자를 보더라도 정부가 지원해줄 것이라고 생각하면서 무리하게 사업을 확대하는 경우가 있는데, 이는 예산제약이 강하게 경제적 행동에 영향을 주지 못하는 사례가 된다. 이러한 행동의 결과 경제적 효율성이 크게 저하된다. 반면 시장경제에서 모든 소비자는 예산제약의 범위 내에서 물건을 소비하는 데 돈을 쓸 수밖에 없다.

그렇다면 시장경제에서 소비자는 예산제약선상의 무수한 점 중에서 어떤 점을 택함으로써 자신의 총효용을 최대화할 수 있을까? 이를 설명하기 위해 사용하는 편리한 도구가 바로 '무차별곡선indifference curve'이다. 무차별곡선이란 일정한 만족 수준을 나타내는 재화의 배합을 나타낸다.

그런데 이러한 무차별곡선이란 개념의 등장은 앞에서 언급한 한계효용균등의 원리에 대한 비판과도 맞물려 있다. 즉, 효용은 사실 관찰하거나 측정할 수 없으며, 또한 사람들은 화폐단위당 한계효용을 생각하면서 소비할 만큼 계산적이지도 않다. 그뿐만 아니라, 효용을 계산하지 않는다 하더라도 가격과 소득의 변화에 따른 사람들의 소비행태의 변화를 추정할 수 있다. 이러한 생각이 한계효용균등이란 생각에서 좀더 현실적인 무차별곡선이란 개념으로 소비자 행동에 대한 이해의 방식을 다양하게 만들었다.

예를 들어, 똑같은 총효용을 가져다주도록 쌀과 책의 배합을 바꿀 경우, 이 배합의 변화가 평면 도표상에 어떻게 나타날지 생각해보자. 해답부터 이야기하자면 도표 17에서 비스듬하게 그려진 *I*곡선이 바로 무차별곡선의 한 예다. 이 무차별곡선의 모양은 오른쪽으로 갈수록 내려가며, 원점에서 보면 볼록하다. 첫째, 무차별곡선이 우하향하는 이유는 어떤 한 재화를 더 소비하면 총효용이 증가하므로, 다른 재화의 소비량이 감소해야만 효용 수준이 같게 되기 때문이다. 다시 말해서, 총효용을 일정하게 해주려면, 한 재화 소비량이 증가할 때 다른 재화 소비량은 감소하게 마련이다.

둘째, 무차별곡선이 원점에 대해서 볼록한 이유는 어떤 한 재화의 소비량이 이미 많은 상태에서 이 재화를 한 단위 더 소비해 얻는 효용은 다른 재화의 소비에서 얻는 효용에 비해 그리 크지 못하기 때문이다. 예를 들어 쌀의 소비가 2단위인 상태에서 쌀을 1단위 더 소비하면 책의 소비량을 $z_a z_b$만큼 많이 줄여도 무방하지만, 쌀의 소비가 4단위인 상태에서 쌀 소비를 1단위 증가시키면 그것은 책의 소비량을 $z_a z_b$만큼 더 적게 줄여야 이 소비자의 만족도가 같아질 것이다. 이와 같이 어떤 재화에서 얻는 효용의 상대적 비중이 재화 소비량의

도표 17 | **무차별곡선**

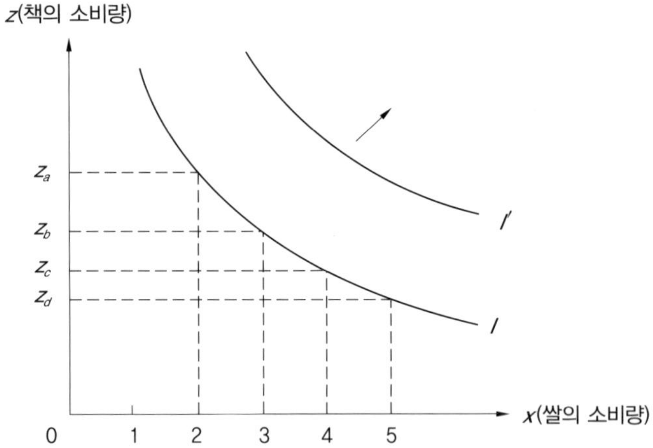

증가에 따라 떨어지는 관계를 '한계대체율체감diminishing marginal rate of substitution'이라 한다.

다시 쉽게 표현하면, 어떤 소비자가 만족도 면에서 전혀 차이를 느끼지 못하는 재화의 조합을 평면 도면에 나타낸다면, 대체로 오른쪽으로 갈수록 내려가되 그 기울기는 점점 완만해지는 형태가 된다.

나아가 만족도가 다른 수준에 있는 무차별곡선에 대해서도 생각해 볼 수 있다. 예를 들어, 종래의 어떤 만족도 수준에서 생각한 I곡선 대신에 더 높은 만족도를 주는 I' 곡선을 머릿속에 생각할 수 있다. 각기 다른 만족도를 주는 무차별곡선을 그린다면 우리는 무차별지도indifference map를 그릴 수 있다. 물론 이 무차별지도에서는 원점에서 먼 곡선일수록 높은 만족도를 주므로, 소비자의 욕망추구는 원점에서 먼 무차별곡선의 추구로 나타난다.

도표 18 | 소비자의 합리적 선택

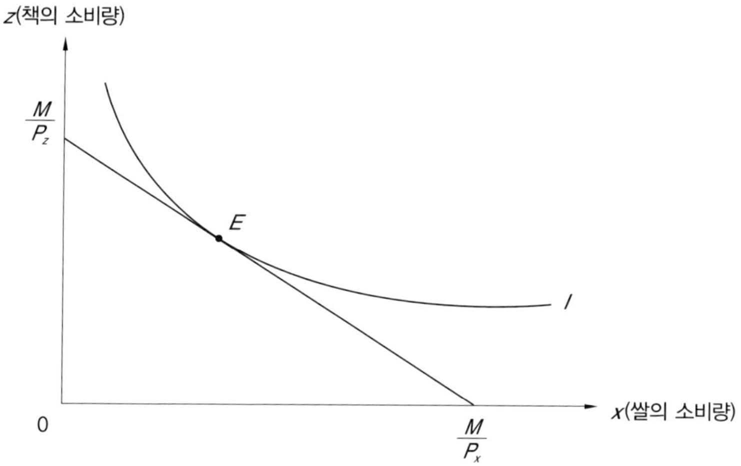

이제 예산제약선과 무차별곡선을 이용해 소비자의 합리적 소비 행동을 간단히 분석해보자. 소비자는 주어진 예산제약의 범위 내에서 소비하되 가능한 한 더 큰 효용을 얻도록 해야 하므로, 도표 18에서 보듯이 소비자의 선택점이란 바로 예산제약선과 무차별곡선이 접하는 E점이 된다.

이러한 E점에서는 예산제약선과 무차별곡선이 접하므로 예산제약선의 기울기와 무차별곡선의 접점의 기울기가 같아질 것이다. 여기서 무차별곡선의 각 점의 기울기는 그 정의상 그 점에서의 한계효용대체율과 같아서 $\frac{MU_x}{MU_z}$가 된다. 여기서 MU_x는 X_{zu}의 한계효용, MU_z는 Z_{zu}의 한계효용을 나타낸다. 즉, $\frac{P_x}{P_z}=\frac{MU_x}{MU_z}$가 될 것이며, 이를 다시 쓰면 한계효용균등의 법칙에서 본 것과 동일한 $\frac{MU_x}{P_x}=\frac{MU_z}{P_z}$의 결과를 얻을 수 있다.

가격효과

이제 무차별곡선을 이용해, 가격변화가 소비량에 주는 효과를 생각해보자. 만약 쌀의 가격이 종전의 반이 되었다고 할 때, 똑같은 소득으로 쌀만 산다면 쌀을 2배 살 수 있으므로 예산제약선은 더 완만해질 것이다. 이는 가로축의 절편이 2배 커지는 식으로 나타난다. 예산제약선이 완만해졌다면, 도표 19의 E' 점과 같이 소비자는 새로운 소비점을 선택하게 된다. 이 경우 쌀의 소비량은 증가하는 것이 보통이다. 이는 이미 수요법칙에 따라 예상된 바와 같다.

그런데 어떤 재화의 가격이 상대적으로 내림에 따라 수요량이 증가하는 효과를 두 가지 요인으로 나누어보면 재미있는 현상을 알 수 있다.

첫째, 단순히 가격이 상대적으로 내려서 다른 재화인 책 대신에 쌀을 더 소비하는 효과가 있다. 이를 '대체효과substitution effect'라고 한다. 도표 19에서 이 효과를 나타내기 위해서 변화된 후의 가격비율과 같도록 점선으로 보조선을 그렸다. 이 보조선과 원래의 무차별곡선과 만나는 E''란 바로 종래와 같은 그 무차별곡선상에서 가격변화만을 고려할 때 소비량 변화를 나타내는 점이다. 즉 같은 만족도를 누리면서 단순히 가격비율이 변화해 책 대신 쌀을 더 소비하는 효과는 수평축에서 x_0x''로 나타난다.

둘째, 그렇다면 점선인 보조선에서 새로 변화된 예산제약선으로의 변화는 소비 가능한 실질소득이 증가한 것과 같으므로, 종래의 무차별곡선에 접하던 E''점에서 새로운 무차별곡선에 접하는 E' 점으로의

도표 19 | **정상재의 가격효과**

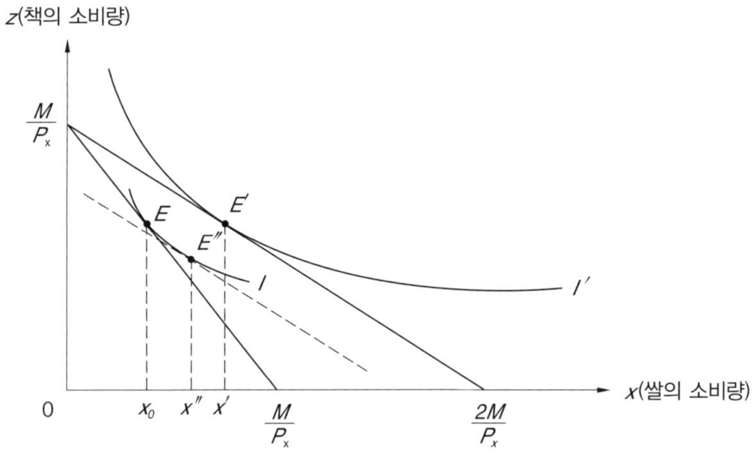

변화는 쌀의 가격이 내려서 실질소득이 증가함에 따라 나타난 것으로 분석할 수 있다. 이와 같은 효과를 소득효과라고 한다고 앞서 언급한 바 있다.

그런데 무차별곡선은 언제나 볼록하므로 대체효과에 따르면 항상 가격이 내린 재화를 더 많이 소비하는 방향으로 작용하지만, 소득효과는 소비량에 어떤 작용을 주는지 방향이 일정하지 않음을 알 수 있다. 예를 들어, 소득이 증가할 때 소비가 늘어나는 정상재인 경우에는 가격이 내려 실질소득이 증가하면 도표 19와 같이 소비량이 증가하는 방향으로 작용한다. 반대로, 소득이 증가할 때 소비가 줄어드는 열등재inferior good의 경우에는 *E′* 점이 *E″*점보다 좌측에 위치할 수도 있다. 물론 이 경우에도 *E′* 점이 *E* 점에 비해 오른쪽에 있기만 하다면, 가격이 내린 재화의 수요량은 늘어난다는 수요법칙이 그대로 적용된

다. 이러한 재화의 종류에 따른 소득효과의 차이는 이미 앞장에서 언급한 바 있다.

다시 말하면, 가격효과는 대체효과와 소득효과의 합성효과인데, 대체효과의 방향은 언제나 예측 가능하지만, 소득효과의 방향은 알 수 없다.

가격효과 = 대체효과+소득효과(?)

때때로 열등재 중에서 소득효과의 정도가 대체효과의 정도를 압도해 E' 점의 위치가 E'' 점뿐만 아니라, E 점의 좌측에 오는 경우가 있다. 예를 들어, 보리의 가격이 하락했을 때, 돈이 좀 남은 김에 다른 고급식품을 사 먹어서 오히려 소비가 줄 수도 있다. 이와 같이 가격이 떨어짐에도 소비량이 줄어드는 현상을 '기펜Giffen의 역설'이라 한다. 예외 없는 법칙이 없다는 말이 있듯이 수요법칙에도 예외가 있을 수 있다.

합리적 인간 행동

지금까지 주어진 소득을 가지고 자신의 효용을 최대화하기 위해 적절한 양의 재화와 용역을 소비하는 행동을 설명했다. 이와 같은 설명을 보고, 어떤 독자들은 일면 합리적인 설명이라 수긍하면서도, 다른 한편으로는 몇 가지 의문을 가질지도 모른다.

첫째는, 소비의 주체가 가계household라고 할 때 설명했듯이, 어떤 한 개인의 소비행위 방식과 소비자로서의 가계의 소비행위가 조금 다를 수 있다. 가계의 경우 식탁과 같이 하나를 구입해 공통으로 소비하는 물건이 있으므로, 가계구성원 중 어떤 사람의 뜻과는 달리 소비가 일어날 수 있다. 예를 들어, 어떤 학생이 보리를 싫어하는데, 부모님이 보리를 섞어 밥을 지으면 어쩔 수 없이 보리밥을 먹게 된다. 이와 같이 가계구성원 간의 선호 조정은 합의건 일방적 강요건 간에 비경제적인 방식을 통해 일어나므로, 여기서 설명한 소비자의 행동원리는 자연인으로서의 각 개인과 일치하지 않을 수도 있다.

둘째, 어떤 독자들은 소비자의 행동원리가 한계효용균등의 원리나 무차별곡선과 같은 엄격한 분석도구로써 해명되기에는 너무 복잡하고, 또한 현실적으로 그와 같은 엄격한 틀에 맞추어 행동하는지 증명할 수 없다고 생각할지도 모르겠다.

이에 대한 한 가지 해답이 미국의 경제학자 새뮤얼슨P. A. Samuelson의 현시선호이론revealed preference theory에 의해 제안되었다. 이 이론에 따르면, 보통 합리적이라고 생각될 만한 일정한 준거기준에 맞게 소비자들의 선택 결과가 관찰된다면 그 소비자의 행동은 무차별곡선과 같은 도구를 이용해 설명하는 것도 무방하다. 여기서 언급되는 일정한 합리적 기준의 한 예로는 다음과 같은 것이 있다.

즉 소비자가 첫 번째 소비점을 두 번째 소비점보다 좋아함에도 불구하고, 달라진 가격하에서는 살 수 없었기 때문에 안 사는 것이라는 정도의 타당한 행동기준에 따라 행동한다면, 이 소비자의 행동은 한계효용이나 무차별곡선을 이용해 설명할 수 있다는 것이다.

소비자의 행동원리가 늘 일치하는 것은 아니다. 가계구성원 간의 선호 조정이나, 개인의 욕구, 상황 등에 따라 달라질 수 있다.

다른 한편 어떤 소비자가 무차별곡선을 알고 있는지의 여부는 합리적 설명이 되는가와는 별로 관계가 없다. 미국의 경제학자 프리드먼M. Friedman은 당구를 잘 치는 어떤 사람의 직업이 실제로 무엇이건 간에, 그가 물리학자라고 가정한 다음 그의 당구점수가 높음을 잘 예측할 수 있다면, 가정의 타당성 여부는 이론의 유용성 면에서 그리 중요하지 않다고 말했다. 마찬가지로 어떤 소비자가 무차별곡선을 알고 있는가 또는 아닌가는 그의 소비 행동에 대한 객관적 설명과 전혀 무관한 것이다.

셋째, 대부분의 독자는 소비자의 행동이 그가 소비하는 재화나 용역의 양에 따라서만 만족이 계산되는 방식으로 설명되어 있어 너무 편협하거나 기계적이 아닌가 생각할지 모른다. 심리학자 매슬로A. H. Maslow에 따르면 인간의 욕구는 다섯 가지 단계로 나뉘어 있다고 한다. 즉 생존과 같은 생물학적 욕구, 안전 욕구, 소속과 애정 욕구, 명예 욕구, 자아실현 욕구와 같은 욕구의 단계로 나눌 때, 매슬로는 한 단계의 욕구가 충족되면 다음 단계의 욕구가 충족되어야 한다고 말한다.

이렇게 생각해볼 때 경제학에서는 너무 생물학적 욕구만을 다루는 것이 아닌가 하고 불쾌하게 생각하는 사람도 있을 것이다. 반대로 못사는 저개발국에서는 소비자가 선택할 여지가 많지 않은데, 따라서 왜 한가하게 소비자의 선호를 논의하느냐고 생각하는 정의파도 있을지 모른다.

그런데 곰곰이 생각해보면 여기에서 설명된 것은 어떤 욕구나 욕구의 순서를 무시한 것이 아니라, 오히려 이것을 합리적으로 잘 설명

당구 잘 치는 사람의 점수가 그의 직업과 무관한 것처럼, 가정의 타당성 여부는 합리적 설명과 상관이 없다. 이와 마찬가지로 어떤 소비자가 무차별곡선을 알고 있느냐의 여부는 그의 소비 행동에 대한 객관적 설명과 관계가 없다.

하고 있음을 알 수 있다. 가장 간단하게 매슬로가 설명한 욕구충족의 수단을 순서대로 a, b, c, d, e라 하고 각 수단을 선택할 때 드는 비용이 똑같다고 하자. 이때 만약 이 소비자의 총효용(U)을 a, b, c, d, e의 함수로 쓸 수 있다면 다음과 같다.

$$U = f(a, b, c, d, e)$$

주어진 예산제약 내에서 이 소비자가 행동한다면, 그의 선택은 한계효용균등의 원리가 적용될 것이다. 즉 a, b, c, d, e 각 활동의 가격(P_a, P_b, P_c, P_d, P_e)은 같으므로, 각 활동에서 얻는 한계효용(MU_a 등)이 같도록 선택하게 될 것이다.

$$\frac{MU_a}{P_a} = \frac{MU_b}{P_b} = \frac{MU_c}{P_c} = \frac{MU_d}{P_d} = \frac{MU_e}{P_e}$$

통상 생물학적 욕구에서 얻는 효용이 다른 욕구실현에서 얻는 효용보다 크므로, 대부분의 사람들이 자아실현보다도 생존을 위해 자신의 시간이나 돈을 쓸 것이다. 그렇지만 만약 같은 선호체계 아래에서도 식품값이 폭등해 생존을 위한 비용이 커지는 대신, 다른 사람을 위해 일한다는 명분을 얻는 데는 별로 돈이 들지 않는다면, 그는 생존보다는 명예나 자아실현을 위해 활동하는 데 시간이나 돈을 더 쓸지도 모른다. 말하자면 여기에 소개된 설명은 각자 자신의 처지를 알

도표 20 | 욕구의 순서

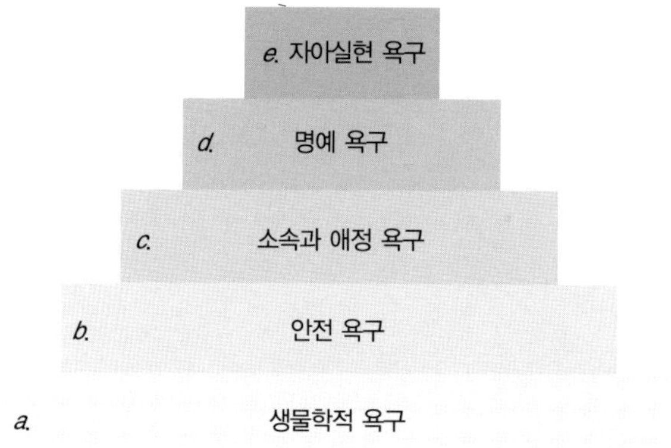

아서 독립적으로 행동한다는 측면을 합리적으로 분석하는 방법을 제시한 것이지, 인간 욕구의 여러 측면을 기계적으로 분석하려는 것은 아니다.

요약

이 장에서 우리는 주어진 소득하에서 가격변화에 따라 소비자가 어떻게 각 재화나 용역의 수요량을 선택하고 변화시키는지를 고찰했다. 한계효용균등의 원리나 무차별곡선을 이용해서 소비자가 가격이 상대적으로 오른 재화의 수요량을 줄이게 된다는 점을 보여줌으로써 수요법칙의 이론적 근거를 마련했다. 또한 이를 이용해 인간 행동을 합리적으로 설명할 가능성을 제시했다.

중요개념

- 총효용과 한계효용
- 예산제약
- 무차별곡선
- 가격효과, 대체효과, 소득효과
- 정상재와 열등재
- 현시선호이론

더 깊이 이해하기

이 장에서 설명된 한계효용균등의 원리는 소비자 행동을 설명하는 이론으로 개발되었지만, 주어진 자원을 효율적으로 사용하는 방식을 설명하는 다른 경제문제를 이해하는 데도 사용되고 있다. 이를 알아보기 위해 다음 문제를 풀어보자.

【문제】 어떤 학생이 내일 국어, 영어, 수학의 세 과목 시험을 치르게 되어 있다. 이 학생이 오늘 9시간 동안 공부할 수 있으며, 각 과목에 투자한 시간에 대해 과목당 얻을 수 있는 예상점수는 다음과 같다. 이 학생이 각 과목에 몇 시간씩 할애하는 것이 가장 유리한가?

도표 21 | 시간에 따른 과목별 예상점수

시간 \ 과목	국어(점)	영어(점)	수학(점)
1	40 〉(9)	45	50
2	49	57 〉(9)	66
3	56	66	80 〉(9)
4	62	73	89
5	67	77	96
6	71	79	99
7	74	80	100
8	76	81	100

이 학생이 각 과목에 대해 1시간씩 공부하는 데 느끼는 고통이 같다고 한다면, 한 시간 더 공부하여 얻는 점수와 추가분이 같도록 하는 것이 가장 유리하므로, 총 9시간을 국어 2시간, 영어 3시간, 수학 4시간을 공부하도록 할애해야 할 것이다. 이를 쉽게 알아보려면, 점수의 증가분만을 나타내는 표를 새로 그리면 될 것이다.

경제학자 이야기 4

용감한 3인조, 제번스 · 멩거 · 발라

William Stanley Jevons(1835~1882) · Carl Menger (1840~1921)
Leon Walras(1834~1910)

1870년대 초에 영국의 제번스, 오스트리아의 멩거, 프랑스인이지만 스위스에서 활동한 발라 세 사람은 각각 독자적으로 한계효용에 입각해 가격의 결정원리를 설명하는 방법을 개발했다. 이들은 한계분석을 이용해 경제학의 새 지평을 열었다는 면에서 한계혁명the Marginal revolution의 선구자들이다. 이론을 개발할 때는 서로 잘 몰랐으나, 나중에 서로의 존재를 알게 되어 함께 자신들의 새로운 이론을 보급하는 데 노력을 기울였다.

제번스는 고전학파의 영향이 강력하던 영국에서 한계효용균등의 원리에 입각한 가격이론을 개발해 고전학파 경제학을 타파하려고 했다. 멩거는 이 장에서 소개된 한계효용표를 써서 가격결정을 설명했는데, 개인의 주관적 동기를 강조해 오스트리아 비엔나 대학에서 자신의 제자를 중심으로 오스트리아학파를 결성했다. 발라는 희소성의 문제를 해결하는 방식으로 가격기구의 작동을 연립방정식을 써서 설명하고, 편지 · 연설 · 논문 등 각종 수단을 써서 자신의 새로운 생각을 알리는 데 노력했다.

이 세 사람은 처한 환경이나 각자의 성격상 차이점도 많지만, 희소성과 효용을 강조하는 유사성이 있으므로 보통 한계혁명의 공동 추진자로 간주한다.

3

기업은 어떻게 행동하나

읽을거리

불확실성과 기업가

불확실성하에서 실제로 행동하는 것은 생활에서 부차적인 문제이며, 일차적인 문제는 무엇을 하고 그것을 어떻게 하느냐를 결정하는 것이다. 불확실성 때문에 발생한 사회조직의 두 가지 중요한 특성은 이미 예견된 바와 같다. 첫째, 시장에 판매할 목적으로 생산되는 재화는 전적으로 다른 사람의 욕구에 대한 예측에 근거해 생산되며, 생산자 자신의 욕구를 만족시키기 위해 생산되지 않는다. 생산자는 소비자의 욕구를 예상해야 하는 책임을 진다. 둘째, 예상하는 일과 함께 생산을 통제하고 기술의 방향을 결정하는 일은 대부분 생산자들 중에서 훨씬 더 작은 집단에 집중되는데, 이와 같은 새로운 경제적 기능을 하는 사람을 우리는 기업가라 부른다.

—프랭크 나이트F. Knight

출처 〈프랑크 나이트 F. Night, The Ethics of Competition, 1935〉

기업이란 무엇인가

소비자가 쓰는 재화나 용역은 보통 다른 사람에 의해 만들어진다. 즉, 재화나 용역은 주로 기업에 의해 만들어져서 소비자가 거래하는 시장에서 공급된다. 기업firm이란 재화나 용역을 생산하는 경영조직을 말한다. 여기에서 생산이란 욕구의 충족을 위한 효용의 창조활동을 말하며, 자원을 이용해 좀더 쓸모있는 재화나 용역을 만드는 행위가 생산활동이다. 제조업체에서 하듯이 원료를 변형, 가공하는 행위뿐만 아니라 운반, 저장 및 이동을 통해 효용성을 높이는 행위, 교육과 같이 서비스를 창출하는 행위, 신문을 배달하는 행위 등도 모두 넓은 의미의 생산에 들어간다.

재화나 용역의 생산은 보통 기업이 담당하는데, 이 기업의 유형을 보면 한 사람이 소유와 경영을 모두 맡는 개인기업도 있지만, 두 사람 이상이 모여서 운영하는 기업도 있다. 몇 명의 주주株主가 자본을 출자해 법인法人을 만들고, 주주에 의해 구성된 이사회에서 경영진을 임명해 회사를 운영하는 주식회사가 그 대표적인 예다. 주식회사에서는 경영진이 기업의 주요한 업무에 대해 결정권을 갖고, 그 성과는 주주총회를 통해 평가받는다. 그 대신 주주는 자신의 출자분에 대해서만 책임을 지므로, 혹시 기업이 도산하더라도 그 빚을 갚아야 할 책임은 없다. 그 책임은 법인으로서 기업이 지는 것이다. 물론, 이 밖에도 두 사람 이상이 출자하되 소유와 경영을 공동으로 맡아 모든 책임을 지는 합명회사partnership도 있다.

그런데 현대사회에서는 기업의 수는 개인회사가 많아도 전체 시장

도표 22 | 기업의 종류와 시장가치의 비중(최근 미국)

출처 〈Parkin M., Economics, 9장, 1994〉

가치의 생산에서는 주식회사 등의 기업이 더 큰 비중을 차지하고 있다. 도표 22는 이를 보여주는 하나의 사례다.

기업은 생산에 필요한 각종 설비와 원료를 구입하고 제품을 만들어 판매하는데, 이를 구체적으로 담당하기 위해 종업원을 고용한다. 기업에 의해 고용된 종업원은 계약에 의해 얼마간의 임금을 받고 일하게 되므로, 기업 경영자의 입장에서 보면 종업원이 제공하는 노동도 하나의 원료와 같다. 이와 같이 기업은 노동, 자본, 토지 등의 투입물을 결합해 재화나 용역을 생산하고 그것을 판매하는 조직체라고 할 수 있다.

그런데 우리는 여기서 왜 한 개인이 따로따로 생산해 각 생산단계별로 반제품半製品 또는 부품으로서 서로 거래하지 않고, 기업이라는 조직체를 통해 생산하게 되는가를 생각할 필요가 있다. 그 필요성을 한마디로 말하면, 애덤 스미스가 지적한 대로 분업division of labor의 이익 때문이다. 분업의 이익을 일으키는 요인에는 여러 가지가 있다. 우선 기술적으로는 분업을 통해 각자의 일에 전문화됨으로써 숙련도가 높아지고 시간도 절약되는 이점이 있다. 애덤 스미스는 『국부론』에서 한 사람이 하루에 20개도 만들지 못하는 핀을 열 사람이 단계별

분업을 통해 4,800개를 만드는 예를 제시하고 있다.

더 나아가 이 열 사람이 왜 각기 독자적인 기업이 되어, 시장기구를 통해 단계별로 부품을 사고파는 방식으로 경제 행위를 조정하지 않는가를 생각해본다면 기업의 존재 이유를 잘 알 수 있게 된다. 그 이유는 시장거래를 통해 모든 생산단계별로 경제 행위를 하면, 상대방 물건의 질에 대해 잘 알 수 없고, 물건의 구입시기도 꼭 맞을지 확실시되지 않으므로 검사비용, 재고비용 등 각종 비용이 추가로 든다. 따라서 한 조직체 안에서 어떤 감독자의 감독 아래서 또는 상호 신뢰나 상호 감시하에서 생산하는 것이 유리하다. 이 점에 착안해 코즈R. Coase와 같은 학자는 거래비용transaction cost의 절감 때문에 모든 생산단계별로 각 개인이 생산하지 않고, 기업이란 조직을 이용해 생산하는 것이 유리해진다고 말한다.

나아가 우리는 거래비용의 절감효과뿐만 아니라, 협동생산을 통해 이익을 볼 수 있는 요인이 많이 있음을 지적해두고자 한다. 한 예로, 꼼꼼히 앉아서 물건을 잘 다듬는 내성적 성격의 사람과 좀 덜렁대지만 돌아다니면서 물건을 잘 파는 외향적인 사람이 있다고 하자. 두 사람이 각기 따로따로 제작도 하고 판매도 하는 것보다, 둘이서 함께 기업을 만들어 한 사람

기업의 활동은 이인삼각 경기와 비슷하다. 한 조직체 안에 다양한 개인이 몸담고 있으면서 상호 신뢰와 협동으로써 재화나 용역을 생산 · 판매하기 때문이다.

은 제작을, 다른 사람은 판매를 하는 것이 더 유리하다.

이와 같이 적재적소에 사람을 배치함으로써 생산성이 향상되는 사례는 얼마든지 있다. 이 경우 설혹 모든 면에서 열등한 사람도 잘만 배치되면 기업에 도움을 줄 수 있을 것이다. '굼벵이도 기는 재주가 있다' 는 말대로, 유능한 사장이 직접 전화받고 회의를 주재하기보다 능력이 자기보다 떨어지지만 전화라도 받을 수 있는 사원을 고용함으로써 사장은 더 중요한 일을 더 잘할 수 있게 된다.

물론, 여기서 기업의 규모가 무작정 커진다고 해서 분업의 이익도 커진다는 이야기는 아니다. 기업 규모가 너무 커지면 오히려 근무시간에 노는 사람이 생길지도 모른다. 따라서 시장경제에서는 비용절감의 측면에서 기업이 스스로 적정한 규모를 찾게 되는 이점이 있음을 알 수 있다. 이것은 사회주의하의 기업에서 지나친 규모확대와 경영부실로 일을 하지 않고 월급만 받는 사람들이 많아진 현상과 대비된다.

이와 같이 생산하는 조직체로서의 기업은 내부의 의사결정 과정에 많은 복잡한 문제를 안고 있다. 그러나 여기에서는 기업이란 재화와 용역을 생산, 판매해 얻은 매출액에서 생산하는 데 들어간 비용을 빼고 남은 이윤profit을 최대한 얻으려는 조직체라고 간주하고, 기업의 행동원리를 설명하려 한다.

합리적 생산

기업은 무엇을 목표로 생산하고 판매할까? 이에 대해 여러 가지 대답이 있을 수 있다. 예를 들어, 기업은 시장에서 판매량을 극대화하기 위해 노력할 수도 있고, 또는 지금은 조금 손해를 보더라도 장래 이윤의 안전성을 위해 노력할 수도 있다. 그런데 가장 간단하고 그럴듯한 설명의 하나는, 기업은 이윤추구를 위해 행동한다는 것이다. 실제로 많은 기업들이 그러한 성향을 지니고 있다.

이윤이란 총수입과 총비용의 차이다. 여기서 총수입이란 흔히 상인들이 매상이라고 하고 기업체가 매출액이라고 부르는 것으로, 총판매량과 가격의 곱으로서의 총판매액과 같다. 총비용이란 생산에 들어간 임금, 이자, 지대 등 각종 비용의 합으로서 이 비용은 기회비용으로 계산되어야 한다. 예를 들어 기업가 자신의 노동에 대한 임금과 자기 자본에 대한 이자도 비용에 포함된다. 이런 의미에서 이윤이란 경제적 이윤economic profit으로서 회계상의 이윤이나 보통 상인들이 말하는 마진margin과는 좀 다르다. 이 점은 이미 앞에서 설명한 바 있다.

이윤(경제적 이윤) = 총수입 - 총비용
= [가격×판매량] - [요소가격×요소사용량]

그런데 위의 식을 가만히 들여다보면, 총수입total revenue과 총비용total cost의 차이를 크게 하기 위해서는 적당한 정도의 생산량 또는 판매량을 결정해야 함을 알 수 있다. 너무 많이 생산해 판매하면 총수입은 많아지나 총비용 또한 너무 커질 수 있으므로, 이윤이 작아질지도 모른다. 반대로 너무 적게 생산하면 총비용은 조금 줄어들지만 총수입이 많이 줄어들어 이윤이 작아질 수 있다.

따라서 우리는 이윤의 크기를 계산하기에 앞서서, 어떤 요소투입량에 대해 얼마만큼의 생산량이 나오는지를 알아야 한다. 이와 같이 생산요소투입과 그것을 이용했을 때 최대 가능한 산출물의 생산량의 기술적 관계를 나타내는 함수를 '생산함수production function'라 한다. 예를 들어, 노동(L)과 토지(T)의 두 요소를 이용해 산출물(X)을 생산하는 경우, 생산함수는 다음과 같다. 여기에서 함수 f란 생산요소들과 산출물 간에 어떤 기술적 관계가 있음을 의미한다.

이윤의 크기를 계산하기에 앞서 먼저 어떤 요소투입량에 대해 얼마만큼의 생산량이 나오는지를 알아야 한다. 이와 같이 생산요소투입과 그것을 이용했을 때 최대 가능한 산출물의 생산량의 기술적 관계를 나타내는 함수를 '생산함수'라 한다.

$$X = f(L, T)$$

이때, 토지사용량(T)을 고정요소로서 생산량과 관계없이 고정된 것으로 보고 노동을 가변요소variable factor로서 투입량을 조정할 수 있다고 가정한다면, 다음과 같이 노동의 한계생산물marginal product(MP_L)과 평균생산물average product(AP_L)을 계산할 수 있다. 즉, 한계생산물이란 가변요소가 한 단위 추가될 때 증가된 생산물의 양을 말하며, 평균생산물이란 투입된 가변요소 한 단위당 산출된 생산물의 양을 말한다.

$$MP_L = \frac{\text{산출물의 증가량}}{\text{노동량의 증가분}} = \frac{\Delta X}{\Delta L}$$

$$AP_L = \frac{\text{총산출량}}{\text{투입된 노동량}} = \frac{X}{L}$$

그런데 가변요소와 총생산물total product의 관계를 보면, 도표 23의 (가)와 같이 노동이 조금 투입될 때는 노동량이 증가함에 따라 비례 이상으로 총생산물이 증가하다가, 어떤 수준 이상에서는 비례 이하로 증가하며, 결국 총생산물이 감소하는 것을 알 수 있다.

이를 (나)에서 한계생산물(MP)과 평균생산물(AP)로 다시 표현해 보면, 노동량이 L_1인 점에서 원점과 생산함수상의 한 점을 잇는 선의 기울기(θ)인 평균생산물이 최대며, 이때 생산함수 자체의 기울기인

한계생산물과 평균생산물이 일치한다. 나아가 노동량이 L_1 보다 많아짐에 따라 평균생산물과 한계생산물이 감소함을 알 수 있다.

이와 같이 어떤 고정요소가 존재할 때 한 가지 가변요소를 계속 투입함으로써 한계생산물이 결국 감소하는 현상을 수확체감의 법칙law of diminishing returns이라고 부른다. 예를 들어, 사무실 사용면적은 일정한데 사무원의 수만 계속 증가하면, 결국 새로 추가된 사무원의 작업량이 종래의 사무원보다 적어지는 현상이 일어날 것이다.

도표 23의 그래프를 표로 다시 정리한 것이 도표 24이다. 이 표는 가변요소의 증가에 따라 변화하는 각 생산물의 양을 단계별로 나타낸다. 그런데 기업가가 현실적으로 조업하는 구간은 생산의 제2단계여야 한다. 생산의 제1단계에서는 한 사람을 추가 고용할 때마다 평균적인 생산량이 증가하므로 사람을 더 쓰는 것이 유리할 것이기 때문이다. 반대로 생산의 제3단계에서는 사람을 이미 너무 많이 써서

도표 23 | 가변생산요소와 생산물

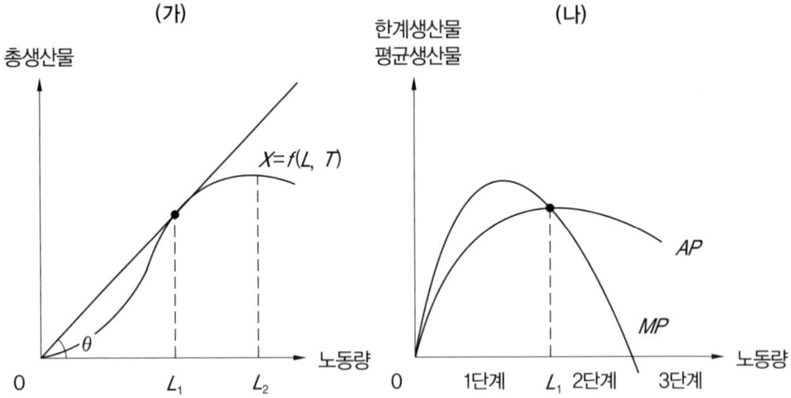

총생산량이 감소하고 있으므로, 비효율적인 구간이다. 생산의 제2단계에서는 한 사람을 추가 고용함으로써 총생산물(TP)은 증가하지만 평균생산물(AP)은 감소하므로, 기업가가 적절하게 사람을 쓰도록 고민하는 상태다.

이와 같이 기업가는 생산의 제2단계에서 투입량을 결정함을 알 수 있는데, 이보다 좀더 엄격한 기준은 없을까? 그것은 어떤 일정량을 생산하는 데 비용을 최소화하는 조건cost-minimization을 찾는 것과 같다. 결론부터 말하자면, (가중)한계생산물균등의 원리가 성립되어야 비용이 최소화된다. 즉, 노동과 토지가 모두 가변요소라면, 노동의 한계생산물을 노동의 가격으로 나눈 값이 토지의 한계생산물을 토지의 가격으로 나눈 값과 같아야 한다.

$$\frac{\text{노동의 한계생산물}}{\text{노동의 가격}} = \frac{\text{토지의 한계생산물}}{\text{토지의 가격}}$$

왜 위의 등식이 성립해야 비용이 최소화되는지를 생각해보면, 그 이유는 간단하다. 예를 들어 등식이 성립되지 않고, 좌변이 우변보다

도표 24 | 생산의 3단계

	제1단계	제2단계	제3단계
총생산물(TP)	증가	증가	감소
평균생산물(AP)	증가	감소	감소
한계생산물(MP)	$MP > AP$	$MP < AP$	음수

더 커졌다고 하자. 이것은 같은 돈 1원을 썼을 때, 노동을 더 씀으로써 얻어지는 생산물의 증가분이 토지의 생산물에 대한 한계적인 기여분보다 큼을 의미한다. 즉, 우변보다 좌변이 클 때는 노동을 더 많이 씀으로써 비용을 줄일 여지가 있다는 것이다. 따라서 노동을 더 많이 씀으로써 노동의 한계생산물을 감소시켜 1원에 대해 얻는 노동의 한계적 기여분이 토지의 한계적 기여분과 같도록 만들어주어야 한다. 반대로, 우변이 좌변보다 클 때는 토지의 기여도가 커서 토지를 더 쓸 여지가 충분히 있다는 뜻이 되므로, 양자가 일치하도록 만들어야 비용이 최소화된다.

이와 같은 비용최소화 조건은 등생산량곡선isoquant과 등비용선iso-cost line 같은 도구를 이용해 이차원 평면상에도 나타낼 수 있다. 등생산량곡선이란 동일한 생산량을 얻을 수 있는 두 요소의 결합을 나타

도표 25 | 비용최소화의 조건

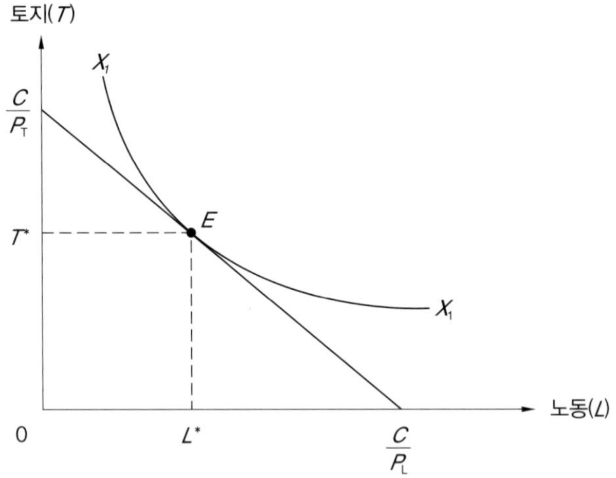

내는 곡선으로서, 등생산량곡선상의 점은 모두 기술적 효율성을 가진다. 도표 25의 X_1X_1 곡선과 같은 등생산량곡선은 무차별곡선의 모양처럼 우하향하면서 원점에 대해서 볼록하다. 우하향하는 이유는 노동이나 토지 중에서 어떤 한 요소를 더 쓰면, 다른 요소를 덜 써도 동일한 생산물을 얻을 수 있기 때문이다. 등생산량곡선이 원점에 대해서 볼록한 것은, 한계기술 대체율체감이라고도 하는데, 그 이유는 노동을 많이 쓰고 있는 상태에서는 노동의 한 단위 증가의 효과가 별로 크지 않아서, 토지와 같은 다른 요소의 미미한 감소와 맞먹을 정도가 되기 때문이다.

한편, 등비용선은 동일한 비용을 들여 살 수 있는 요소량의 조합을 나타내는 직선이다. 비용이 C, 노동의 가격이 P_L, 토지의 가격이 P_T일 때, 노동의 사용량이 L, 토지의 사용량이 T이면 등비용선은 다음과 같다.

$$C = P_L \cdot L + P_T \cdot T$$

이 식을 풀면 다음과 같다. 즉, 그림에서 등비용선은 세로축의 절편이 $\frac{C}{P_T}$이며, 기울기의 절대값은 두 요소의 가격비율과 같은 직선으로 나타난다.

$$T = \frac{C}{P_T} - \frac{P_L}{P_T}L$$

이때 X_1이란 수준의 생산량을 산출하는 데 있어서 비용을 최소화하는 방법이란, 등비용선과 등생산량곡선이 접하는 점에서 노동과 토지의 사용량을 결정하는 것이다. 즉 L^*, T^*만큼 요소를 사용할 때 X_1을 생산할 수 있으면서, 그 비용은 최소로 되는 것이다. 그리고 이점에서는 등생산량곡선의 접점의 기울기(노동의 한계생산성/토지의 한계생산성)와 등비용선의 기울기(노동의 가격/토지의 가격)가 같아져서, 결국 다음의 등식이 성립하게 된다.

$$\frac{\text{노동의 한계생산성}}{\text{노동가격}} = \frac{\text{토지의 한계생산성}}{\text{토지가격}}$$

이와 같이 기업의 합리적 생산의 초보적인 기준으로서 비용최소화의 조건을 얻었지만, 앞에서도 서술했듯이 이것만 가지고 이윤이 최대화되는 조건을 다 찾은 것은 아니다. 비용최소화의 조건이란 일정한 생산량을 생산하는 데 드는 비용을 최소화하는 투입요소량을 찾는 조건이므로, 말 그대로 비용을 최소화하는 조건은 되지만, 이것만 가지고는 생산량이 얼마만큼 되어야 하는지는 알 수 없다. 기업에서는 비용이 좀더 들더라도 생산량을 더욱 많이 늘려서 수입을 더 올릴 수 있다면, 요소를 더 많이 쓸지도 모른다. 따라서 우리는 이윤 최대화의 조건을 탐구하기 위해 기업의 생산량 결정 방식을 알아보아야 한다.

이윤 최대화를 위해서는 총수입과 총비용의 차이를 크게 해야 하는데, 총수입은 가격과 생산량의 곱이므로 만약 어떤 기업의 생산량이 그 재화시장에서 차지하는 비중이 아주 작아서 그 기업의 공급량의 변화가 그 재화의 시장가격에 끼치는 영향이 미미하다면, 다음과 같이 간단한 이윤 최대화의 기준이 나온다.

생산물의 가격=한계비용

여기서 '한계비용marginal cost'이란 생산량을 한 단위 더 생산할 때 추가로 드는 비용을 말하는데, 대체로 생산량이 늘게 됨에 따라 수확체감이 작용하므로 한계비용 자체는 생산량 증가에 따라 상승하는 것이 보통이다.

이윤 최대화를 위해서 위의 공식이 성립되어야 하는 이유는 비교적 쉽게 알 수 있다. 만약 재화의 가격이 10원인데, 그 재화를 한 단위 더 생산하는 데 드는 비용이 9원이 되는 수준에서 생산량을 결정했다고 하자. 이때 생산량을 더 늘려서 재화를 더 생산한다면, 수입면에서는 개당 10원씩 더 들어오는 데 비해, 비용은 추가로 9원밖에 더 들지 않으므로, 생산을 더 늘리는 것이 유리하다. 반대로 가격이 한계비용보다 낮은 경우에는 생산량을 더 줄여야만 한다.

이와 같이 이윤 최대화의 기준을 생산요소 면에서 보면, 다음과 같은 공식으로 나타낼 수 있다.

생산물의 가격 × 요소의 한계생산물 = 요소가격

위의 공식에서 좌변을 '한계생산물의 가치value of marginal product'라고도 하는데, 위의 공식이 성립되어야 이윤이 최대화된다는 것도 쉽게 알 수 있다. 어떤 기업가가 이윤을 최대화하도록 생산량을 결정하기 위해, 어떤 요소를 얼마만큼 사용할까를 결정하려면, 그 요소를 사용함으로써 추가로 드는 비용인 요소가격과 그것을 이용해 생산물을 더 많이 만들어 팔았을 때 얻는 수입의 증가분을 비교해 양자가 같아야 한다. 이때 수입의 증가분은 바로 요소의 한계생산물과 그 생산물의 가격의 곱이 된다. 우리는 이 공식이 등식으로 성립되지 않고 부등식이 된다면, 생산량을 더 줄이거나 늘림으로써 이윤을 더 증가시킬 여지가 있음을 쉽게 확인할 수 있다.

예컨대 노동의 가격이 일당 2만 원이고 노동의 한계생산물이 제품 5개이며 제품의 가격이 3,000원이라면 $3{,}000 \times 5 < 20{,}000$이 된다. 따라서 마지막에 고용된 노동은 자신이 받는 임금이 2만 원이지만 그 기여분은 1만 5,000원이므로 제 몫도 다하지 못하고 있다. 그러므로 이 경우에는, 노동사용량을 줄여야만 수입과 비용의 차이인 이윤을 최대화할 수 있을 것이다.

밑지고 파는 장사?

이제 기업의 이윤 최대화에 대해 좀더 자세히 알아보기 위해, 기간별로 기업이 어떻게 의사결정을 하는지를 나누어 생각해보자. 영국의 경제학자 마셜에 따르면, 기업의 의사결정에 관련된 기간으로는 다음의 세 가지가 있다고 한다.

첫째는 단기short-run로, 공장이나 설비와 같이 변화시킬 수 없는 고정요소fixed factor가 있는 짧은 기간이다. 이 경우 기업은 가변요소를 얼마만큼 고용해 생산량을 결정할 것인가를 판단해야 한다.

둘째는 장기long-run로, 모든 요소가 가변적이 될 정도로 긴 기간인데, 생산시설을 자유로이 증설하거나 폐기할 수 있으며 새로운 기업이 신설된 생산시설을 갖고 참여할 수도 있는 기간이다. 이때 기업은 생산량 조정뿐만 아니라 어느 정도로 최적규모optimum scale의 공장을 건설할 것인가, 아니면 그 산업에서 탈퇴해 사업을 포기할 것인가를 판단해야 한다.

셋째는 최장기very long-run로, 제품을 만드는 새로운 기술이 개발될 정도로 아주 긴 기간이다. 이때 기업가는 단지 생산량 결정, 설비규모의 결정뿐만 아니라 슘페터J. A. Schumpeter가 말했듯이 신제품 개발, 신시장 개척, 신경영조직 구상, 신원료 발굴, 신기술 도입 등 기술혁신innovation에 관심을 갖는다.

먼저 단기에 있어서 기업가의 의사결정 방식을 알아보기 위해, 비용함수short-run cost function의 구조를 살펴보자. 단기에 있어서는 설비와 같은 고정요소가 있으므로, 총비용은 고정비용fixed cost과 가변비용variable cost의 합으로 나타난다.

총비용 = 고정비용 + 가변비용

여기에서 고정비용이란 생산량과 관계없이 무조건 들어가는 비용인 데 비해, 가변비용은 생산량을 증가시키기 위해 가변요소를 더 쓸 때 증가하는 비용이다. 그런데 고정요소가 있는 경우 가변요소를 계속 더 투입하면 비용체증(수확체감에 비추어 생각할 것)이 작용하므로, 가변비용의 증가폭은 결국 점점 더 커지게 될 것이다.

이때 생산물의 한 단위당 비용인 평균비용average cost을 계산해보면

도표 26 | 평균비용곡선의 모양

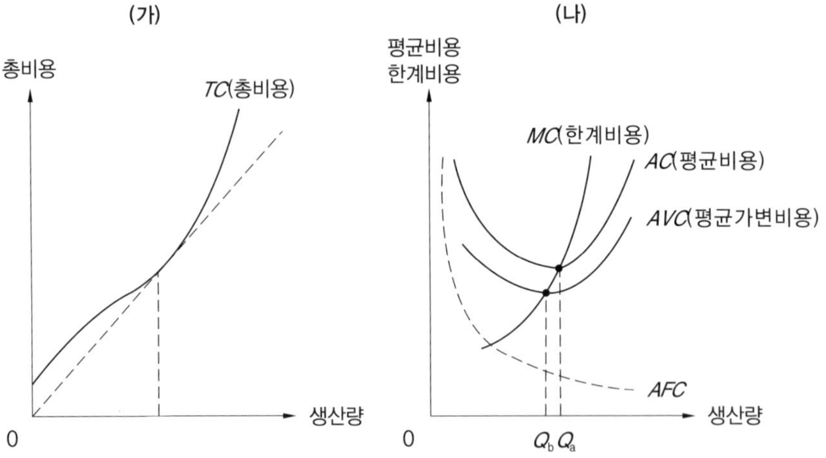

다음과 같다.

$$평균비용 = 평균고정비용 + 평균가변비용$$

평균비용을 구성하는 항목의 하나인 평균고정비용은 생산량이 증가함에 따라 감소한다. 예를 들어 생산량이 2배가 되면 평균고정비용은 반이 된다. 한편, 평균가변비용은 생산량이 증가함에 따라 결국에는 증가하게 된다. 이 두가지 비용의 효과를 합하면, 도표 26에서 볼 수 있듯이 평균비용곡선average cost curve은 대체로 U자형을 이룬다.

한편 생산량이 한 단위 증가함에 따라 추가되는 한계비용을 추적한 곡선인 한계비용곡선marginal cost curve을 그려보면, 도표 27에서처럼 이 한계비용곡선은 평균비용곡선의 최저점을 통과하면서 오른쪽으

도표 27 | 단기에서의 생산량 결정

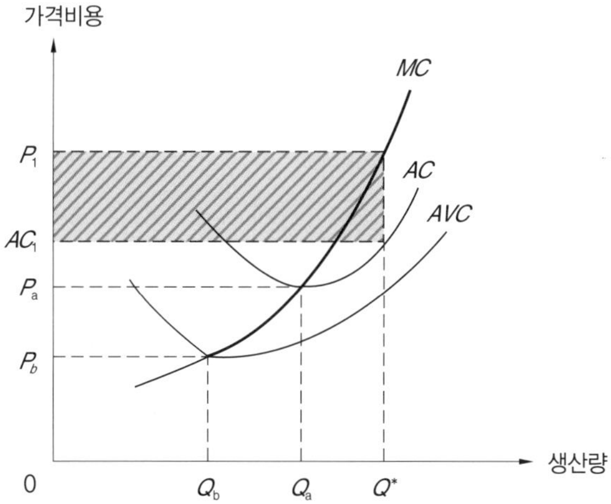

로 갈수록 상승하는 곡선이 됨을 알 수 있다. 한계비용곡선이 평균비용곡선의 최저점을 통과하는 이유는 쉽게 알 수 있다. 한계비용이 평균비용보다 작은 구간(0Q_a 사이)에서는 추가되는 비용이 현재까지의 단위비용보다 적으므로, 생산량이 증가하면 평균비용은 계속 감소하는 효과가 있다.

반대로 한계비용이 평균비용보다 큰 구간(0Q_a 초과)에서는 추가되는 비용이 현재까지의 단위비용보다 크므로, 생산량이 증가하면 평균비용도 계속 증가한다. 따라서 평균비용이 일시적으로 감소도 증가도 하지 않는 최저점에서는 한계비용과 평균비용이 일치한다. 마찬가지 이유로 평균가변비용이 최저인 Q_b에서는 한계비용과 평균가변비용이 일치한다.

이와 같은 비용구조를 가진 기업이 만약 어떤 재화시장에서 자신의 생산량과 무관하게 가격이 주어졌다고 받아들이면서, 이윤을 최대화하도록 생산량을 결정한다면, 그 생산량은 어떤 원리에 의해 결정되는 것일까? 이와 같이 어떤 시장에서 충분히 많은 수의 수요자와 공급자가 존재해 어떤 한 개인도 자신의 생산량이 가격에 영향이 없으리라고 생각하면서 생산량을 결정하는 시장 상태를 완전경쟁perfect competition이라 한다. 완전경쟁 상태하의 기업이 생산한 재화의 가격은 자신의 생산량과 무관하다고 간주되므로, 이윤 최대화의 조건이란 다름 아닌 가격과 한계비용이 일치하는 수준에서 생산량이 결정된다는 것이다.

만약 이때 시장에서 결정된 가격이 충분히 높아서 $0P_1$ 수준이었다면, 생산량 $0Q^*$를 팔아서 $0P_1 \times 0Q^*$만큼의 총수입을 얻고 개당 단위비용은 AC_1이므로, 빗금 친 부분만큼 경제적 이윤이 발생한다. 이 경우 기업은 조업을 계속할 것이며, 장기적으로는 다른 기업도 같은 사업에 뛰어들려 할 것이다.

그러나 만약 이 재화의 시장가격이 너무 낮아서 생산량 한 단위당 평균비용을 충당하지 못하면 어떻게 될까? 예를 들어, 가격이 P_a 이하로 되었다면 기업은 적자를 볼 것이다. 그렇다면, 단기에서 이 기업은 적자를 보면서 계속 조업을 할 것인가?

결론부터 말하자면, 가격이 평균가변비용곡선(AVC)이 최저인 P_b보다 크면, 기업은 적자를 좀 보더라도 계속 생산하는 것이 낫다. 가격이 평균가변비용보다 크다는 것은 생산물을 한 개 팔아서 생산을 유지하는 데 드는 운영비인 가변비용을 충당하고서도 약간 남는다는 뜻이므로, 이 남는 것을 평균고정비용을 충당하는 데 쓴다면 적자를 보더라도 적자 폭은 줄일 수 있다. 만약 적자를 본다고 하여 생산을 안 한다면 고정비용은 고스란히 들어간 셈이므로, 적자는 더 늘어날 것이다. 물론 가격이 평균가변비용도 충당되지 않을 정도로 떨어진다면, 생산하면 할수록 운영비인 가변비용도 건질 수 없다는 뜻이 되므로 조업을 중단하는 것이 낫다.

예를 들어 가을철 추수기에 농산물 가격이 내렸다 하더라도 그 가격이 도시로의 운송비보다 높다면, 단위당 생산비로 볼 때는 밑진다 하더라도 이미 지불된 각종 비용을 조금이라도 건지기 위해서는 농산물을 도시에 내다 파는 것이 유리하다. 반대로 농산물 가격이 운송비에도 못 미칠 정도라면, 그 농부는 수확을 포기하게 될 것이다. 따라서 단기에서 주어진 가격에서 이윤을 최대화하는 기업의 생산량이란 다름 아닌 한계비용곡선에 의해 나타난다. 다만, 가격이 평균가변비용보다 큰 구간에서의 한계비용곡선이 바로 단기에서의 기업의 공급곡선supply curve이 된다는 단서가 붙는다. 도표 27에서 한계비용곡선

의 굵은 실선은 이 사실을 나타낸다. 나아가 이윤을 최대화하는 기업이라면 가격이 상승함에 따라 생산량을 늘리므로, 이 경우 우상향하는 공급곡선이 논리적으로 쉽게 설명된다.

경쟁과 원가절감

단기적으로 기업은 상품의 가격이 시장에서 그대로 주어질 때, 가격과 한계비용이 같은 지점에서 생산하며, 약간 밑지더라도 생산을 계속할 수도 있다는 점을 알았다. 그러나 생산설비 자체를 증설하거나 폐기할 수 있고, 또한 기업의 진입 자체가 자유롭다면 계속 적자를 보면서 기업을 하려는 사람은 없을 것이다.

다수의 기업 간에 경쟁이 존재하는 시장경제에서 만약 장기적으로 모든 생산요소를 자유로이 고용하거나 퇴출할 수 있다면, 기업은 과거 고정설비였던 것도 최적규모로 하여 비용을 떨어뜨림으로써 이윤을 최대한 확보하려 할 것이다. 이처럼 장기에는 공장의 규모를 생산량에 따라 마음대로 조정할 수 있으며, 비용은 가변비용의 개념이 된다. 이와 같이 장기에서의 생산량과 평균비용과의 관계를 나타내는 곡선을 '장기평균비용곡선long-run average cost curve'이라 한다. 이러한 장기평균비용곡선은 비용의 가변성 때문에 단기보다 더욱 평탄한 U자 곡선이 되며, 대개 단기의 고정비용도 최적 규모로 하여 비용을 절감할 수 있어 장기평균비용은 단기비용보다는 낮은 수준이며, 따라서 단기평균비용곡선의 아래에 있게 된다.

이렇게 생각하면 가장 낮은 비용으로 생산할 수 있는 생산점들을 연결하면 장기평균비용곡선을 만들 수 있다. 이때 장기평균비용곡선은 단기비용곡선을 감싸는 포락선enveloped curve의 형태를 띠게 될 것임을 위의 설명에서 짐작할 수 있다. 그런데 이 장기(평균)비용곡선은 계획하고 달성하기 위해 노력할 수는 있으나 현실적으로는 존재하기 힘든 가상적인 선이다.

여기서, 장기평균비용곡선의 형태를 대체로 세 가지로 나눌 수 있다. 우선, 생산량이 증가함에 따라 비용이 감소하는 형태다. 도표 28 (가)에서 보듯이 생산의 규모가 커짐에 따라 비용이 감소하는 경우, 이를 '규모의 경제economics of scale가 작용한다' 또는 '규모에 대한 수익증가increasing returns of scale가 존재한다'고 말한다. 이 장기평균비용곡선은 일정한 고정비용을 가진 단기비용곡선에서 고정설비의 규모를 변화시킬 때 평균비용이 얼마나 줄어들 수 있는가를 찾아감으로써 알 수 있으며, 그림으로 그리자면 단기평균비용곡선을 아래에서 싸고 있는 선envelope으로 그릴 수 있다. 예를 들어, $0Q_2$만큼 생산하는데 필요한 요소의 사용량을 앞에서 설명한 비용최소화 조건에 따라 알 수 있으므로, 장기평균비용도 계산할 수 있게 된다.

그런데 이 장기평균비용곡선이 (가)에서와 같이 우하향하는 형태가 되는 이유는 기업경영에 관련된 독특한 요인이 작용했기 때문이다. 예를 들어, 기업규모가 커짐에 따라 분업에 의해 전문화가 촉진되고 경영자의 관리능력이 향상될 수 있다면, 규모의 경제가 발생한다.

만약 이와 같은 규모의 경제가 작용하지 않는다면, 장기에서 평균비용곡선은 (나)와 같이 수평선이 될 수도 있다. 공장규모의 증설이

도표 28 | 장기평균비용곡선의 형태

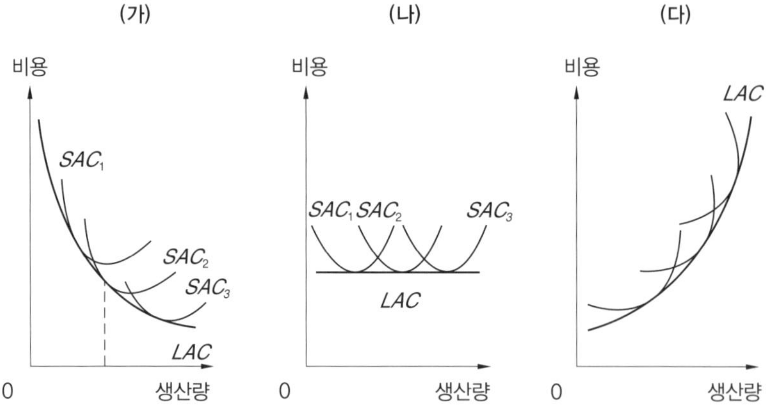

평균비용의 최저점에 영향을 주지 않는 경우다. 이를, 규모에 대한 수익불변constant returns to scale이라고도 말한다.

마지막으로 규모가 증가함에 따라 오히려 비용이 증가하는 현상이 발생한다면 (다)에서와 같이 장기평균비용이 증가할 수도 있다. 이를, 규모의 불경제diseconomics of scale 또는 규모에 대한 수익감소decreasing returns to scale라 한다. 기업규모가 커짐에 따라 종업원의 관리가 곤란해지고 내부적으로 의사를 집약하는 데 결정비용이 많이 드는 등 경영관리상의 어려움이 발생하면, 규모의 불경제가 발생한다.

그런데 기업 간의 경쟁 과정에서 적자도 흑자도 없이 경제적 이윤이 제로가 되는 상태가 장기균형이라면, 시장경제에서는 끊임없이 최적의 규모를 찾게 되어 원가가 절감될 것이다. 이윤이 양이면 새로운 기업이 참여하거나 기존 기업이 설비를 증설할 것이며, 이윤이 음이면 기존 기업이 설비규모를 줄이거나 일부 기업이 빠져나갈 것이기 때문이다. 따라서 시장경제에서는 대체로 분업의 이익이 모두 활용되는 수준이 되도록 최적규모가 결정되어 비용이 절감되는, 보이지 않는 힘이 작용한다. 물론 장기균형long-run equillibrium 상태에서 이윤이 제로라는 것은 기업이 자기 자본에 대해서 다른 사람에게 빌려 쓴 자본과 마찬가지로 이자 정도의 수익을 올리고 있는 것을 말하므로, 이때의 이윤을 경제적 이윤과 구별해 '정상이윤normal profit' 이라고 한다. 정상이윤이란 이자와 수익률 면에서 동일하므로 기회비용의 일종으로 간주할 수 있다.

대리인의 문제

지금까지는 기업의 주인이나 전문경영인을 구분하지 않고 논의했다. 그런데 기업의 주인이 경영에 관여하지 않고 전문경영인이 기업을 경영하는 경우에는 양자가 서로 다른 주체가 될 수 있으며, 이들은 기업경영에 대해 서로 다른 생각을 품을 수 있다. 이때 전문경영인은 사실은 기업주의 대리인agent이다. 대리인은 다른 쪽을 대신해 의사결정을 하는 사람이다.

이미 애덤 스미스는 『국부론』에서 경영자(대리인)들이 소유주만큼 조심성을 충분히 발휘하지 않음을 지적한 바 있다. 예를 들어, 기업의 경영과 관련해 이익과 경영의 혜택이란 서로 다른 관점이 있을 수 있으며, 이익의 최대화가 기업주의 기본적인 관심사라면 경영을 통

도표 29 | 주주와 경영자

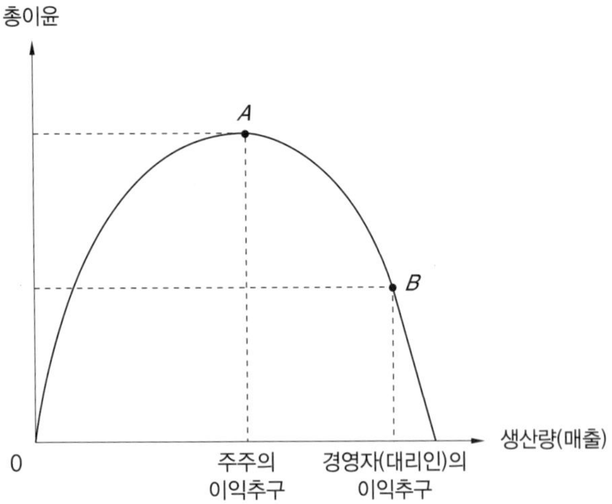

한 경영자의 혜택(좋은 사무실, 사회적 명성 등)은 전문경영인의 관심사일 수 있다. 이 양자의 관점의 차이는 동일한 기업상황에서 서로 다른 선호를 할 수도 있다. 물론, 경영자와 소유자가 동일인이면 선호는 달라지지 않을 것이다.

예를 들어, 경영자가 소유주의 대리인이면(예컨대, 자본의 작은 부분만 경영자가 소유하고, 나머지 부분의 소유자는 따로 있다면), 더 이상 경영자는 소유와 경영이 일치했을 때의 이윤추구의 자세로 임하지 않을 것이다. 이때 경영자는 매출을 늘려 조직을 확대하고 이윤에는 덜 신경 쓸 가능성이 있다. 즉 도표 29에서처럼 주주는 이익을 최대화하는 *A*점을 선호하겠지만, 대리인으로서의 경영자는 매출을 늘리는 *B*점을 선택할 수 있다. 이러한 대리인과 소유주의 갈등을 우리는 흔히

'대리인의 문제agency problem'라 한다.

그런데 이러한 대리인의 문제는 기업에서만 일어나는 것은 아니다. 예를 들어, 정부와 국민 사이에도 국민이 소유주라면 정부는 대리인일 수 있으며, 정부가 국민의 의사를 제대로 반영해 일하지 않는 경우가 흔히 있는데 이 역시 대리인의 문제로 설명할 수 있다. 또한 소송에서 변호인과 그 의뢰인 역시 대리인과 본인 관계일 수 있어 대리인의 문제가 발생할 수 있다. 이처럼 대리인의 문제는 오늘날 일방이 상대방을 완전히 알 수 없는 불완전한 정보상황에서 흔히 일어날 수 있는 일이다.

요약

이 장에서 우리는 기업의 행동목표가 이윤 최대화라고 가정한 후, 고정 요소가 있는 단기에서와 모든 요소가 가변적인 장기에서 생산량이 어떻게 결정되는지를 살펴봤다. 이를 위해 우선 비용최소화 조건으로서 한계생산물균등의 원리를 설명하고, 완전경쟁시장에서 이윤 최대화 조건으로서 가격과 한계비용이 일치되어야 함을 설명했다. 또한 한계비용곡선이 올라간다는 사실에서 공급법칙을 유도하고, 경쟁을 통해 평균비용이 최저인 점으로 생산규모가 변화하는 과정을 서술했다.

중요개념

- 한계생산물균등의 원리
- 등생산량곡선과 등비용선
- 총비용, 평균비용, 한계비용
- 경제적 이윤
- 장기평균비용곡선, 포락선
- 규모의 경제, 규모의 불경제
- 본인, 대리인, 대리인의 문제

더 깊이 이해하기

지금까지 경제문제를 분석할 때 어떤 변수의 증가분에 대해서 많이 이야기했다. 예를 들어 효용의 증가분인 한계효용, 비용의 증가분인 한계비용, 생산물의 증가분인 한계생산물 등이 있다. 이와 같이 경제 분석에는 한계치가 중요한데, 어떤 학자는 경제학은 마치 개가 꼬리를 흔드는 것이 아니라 꼬리가 개를 흔드는 학문이라고 말했다. 이것은 어떤 사람의 경제 행동에 있어서 실제로 선택의 기로에 서 있을 때는 선택의 결과에 의해 발생하는 효과의 한계적인 변화에 관심이 있기 때문에 그러하다. 예를 들어, 어떤 사람이 어떤 사업에 얼마만큼 투자할 것인가 아닌가를 생각해보면, 1원을 더 투자할 때 생기는 수익의 증가분과 비용의 증가분이 같아질 때까지 투자할 것임을 알 수 있다.

다음으로 이 장에서 자세히 언급하지는 않았지만 현실경제에서 굉장히 중요한 기업가의 역할에 대해서 생각해보자. 여기에서는 기업이 이윤 최대화를 목표로 물건을 생산, 판매하는 조직이라고 간단히 가정하고, 기업가는 기업을 대표해 생산량을 결정하는 대리자 정도라고 간주했다. 실질적인 기업가의 역할은 이것보다 더 복잡하며, 다음과 같은 3가지 기능을 생각해볼 수 있다.

첫째, 기업조직 관리자로서의 기업가의 역할이다. 이는 스미스나 코즈가 지적한 바대로, 기업에 고용된 여러 사람들에게 실제로 어떤 일을 맡겨서 일을 잘하도록 하는 기능으로서, 통상적인 기업가의 업무가 여기에서 나온다. 기업조직의 관리자로서 기업가가 받는 보수는 일종의 감독자로서 받는 임금이며, 경우에 따라서는 조직 전체의 효율적 관리에 따른 수익 중에 상당부분이 포함되기도 한다.

둘째, 모험가로서의 기업가의 역할이 있다. 프랭크 나이트는 기업이 직면하는 미래에는 예측 가능한 위험risk과 예측 불가능한 불확실성uncertainty이 있다고 구분했다. 기계 고장, 불량품 발생, 생산시기 지연 등 예측 가능한 위험은 보험료와 같은 비용을 지불함으로써 대비가 가능하지만, 새로 만든 제품이 시장에서 성공할 것인가의 여부는 팔아보기 전에는 미리 알 수 없는 불확실한 요인이다. 따라서 나이트는 기업가란 불확실성에 맞서서 과감하게 판단하고, 그 판단이 성공했을 때 이윤이라는 보상을 받게 된다고 설명한다.

셋째, 기업가의 역할은 혁신가innovator로서 나타난다. 슘페터는, 장기균형 상태에서는 경제적 이윤이 없으므로, 새로운 기술을 개발하고 새로운 제품을 만들어 다른 사람보다 혁신적인 활동을 해야만 기업의 이윤이 발생한다고 주장한다. 이때 기업가는 혁신의 주체로서 시장경제를 활성화시키는 담당자이며, 기업가에 대한 보상은 그러한 혁신의 대가로 간주된다.

사실 이러한 기업가의 역할은 우리가 앞에서 설명한 내용에서는 크게 중요하게 다루어지지 않았다. 이 점은 우리가 다루었던 생산에 대한 설명 방식이 지니는 한계이자 단점이라 하겠다.

경제학자 이야기 5

오스트리아학파의 창시자, 칼 멩거

Carl Menger(1840~1921)

멩거는 1840년 당시 오스트리아에 속했던 갈리치아 지방에서 변호사였던 아버지 안톤 멩거의 아들로 태어났다. 빈 대학과 프라하 대학에서 수학한 후, 1867년에 크라쿠프 대학에서 법학박사 학위를 받았다. 졸업 후 잠시 언론에 종사하다가 오스트리아 수상실의 공보관으로 일하기도 했다. 그후 1871년 불후의 명작인 『국민경제학의 기초』를 출간했고 1783년 이로 인해 빈 대학에서 강좌를 얻었으며, 1879년 빈 대학 법학부의 정교수가 되었다. 1921년 서거 후 그가 집필을 위해 모았던 2만여 점의 방대한 자료는 일본의 히토쓰바시 대학에 팔렸다.

멩거는 당시 경제학의 법칙을 경험에서 찾으려는 역사학파의 태도에 항거하면서 선험적 특성과 논리성을 크게 중시했으며, 주관적 한계효용에 입각해 가격결정을 설명하는 한계혁명의 선구자가 되었다. 그는 『국민경제학의 기초원리』와 『경제학과 사회학에서의 제문제』라는 뛰어난 저술을 남겼다.

멩거의 뒤를 이어 비저F. von Wieser(1851~1926), 뵘바베르크E. von Böhm-Bawerk(1851~1914), 하예크F. von Hayek(1899~1992) 등이 빈 대학을 중심으로 오스트리아학파를 형성했으며, 이들은 오늘날 신자유주의 논쟁을 불러일으키며 경제학과 사회학 등에 새로운 바람을 불어넣고 있다.

4
시장의 형태

읽을거리

큰손과 개미군단

우리나라의 증권시장에서 몇십억 이상의 돈을 가지고 대규모로 주식투자를 하는 사람을 '큰손'이라고 부르며, 몇백만 원 정도의 작은 규모로 주식투자를 하는 주부들을 '개미군단'이라고 부른다. 큰손이라고 불리는 주식투자가는 때때로 몇 종목의 주식을 집중적으로 매수해 주식가격이 오른다는 소문을 퍼뜨리고, 주식가격이 오르면 다시 팔아서 커다란 시세차익을 남기기도 한다. 이 때문에 주가조작 사건으로 처벌된 투자가도 있다. 이들은 자신의 주식매수나 매도가 해당 주식의 가격에 영향을 준다는 것을 알면서 거래 행위를 하는, 일종의 시장지배력을 가진 경제주체다.

반대로 소규모 투자가인 개미군단에 속하는 사람들은 자신이 어떤 종목의 주식을 사거나 팔거나 간에 해당 주식의 가격에는 크게 영향을 주지 않을 것이라고 생각한다. 최근 우리나라 주식시장의 규모가 커지면서 많은 소액 투자가들이 참여해 개미군단이라고 불리는 사람들이 생겼는데, 만약 이러한 사람들만 주식시장에 있다면 주식시장은 완전경쟁 상태에 있다고 할 수 있다.

경쟁과 사람 수

수요와 공급에 관한 정보가 가격을 통해 교환되고, 수요자와 공급자 사이에 재화가 거래되는 시장에서는 수요와 공급의 원리에 의해 가격과 거래량이 결정된다. 그런데 좀더 구체적으로 들여다보면 거래자의 수, 상품의 질, 진입의 자유 여부 등 여러 가지 요인에 의해 시장에 참여하는 경제주체의 행동 방식이 달라진다.

첫째로, 시장의 형태를 결정하는 가장 중요한 요인은 수요자와 공급자의 수이다. 예를 들어, 공급자가 하나밖에 없는 경우에는 아무래도 공급자의 의사에 따라 가격과 거래량이 크게 영향을 받을 수밖에 없고, 공급자의 수가 많아지면 한 공급자는 다른 공급자의 눈치를 보게 되어 시장에 미치는 영향력은 그만큼 감소하게 된다.

공급자가 하나밖에 없는 경우를 공급독점, 또는 '독점monopoly'이라고 한다. 그리고 수요자가 하나밖에 없는 경우를 '수요독점monopsony'이라고 한다. 예를 들어 우리나라의 전력공급은 한국전력이라는 공기업이 독점적으로 담당하고 있다. 공급자가 소수에 한정되어 있는 경우에는 이를 '과점oligopoly'이라고 한다. 독점과 과점을 합쳐서 '독과점獨寡占'이라고도 한다.

또한 상당수의 많은 공급자가 경쟁을 하기는 하지만 각 공급자가 조금씩 차별화된 상품을 지니고 있는 경우도 생각할 수 있는데, 이를 흔히 독점적 경쟁이라 한다. 예를 들어, 주유소는 휘발유라는 비슷한 상품을 판매하지만 그 서비스 방식에서 조금씩 차이를 두고 있어, 각기 차별화된 상품으로 경쟁하는 '독점적 경쟁시장monopolistic competition'

을 형성한다. 그리고 공급자나 수요자 모두가 다수인 경우에는 '완전경쟁perfect competition' 이라고 하는데, 완전경쟁 상태가 성립하려면 이밖에도 앞으로 서술될 자유로운 진입과 탈퇴 등과 같은 다른 요인이 추가되어야 한다.

둘째, 시장의 형태에 영향을 주는 요인으로서 재화의 유사성이 있다. 재화가 질적으로 조금 다르지만 서로 대체 가능하다고 생각될 때, 한 재화시장과 다른 재화시장 간에 서로 영향을 받을 수밖에 없다. 예를 들어, 지하철이란 수송수단은 지하철공사가 운영하지만 버스나 택시와 같은 다른 수송수단은 민간업자가 운영하므로 승객 수송 면에서는 서로 경쟁적인 관계에 있다.

경우에 따라서 어떤 재화의 공급업자 수는 상당히 많지만, 어떤 한 업자의 제품이 소비자가 인식하기에 질적으로 월등히 우수하다면,

그 제품은 시장에서 약간이나마 독점적인 지배력을 가질 수도 있다. 많은 기업들이 자기 기업 제품의 질이 우수하다고 광고하는 것은 이 때문이다.

셋째로, 시장형태에 영향을 주는 요인으로 진입의 자유 여부를 들 수 있다. 인위적, 또는 자연적 요인으로 어떤 시장에 아무나 참여할 수 없게 된다면, 그만큼 기존의 공급업자는 시장지배력이 커지게 된다. 예를 들어, 어떤 재화를 만드는 기술이 특허권으로 보호되어 있을 때나, 시장규모가 상대적으로 협소해 한 업체만 존재하는 경우, 경쟁의 정도는 약화될 것이다.

마지막으로, 공급자의 수가 많다 하더라도 서로 담합collusion해 시장에 영향력을 행사하는 경우가 있다. 예를 들어, 판매량과 판매가격에 대해 협약을 맺는 카르텔Cartel과 같은 경우, 여러 업체가 마치 한 공급자처럼 행동할 수 있다. 이와 같이 뚜렷이 드러나지는 않는다 하더라도 판매지역을 서로 나누거나 한 기업의 가격을 다른 기업이 따라주는 형태 등의 많은 담합 행위가 시장에서 경쟁의 정도에 영향을 미친다.

완전경쟁 상태와 기업 행동

앞에서 시장의 형태를 결정하는 여러 요인을 설명했는데, 이 중에서 가격경쟁이 가장 잘 일어나는 상태를 생각해보자. 이 상태를 보통 완전경쟁이라 한다. 더 엄격하게 완전경쟁의 조건을 설명하면 다음 네 가지이다.

첫째, 다수의 공급자와 수요자가 있어서, 각 경제주체는 자신의 수요량이나 공급량이 늘거나 줄더라도 가격에 전혀 영향이 없다고 생각한다. 다시 말하면, 경제주체는 모두 시장에서 결정된 가격을 마치 주어진 것처럼 여기는 가격순응자price-taker가 된다. 개별 경제주체들은 자신의 공급량과 수요량이 가격에 주는 영향이 거의 없다고 생각하지만, 실상은 이러한 경제주체의 판단이 모두 합쳐져서 시장에서 수요량과 공급량이 같도록 가격이 조절되는 상태다.

둘째, 어떤 시장에서 거래되는 재화는 모두 동질적이어서 완전대체 가능하다. 즉, 공급자나 수요자 모두 제품들이 똑같은 물건이라고 인정하고 있는 경우를 말한다.

셋째, 공급자나 소비자가 가격에 대해 완전한 정보를 가지고 있어서, 한 재화에 대해서는 한 가지 가격만 존재하는 일물일가一物一價가 적용된다. 말하자면, 이 경우 어떤 공급자가 파는 물건값이 다른 사람에 비해 특별히 싸면 그 사람에게 모든 수요자가 몰려가므로 그 사람은 더 이상 팔 물건이 없어지거나 가격을 올릴 수밖에 없게 된다. 반대로, 물건값을 비싸게 받으면 고객은 점점 줄어들게 된다. 또한 공급업자가 고객에게 바가지를 씌우는 일을 할 수 없을 정도로 수요자는 정보를 가지고 있다.

넷째, 시장에 진입의 자유가 있어서 다른 재화에서 이윤을 더 높이 얻을 수 있는 산업이 있으면, 그 산업으로 다른 공급업자가 재빨리 들어오게 된다. 여기서 진입의 자유는 공급자가 시장에 들어오는 데에 비용이 들지 않음을 말한다.

이와 같이 완전한 경쟁이 일어나는 상태는 현실적으로 존재하기 힘들지 모른다. 비교적 완전경쟁시장에 가깝다고 하는 농산물시장이나 주식시장에서도 때때로 위의 네 가지 조건 중 하나 이상이 적용되지 않는 경우가 있다. 그렇지만 위와 같이 완전경쟁시장을 가정함으로써 왜, 어떤 요인에 의해서 시장의 형태가 달라졌는가를 판단할 수 있으므로, 완전경쟁이란 가정은 이론적으로 분석의 출발점이 된다. 예를 들어, 어떤 지역에서 어떤 재화의 물건값이 특히 비싸다면 소비자의 정보 부족 때문인지, 딴 지역과 떨어져 있어서 공급업자의 진입이 제약을 받고 있어서인지 판단할 수 있게 된다.

완전경쟁시장에서 이윤 최대화를 도모하는 기업의 행동은 이미 앞 장에서 설명한 바와 같다. 요약해서 말하자면, 시장에서 가격이 주어진 상태라고 생각하고 행동하는 기업의 경우, 그 가격과 한계비용이 같은 점에서 생산하게 된다. 즉, 이윤은 총수입에서 총비용을 뺀 차액이므로 이윤을 최대화하는 순간 총수입이 증가하는 정도와 총비용이 증가하는 정도는 같아진다. 다시 말하면, 가격과 한계비용이 같아야 한다.■ 단, 여기에서 적어도 시장가격이 평균비용보다 커야만 이윤이 남고, 나아가 그 가격이 평균가변비용보다 커야만 단기적으로

■ 그것을 간단히 수식을 써서 표시하면 쉽게 이해된다. 먼저, 이윤은 총수입과 총비용의 차액인데, 총수입은 가격(p)과 생산량(q)의 곱이며, 총비용(c)은 생산량의 함수다.

$$\text{이윤} = p \times q - c(q)$$

이윤을 최대화하는 생산량이란 이윤을 생산량에 대해 미분했을 때, 그 미분값이 제로가 되도록 하는 점(q^*)이 된다는 것을 쉽게 알 수 있을 것이다.

$$p - \frac{dc(q)}{dq} = 0$$

이 식을 말로 풀어 쓰면, 가격은 즉 한계비용이 된다.

적자를 보더라도 조업을 계속하게 된다는 것은 앞에서 설명한 바와 같다.

그런데 도표 30에서 보듯이 완전경쟁 상태에서 단기적으로 빗금친 부분만큼의 이윤이 발생한다면, 다른 산업보다 수익률이 높다는 말이 되므로, 다른 기업이 뛰어들거나 기존 기업이 자신의 설비규모를 확장하게 될 것이다. 이 경우, 공급량이 증가하므로 시장에서는 결국 가격이 낮아지며, 이러한 움직임은 이윤이 제로가 될 때까지 계속될 것이다.

만약 그림에서처럼 모든 요소가 가변적인 상태에서 장기비용곡선의 형태가 U자 형태를 이루고 있다면, 결국 장기평균비용이 최저인 최적규모 상태 Q_L에서 조업을 하게 될 것이며, 이때 이윤은 제로이므로 기업의 진입이나 탈퇴도 없는 장기균형long-run equilibrium이 달성될

도표 30 | 완전경쟁하의 단기 · 장기균형

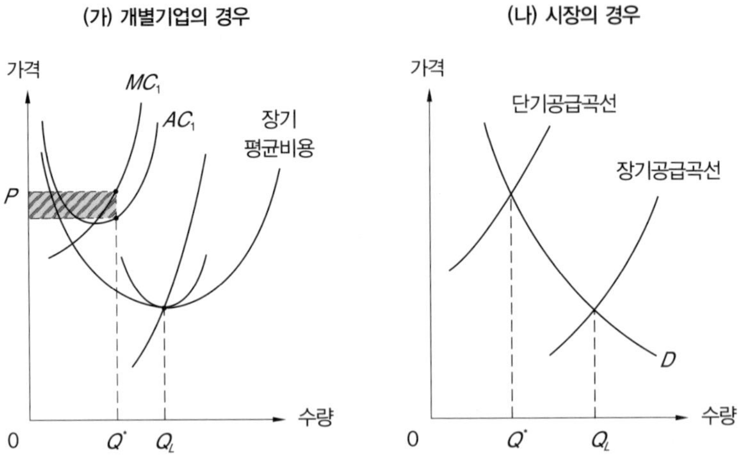

수도 있다. 이 장기균형 상태에서는 기업이 다른 산업에서와 같은 정도로, 또한 자신이 자본을 다른 기업에 빌려주었을 때 받을 수 있는 이자율 수준 정도로 수익률을 올리고 있으므로, 경제적 이윤은 제로가 된다.

그런데 우리는 장기평균비용곡선의 형태가 산업에 따라 꼭 U자형이 될 필요는 없다는 점을 유의해야 한다. 단기적으로는 고정요소인 설비나 토지가 있으므로 단기평균비용곡선이 수확체감에 의해 U자형이 되겠지만, 장기에서는 모든 요소가 가변적이므로, 어떤 형태가 될지 알 수 없다. 더군다나 시장의 규모가 협소해 한 기업이 조업하더라도 공급량이 충분하고도 남을 정도가 된다면, 어떤 산업에서 장기비용곡선은 계속 우하향하는 형태가 될지도 모른다.

이와 같이 규모의 경제economics of scale가 계속 작용하는 산업에서는 완전경쟁 상태가 성립되기 어렵다. 생산량을 계속 늘리면 비용이 감소하게 되는데 비용 측면에서는 기업이 생산량을 계속 늘리면 좋겠지만, 생산량이 늘게 됨에 따라 시장에서의 가격도 계속 하락하게 되어, 여러 기업이 진출하면 오히려 손실이 날지도 모르기 때문이다. 이와 같은 산업의 종류로는 대규모 설비투자가 필요한 전력이나 전화사업 같은 것이 있다. 이러한 산업에서는 완전경쟁에 가깝게 다수의 기업이 존재하기보다 소수 기업 또는 독점기업이 출현하는 이유가 바로 여기에 있다.

독점업자의 행동

어떤 재화시장에서 공급업자가 하나뿐인 경우, 이 독점기업이 어떻게 생산량을 결정해 이윤을 최대화할까? 이 문제는 일찍이 1830년대의 프랑스 경제학자 쿠르노A. Cournot에 의해 제기되어 비교적 쉽게 해답이 주어졌다.

독점기업의 경우, 자신이 생산량을 변화시킴으로써 가격이 변화한다는 사실을 잘 알고 있는 상태에서 생산량을 결정하므로price-maker, 완전경쟁기업과는 좀 다른 점에서 생산량을 결정할 것이다. 물론, 이 경우 독점기업은 경쟁기업과는 달리 자신이 생산하는 상품에 대한 시장수요를 예상해야 하며 이를 바탕으로 이윤 극대화를 추구할 것이다.

독점기업의 경우도 이윤(총수입-총비용)을 최대화하는 것은 동일하다. 하지만 총수입(가격×판매량)의 측면에서 살펴보면, 독점기업은 판매량을 증가시키려면 가격을 낮추어야 한다는 수요의 법칙에 따라 무작정 많이 팔아도 총수입이 늘어나지 않는다는 사실을 잘 알고 있다. 따라서 어느 정도 수준 이상의 가격을 책정하여 너무 싼값에만 사려는 소비자를 배제하는 것이 기업 측에는 유리하다.

그 조건이란 바로 이윤이 최대화되는 순간에 다음 조건을 충족하도록 하는 판매량을 찾는 것이다.

수입의 증가분 = 비용의 증가분

또는, 한계수입 = 한계비용

그런데 여기에서 만약 이 기업이 독점상태에 있지 않고, 다수의 다른 기업과 완전경쟁하는 상태에 있었다면 어떻게 될까를 생각해볼 수 있다. 독점기업의 경우 이윤 최대화의 기준은 바로 한계수입이 한계비용과 같은 점이었다. 이에 비해 완전경쟁 상태하에서 기업이 생산량을 결정하는 기준은 가격이 한계비용과 같은 (가격=한계비용) 점이다. 따라서, 만약 독점기업이 완전경쟁 상태에 있었다면, 도표 31 (나)의 수요곡선상에서 M점이 아니라 C점에서 가격이 결정될 것이다. C점의 경우 M점에 비해 가격이 낮으며 생산량은 더 늘어난다.

말하자면 독점기업은 일반적으로 완전경쟁하의 기업보다 생산량을 줄이게 되며, 따라서 가격이 상승되는 경향이 있다. 이것은 독점기업이 자신의 생산량을 늘리면 가격이 하락하리라는 것을 스스로 잘 알고 있으므로, 생산량을 좀더 줄여서 이윤을 최대한 확보하려고 하기 때문이다. 따라서 독점기업은 경제적 효율성을 상당히 해칠 소지가 있다. 이것이 바로 정부가 독점을 규제하는 주된 근거이기도 하다.

그런데 앞에서 시장이 협소하거나 규모의 경제가 작용하는 경우,

도표 31 | **독점기업의 이윤 최대화**

(가)

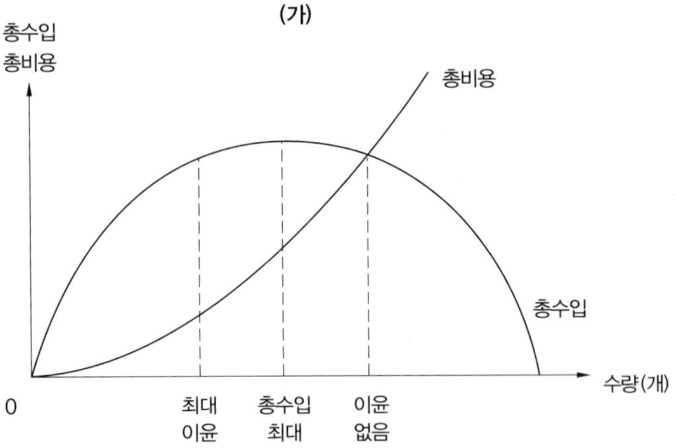

(나)

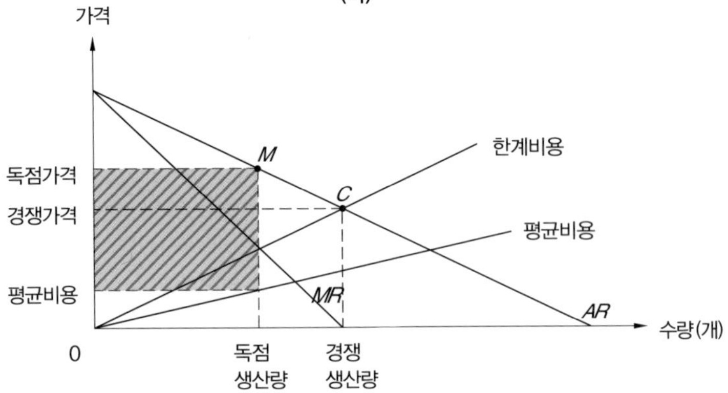

완전경쟁이 유지되지 못하므로 독점이 발생할 수도 있다고 했다. 이와 같이 경제적인 이유에서 생기는 독점을 '자연독점natural monopoly' 이라고 하는데, 이때는 독점이 경제적 효율성을 그리 해치지 않음을 알 수 있다.

학생요금은 왜 싼가

사실상 현실적으로 존재하는 기업은 완전경쟁도, 또한 완전독점도 아닌 상태에서 조업하는 경우가 많다. 비교적 다수의 기업이 존재하더라도 제품의 질이나 판매지역의 차이 등에 의해 각 기업은 약간의 시장지배력을 갖게 마련이다. 반대로, 독점기업이라 하더라도 그 제품과 유사한 대체품의 개발가능성이 있으므로, 잠재적인 시장참여자를 의식해서 항상 경쟁력을 높이려고 할 것이다.

이와 같이 현실적인 문제는 기업의 행동을 좀더 면밀하게 관찰함으로써 더 잘 파악될 수 있을 것이다. 그렇지만 완전경쟁하의 기업과 독점기업의 행동을 이해함으로써 현실에서의 기업행동을 이해하는 하나의 출발점으로 삼을 수 있다. 이제 그 한 예로서 독점기업의 행동원리를 이용해, 기업이 왜 제품의 가격을 차별적으로 설정하는지를 생각해보자.

수요자의 유형 또는 시장이 분리되어 있는 경우, 가격을 소비자에 따라 달리 받는 가격차별price discrimination이 발생한다. 가격을 차별한다고 하니까 인종차별이나 지역차별처럼 부정적 의미로 들릴지 모르나, 사실상 대부분의 기업에서는 할인혜택이란 말로 이를 듣기 좋게 쓰고 있다. 예를 들어, 극장에서 첫 번째 영화상영에 대해 조조할인을 하거나, 학생요금을 싸게 받는 경우, 전력회사에서 심야 전력요금을 싸게 받거나, 전화회사에서 주말요금을 싸게 받는 경우가 이에 해당한다. 반대로 택시업자가 심야 할증요금을 받는 것도 가격차별의 예다.

독점기업의 경우 한계수입과 한계비용이 일치하는 점에서 생산량을 결정하는데, 만약 같은 물건을 두 곳으로 분리된 시장에서 팔 수 있다면 각 시장에서 기업이 어떻게 판매량을 결정해 가격을 매기게 될까? 그 해답은 간단하다. 시장이 분리되어 있으므로, 각 시장에서 따로 존재하는 수요곡선을 예상한 뒤 거기에서 유도되는 한계수입 곡선이 한계비용과 같도록 하면 독점기업의 이윤이 최대화될 것이다. 즉, 분리된 두 시장에서 조업하는 독점기업의 행동기준은 다음과 같다.

첫째 시장에서의 한계수입
=둘째 시장에서의 한계수입
=한계비용

이 기준을 그림을 그려 설명하면 도표 32와 같다. 만일 어떤 회사가 컴퓨터를 만들어 학생의 학습용으로 수요하는 시장과 일반인이 업무용으로 수요하는 시장에 각각 나누어 판다고 하자. 또한 학생은 컴퓨터의 가격변화에 상대적으로 민감해 수요의 가격탄력성이 일반인에 비해 크다고 하자.

이 경우 원점에서 왼쪽으로 표시된 학생시장에서 학생의 수요곡선이 상대적으로 완만한 형태로 나타났다고 하면, 학생시장에서의 한계수입과 일반인시장에서 한계수입이 같도록 판매량이 조정될 것이다. 즉 학생시장 판매량은 Q_S가 되고, 일반인 시장 판매량이 Q_G가 된다. 따라서 학생요금 P_S는 일반요금 P_G에 비해서 상대적으로 싸게 하

도표 32 | 가격차별

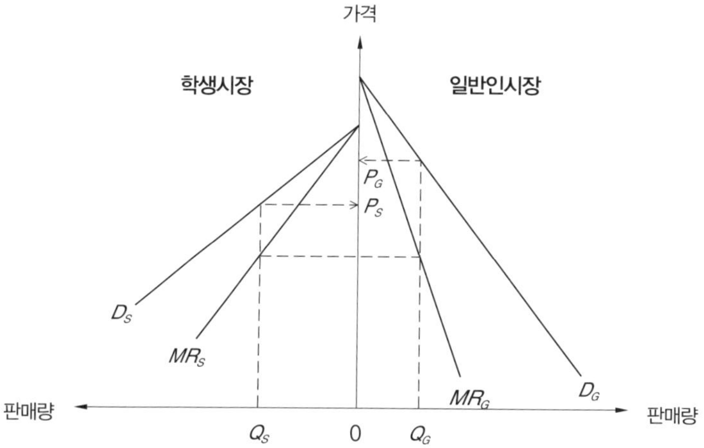

는 것이 기업체에 유리할 것이다.

이와 같은 가격차별의 원리는 백화점에서 계절이 지난 상품을 싸게 파는 사례나, 새로 개발된 제품을 처음에는 비싸게 팔다가 나중에 가격을 내리는 사례에도 적용될 수 있다.

과점시장의 전략적 행동

현대경제에서 시장은 기업의 대규모화로 몇 개의 기업이 하나의 시장을 점하고 있는 경우가 많으며, 기업경영에 대규모 자본이 필요한 산업에서 이러한 형태가 자주 눈에 띈다. 이처럼 동일하거나 비슷한 상품에 대해, 몇 개의 공급자(기업)가 시장에 존재하는 경우를 흔히 과점시장이라 한다. 원유시장, 가전제품시장, 자동차시장, 개인용 컴퓨터시장, 항공시장 등은 오늘날 흔히 볼 수 있는 과점시장이다.

과점시장의 특징은 한 기업의 행동이 다른 기업의 이윤에 크게 영향을 미친다는 점이다. 그러므로 기업은 경쟁기업과는 다른 방식으로 시장에서 상호 의존적이다. 즉, 기업은 과점시장에서 상대기업의 결정에 따라 기업 자신의 최적 선택이 달라지는 전략적 상황에 처하게 된다.

물론, 과점시장에는 시장 밖의 기업들이 쉽게 접근할 수 없는 진입장벽들이 있을 수 있다. 예를 들어, 기존 기업들이 상품 등 시장상황에 대한 정보를 선점하거나, 규모의 경제가 작용하는 자본이 많이 드는 산업의 경우 역시 새로운 기업이 쉽게 접근하지 못하는 이유가 된다. 게다가 이미 기존 상품의 이미지가 시장에서 확고하게 자리 잡고 있는 상태라면, 새로운 기업이 시장에 진입해 쉽게 자리 잡을 수 없을 것이며, 이 또한 진입장벽이 될 수 있다.

이러한 과점시장에서 기업이 어떻게 행동하는가를 설명하는 이론 중의 하나는 스위지P. Sweezy가 고안한 굴절수요곡선Kinked demand curve이다. 이는 과점상황에서 추측된 가격의 변화가 가격을 내릴 때와 올릴 때에 비대칭성asymmetry을 보임으로써 굴절수요곡선이 이 만들어진다는 것이다. 즉, 가격인하의 경우 경쟁기업은 고객을 잃지 않기 위해 가격을 같이 내릴 것이기 때문에 가격의 추측된 변화가 있지만, 가격을 올릴 경우 경쟁기업은 따라하지 않을 것이기 때문에 가격은 그대로 현재의 상황을 유지할 것이라 생각하는 것이다. 이렇게 되면 수요곡선은 가격을 내릴 때와 올릴 때에 다르게 변화하여 굴절된 모습을 지니게 된다. 따라서 담합collusion이 없는 경우에는 쉽게 가격을 변동시킬 수 없어, 과점시장의 시장가격은 비교적 안정적이라 할 수 있다.

이와 더불어 언급할 수 있는 과점시장의 기업 행동 양식의 하나는 담합과 가격선도price leadership 모형이다. 과점기업은 자칫 발생하기 쉬운 가격인하 경쟁이 기업 모두에게 커다란 손실을 가져올 수 있음을 잘 알고 있다. 따라서 합법적이든 비합법적이든 서로 협조체제를 구축하려 할 것이다. 이때 비합법적인 가격과 수량에 대한 협조체제 구축을 담합이라 하며, 단체를 만들어 행동하는 것을 카르텔이라 한다. 카르텔은 시장 전체의 산출량뿐만 아니라 기업 각자의 산출량도 결정함으로써 시장에서 독점과 비슷한 결과가 나오도록 행동할 가능성이 크다.

각 개별 기업의 생산량은 각 기업의 상대적인 교섭 능력에 의해 결정된다. 이러한 결정에 불만을 지니고 있거나, 가격을 조금 내려 크게 이익을 볼 수 있다는 유혹을 개별 기업이 받게 되면, 담합은 쉽게 무너질 수 있다. 이러한 점이 담합의 불안정성을 가져온다. 예를 들어, 과거 산유국들의 감산에 따른 유가상승의 담합이 얼마 가지 않아 무너진 것도 이러한 담합의 불안정성과 관련된 것으로 보인다.

이에 대해, 기업은 명백한 담합이 아니더라도 서로 암묵적으로 과당경쟁을 피하려는 노력을 할 수 있다. 이것의 한 예가 가격선도 모형이다. 가격선도는 시장에서 상당한 지배력을 지니는 지배적 기업에 의해 주도될 수도 있고, 시장에서 인정받는 기업(바로미터적 기업)에 의해 이루어질 수도 있다. 그러나 가격선도는 흔히 시장지배적 기업에 의해 이루어지는 경우가 많다. 예를 들어, 철강시장에서 시장지배력이 있는 A제철의 가격결정을 다른 제철회사들은 그대로 따르는 경우가 많으며, 이로써 A제철은 가격결정에서 선도적 역할을 하게 되는 것이다.

전략적 상황과 게임이론

게임에 참여하는 상대방이 어떤 행동을 취할 것인가를 생각하면서 자신의 행동을 결정해야 하는 전략적 상황에서 경제주체들의 행위를 체계적으로 분석하려는 시도가 '게임이론game theory'이다. 이는 최근 과점시장의 분석 등을 포함해 경제주체들의 행동 분석에 폭넓게 적용되고 있다. '죄수의 딜레마prisoner's dilemma'나 '최후통첩적 협상 게임ultimate bargain game' 등은 널리 알려진 게임이론이다.

죄수의 딜레마는 협력이 서로에게 이익이 되는데도 왜 협력하기 힘든가를 설명하는 것으로서, 두 용의자 사이에서 벌어지는 게임이다.

예를 들어, 다음과 같은 경우를 생각해보자. 즉, A와 B는 2년형을 받을 가능성이 있는 자동차 절도범이다. 그런데 검사가 이들을 심문하던 중, 이들이 은행강도일 가능성이 있다고 생각했다고 해보자. 먼저 이들을 각자 분리된 방에 가두어 두고 자신들이 은행강도의 용의자임을 알게 한 다음, 둘이 모두 자백하면 3년형, 둘 중 하나가 자백하면 자백한 사람은 1년형, 자백하지 않은 사람은 10년형, 그리고 둘 다 자백하지 않으면 자동차 절도죄로만 각자 2년형을 받게 된다고 이야기해준다.

그러면 용의자들은 은행강도임을 자백하거나 부인하거나 할 것인데, 여기서 네 가지 결과가 나올 수 있다. 즉, 둘 다 자백할 경우, 둘 다 부인할 경우, A는 자백하고 B는 부인할 경우, 반대로 A는 부인하고 B는 자백할 경우가 그것이다.

이러한 경우에 앞에서 언급한 바와 같이 다음과 같은 이익과 손실이 있을 것이다. 즉, 둘이 모두 자백하면 같이 3년형을 구형받고, 둘 중 하나가 자백하면 자백한 사람은 1년형, 자백하지 않은 사람은 10년형, 그리고 둘 다 자백하지 않으면 자동차 절도범으로서만 각자 2년형을 구형받을 것이다.

이 경우, 용의자들은 어떻게 행동할 것인가? A의 입장에서 생각해보면, B가 자백한다고 가정할 경우 자신도 자백하면 3년형이고 자신이 부인하면 10년을 구형받을 것이다. 따라서 A는 자백을 선택할 것이다. 또 B가 부인한다고 가정하면, 자신이 자백하면 1년, 부인하면

2년을 구형받을 것이다. 따라서 이 경우도 A는 자백을 선택하는 것이 유리하다. B의 입장도 마찬가지다. B 역시, A의 경우와 비슷하게, A가 자백하든, 부인하든 자백을 선택하는 것이 유리하다. 따라서 A와 B 모두 결국 자백을 선택하게 된다.

이러한 죄수의 딜레마에서는 B(A)의 행동이 주어질 때, A(B)는 그것을 바탕으로 가장 유리한 행동을 선택하지만, 상대방의 행동을 어떻게 고려해도, 즉 상대방의 행동에 상관없이 지배적인 어떤 행동방향이 있게 된다. 이를 흔히 '지배전략 균형Dominant Strategy Equlibrium'이라 한다.

이러한 죄수의 딜레마는 담합을 하고 있는 복점시장(A, B 기업)의 기업의 행동을 분석하는 데도 사용될 수 있다. 만약 게임이 한 번에 끝난다면 지배전략 균형의 성립이 가능하다. A기업이나 B기업 모두

도표 33 | 각 경우의 이익과 손실

		A의 전략: 자백	A의 전략: 부인
B의 전략	자백	A: 3년 B: 3년	A: 10년 B: 1년
	부인	A: 1년 B: 10년	A: 2년 B: 2년

약속을 파기하고 이익을 얻으려 할 것이기 때문이다.

그런데 죄수의 딜레마와는 달리 시장상황은 대부분 같은 상황이 자주 되풀이되는 경우가 많다. 이런 경우에는 죄수의 딜레마와는 다른 상황이 전개될 수 있다. 예를 들어, 한 기업은 상대기업이 이번에 약속을 파기하면 다음 기회에 복수의 기회를 갖게 된다. 즉, 지난번에 상대방이 약속을 파기했으면 이번에는 내가 약속을 파기해 복수하려 할 것이다. 이 전략은 상대방과 처음에는 우호적으로 시작해서 상대의 행동을 보아가면서 상대를 벌주고, 그후 다시 용서하는 전략이라 할 수 있다. 이를 일종의 '눈에는 눈, 이에는 이eye for eye, tooth for tooth 전략'이라 한다. 그러나 조금만 합리적으로 생각해봐도 양자는 약속파기의 이익이 계속될 수 없으며, 자신도 똑같이 불리해질 수 있다는 것을 인식하게 되며, 결국 협력하는 것이 서로에게 이익이라는 사실을 알게 될 것이다. 즉, 협력적 균형cooperative equilibrium에 도달하는 것이다.

물론, 이러한 경우에도 행동의 시작에서 각자가 상대기업을 어떻게 파악하고 있느냐는 매우 중요하다. 예를 들어, 상대기업을 약속파기의 가능성이 큰 기업으로 인식하고 있으면, 항상 약속파기의 가능성이 커질 것이기 때문이다. 또한, 상대기업의 복수가 자신에게 커다란 손해를 끼칠 것이 확실하다고 판단(이를 확실한 위협credible threat이라 함)되면 더 이상 약속을 파기하려 하지 않을 것이다.

이외에도 어떤 경우는 타이밍이 중요한 게임도 있다. 최후통첩적 협상 게임이 그 예다. 예를 들어 갑과 을이 있는데, 1회성 게임으로 100만 원을 상한으로 하여 갑이 X원을 주겠다는 제안을 을이 받으면, 상황은 종료되고 만약 을이 그 제안을 받지 않으면 갑도 돈을 가질 수 없다고 설정해보자. 만약 을의 목표가 돈을 얻는 것이라면, 을은 갑의 제안을 거절하면 돈을 챙길 수 없으므로 제안된 액수가 적더라도 갑의 제안을 수락할 수밖에 없다. 따라서 이 경우는 일종의 지배전략이 존재해 지배전략 균형에 도달하게 된다.

이 경우에는 누가 먼저 제안하느냐가 매우 중요하다. 위에서처럼 갑이 먼저 X원을 제안하면 을이 그것을 거절할 수 없지만, 만약 을이

경제주체들은 신뢰의 문제를 해결하기 위해 여러 가지 노력을 하게 된다. 음식점에서 종업원의 서비스 향상을 위해 팁제도를 운영하는 것도 한 예다.

먼저 Y원 이하는 받지 않겠다고 선언하고 갑이 그것을 믿을 수밖에 없으면, 갑은 을에게 Y원 이상을 주지 않을 수 없다. 물론, 이 경우 갑은 을이 선언을 지킬 것이라 믿을 수 있어야 할 것(이를 신뢰할 수 있는 약속credible promise이라 함)이다.

그런데 이러한 신뢰의 문제를 해결하기 위해 경제주체들은 여러 가지 노력을 하게 된다. 예를 들어, 음식점에서 종업원의 서비스 향상을 위해 팁제도를 운영하는 것이나, 원거리 사무소 대리인에게 부정직할 경우를 대비해 담보를 잡거나 배상액을 설정하는 것 등은 신뢰문제를 해결하기 위한 일종의 심리적 유인 장치라 할 수 있다.

독과점시장과 정부규제

대부분의 나라에서 시장은 완전경쟁 상태에 있지 않고, 어떤 산업들은 독점이나 과점상태에 있는 경우가 있다. 독과점기업들은 규모의 경제를 이룩해 비용도 절감시키고, 또한 대규모 투자를 통해 기술도 혁신시키는 이점이 있다.

그렇지만 때때로 독과점기업이 이익추구를 위해 각종 불공정거래 행위를 하여 경제적 효율성과 공평성을 해칠 가능성도 있다. 예를 들어, 독과점기업이 서로 담합해 가격이나 생산량을 조절한다거나, 다른 업체의 참여를 저지하는 경우도 있다. 또한 다른 기업보다 유리한 자금력을 이용해 덤핑을 통해 기업을 쓰러뜨리는 경우도 있다. 이와 같은 폐해를 방지하기 위해 각국에서는 독과점기업을 규제하는 각종

'하이트+진로' 독과점 논란 확산

하이트의 진로소주 인수에 대한 독과점 논쟁이 확산되고 있다.

금복주 · 무학 등 지방 소주사와 오비맥주 등 이른바 '反하이트 전선'의 주류사들은 최근 공정위 · 청와대 등에 노동조합 명의의 인수 반대 탄원서를 낸 데 이어 20일 하이트가 진로를 인수하면 독과점이 된다는 설문 조사 결과를 발표했다.

이에 대해 하이트 측은 의도된 결과를 유도하는 설문조사로 객관성이 없다면서 조사 결과를 반박, 양측 논쟁이 한층 치열해지는 양상이다.

◆ 하이트의 진로 인수 결사 반대

무학 · 금복주 · 선양주조 · 보해양조 등 4개사는 이날 홍보대행사 컴센스를 통해 '하이트+진로'의 결합이 이뤄지면 주류 유통시장은 독과점적 시장이 될 것이라는 설문 조사 결과를 배포했다.

리서치 기관인 동서리서치가 전국의 유통 관련 교수 63명을 대상으로 설문을 실 시한 결과 응답자의 52.4%가 하이트의 진로 인수는 독과점을 초래한다고 답했다는 것. 또 11.1%가 지방 소주사의 시장 점유율 하락을 예상하는 등 응답자의 63 .5%가 부정적인 영향을 예상했다는 것이다.

동서리서치는 또 지난달 9~10일 전국 600명의 주류 도매상을 대상으로 하이트 맥주의 진로 인수 찬반을 묻는 설문 조사를 벌인 바 있다.

당시 결과는 찬성이 46%, 반대가 41%로 인수 찬성이 반대보다 높았다.

이에 앞서 금복주 등 6개 지방 소주사와 오비맥주 등 7개 주류사 노조는 지난 14일 "하이트와 진로의 결합은 명백한 독과점이며 주류 업계 종사자들의 생존에 심각한 결과를 초래하므로 절대 반대한다"는 요지의 탄원서를 공정거래위원회 등에 제출한 바 있다.

◆ 의도된 결과를 유도하는 억지 설문조사

'反하이트 전선'의 설문조사 결과 배포 등에 대해 하이트맥주측은 "의도된 결과 를 유도하기 위해 설문 문항을 편파적으로 제시해 설문으로서 가치가 없다"는 반응을 보이고 있다.

예를 들어 대학교수들을 상대로 실시한 설문 항목을 보면 "하이트의 진로 인수 시 지방 소주업체들에 '타격'이 있을 것으로 생각하느냐"라고 묻고 응답 항목에 도 ①커다란 타격이 있을 것이다 ②약간 타격이 있을 것이다 ③타격이 없다 등 으로 '타격'을 전제로 질문과 응답지를 구성했다는 것이다.

또 그다음 설문 항목도 "어떤 타격이 예상되냐"며 응답 항목에는 ①긍정적 ②부 정적 등으로 지문이 상당히 단정적이라는 지적이다.

한 광고업체 리서치 담당자도 "설문지를 보면 하이트맥주의 진로 인수에 대해 부정적 의견을 도출하기 위해 의도된 조사였다는 느낌을 강하게 받게 된다"고 말했다.

한편 공정위 관계자는 "민감한 이해 관계가 얽힌 문제이므로 탄원서나 부정적 여 론 조성 등의 움직임이 있을 것으로 예상했다"며 "설문 결과도 증거로서 가치가 있느냐 여부를 따져봐야 할 것"이라고 밝혔다.

《한국경제신문》 2005년 6월 20일
윤성민 · 안재석 기자

법적, 제도적 장치를 마련하고 있다.

우리나라에서도 1981년부터 '독점규제 및 공정거래에 관한 법률'을 시행하고 있다. 줄여서 '공정거래법'이라고 불리는 이 법에 따르면, 시장점유율이 큰 독과점기업들이 시장지배력을 이용해 부당한 가격결정, 생산과 판매의 조절, 다른 사업자의 활동 방해 등을 하지 못하도록 규제하고 있다. 따라서 기업은 커피, 비누, 치약에서부터 가전제품, 승용차, 항공운수 등에 이르기까지 많은 품목에서 '공정거래법'에 의해 규제받는다.

이처럼 정부는 감독과 규제를 통해 기업들 간의 유효한 경쟁을 가능한 한 유지함으로써 생산비 절감을 촉진하고, 소비자에게 싼값으로 물건이 공급되도록 유도하고 있다.

완전경쟁시장의 조건

사실 경제학에서는 완전경쟁시장을 가장 이상적인 경제조건으로 보고 있어서 공정거래법의 목적도 경쟁질서를 회복하려는 것이지 기업활동 자체를 규제하려는 것이 아니다. 경쟁은 이에 참여하는 기업에게는 서로 서로 압력으로 작용하지만 사회 전체적으로 시장경제의 효율성을 높인다. 즉, 소비자에게는 질 좋은 재화가 싼값으로 제공되고 기업에게는 제한된 자원을 가장 경제적으로 사용하게 한다.

따라서 완전경쟁의 네 가지 조건과 이것이 파괴된 경우에 그 대책을 생각해보는 것은 시장경쟁을 더욱 잘 이해할 수 있게 한다.

첫째 조건은 다수의 참여자다. 시장에서 다수의 참여자가 있으면 각자는 마치 가격이 시장에서 주어진 대로 받아들이는 가격수용자로서 행동한다. 이에 대해서는 참여자 수가 제한되는 극단적인 경우 이미 독점기업의 예에서 살펴보았다.

둘째 조건은 각 경제주체가 완전한 정보를 가진다는 것이다. 예를 들어, 어떤 사람이 상품에 대한 정보가 부족하면 바가지를 쓰게 될 수도 있다. 또한 대형유통업체에서 정상품이 아닌 것을 할인해 파는 것처럼 사기 세일을 하게 되는 경우는 규제의 대상이 되기도 한다.

셋째 조건은 진입의 자유다. 현실적으로 어떤 기업이 시장에 진출하려면 각종 인허가와 기존 기업의 방해와 같은 진입장벽entry barrier이 존재하는데 이러한 진입장벽이 없는 상태가 완전경쟁 상태이다. 경우에 따라서 기존의 기업들이 공동판매cartel, 공동생산syndicate, 또는 지역분할과 같은 담합을 하게 되는데, 이 모두 공정거래법에 따라 규제의 대상이 된다.

넷째 조건은 동종 상품시장에서 팔리는 모든 물건이 동질적이라는 것이다. 여기서 동질적이라는 것은 물리적인 성질이 같다는 것이 아니라 소비자들이 같은 물건이라고 생각하고 있음을 의미한다. 만약 다른 세 가지 완전경쟁시장의 조건들이 충족되면서 제품의 질만 시장에서 서로 다르게 인식되는 경쟁환경이 있다면 이를 흔히 '독점적 경쟁monopolistic competition'이라 한다. 현실경제에서 다수의 기업이 존재하는 상당수의 제조업에서 이러한 경쟁상태가 존재하는 것으로 보이며, 이 경우 기업들은 끊임없이 자신의 제품을 다른 제품과 차별화하기 위해 광고, 디자인 등의 비가격경쟁non-price competition을 벌이게 된다.

이러한 독점적 경쟁에서도 기업은 자신의 상품에 대하여 수요곡선이 우하향한다고 생각하고 조업할 것이며, 단기에 한계수입과 한계비용이 일치하는 수준에서 생산량을 결정할 것이다. 수요곡선이 우하향한다고 여기는 독점적 경쟁기업은 단기에는 이윤이 남을 수 있으나, 다른 기업이 진입해 장기적으로는 이윤이 없어질 것이다. 그런데 이때 독점적 경쟁기업은 여하튼 한계비용 이상으로 가격을 책정하고 수입을 얻을 것이어서 기업으로서는 수요자가 더 있으면 더 판매할 수 있을 것이다. 또한 생산의 규모는 사실상 최적규모는 아니며 생산을 늘릴 여력이 있는 규모이다.

따라서, 독점적 경쟁시장의 기업은 경쟁시장의 기업과는 다른 행동을 보이기도 한다. 예를 들어, 잠재적인 수요자를 넓히기 위해 수요를 유도하기도 할 것이다. 크리스마스에 잠재수요자에게 카드를 보내 자신의 존재를 알리는 노력 등이 이에 속한다. 또한 이 경우 기업은 자신의 상품이 다른 상품과 다르다는 것을 인식시키기 위해 광고와 같은 비가격경쟁에 치중할 것이다.

요약

시장의 형태는 주로 참여하는 공급자와 수요자의 수, 제품의 동질성 여부, 기업진입의 자유, 기업 간의 담합 여부에 의해 결정된다. 모든 기업이 가격수용자로서 행동하는 완전경쟁시장에서는 가격과 한계비용이 일치하는 수준에서 기업의 생산량이 결정되며, 장기적으로는 평균비용이 최저인 수준에서 생산량이 결정될 가능성이 크므로 경제적 효율성이 달성된다. 이에 비해 독점기업은 한계수입과 한계비용이 일치하는 수준에서 생산량을 결정하므로 보통 완전경쟁에 비해 가격이 높게 결정되기 쉽다.

현실적으로 존재하는 시장에서는 완전경쟁도 독점도 아닌 과점시장이 가장 많으며, 이때 완전경쟁의 경우와 독점의 경우를 원용해 분석할 수 있다. 독과점이 존재하는 경우, 기술개발 등에서 장점도 있으나 경제적 효율성을 해치는 단점도 있으며, 경쟁을 유도하기 위해 정부가 독과점기업을 규제하기도 한다.

중요개념

- 완전경쟁 및 독과점
- 한계수입
- 가격차별
- 게임이론
- 죄수의 딜레마
- 최후통첩적 협상 게임
- 공정거래법
- 독점적 경쟁
- 초과생산 능력

더 깊이 이해하기

1) 광고는 나쁜 것인가

오늘날, 제약회사나 화장품회사, 맥주회사 등은 전체 수입의 10~20%를 광고에 투입한다. 그러나 인공위성이나 전기회사와 같은 독점기업이나 쌀이나 원유와 같은 동질적인 상품은 거의 광고하지 않는다. 경제 전체적으로도 수입의 약 2~5%만이 광고에 사용될 뿐이다. 이는 상품이 조금씩 차별화된 경우에 광고가 많음을 잘 보여준다.

이러한 기업 광고에 대해 찬반 논쟁이 있다. 광고에 대한 비판은 많은 광고가 정보를 제공하는 것이라기보다는 심리에 호소하는 것이란 점에서 비롯된다. 이러한 견해는 광고가 존재하지 않는 가상을 표현하며, 제품의 이미지와 차별성을 과도하게 부각시킴으로써 사람들로 하여금 가격차이에 주의를 덜 기울이게 한다는 점을 강조한다. 이렇게 되면 수요곡선은 비탄력적으로 변할 것이다. 그런 다음, 그 결과로 얻은 비탄력적인 수요곡선을 바탕으로, 기업은 한계비용보다 훨씬 높은 가격을 즐기게 될 것이다.

이에 대해 광고를 옹호하는 사람들은 광고가 소비자들에게 가격, 상품의 새로운 점, 구입 장소 등 상품에 대한 정보를 제공한다는 점을 강조한다. 또한 광고는 새로운 기업의 진입을 알려 시장을 더욱 경쟁적으로 만들며, 소비자는 이를 바탕으로 더 좋은 선택을 할 수 있다. 즉, 광고로 인해 소비자는 탐색비용을 줄일 수 있으며, 시장은 더욱 효율적이 된다. 최근에는 이러한 광고의 긍정적 효과를 어느 정도 인정하는 경우가 많아지고 있다. 변호사와 의사의 광고를 최근에 허용한 것 역시 이러한 경향과 무관치 않다.

또한 광고가 상품의 질에 대한 일종의 표시가 된다는 점을 강조하기도 한다. 즉, 기업은 자신의 상품에 자신이 있을 때, 많은 광고를 하게 된다는 것이다. 예를 들어, 한 번 판매에 2억의 수입이 있는, 실제로 좋은 물건은

3억을 들여 광고하더라도, 그 물건을 세 번 팔 수 있으면 6억의 수입이 생겨 광고비를 제하고도 3억의 순수입이 있게 된다. 그러나 한 번 판매에 2억을 벌 수 있는, 그러나 실제로는 그렇게 좋지 않은 물건은 한 번밖에 팔 수 없어 2억 이상의 광고를 하기 힘들다. 즉, 광고에 많은 돈을 투입하는 것은 그 회사가 상품의 질을 알리고 싶어하기 때문으로 풀이(광고는 상품 질의 표시로 해석)된다. 이러한 생각은 오늘날 많은 회사가 상품 광고에 값비싼 연예인들을 동원하는 이유를 설명해준다.

2) 기업은 이윤 최대화만을 목표로 하는가

지금까지 기업이 이윤을 극대화하기 위해 노력하며, 따라서 한계비용과 한계수입이 일치하는 곳에서 생산할 것이라 생각했다. 그런데 우리가 경험하는 기업의 판매전략이 기업의 이윤 최대화 행동으로 설명될 수 있는지는 다시 생각해볼 문제다. 예를 들어, 끼워팔기나 대량구입자에 대한 할인혜택 등이 어떻게 설명될 수 있을까? 또한 때때로 기업은 다른 기업의 진입을 방지하기 위해, 일시적으로 손해를 보더라도 시장점유율을 높이는 것을 목적으로 행동할지 모른다. 이러한 행동이 이윤 최대화보다 판매수입 최대화로 설명될 수도 있다. 이렇게 되면 한계수입과 한계비용이 일치하는 점에서 생산하게 된다는 생각도 물론 바뀌게 될 것이다.

경제학자 이야기 6

실학의 선구자, 연암 박지원

燕巖 朴趾源(1737~1805)

박지원은 1737년 영조 13년 2월 5일 서울 서문제에서 박사유의 둘째아들로 태어났다. 아버지와 할아버지를 일찍 여의고 처숙 영목당 이양천의 문하에서 공부했으며, 북학파의 사상가들과 교유했다. 한때 사도세자의 살해사건에 피해를 입고 황해도 연암협에 들어가 은둔생활을 하기도 했다. 그후 1780년 팔촌형 박명원의 연경 사절 수행원으로 동행하던 중 소재를 얻어 『열하일기』를 집필했다.

연암은 이외에도 『호질』, 『양반전』, 『허생전』 등 시대정신을 반영하는 저술을 연암집에 남겼다. 예를 들어, 『허생전』은 독과점이 경제에 미치는 영향을 정확하게 지적했다. 즉, 독점적 공급력을 지니고 있는 공급자는 시장에서 가격을 자신에게 유리하게 설정할 수 있어 독점 이윤을 극대화할 수 있음을 분석했다. 연암은 독점 때문에 국민경제가 받게 되는 피해를 지적하면서 독점적 이윤은 국민에게서 도둑질한 것과 같다고 지적하기도 했다. 사실, 불완전 경쟁에 따른 국민경제의 후생 감소에 대한 분석이 서구의 경우 한참 뒤에 나왔다는 사실을 생각하면, 연암의 생각은 매우 뛰어난 것이었다.

그 외에도 그는 균전제를 주장하기도 하고, 사회간접자본의 확충을 통한 생산성 향상 및 양반계급의 기생적 성격을 적나라하게 지적하기도 했다.

5
내 몫과 남의 몫

읽을거리

영리한 원숭이

조삼모사朝三暮四란 고사성어가 있다. 이 말은 옛날 송나라의 어떤 사람이 자기가 기르던 원숭이를 속인 데서 유래한다. 이 사람이 원숭이에게 먹이를 주면서, 처음에는 아침에 3개, 저녁에 4개를 준다고 했더니 원숭이들이 크게 화를 냈다. 다음에 이 사람이 먹이를 아침에 4개, 저녁에 3개를 준다고 했더니, 원숭이들이 흡족해했다는 것이다. 이런 연유로 조삼모사란 말은 결과적으로 똑같은 것을 가지고 어리석게 속는 일, 또는 얕은꾀로 남을 속이는 일에 빗대어 쓰이게 되었다.

그런데 만약 하루만 맡겨도 높은 이자를 준다는 금융기관이 있다면, 아침에 한 개라도 먹이를 더 받는 것이 원숭이에게 유리하지 않을까? 소득의 몫 중에 시간의 경과에 따른 이자를 고려한다면, 원숭이는 상당히 영리한 셈이 된다.

소득분배의 두 측면

한 경제에서 창출된 소득이 생산에 투입된 요소별로, 또는 각 개인별로 어떤 비율로 나뉘는가에 대해 알아보자. 소득분배에는 두 가지 측면이 있다. 첫째는 기능적 분배로서, 생산에서 기능을 달리하는 각 생산요소의 소득분배에 관한 것이다. 예를 들어 노동에 대한 임금, 토지에 대한 지대, 자본에 대한 이자 등이 어떻게 결정되는가를 설명하는 것이다. 이러한 기능적 분배는 사실상 각 생산요소에 대한 가격결정 방식에 관한 측면이므로, 이미 설명된 수요와 공급의 원리를 활용해 비교적 쉽게 설명할 수 있을 것이다.

둘째로 소득분배에는 인적人的 또는 계층별 분배에 관한 측면이 있다. 이는, 한 사회에서 어떤 특정인이 왜 그만큼의 소득을 갖게 되었는가, 나아가 왜 잘사는 사람과 못사는 사람이 있는가를 설명하는 것과 관련된다. 따라서 여기에서는 특히 왜 어떤 사람이 어떤 종류의 요소를 많이 또는 적게 갖게 되었는가를 설명해야 하므로, 수요와 공급의 원리보다는 좀더 넓은 각도에서 살펴봐야 한다. 예를 들어, 왜 어떤 사람은 땅을 많이 가졌는데 왜 다른 사람은 노동밖에 가진 요소가 없는가 등의 문제가 여기에 포함된다.

이는 한두 가지 이유로는 설명하기 힘든 문제이므로, 우선 각 개인별 또는 각 계층별 소득의 분포를 측정하는 방법을 알아보고 평등 또는 불평등을 가져오는 몇 가지 요인을 설명하고자 한다.

도표 34 | 소득격차의 실상

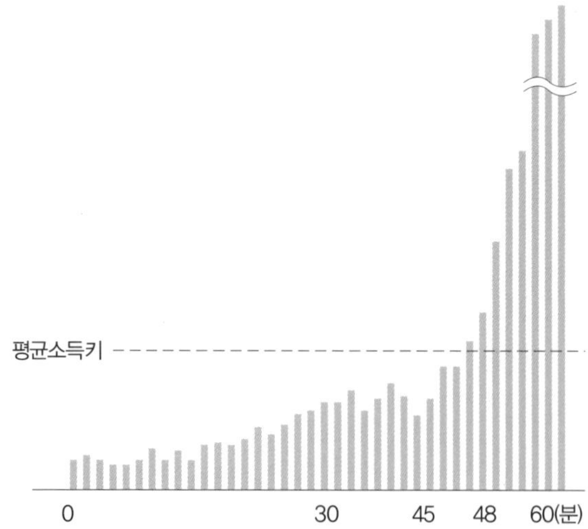

* 그래프의 막대 길이는 사람의 소득키를 의미.
* 소득격차의 심각성을 설명하는 것의 하나가 펜(J. Pen)의 난쟁이 행렬이다. 즉, 소득순으로 사람들을 60분에 끝나게 행진시키면, 45분간은 난쟁이들만이 행진하고 48분까지는 평균 키의 사람들이 지나가다가 48분 이후는 키가 갑자기 커져 얼마 가지 않아 전봇대만한 사람들이 지나가고 행진 끝의 1초 정도에는 키가 치솟아 보이지 않는 사람들이 지나간다는 것이다.

출처 〈Pen J., Income Distribution, Praeger, 1971; 재구성〉

생산요소의 가격

토지, 노동, 자본 등의 생산요소도 시장에서 사고파는 재화의 일종이므로 그 가격은 수요와 공급의 원리에 따라 결정되며, 그 가격대로 요소의 소유자가 대가를 지급받게 된다. 그런데 특기할 만한 점은, 보통 최종적인 소비재와는 달리 생산요소에 대한 수요는 그 요소를 써서 만드는 재화에 대한 수요로부터 발생된다는 사실이다. 사료에 대한 수요가 쇠고기나 우유에 대한 수요에서 발생하듯이, 어떤 제품에 대한 수요가 있어야만 그 제품의 원료로 쓰이는 요소에 대해 수요가 생기는 것이다.

이러한 의미에서 생산요소에 대한 수요를 '파생적 수요derived demand'라 한다. 따라서 어떤 기업에서 최종소비재를 생산하는 데 얼마만큼의 요소를 수요하는가는 기업의 이윤 최대화 행동원리에서 설명할 수 있다. 가장 간단한 경우로, 어떤 기업이 재화시장이나 요소시장 모두에서 완전경쟁 상태에 있다고 가정하자. 이때 만약 노동이란 요소의 가격이 임금 P_L로 주어졌다고 해보자.

이 기업은 노동을 한 단위 더 씀으로써 최종적으로 얻는 기업의 총수입의 증가분이 노동 한 단위의 가격인 임금과 같은 수준까지 노동을 고용하는 것이 가장 유리할 것이다. 그런데 기업이 생산요소를 추가해 얻는 총수입의 증가분은 그 노동의 추가적인 실물적 기여와 생산된 재화를 시장에 팔게 됨으로써 얻게 되는 한계수입, 즉 재화가격의 곱으로 나타난다. 이 한계실물생산과 재화가격의 곱을 '한계생산물의 가치value of marginal product'라고 부른다. 즉 이윤을 최대화하는 기업이 생산요소를 사용하는 기준은 생산요소의 가격과 한계생산물의 가치가 같도록 하는 것이다.

생산요소의 가격
=한계생산물의 가치
=한계실물생산×재화가격

도표 35 | 요소가격의 결정

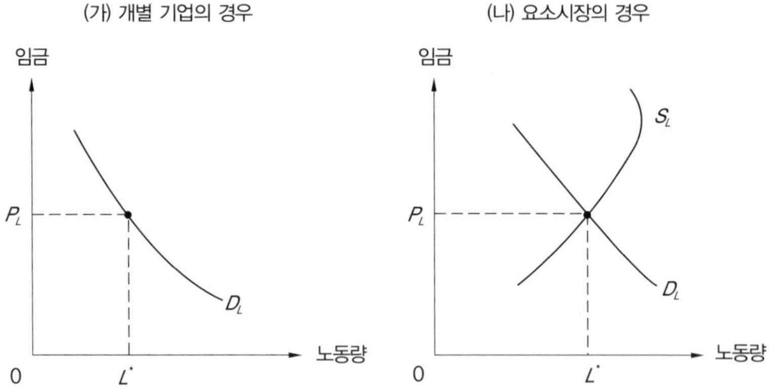

완전경쟁 상태의 기업은 자신이 노동을 한 단위 더 고용하더라도 요소시장에서 노동의 가격인 임금이 상승하리라고 생각하지 않기 때문에, 좌변의 생산요소 가격은 일정하리라고 생각한다. 또한 재화시장에서도 기업이 판매량을 늘리더라도 재화가격에 영향을 주지 않는다고 생각한다면, 한계수입과 재화가격이 같다고 예상할 수 있다. 그에 비해 한계실물생산은 요소를 더 추가함으로써 수확체감에 따라 줄어든다고 생각되므로, 우리는 위의 기준에서 우하향하는 생산요소에 대한 파생적 수요곡선을 얻을 수 있다.

이와 같은 관계를 그림으로 나타내보면 도표 35와 같다. 생산요소에 대한 수요곡선은 한계실물생산이 체감하므로 우하향한다. 그런데 (나)에서와 같이 요소시장에서 결정된 임금이 완전경쟁 상태의 개별 기업에 주어진 것으로 받아들여진다면, 그 임금 수준하에서 요소의 사용량은 (가)에서와 같이 결정된다. 물론 (나)에서 요소시장에서의 노동에 대한 수요곡선은 모든 기업에서의 한계생산물의 가치를 수평적으로 합산한 것이며, 따라서 우하향한다.

한편, 요소에 대한 공급은 요소가격이 올라가면 그 소유자가 요소공급량을 늘린다는 공급법칙을 따르고 있다고 생각해, 우상향하게 그렸다. 예를 들어, 임금이 상승하는 경우 일하지 않던 사람이 노동을 제공하려고 하거나, 이미 일하고 있던 사람도 더 많은 시간을 일하려 할 것이기 때문에 우상향할 가능성이 있다. 그렇지만 임금이 아주 많이 올라간 경우, 소득이 증가해 좀 편하게 쉬면서 여가를 즐기려고 하는 경향도 생기기 때문에, 어떤 구간에서는 임금이 증가하면 오히려 노동공급량이 줄어들지도 모른다. 이에 따라 노동공급곡선은 (나)에서와 같이 약간 뒤로 구부러진 형태로 나타날 가능성도 있다.

지금까지 요소가격의 결정원리를 임금의 예를 들어서 설명해보았다. 그 결과 완전경쟁시장에서 노동에 대한 수요는 노동의 추가적인 기여도인 한계실물생산과 생산된 재화의 가격에 따라 결정되며, 노동에 대한 공급은 가계에서 노동을 공급하는가 아니면 여가를 즐기는가의 선택에 따라 결정된다는 사실을 알았다. 이와 같이 요소시장에서의 임금은 수요와 공급의 양 요인이 작용해 결정된다는 것을 알 수 있다.

물론 완전경쟁시장이 아니라, 요소에 대한 수요자인 기업이나 요소에 대한 공급자인 노동자들이 시장에서 지배력을 행사하는 독과점 경제주체라면, 사정은 조금 달라질 것이다. 예를 들어, 어떤 기업이 노동시장에서 상당한 규모로 노동자를 고용한다면, 기업 스스로 노동수요량이 임금에 영향을 줄 수 있다는 것을 알고, 노동수요량을 완전경쟁 상태보다 줄임으로써 임금이 지나치게 오르는 것을 방지할 수 있다. 반대로, 노동자들이 노동조합을 결성해 조합원만이 고용되도록 기업 측에 압력을 가한다면, 완전경쟁 상태보다 더 높은 임금을 획득하는 데 성공할 가능성도 있다.

이와 같은 의미에서, 사용자와 노동자의 힘에 따라 임금이 변화할 여지는 있다고 생각할 수 있다. 비슷한 업무에 종사하는 노동자라 할지라도, 어떤 기업이나 산업에 고용되는가에 따라 임금 차이가 난다. 그 이유는 기업의 요소시장에 대한 지배력이나 노동조합의 협상력의 차이에서 부분적으로 설명될 수 있다. 때때로 개별 노동자의 입장에서 볼 때, 임금이 노동조합의 결성이나 개인의 줄기찬 요구에 의해 상당히 인상될 수 있다고 생각할 수 있는 소지도 여기에 있다.

그러나 전체 경제의 입장에서 보면, 임금 수준에 결정적인 영향을

비슷한 업무에 종사하는 노동자들의 임금 차이는 몸담고 있는 기업의 요소시장에 대한 지배력이나 노동조합의 협상력의 차이에서 부분적으로 설명할 수 있다. 그러나 결정적인 요소는 생산성과 노동의 상대적 희소성이다.

주는 요소는 역시 노동의 한계실물생산을 결정하는 요인인 생산성과 시장에서의 노동의 상대적 희소성이라 하겠다. 따라서 노동조합의 협상력과 같은 요소는, 수요와 공급 측의 조건에 따라 정해진 일정한 시장상태에서 어느 정도 임금이 적거나 많거나 하는 현상을 설명해 주는 부차적 요인으로 간주하는 것이 타당할 것이다.

지금까지 설명한 수요와 공급의 원리에 따른 요소가격 결정 방식은 사실상 모든 생산요소에 해당되는 것이다. 이제 좀더 구체적인 이해를 위해 지대와 이자의 결정 과정에 대해 간단한 예를 들어 설명해 보겠다.

도심의 임대료는 왜 비싼가

토지나 건물에 대한 임대료도 수요와 공급의 원리에 따라 결정된다. 즉, 수요가 많아지면 임대료도 올라가지만 공급이 많아지면 임대료는 내려간다. 그런데 토지나 건물은 물리적 특성상 같은 요소는 아니다. 토지의 경우 비옥도나 위치가 다르며, 건물도 형태나 입지가 다르다. 따라서 수요가 증가하면 전체적으로 임대료나 땅값도 상승하지만, 각 토지나 건물마다 임대료의 상승폭은 다르게 마련이다.

땅값이나 임대료의 차이를 이해하기 위해서는 수요와 공급의 원리가 토지나 건물의 경우 어떻게 적용되는지를 먼저 알아야 한다. 일찍이 1810년대에 영국의 경제학자 리카도D. Ricardo는 지대의 결정 방식에 대해 '차액지대설theory of differential rent'이란 타당한 설명을 제시했다. 차액지대설에 따르면, 어떤 주어진 곡물수요량을 충족시키기 위해 비옥도가 다른 토지가 경작되는 경우, 각 토지에서 나오는 생산성의 차이는 토지의 특성에 의해 나타난 것이므로, 생산성의 차이만큼이 지대도 토지소유자에게 납부된다는 것이다.

좀더 쉽게 이해하기 위해 다음과 같은 간단한 경우를 생각해보자. 첫째, 어떤 경제에서 토지는 쌀을 생산하는 데만 쓰이며, 토지는 다수의 지주에 의해 소유되고 있고 토지를 임대해 경작하려는 농부도 다수 있다고 가정하자. 둘째, 질이 좋은 토지는 제한되어 있어서, 쌀의 수요량이 증가함에 따라 비옥도가 떨어지는 토지로 경작을 확대한다고 하자.

좀더 구체적으로 50원의 투입비용을 들였을 때, 1급지에서는 10말의 쌀이 나오지만, 2급지에서는 9말, 3급지에서는 8말의 쌀이 생산된다고 하자.

이 경우 만약 쌀수요량이 19말이면 1급지와 2급지가 경작될 것이다. 이때 2급지는 경작되는 토지 중에서 가장 비옥도가 떨어지는 토지이므로 지대가 없다고 가정한다면, 1급지에는 얼마만큼의 지대가 발생할까? 그 해답은 쌀 1말이 지대로서 지주에게 납부되어야만 한다는 것이다. 농부의 입장에서 보면 똑같은 투입비용을 들여서, 비옥한 1급지를 경작하면서 10말의 생산량을 얻고, 그 중 1말을 지대로 납부하는 것과 2급지에서 9말을 얻는 것이 마찬가지이기 때문이다. 1급지 지주의 입장에서도 다른 지주가 있기 때문에 생산성의 차이에 따라 발생하는 1말 이상을 농부에게 부과할 수 없다. 이렇듯 생산성의 차이에 따라 발생하는 지대를 차액지대라고 하는데, 이는 도표 36의

빗금 친 부분과 같다.

나아가 만약 쌀수요량이 증가해 3급지가 경작된다면, 2급지에서도 3급지와의 생산성의 차이인 1말의 지대가 납부되어야 하며, 1급지에서는 2말의 지대가 납부될 것이다.

이 사실을 가격 면에서 계산해보면, 수요량이 10말 이상으로 증가한 경우, 1급지의 생산비인 말당 5원$\left(=\frac{50원}{10말}\right)$과 2급지의 생산비인 말당 5.55원$\left(=\frac{50원}{9말}\right)$의 차이가 지대로 납부됨을 알 수 있다. 말하자면, (나)에서 나타나듯이 시장가격이 5.55원으로 결정된 경우 지대란 시장가격과 비옥한 토지에서의 생산비의 차이와 같다. 만약 수요가 증가해 시장가격이 6.25원$\left(=\frac{50원}{8말}\right)$으로 상승한다면, 지대는 (나)의 그림의 계단모양의 공급곡선(*S*)과 6.25원 사이의 면적이 되도록 증가한다.

지금까지 설명한 바와 같이 지대가 생산성의 차이에 따라 발생한

도표 36 | 차액지대

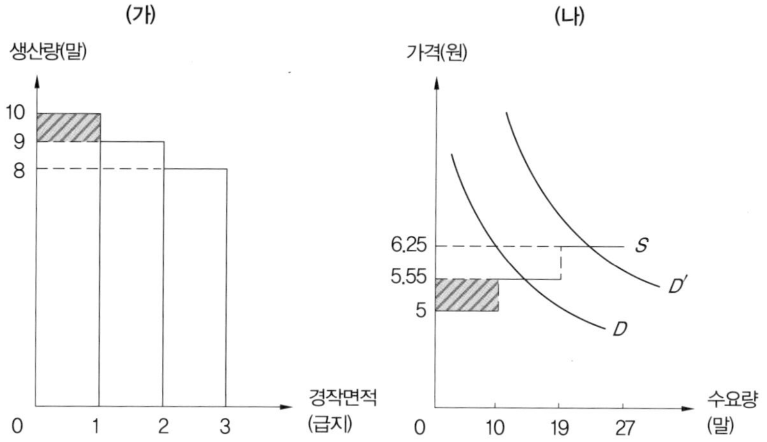

서울의 도심과 외곽지 전경 도심까지의 출퇴근 교통비를 거리에 따라 더 많이 지출해야 한다면 도심지 주택은 임대하는 것이 외곽지보다 교통비의 차이만큼 이득이 있다.

다는 원리는 농업에서의 토지 비옥도 외에 다른 요인에 따라 발생되는 지대에도 그대로 적용된다.

예를 들어, 도심에서 가까운 정도에 따라 임대료가 비싼 경우도 마찬가지로 생각할 수 있다. 도심까지 출퇴근하는 사람이 거리에 따라 교통비를 더 많이 지출해야 한다면 도심지 근처의 주택을 임대할 경우 외곽지보다 교통비의 차이만큼 이득이 있으므로, 적어도 외곽지 주택보다 더 높은 임대료를 기꺼이 부담할 것이다. 마찬가지로 고객이 많이 오가는 곳에 위치한 상점의 경우 예상수입이 다른 상점보다 많다면 점포소유자는 임대상인에게 더 높은 임대료를 받을 수 있다. 따라서 지대나 임대료의 수준은 제한된 공급량뿐만 아니라, 최종적인 소비재에 대한 수요가 얼마나 있는가에 따라 결정된다.

이자율과 채권값

이자interest란 다른 사람으로부터 돈을 빌려 쓰고 난 뒤 일정 기간이 지나 갚을 때 원금 이상으로 갚는 경우 발생하는 소득을 말한다. 돈을 빌려 쓰고 일정한 기간이 지남에 따라 이자를 붙여 돈을 갚아야 하는 근거는 다음 두 가지 측면에서 설명된다.

첫째는 심리적인 요인으로서, 대부분의 사람이 미래는 불확실하다고 생각하므로 현재 물건을 확실하게 소비하려는 형태의 시간선호time preference를 가지고 있다. 따라서 현재의 소비를 하지 않는 대신 다른 사람에게 돈을 빌려주게 하려면, 현재 소비보다 더 큰 액수를 미래에 받을 수 있다는 약속을 해주어야 한다. 이때 돈을 빌려준 사람은 현재 소비를 희생한 대가로 일종의 프리미엄premium을 붙여 원금 이상을 받게 된다.

둘째는 기술적 요인으로서, 축적된 자원을 오랜 기간 생산에 활용한다면 소득이 증가한다는 것이다. 예를 들면, 맨손으로 물고기를 잡는 것보다 그물을 만들어 잡았을 때 생산성이 대폭 증가한다면, 어떤 사람이 그물을 만들 동안 다른 사람에게 빌려 쓴 돈으로 생활비를 충당한 후 고기를 많이 잡은 다음, 그 이득의 일부를 이자로 갚는다면 이익이 될 것이다. 이와 같이 생산기간 또는 우회도roundaboutness가 증가한다면, 기술적으로 생산성이 증가하는 요인에 의해 실제로 돈을 빌려 쓴 사람이 미래에 이자를 지불할 근거가 마련된다.

이와 같이 심리적 요인과 기술적 요인이 작용해 이자가 발생하는데, 빌려 쓴 돈에 대해 몇 퍼센트 정도 이자를 갚아야 하는가는 자금

시장에서의 수요와 공급에 의해 결정될 것이다. 즉, 이자율은 어떤 사회에서 사람들의 시간선호 정도가 어떠한가, 그리고 생산의 우회도가 가져다주는 생산성의 이득이 어느 정도인가에 따라 결정된다. 예를 들어, 만약 현재 소비에 대해 참을성이 강해 저축이 많아진다면 이자율이 낮아질 것이며, 반대로 참을성이 약해 저축이 적어진다면 이자율이 높아질 것이다.

그런데 이자율을 계산하는 데는 다음과 같은 세 가지 방식이 있다. 첫째로, 원금(P)에 대해 1년이 지난 후 A원을 돌려받았다면, 연간 이자율(r)은 다음과 같이 계산된다.

$$r = \frac{A-P}{P} \times 100(\%)$$

둘째는 원리합계를 계산하는 방식으로, 원금(P)에 대해 1년 뒤 받을 수 있는 몫(A)을 다음과 같이 계산한다.

$$A = P(1+r)$$

셋째는 선이자先利子를 떼는 방법으로, 1년 뒤 A원을 갚기로 하고, 돈을 빌려 쓸 때 차용자가 A원보다 적은 P원만큼을 할인discount해 받는 방식이다.

$$P = \frac{A}{1+r}$$

그런데 세 번째 방식을 살펴보면, 1년 후 A원을 받기로 한 약속어음과 같은 것이 연간 이자율이 r일 때, 현재 얼마의 가치를 가지는가를 알 수 있으므로, P를 A의 '현재가치present value' 라고도 한다. 예를 들어, 연간 이자율이 10%일 때 2년 후 1,000원을 받기로 한 약속어음의 현재가치(P_2)란 다음과 같이 계산할 수 있다.

$$P_2 = \frac{1{,}000}{(1+0.1)^2} \fallingdotseq 826.45$$

이와 같은 현재가치 개념을 이해한다면, n년 후에 일정한 금액 X를 지불하기로 되어 있는 채권의 값(P_n)을 계산할 수도 있다.

$$P_n = \frac{X}{(1+r)^n}$$

만약 r이 커진다면 P_n의 값은 적어질 것이므로, 채권의 값은 이자율에 반비례함을 알 수 있다. 즉, 시중에서 회사채의 값이 오른다는 것은 이자율이 내린다는 의미이며, 회사채의 값이 내린다는 것은 이자율이 오른다는 것으로 이해할 수 있다.

이와 같이 현재가치를 계산하는 공식은 미래에 발생하는 소득을 현재 어떻게 평가하느냐를 계산할 때 유용하게 쓰인다. 예를 들어 어떤 무용수가 교통사고를 당해 직업을 잃게 되어 손해보상금을 책정할 때, 이 공식을 이용하면 된다. 이 무용수가 매년 1,000만 원의 소득을 올릴 수 있으며 앞으로 10년 동안 활동할 수 있다면, 교통사고로 인한 손해(P')는 다음과 같이 계산된다.

$$P' = \frac{1{,}000}{(1+r)} + \frac{1{,}000}{(1+r)^2} + \cdots\cdots + \frac{1{,}000}{(1+r)^{10}} \text{(만 원)}$$

지금까지 살펴봤듯이, 이자란 사람들이 시간에 대해 갖는 평가와 관련이 있다. 따라서 미래에 대한 예상이나 불확실성도 이자율의 결정에 중요한 영향을 미친다. '시간은 돈이다' 라는 말대로, 이자란 시간에 대해 사람들이 생각하는 대가인 것이다.

불평등과 공정성

이제 생산요소에 대한 가격결정원리를 설명했으므로, 한 경제에서 각 개인이 받는 소득의 분포가 어떻게 이루어지는가를 생각해보자. 이와 같은 소득분포를 알려면 우선 왜, 어떤 경제에서 각 개인이 어떤 생산요소를 얼마만큼 갖고 있는가를 설명해야 한다.

그런데 어떤 사람이 어떤 생산요소를 얼마만큼 갖고 있게 되는가를 이해하려면 다양한 요인을 관찰해야 한다. 개인적 요인으로서는 선천적 능력이나 후천적 교육 정도가 소득분배에 영향을 줄 것이다. 제도적 요인으로서는 인종, 성별, 지역에 따른 차별이나 상속제도와 조세제도도 소득분배에 영향을 미칠 것이다.

슈퍼스타들의 노동시장에는 중요한 특성이 있다. 하나는 모든 수요자들이 최고의 공급자(슈퍼스타)에 따른 서비스를 받고 싶어한다는 것이며, 또한 이것을 가능하게 하는 정보통신 기술이 갖추어져 있다는 것이다. 이것이 슈퍼스타들에게 높은 수입을 보장하고 있다.

도표 37 | 로렌츠곡선과 지니계수

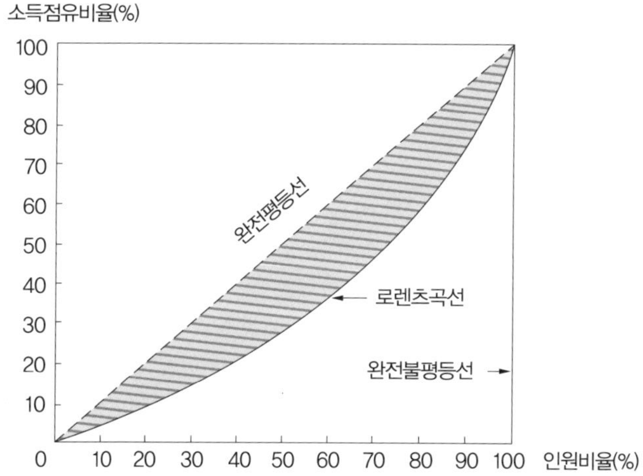

이와 같은 다양한 요인을 관찰하기에 앞서서, 우선 한 사회에서 각 개인이 가진 소득분포의 상태를 측정하기 위한 지표가 필요하다.

이 지표 중에서 많이 사용되는 것이 '지니계수Gini coefficient' 다. 지니계수를 알기 위해서, 먼저 한 사회에서 가장 가난한 사람부터 배열한 후 사람들의 소득이 전체 소득에서 차지하는 비율을 합산해서 누적 백분율(%)을 알아야 한다.

도표 37에서와 같이 한 사회에서 가장 가난한 사람부터 가장 부유한 사람의 순서를 가로축에 잡아놓고, 가장 가난한 사람부터 소득의 점유비율을 합산해 세로축에 표시한다. 그런 다음 소득분포의 누적 백분율을 나타내보면, 대체로 실선 그래프와 같은 모습이다. 이 곡선을 '로렌츠곡선Lorenz curve' 이라고 하는데, 이 로렌츠곡선은 대체로 45° 의 대각선과 가로축 사이에 위치한다.

그 이유는 간단하다. 모든 사람이 소득을 완전히 똑같이 가지고 있으면, 1%의 사람이 1%의 소득을 가지며 2%의 사람이 2%의 소득을 갖게 된다. 이에 로렌츠곡선은 45° 대각선이 될 것이고, 이 대각선을 '완전평등선' 이라 부른다.

반대로, 한 사람이 그 사회의 모든 소득을 갖고 있다면, 나머지 99.9%의 사람은 소득점유비율이 0인 반면 가장 부유한 한 사람만이 소득의 100%를 갖게 되므로, 로렌츠곡선은 L자 모양을 좌우 거꾸로 한 형태가 될 것이다.

따라서 우리는 45° 대각선과 실제의 로렌츠곡선 사이의 면적이 얼마나 큰가에 따라 불평등한가 아닌가를 측정해볼 수 있다. 이를 상대적 비율로 나타낸 것이 지니계수다.

$$\text{지니계수} = \frac{\text{빗금 친 렌즈 모양의 면적}}{45^\circ\ \text{선이 이루는 직각삼각형의 면적}}$$

물론, 지니계수는 0과 1 사이의 값이며, 그 값이 커질수록 불평등해짐을 알 수 있다.

참고로 각국의 지니계수를 비교함으로써 소득 불평등도를 알아보면 도표 38과 같다. 즉 한국은 헝가리와 일본보다는 소득이 불평등하지만, 영국이나 미국보다는 더 평등한 사회임을 알 수 있다.

소득분배의 추세와 관련해 쿠즈네츠S. Kuznets의 관찰에 따르면, 경제성장 초기에는 누구나 못사는 상태이므로 상대적으로 평등하다가, 경제성장이 본격적으로 진행되는 단계에서는 상대적으로 일부 계층만 성장의 혜택을 받으므로 불평등해지며, 경제성장이 어느 정도 달

도표 38 | 각국 소득 불평등도

2004년 127개국 통계치 기준

	헝가리	일본	독일	한국	영국	미국
지니계수	0.244	0.249	0.283	0.316	0.360	0.408
순위	1	3	14	27	51	76

*World Bank, Correspondence on data on income distribution

성되면 다시 성장의 혜택이 고르게 돌아가는 경로를 거친다. 이와 같이 소득의 평등도가 성장에 따라 U자 모양을 나타낸다는 쿠즈네츠의 관찰을 '쿠즈네츠의 U자형 가설' 이라 한다.

그런데 지니계수 등의 지표로는 그전보다 평등하지만, 오히려 소득분포가 불평등해졌다고 느끼는 사람이 많아지고, 또한 불평등에 대한 사회적 불만도 커질 수 있다. 이와 같은 지니계수상의 추세와 사람들의 인식 간의 괴리는 소득의 원천이나 획득방법에 대한 의구심에도 기인하지만, 상대적으로 못사는 사람들의 '상대적 박탈감' 으로도 설명된다.

허쉬먼A. O. Hirschman은 '터널효과tunnel effect' 라는 비유를 통해 상대적 박탈감을 잘 설명한다. 자동차가 혼잡한 터널 입구에서는 터널에 들어가려는 차들이 조금씩만 움직여도 참고 기다린다. 일단 터널에 들어가 두 줄로 차가 배열된 경우 자동차는 빨리 달리게 된다. 만약 이때 한쪽 차선이 다른 쪽 차선보다 빨리 간다면 천천히 가는 차선에 든 차들은 빨리 가는 차에 비해 상대적으로 불만을 갖게 된다. 나아가 주행 차선에서 추월 차선으로 끼어들려고 하는 차들이 생기면 교통사고나 갑작스런 혼잡이 생길 가능성이 크다. 이처럼 성장 중기 이

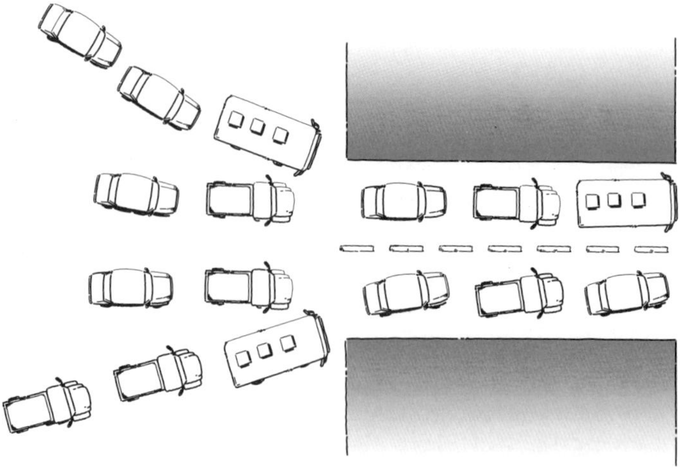

허쉬먼의 터널효과는 상대적 박탈감을 잘 설명해준다. 경제적 불안이 사회적 불안으로 이어져 경제성장의 원동력을 잃게 될 것을 비유하고 있다.

후 성장속도가 빨라지더라도 상대적 빈곤감에 의해 사회적 불만이 커질 가능성이 있는 것이다.

따라서 정부는 성장을 계속하면서도 공정성을 크게 해치지 않도록 각종 복지정책에 관심을 기울여야 한다. 예를 들어, 최소임금제를 실시하거나 실업수당을 지급하는 것, 극빈계층에 소득을 보조하는 정책을 추진하거나, 높은 소득의 가계에는 세금을 늘리고 극빈계층에게는 이전지출을 늘리는 부의 소득세negative income tax를 생각해보는 등의 여러 정책을 생각해볼 수 있다.

그런데 이러한 정책들은 장단점을 동시에 지닌다. 극빈계층에 대한 보조금정책이나 이전지출 등은 오히려 극빈층의 근로 의욕을 저하시켜 극빈문화를 부추긴다는 비판이 있음도 유의해야 할 것이다.

요약

생산요소에 대한 기능적 분배는 수요와 공급의 원리로 설명된다. 생산요소에 대한 수요는 최종 소비재에 대한 수요에서 파생되므로, 기업의 요소수요를 나타내는 한계생산물로부터 유도된다. 따라서 임금, 지대, 이자 등은 노동, 토지, 자본 등 각 요소에 대한 수요와 가계의 요소공급의 양 요인으로 설명된다. 또한 시장이 완전경쟁 상태가 아닌 경우에는 기업이나 요소공급자의 시장지배력에 따라 요소가격의 차이를 나타낼 수 있다.

한편, 어떤 사회에서 각 개인이 차지하는 몫을 다루는 인적 소득분배는 지니계수와 같은 지표로써 측정된다. 대체로 경제 성장기에 소득이 불평등하다가 다시 평등화되는 경향이 있는데, 지니계수와 같은 지표상으로는 소득분배가 평등화되더라도 상대적 박탈감 때문에 사회적 불만이 커질 가능성이 있으므로 공정성 확보를 위한 정부정책이 필요하다.

중요개념

- 기능적 분배와 인적 분배
- 한계생산물의 가치
- 차액지대
- 할인과 현재가치
- 로렌츠곡선과 지니계수
- 터널효과
- 무지의 베일Veil of ignorance, 최소최대화 원칙Maxmin principle

더 깊이 이해하기

경제적 효율성과 함께 평등의 문제는 경제학의 과제로서 오래전부터 생각되어왔지만 아직까지 불평등의 요인과 해결책이 만족스럽게 제시되지는 못했다. 일찍이 공자는 "백성들은 가난한 것보다도 불평등한 것에 더 화를 낸다"고 말한 바 있다.

대체로, 불평등의 원인에 대해서는 개인에게서 찾는 견해와 사회제도 속에서 찾는 견해로 나뉜다. 개인에게서 찾는 견해에도 선천적 요인과 후천적 요인을 중시하는 견해가 있는데, 후천적 요인으로는 직업선택과 같이 각 개인의 선택의 결과라는 관점과 교육과 같은 노력의 결과라는 관점이 제시되기도 한다. 사회제도 면에서는 인종, 지역, 성별, 사회계층 등의 요인에 따라 기득권층에 유리하도록 만들어진 각종 제도장치가 열거된다.

이러한 여러 요인 중에서 어떤 요인이 과연 중요한가는 각 사회를 구체적으로 잘 관찰해야만 알 수 있는 것이므로, 어떤 한 가지 요인을 과장해서 주장하는 것을 피해야 한다.

공정성의 기준으로는 기회의 균등과 사후적인 평등이 제시되는데, 완전한 평등보다는 효율성이 손상되지 않는 범위 내에서 사회적으로 가장 빈곤한 사람을 도와줄 수 있는 정도의 평등이 적절하다는 의견이 우세하다. 한 예로 존 롤스J. Rawls가 제시한 사회 속 약자인 최소수혜자의 수익을 극대화하는 기준max min principle이 대표적인 예이다.

공정과 정의에 대한 롤스이론의 핵심은 '원초적 입장original position' 에 의해 정당화되고 있다. '원초적 입장' 이란 자신의 개인적 미래나 사회적 위치를 모르는(그러나 정치 · 경제적인 원칙은 알 수 있는), 즉 무지의 베일에 가려 있는, 그리고 서로 무관심하지만 합리적인 사회의 구성원들이 모두에게 적용되기를 바라는 분배원칙을 선택하게 되는 가상적 상황을 말한다. 이런 상황에서 협상되는 정의의 원칙은 객관적으로 정당성을지니며, 사회구성원들은 사회의 최저소득층에게 이득이 되는 경우에는 불평등한 배분을 인정하게 될 것이란 것이다.

즉, 불확정적인 원초적 입장에서 합리적인 사회구성원들은 사회적 가치의 분배기준을 우선 평등에서 찾지만, 그들이 당하게 될지 모르는 최악의 경우를 생각해 이 중 가장 다행스러운 안을 선택, 최소만족집단의 효용을 극대화하려는 정책$_{\text{Maximin criterion}}$에 합의하게 될 것이다.

이러한 선택의 원칙을 열거하면 다음과 같다. 첫째는 평등한 자유의 원칙으로, 각 개인은 기본적 자유의 총체적 체계에서 평등한 권리를 가져야 한다는 것이다. 둘째는 차등과 공정한 기회균등의 원칙으로, 사회적 · 경제적 불평등은 다음의 두 조건을 만족시켜야 한다. 그 불평등이 가장 불리한 여건에 있는 사람인 최소수혜자에게 최대의 이익이 되고(차등의 원칙), 기회균등의 원칙하에 모두에게 개방된 직책과 직위에 결부되어야 한다(공정한 기회균등의 원칙)는 것이다.

다음 중 롤스와 같은 주장을 받아들일 경우, 선택상황은 무엇일까? 즉 a, b, c의 동질집단이 있고 대안1, 대안2, 대안3이 있다고 하자. 여기서 Y는 각 경우의 실질소득을 말한다. 파레토 최적의 기준에서는 대안2가 가장 나은 상태이지만, 롤스의 경우는 최소수혜자인 c집단이 가장 많은 수혜를 받는 대안3이 가장 우수한 선택일 것이다.

도표 39 | 최소최대화 원칙의 예

	a	b	c	Y
대안1	100	60	40	200
대안2	120	80	41	241
대안3	120	60	50	230

경제학자 이야기 7

천재소년, 밀

John Stuart Mill (1806~1873)

존 스튜어트 밀의 아버지 제임스 밀J. Mill은 경제학자였다. 그는 당대의 유명한 경제학자 리카도의 친구였으며, 인간을 잘 교육시키면 합리적 존재가 된다고 믿었다. 그리하여 장남 존 스튜어트 밀은 3세 때 그리스어, 6세 때 라틴어를 배웠고, 10세 때 경제학을 배웠다. 그러나 존 스튜어트 밀은 20세가 되어 자신이 받았던 합리주의적 교육의 내용에 대해 크게 회의하게 되어, 정신적 방황을 했다.

그러다 프랑스의 사회철학에 심취하고 테일러 부인이라는 여성과 교제하면서 경제학에서 인간적, 정신적 요인이 중요함을 깨닫게 되었다. 그 결과, 경제학이 자연법칙과 제도에 관한 인간적 법칙의 두 부분으로 구성되어 있다고 생각하여, 1848년에 『정치경제학 원리Principles of Political Economy』를 썼다. 또한 그는 개혁적 자유주의자로서 여성의 권리를 옹호하는 데도 앞장섰다.

6

시장의 정보가 불완전하다면?

읽을거리

중개인의 경제적 잉여 창출

예를 들어, A가 자신이 아끼는 고가구를 팔려고 하며, 생각하는 값이 500만 원이라 하자. A는 이를 인터넷 경매시장(팔린 가격의 5%를 수수료로 내야 함)에 내다 팔 수 있을 것이며, 참고로 경매시장(인터넷도 포함)은 대체로 최고가를 부른 사람에게 살 권한을 주고 실제의 매매가격은 차점자가 부른 가격으로 하게 되어 있다. 만약 경매시장에서 A의 고가구에 1,000만 원과 900만 원의 두 최고 호가자들이 있었다고 해보자. 그러면 그 중, 최고 호가자는 경매시장의 규칙에 따라 900만 원에 A의 고가구를 사게 될 것이다. 이 경우, A는 900만 원을 받아 그것의 5%인 45만 원은 경매기관에 지불할 것이며, 원래 자신이 생각했던 500만 원보다 355만 원 더 많은 잉여를 갖게 될 것이다. 또한 고가구를 구입한 최고 호가자 역시 원래 자신이 사려 했던 가격인 1,000만 원에 비해 100만 원이 적은 900만 원에 구입하게 됨으로써 100만 원의 잉여를 남기게 된다.

이 예에서 인터넷 경매기관은 판매자와 구입자 모두에게 경제적 잉여를 갖게 했다. 이처럼 오늘날 정보를 찾는 데 도움을 주는 중개인middleman으로, 지역신문(예를 들어, 《교차로》 등)이나 인터넷 경매, 각종 중개사 등이 있으며, 이들 역시 근로자와 같이 경제적 잉여를 창출하고 있다.

출처 〈Frank & Bernanke, Principles of Microeconomics, 관련내용 재구성〉

기대와 위험에 대한 태도

지금까지 시장의 참여자(기업이나 소비자 등)는 시장에 영향을 끼치는 요인에 대해 완전한 정보를 지니고 있는 것으로 생각하고 분석을 진행해왔다. 사실, 애덤 스미스의 '보이지 않는 손' 이론은 기업과 소비자가 완전한 정보를 지닌 채 행동한다는 것을 전제하고 있었다. 즉, 기업은 모든 상품 및 생산요소의 가격을 알고 있을 뿐만 아니라, 가장 효율적인 기술과 각 생산요소의 생산성을 알고 있다고 생각했다. 그리고 소비자는 모든 상품에 대해 가격정보와 품질에 대한 정보를 지니고 있는 것으로 전제했다.

그러나 현실적으로 기업이나 소비자는 완전한 정보를 갖고 있지 않다. 대부분의 소비자나 생산자는 모든 상품(또는 생산요소)의 가격 및 품질(또는 생산성)에 대해 완전한 정보가 없을 뿐만 아니라, 실제로 원하는 정보를 얻기 위해서는 이에 상응하는 비용을 치러야 한다. 또한 상품의 품질을 제대로 측정하기도 용이하지 않다. 흔히 상품의 내구성이나 안전성 등을 품질 측정의 기준으로 제시하지만 이것 역시 그 상품의 품질을 완전히 대변해주지는 않는다. 소비자들은 흔히 경험이나 눈대중rule of thumb으로 상품의 질을 평가하지만 이것은 시장에서 이루어지는 의사결정을 왜곡시킬 수 있다. 기업의 경우에도 실제로 하나의 상품을 만들기 위해 앞으로 어떤 생산요소가 더 필요한지는 잘 알 수 없으며, 노동자의 생산성 역시 노동자에 대한 완전한 정보 없이는 제대로 알 수 없다. 주지하다시피, 기업이 노동자를 속속들이 안다는 것은 불가능하다.

이러한 불완전한 정보상황에서 시장 참여자들은 어떻게 행동하며, 그러한 행동이 시장에 미치는 영향을 간략히 소개하려는 것이 이 장의 목적이다.

흔히, 경제학자들은 이러한 불완전한 정보상황을 불확실성과 위험의 상태로 분류한다. 불확실성은 현재의 선택이 미래에 낳을 결과나 의사결정의 주체들에게 일어날 일, 이에 대한 가능성을 모를 때에 발생한다. 위험은 현재의 선택이 어떤 결과를 낳을지 알 수 있으나 예상되는 각 결과가 하나의 확률(가능성)로 주어질 때에 발생한다. 확률은 미래에 어떤 사건이 일어날 가능성이다. 여기서 확률은 실제의 것이라기보다는 기대되는 바라고 할 수 있다.

불완전한 정보하의 경제 행위에 대한 이론은 이와 같은 위험하의 시장 참여자들의 행동을 취급한다. 즉, 시장의 의사결정 주체들은 미래에 어떤 일이 일어날 것인가와 그것이 일어날 확률은 알 수 있다. 여기서 어떤 사건이 일어날 확률로 가중치가 주어진, 일어날 수 있는 모든 사건의 가중평균치를 '기대치expected value'라 한다. 예를 들어, 주사위를 던져 나온 숫자만큼 돈을 준다면, 한 번 던졌을 때 얼마의 돈을 받을 것이 기대되는가? 주사위의 각 면이 나올 확률이 6분의 1이라고 생각하면, 다음과 같이 기대치를 구할 수 있다.

$$\text{기대치}=\frac{1}{6}\times1+\frac{1}{6}\times2+\frac{1}{6}\times3+\frac{1}{6}\times4+\frac{1}{6}\times5+\frac{1}{6}\times6=\frac{21}{6}=3.5\text{원}$$

시장에서의 기업과 소비자는 자신의 의사결정과 관련해 자주 기대치의 개념을 사용한다. 예를 들어, 위험이 존재하는 상황에서는, 기업은 시간의 흐름 속에서 기대 이윤을 계산하고 이를 중심으로 생산 계획을 마련할 것이다. 또 소비자는 현재의 선택에서 얻어질 수 있는 기대 효용을 중심으로 구매하게 될 것이다.

그러면 위험에 대한 사람들의 태도는 어떠한가? 위험에 대한 사람들의 태도는 각기 다를 수 있다. 즉, 어떤 위험한 사건의 기대치에 대해, 개인이 지불하려는 양에 따라 그 사람의 위험에 대한 태도가 결정된다. 예를 들어, 주사위를 한 번 던지는 데에 기대치와 같이 3.5원만 지불할 의사가 있는 사람은 위험중립적 risk neutral 이며, 그 미만을 지불하려는(즉, 기대치 이상은 지불하지 않으려는) 사람은 위험기피적 risk averse 이다. 그리고 기대치보다 많이 지불하려는 사람은 위험애호적 risk loving 이다.

한편 사람들이 항상 어느 하나의 태도를 지니는 것은 아니다. 상황

위험에 대한 사람들의 태도는 상황에 따라 달라진다. 조금 전에 보험에 가입한 위험기피가도 슬롯머신 앞에서는 위험애호가가 된다.

에 따라 사람들의 태도는 변한다. 예를 들어, 슬롯머신 앞에서 사람들은 대부분 위험애호가가 되며, 보험에 가입하는 사람(일어나지 않을 경우의 기대되는 손실보다 더 많이 지불할 의사가 있기 때문에)들은 대부분 위험기피자들이다.

그런데 이러한 위험은 '다양화 전략diversifying'에 의해 분산될 수 있다. 예를 들어, 어떤 일정한 지역에서 영상물 폭력금지법안이 통과되면 영화A(휴먼드라마)는 300만 원 수입(매달)이 예상되고, 통과되지 않으면 100만 원의 수입이 예상된다. 영화B(폭력영화)는 법안이 통과되면 100만 원, 그렇지 않으면 300만 원의 수입이 예상된다. 그리고 여기서 법안이 통과될 확률은 반반이라 하자. 이는 도표 40으로 정리될 수 있다.

이 경우, 각 영화의 기대수익은 $\frac{1}{2}\times 100+\frac{1}{2}\times 300=200$만 원이나, 법안의 통과에 따라 수익의 변화(위험)가 있게 될 것이다. 그런데 만약 극장이 둘이어서 각 극장에서 두 영화를 모두 상영한다면 위험(분산)은 최소화될 수 있다. 위의 극단적인 예에서 보면, 두 영화관에서의 기대수익은 100+300=400만 원이 되며, 어떤 경우에든 이러한 수입이 보장될 것이다. 즉, 영화 상영의 다양화로 위험을 줄일 수 있게 된 것이다. 이때 극장이 2개 이상 있어야 함은 물론이다.

도표 40 | 다양화 전략의 예

	영화A의 수익(휴먼드라마)	영화B의 수익(폭력영화)
영상물 폭력금지법 통과	300만 원	100만 원
금지법 불통과	100만 원	300만 원

정보와 정보탐색

오늘날 무수히 많은 상품과 정보의 홍수 속에서 소비자들은 같은 값이면 품질이 좋고 또 비슷한 물건이면 낮은 가격에 파는 곳을 찾으려 한다. 사실, 노력 여하에 따라서 같은 자전거를 길거리 점포에서 50만 원에 구입할 수도 있을 것이고 TV의 홈쇼핑 채널에서 40만 원에 구입할 수도 있을 것이다. 물론, 직접 눈으로 보고 살 경우에는 제품불량에 대한 위험을 줄일 수 있을 것이다. 이렇게 좀더 효율적인 소비와 생산 결정을 위해 정보를 찾으려는 행위를 우리는 흔히 '탐색 행위search activities' 라고 한다.

탐색 행위에 도움을 주는 사람이 바로 중개인sales agent: middleman이다. 오늘날 유행하고 있는 지역 중개신문(예를 들어, 《교차로》 등)이나 인터넷 경매, 부동산 중개사 등은 모두 이러한 중개인에 속한다. 그런데 중개인들 역시 자세히 살펴보면 기업의 근로자와 같이 실제로 경제적 잉여를 만들어낸다는 것은 이미 앞에서 언급한 사실이다.

그러면 사람들은 적절한 정보량을 어떻게 선택하는가? 이에 대해 우리는 상품시장과 같이 최적화 이론을 생각할 수 있다. 즉, 최적화 이론에 의해 정보를 얻는 데 들어가는 한계비용과 한계편익이 같아지는 점($MC = MB$)에서 정보의 양이 결정될 것이다. 여기서 한계편익곡선은 처음에는 크지만 정보를 많이 얻으면 얻을수록 생산자 또는 소비자의 특성에 익숙해지므로 그 추가적인 효과는 줄어들 것이기 때문에 우하향하는 형태다. 한계비용곡선은 주로 시간의 기회비용이 많이 차지하며 처음보다 정보를 많이 모으면 모을수록 그 비용은 더욱 증가한다고 볼 수 있기 때문에 우상향한다. 도표 41에서 한계비용이 MC_0이고 한계편익이 MB_0이면 최적의 정보량은 I_0가 될 것이다.

그런데 여기서 기업의 광고가 있다고 해보자. 광고에는 일반적으로 소비자에게 정보를 쉽게 제공하는 기능이 있으므로, 소비자의 입장에서는 한계비용을 낮추는 효과가 있다. 따라서 한계비용곡선이 우측으로 이동하게 되며, 이에 따라 최적의 정보량이 늘어나는 효과가 있을 것이다(도표 41 참고). 즉, I_0보다 많은 I_1에서 최적의 정보량이 결정되는 것이다.

그러나 최적화가 제대로 이루어지지 않을 수도 있다. 예를 들어, 소비자가 자전거 소매 가게에 들러 자전거에 대한 여러 가지 정보를 알아본 다음, 집에 돌아가 홈쇼핑에서 더 싼 가격에 주문했다면, 이 소비자는 비용을 지불하지 않고 정보를 제공받아 편익을 누린 것이 된다. 이러한 경우가, 정보제공에서 비용 미지불자를 제외시킬 수 없어

도표 41 | 정보량의 선택

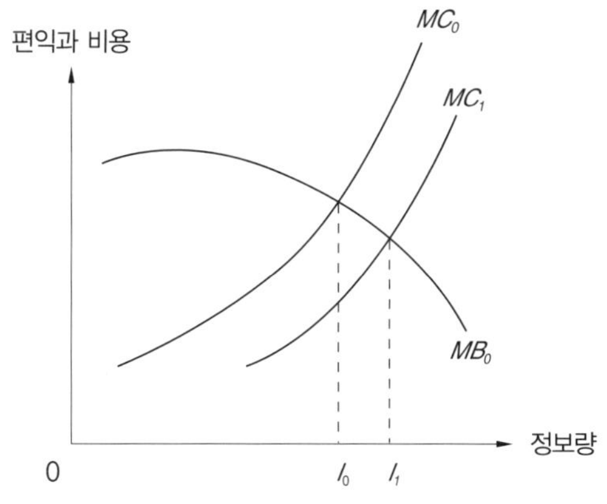

광고를 통한 소비자의 정보탐색 일반적으로 광고에는 소비자에게 정보를 쉽게 제공하는 기능이 있다. 때문에 광고는 소비자의 입장에서 한계비용을 낮추는 효과가 있다.

일어나는 무임승차의 문제다. 소매상으로서는 정보제공 비용을 회복하기 어려워(즉, 비용 미지불자를 제외시킬 수 없어), 사회적으로 요구되는 최적의 소매정보 제공량보다는 개인적으로는 더 적게 제공하려는(또는 제공을 기피하려는) 경향을 지니게 될 것이다.

정보의 탐색과 관련해 사람들은 흔히 다음과 같은 경향을 보이는 것으로 알려져 있다. 예를 들어, 값비싼 물건일수록 탐색시간(비용)은 더욱 길어진다(늘어난다). 이는 비싼 물건을 부족한 정보로써 구매할 때 손해볼 수 있는 금액이 매우 크기 때문이다. 즉, 자전거 구매 시보다는 자동차 구매 시에 더욱 많은 시간을 보내며, 가짜 보석 목걸이 구입보다는 진짜 다이아몬드 목걸이 구입에 탐색시간을 더욱 길게 가지는 것은 그 예다. 이러한 생각의 연장에서 보면 집이나 덩치 큰 부동산과 같은 값비싼 물건에 대해 중계료를 지불하고서라도 중개인을 이용하는 것을 이해할 수 있을 것이다. 또한 탐색 행위에 드는 비용이 비싸면 탐색을 줄이게 된다. 예를 들어, 중고피아노를 사려는 경우, 차량이 없는 사람은 중고피아노를 구경하러 다니는 데에 비용이 많이 들어, 중고피아노를 구경하지 못할 것이다. 이는 시간비용이 많이 들기 때문이다.

그런데 아파트를 구매하거나, 직업을 찾거나, 전세를 놓아야 할 경우, 우리는 모든 대안들을 조사해볼 수는 없다. 즉, 정보의 탐색비용이 매우 높아 완전한 정보를 지닐 수 없는 것이다. 일시적으로 사람을 고용하고, 전세계약을 했다 하더라도, 더 좋은 조건의 근로자(직장인)나 주택(세입자)이 나타나서 한쪽이 새로운 대안을 선택하게 되면 계약 당사자들은 매우 불안정해진다. 이런 경우에, 사람들은 계약 쌍방간에 합의해, 관계를 일정 기간 유지시키는 방식의 계약으로 불안

값비싼 재화일수록 탐색시간이나 비용은 늘어난다. 부족한 정보로써 거래할 경우 손해볼 수 있는 금액이 크기 때문이다. 부동산 거래에 중계료를 지불하고서라도 중개인에게 거래를 대행하게 하는 것도 이런 맥락에서 이해할 수 있다.

정성의 문제를 풀게 된다. 고용계약 기간이나 전세계약 기간이 바로 그 예다.

여기서 이러한 방식으로 문제를 풀게 되면, 개인의 자유로운 관심에 의해 매매할 수 있는 자유를 제한하는 문제가 생기게 된다. 이를 '위탁의 문제committment problem'라 한다. 그러나 사람들은 이러한 점을 인지하더라도 다르게 행동할 경우 탐색의 불안정성 문제를 해결할 수 없어 탐색비용이 아주 높을 경우에는 서로 일정 기간을 담보하는 고용계약이나 세입계약을 수락하게 된다.

비대칭적 정보상황과 선택

앞에서 설명했듯이 시장에서 수요자와 공급자는 현실적으로 완전한 정보를 갖고 있지 않다. 예를 들어 중고차시장에서 차 구매자는 사실 자신이 구매하려는 차의 자세한 내력을 모두 알 수 없다. 이처럼 시장에서 정보의 불완전성은, 다음 장에서 다루겠지만, 시장이 제대로 작동하지 않는 중요한 하나의 요인이 된다. 그리고 이러한 불완전한 정보상황의 한 예가 비대칭적 정보상황이다. 레몬모델이나 본인-대리인 관계, 도덕적 해이 등은 이러한 비대칭적 정보상황에서 일어나는 일들이다.

흔히 시장에서 생산자와 소비자 중, 한쪽은 상품의 특성에 대한 충분한 정보를 갖고 있고 다른 쪽은 그렇지 못한 경우를 '비대칭적 정보asymmetric information' 상황이라 한다. 이 상황에서는 완전한 정보가 주어지는 시장에서와는 다른 선택이 이루어질 수 있다. 예를 들어, 소비자가 생산품에 대한 완전한 정보를 가지고 있지 못할 때는 지금까지 알려진 바의, 상표이름을 품질과 연결시키거나 다른 요인을 중시하게 된다. 이를 '경험의 법칙rules of thumb' 이라 한다. 항상 사람들로 북적대는 음식점의 음식이 맛있다고 생각하는 것은 그러한 예다. 이와 같은 비대칭적 정보상황은 사실 우리가 접하는 통상적인 매매거래에서 흔히 발생한다.

이러한 상황에서 정보의 부족이나 정보를 평가할 수 있는 능력의 부족 역시 소비자의 선호를 왜곡시킬 것이다. 즉, 지식이 없는 상태에서 주어지는 정보는 제구실을 할 수 없으며, 오히려 잘못된 인식을 심을 수 있다. 이를 개선하기 위해 이용되는 정부의 평가인증제는 소비자에게 손쉬운 선택을 가능하게 하고 생산자에게는 제한된 형태의 상품생산을 가능하게 할 뿐만 아니라 시장수요의 확신을 줄 수 있다.

비대칭적 정보상황의 한 특수한 사례가 본인-대리인principal-agent의 관계다. 본인-대리인 관계란 본인이 직접 자신의 일을 할 수 없을 때, 또는 대리인에게 업무를 위탁했을 때, 대리인이 더 많은 정보를 갖게 되어 대리인이 본인의 이익에 반하는 행동을 할 가능성을 말한다. 이러한 본인-대리인 관계는 몇 가지 특성을 지닌다. 예를 들어 계약관계에 있는 양 당사자 중 한쪽이 다른 쪽의 후생에 영향을 미치며, 본인은 대리인이 취한 행동을 관찰할 수 없다. 여기서 본인과 대리인의 행동이 엇갈리는 것은 양자가 서로 다른 유인incentive을 지니고 있기 때문이다. 따라서 어떠한 유인을 제공해 정보를 가진 측의 행동을 바람직한 방향으로 이끄느냐가 중요한 문제로 대두된다. 주주와 경영자의 관계, 야구선수와 그의 대표자와의 관계, 국민과 관료의 관계, 소송의뢰인과 변호사의 관계 등은 본인-대리인 관계를 보여주는 대표적인 예다.

본인-대리인 상황과 반드시 연결된 것은 아니지만, 비대칭적 정보 상황에서 발생하는 문제를 거래시간을 기준으로 보면 거래 전에 발생하는 역선택과 거래 후에 발생하는 도덕적 해이moral hazard가 있다. 정보의 부재 또는 비대칭적 상황에서 본인은 정보가 없기 때문에, 어느 일방이 그들의 책임을 회피하게 되는 상황을 도덕적 해이라 한다. 예를 들어-대리인 관계에서도 대리인은 본인을 대신해 일을 하는 데에 드는 비용과 그들이 받는 편익의 차이를 극대화하려 할 것이고, 이것은 본인에게는 최상이 아닐 수 있다.

도덕적 해이는 여러 곳에서 일어날 수 있다. 예를 들어, 자동차보험의 경우, 보험회사는 자동차 주인의 성실한 관리를 믿으면서 사고 시 배상을 하는 거래의 한 당사자이고, 보험에 가입한 차 주는 차를 사용하지만 사고와 관련해서는 보험회사에 의존하는 입장에 놓인다. 그런데 차 주는 보험회사가 생각하는 만큼의 차량관리와 주의의 의무를 다하지 않을 수 있다. 이는 차 주인의 행동에 대한 정보를 보험회사가 알 수 없기 때문이다. 또한 기업은 자신이 생산하는 상품의 질과 노력을 알고 있지만, 소비자는 이를 알지 못해 과거 상품의 이미지를 중심으로 상품을 구입하게 될 경우, 기업은 일시적으로 상품의 질을 낮추고(따라서 비용이 절감됨), 단기적으로 더욱 많은 이윤을 획득할 수 있다. 이것이 바로 기업의 도덕적 해이다.

이에 대해 보험회사나 소비자는 도덕적 해이를 막기 위해 노력할 수 있다. 사고 시에 일정부분을 보험가입자가 물게 하는 공동보험 co-insurance의 형태나, 손실액의 첫 얼마간은 보험가입자가 부담하는 기초공제initial deduction 방식은 도덕적 해이를 막아보려는 보험회사의 노력의 일환이다. 그리고 소비자의 손해를 줄이기 위해 기업평판과 정보를 다루는 소비자정보 매체를 이용하거나, 소비자교육을 통해 정보를 확산하는 것은 기업의 도덕적 해이를 막는 중요한 도구일 수 있다.

도덕적 해이의 경우 이를 막을 수 있는 장치 즉, 대리인의 관점에서도 본인이 원하는 바를 추구하는 것이 유리하도록 만드는 유인설계 incentive design가 중요한 문제다. 흔히, 노력을 반영하는 임금을 지급하거나 이윤을 공유하는 경우, 또는 양자를 하나의 경영체제에 통합하는 것 등은 유인설계의 예다.

레몬모델

레몬모델Lemon's Model은 비대칭적 정보상황이 시장상품의 평균적인 질을 하향시키는 경향이 있음을 보여주는 설명양식으로서 1970년경 조지 아커로프G. Akerlof가 제안했다. 그 이후, 이 모형은 비대칭적인 정보상황을 특징으로 하는 시장에서 이루어질 수 있는 여러 가지 일들을 설명하는 데 유용하게 사용되었으며, 정보의 불완전성에 의해 시장기능이 제대로 작동하지 않음(시장실패)을 보여주는 한 예가 되었다.

예를 들어, 자동차 중고시장을 생각해보자. 상태가 좋은 차의 주인은 300만 원을 받고 싶어하고, 그렇지 못한 차의 주인은 100만 원을 받아도 팔려고 할 것이다. 이때 소비자는 자신이 사려는 차의 상태를 잘 알 수 없으므로 자신이 구입할 차가 좋은 상태와 나쁜 상태일 확률이 각각 반반이라고 생각할 가능성이 크고, 그러면 그가 구입할 차에 대한 소비자의 기대가치는 $\frac{1}{2}\times100+\frac{1}{2}\times300=200$만 원이 될 것이다. 즉, 소비자는 이 가격을 구입할 차에 대해 지불할 의사가 있을 것이다(위험중립의 소비자라고 가정).

그러면 주로 누가 중고차시장에서 차를 팔려 할 것인가? 위의 예에서 좋은 상태의 차를 소유한 주인은 자신의 차가 300만 원의 가치가 있다고 생각하므로, 시장의 중고차 소비자가 지불하려는 가격인 200만 원을 받으면 100만 원이 손해라고 생각할 것이다. 따라서 200만 원을 주려는 소비자에게는 되도록 자신의 차를 팔지 않으려 할 것이다. 그런데 상태가 나쁜 차의 주인은 100만 원만 받아도 팔 생각이었는데, 200만 원을 지불하려는 소비자가 있는 상황에서 기꺼이 자신의 차를 팔려 할 것이다. 이렇게 되면, 결국 좋은 차의 주인들은 되도록 차량을 그대로 가지고 있으려 할 것이고, 중고차시장에서는 주로 상태가 안 좋은 차들이 많이 팔리게 될 것이다.

또한 이러한 경험으로부터 중고차시장의 차량구매자(소비자)들은 중고차시장에서 팔리는 차량들이 평균보다 질이 낮다고 판단, 중고차에 대한 가격을 더욱 낮게 책정하려 할 것이다. 비대칭적 정보상황에 의해 형성된 경제적 유인체계가, 대부분의 팔리는 중고차가 평균 이하의 질을 지니게 한 것이다. 이를 아커로프의 레몬모델이라 한다. 그런데 어떻게 보면, 좋은 차를 가진 채로 어쩔 수 없이(어떤 이유로

든) 차를 팔게 되는 사람들에게는 자신의 자동차의 좋은 상태를 시장상태(불완전 비대칭적 정보상황) 때문에 인정받지 못하는, 일종의 좌절경험이 될 수 있을 것이다.

결국 이러한 상황은, 서로의 유인이 달라 차 주인과 구입자가 서로 간단히 자신의 차의 상태를 말하고 이를 서로 믿게 되는 상황을 조성하지 못하기 때문에 발생한다(즉, 신뢰문제 발생). 이러한 신뢰문제를 해결하기 위해서는 어기기에는 너무나 높은 비용을 치러야 하는, 보장 가능한 약속을 할 수 있다는 사인을 상대방에게 보낼 필요가 있다. 예를 들어, 중고차의 고장에 대해 1년간의 보증기간을 준다거나, 제품의 질을 서약하고 어길 경우 법적 책임을 지겠다고 하는 등의 이러한 사인은 어기기 어렵고 어기기에는 너무 값비싼 대가를 치르는 것으로 여겨져야 신뢰를 얻을 수 있다. 이를 흔히 '뒷감당 비용의 원칙Costly-to-Fake Principle' 이라 한다.

역선택

정보가 비대칭적으로 분포된 상황에서 정보를 갖지 못한 측의 입장에서 볼 때, 가장 바람직하지 않은 상대방(정보를 가진 측)과 거래할 가능성이 높게 되는 현상을 '역선택adverse selection' 이라 한다. 즉 앞에서 언급한 레몬모델에서 위험중립의 소비자라 가정하면, 좋은 차는 기대만큼 받을 수 없어 시장에서 사라지게 되며 결과적으로 시장에는 정보를 가지지 않은 소비자에게 가장 불리한 나쁜 차만 남게 될 것이다.

은행에서도 우리는 가끔 이러한 역선택 현상을 경험할 수 있다. 예를 들어, 자금에 대한 초과수요가 발생했을 때에, 은행은 이자율을 높이려 할 것인데, 이 경우 높아진 이자율에도 대출을 받고자 하는 사람들은 대부분 신용도가 없는 사람들이고, 비교적 경제적 능력을 갖춘 사람들은 이자율이 높아지면, 대출받기를 포기하게 되어, 시장에는 회수율이 떨어지는 대출 희망자들의 비율이 늘어나는 현상이 일어날 수 있다. 이는 일종의 역선택 현상인 것이다.

이러한 역선택 상황에서 정부는 역선택을 막기 위해 일정한 노력을 할 수 있다. 예를 들어, 역선택을 당할 가능성이 큰 경제주체들에게 보험혜택을 받을 수 있도록 서로 상부상조하는 공적보험제도를 도입케 할 수 있고, 정보의 흐름을 원활히 하는 정책을 채택할 수도 있다. 특정한 경우에 정부가 품질을 보장하거나 정보를 원활하게 유통시키는 장치를 마련하는 것도 이에 속한다.

신호와 통계적 차별

이처럼 비대칭적 정보상황에서 경제주체들은 좀더 합리적인 경제적 선택을 위해 시장에서 드러나지 않은 정보를 파악하려 노력하게 될 것이다. 이와 관련해 시장에서 상대방의 감추어진 특성과 정보에 대한 관찰 가능한 지표를 흔히 '신호'라 한다. 그리고 정보를 갖지 못한 측이 정보를 가진 측의 유형을 판별하려는 노력을 '선별'이라 한다. 기업주는 흔히 대학교육의 졸업장을 일의 능력에 대한 관찰 가능한 지표로 여기는 경향이 있는데, 이는 신호의 예라 하겠다. 또한 항공회사가 같은 지역을 왕복하는 경우에도 시간제약 없이 탈 수 있는 왕복권을 15만 원에 팔고, 도착 후 일주일 후에 다시 탈 수 있다는 조건으로 9만 원에 표를 판매한다면, 이는 시간비용을 크게 생각하는 소비자와 그렇지 않은 사람을 가리려는 선별제도라 할 것이다.

또 재력의 신호라고 보여지는 과시소비conspicuous consumption를 예로 들 수 있다. 흔히 사람들은 많이 벌면 더욱 질 높은 상품(따라서 값비싼)을 소비하게 될 것이라 여긴다. 우리는 가끔 고급승용차를 타고 다니는 사람들이 재력도 풍부할 것이라 생각한다. 과시소비는 이처럼 재력을 보여주는 신호역할을 하게 된다. 특히 서로에 대한 정보가 매우 불완전할 때, 과시소비는 재력에 대한 하나의 신호로 작용할 가능성이 크다. 그런데 과시소비가 물론 모든 곳에서 통하는 것은 아니다. 예를 들어, 아주 작은 마을에 사는 사람들은 대부분 각 가정의 사정을 잘 알 것이며, 이런 상황에서는 자칫 분수에 넘치는 과시소비가 자신의 인격을 깎아내리는 요인이 되기도 한다.

이러한 신호와 선별에 있어 상대에 대한 개인적 정보가 부족할 때, 재화와 용역의 질을 그것이 속해 있는 집단의 특성에 기초해 판단하는 행동을 '통계적 차별Statistical Discrimination'이라 한다. 예를 들어, 보험회사는 비교적 정확하게 각 연령별, 성별로 사고비율을 추정하고 그 확률을 바탕으로 보험료 지급의 기대비용을 산정한다. 이에 따라 25세 이하의 남성은 그 이상의 남성이나 비슷한 연령의 사고경험이 있는 여성보다도 사고 날 가능성이 더욱 높다고 보고, 보험 가입비를 차별화하게 된다. 이것이 일종의 통계적 차별이다.

통계적 차별은 흔히 다른 분야에서도 볼 수 있다. 가끔 정치가들은 실제로 그들이 믿는 입장과 다음의 선거에 영향을 끼칠 수 있는 다른 입장 사이에 갈등이 생길 경우, 그 사안에 대해 침묵하게 된다. 이를 흔히 '정치적 침묵Disappearing Political Discourse'이라 한다. 어떤 측면에서는 정치가들이 선거에 영향을 끼치는 유권자 집단의 특성을 파악해 이에 대응하는 측면이 있기 때문에 일종의 통계적 차별에 의한 판단이라 할 수 있다. 또 하나의 예로, 정치인들이 마약 합법화 안案에 심적으로는 찬성하지만 겉으로는 침묵을 지키는 것이나, 연금이나 사회보장보험의 개혁이 필요하다고 여기지만 부담금을 올리는 안에 대해서는 침묵하는 것도 일종의 통계적 차별로 설명할 수도 있다.

우리는 고급승용차를 타고 다니는 사람들이 재력도 풍부하리라 생각한다. 과시소비는 이처럼 재력을 보여주는 신호역할을 하게 된다. 서로에 대한 정보가 불완전할수록 더욱 그렇다.

요약

앞장까지 우리가 논의한 것은 시장의 참여자(기업이나 소비자 등)들은 시장상황에 대해 완전한 정보를 지니고 있다는 것을 전제로 했다. 즉, 애덤 스미스의 '보이지 않는 손'의 이론은 기업과 소비자가 완전한 정보를 지닌 채 행동한다는 것을 전제로 하는 것이었다.

그런데 이 장에서는 이러한 전제를 완화해 시장의 구성원들이 불확실하고 발생할 가능성이 확률로 주어질 수 있는 위험에 처해 있다는 것을 전제로 경제주체들의 시장행동을 분석하려 했다. 이러한 분석은 오히려 오늘의 시장을 좀더 현실적으로 바라보게 해줄 수 있다. 사실 현실적으로 시장의 경제주체들은 완전한 정보를 갖고 있지 않다. 대부분의 소비자나 생산자는 모든 상품(또는 생산요소)의 가격 및 품질(또는 생산성)에 대해 완전한 정보가 없을 뿐만 아니라, 실제로 원하는 정보를 얻기 위해서는 이에 상응하는 비용을 치러야 한다.

이러한 불확실하고 위험이 내포된 시장을 분석하기 위해 몇 가지 개념을 사용했다. 사람들의 기대와 위험에 대한 대응 방식, 정보의 탐색행동과 그 최적화, 본인-대리인 관계와 도덕적 해이, 레몬모델과 신호 및 통계적 차별 등이 그것이다. 본인-대리인 관계 및 도덕적 해이, 레몬모델, 신호, 통계적 차별 등은 시장의 정보가 비대칭적으로 어느 일방에게는 상대방에 대한 정보가 알려져 있지 않은 경우를 설명하는 것으로, 이를 통해 오늘날 시장에서 이루어지는 경제행동을 좀더 잘 설명할 수 있다.

중요개념

- 불확실성, 위험
- 기대

- 위험기피가, 위험중립가, 위험애호가
- 탐색 행위
- 중개인
- 비대칭적 정보상황
- 경험의 법칙
- 본인-대리인 관계
- 도덕적 해이
- 레몬모델, 역선택
- 신호, 선별
- 통계적 차별

더 깊이 이해하기

우리는 불완전 정보시장을 분석하기 위해 앞에서 언급한 바와 같은 여러 가지 개념을 사용했다. 그런데 이러한 분석은 좀더 정교한 설명을 요하기도 한다. 예를 들어, 탐색 행위를 설명하는 과정에서 우리는 한계편익과 한계비용이 일치하는 점에서 경제주체는 탐색 정보량을 결정할 것이라 생각했다.

그러나 이러한 기대효용의 극대화 이론에 대해 오늘날 가치함수의 최대화 이론이 제기되고 있기도 하며, 또한 주택이나 고급 승용차 구입의 경우처럼 고탐색 비용이 드는 경우에 대한 좀더 정교한 분석이 필요하기도 할 것이다. 또한 비대칭적 정보상황이 형성된 시장의 경우, 도덕적 해이를 막을 수 있는 유인설계와 신뢰문제의 해결 역시 더 논의되어야 할 것으로 보인다. 이를 통해 우리는 불확실성과 위험이 내재한 시장에서 이루어지는 시장구성원의 의사결정을 좀더 상세히 알 수 있을 것이다.

경제학자 이야기 8

철학적 경제학자, 프랭크 나이트

Frank Hyneman Knight (1885~1972)

프랭크 나이트는 1885년 11월 7일 미국 일리노이 주의 맥클린에서 태어났다. 1908년 밀리건 대학에서 철학을 전공하고 1913년 코넬 대학에서 철학전공으로 박사과정에 입학했으나 1916년 경제학으로 바꾸어 박사학위를 받았다. 그후 코넬 대학교, 아이오와 대학교, 시카고 대학에서 강의했으며 1972년 시카고에서 서거했다.

그는 경제학을 인간의 행태를 경제적으로 설명하려는 시도로서의 철학적 학문으로 보았다. 그에 의하면 완전경쟁시장의 개념이나 일반균형이론 등도 역시 현실적으로 존재하지 않는 이상적 상태의 논리적 모형화에 불과한 것이다. 따라서 경제학은 현실문제의 해결에 커다란 한계를 지니며, 경제학이 주효한 해결수단이 되기 위해서는 정치, 행정, 교육, 제도 등의 뒷받침이 있어야 하는 것이다.

『위험, 불확실성 그리고 이윤』은 그의 대표저작이며, 이를 통해 위험은 확률적으로 계산이 되지만 불확실성은 확률적으로 계산되지도 않으며 보험의 대상이 되지도 않음을 밝혔다. 또한 이윤은 불확실성 아래서 투자한 데 대한 반대급부라고 주장했다. 1930년대 이후 그는 공공 의사결정에 대한 불신, 종교에서의 윤리적 체계 결여, 민주주의에 대한 불신 등의 생각을 갖기도 했다.

7

가격기구는 만능인가

읽을거리

보이지 않는 손

각 개인이 자기 자본을 국내산업의 지지에 사용해 그 산업의 생산분이 최대의 가치를 가지는 쪽으로 노력할 경우, 각 개인은 필연적으로 그 사회의 연간 수입을 최대한의 것으로 만들려고 노력하는 것이 된다. 하지만 그는 실제로 공공의 이익을 촉진하고자 의도하지도 않았고, 자신이 얼마만큼 공공이익을 촉진하고 있는가도 알지 못한다. 외국 산업보다 국내 산업을 지지함으로써, 그는 단지 자신의 안전만을 도모한다. 또한 국내산업 중에서도 그 생산물이 가장 큰 가치를 가진 것을 선택함으로써, 단지 자신의 이익만을 도모할 뿐이다. 그렇지만 이렇게 함으로써, 보이지 않는 손에 이끌려 자신의 의도가 전혀 아니었던, 더 큰 목적을 증진시키는 일을 한다.

—애덤 스미스, 『국부론』에서

가격과 효율적 자원배분

시장경제에서는 수요와 공급의 원리에 따라서 가격이 결정되고, 가격은 모든 경제주체의 경제 행위를 위한 신호등의 역할을 하게 된다. 생산자는 자신이 만든 물건의 가격이 오르면 그 물건의 생산량을 점차 증가시키게 되며, 소비자는 상대적으로 비싸진 물건을 덜 사게 된다. 따라서 가격이란 교통신호등의 신호와 같이, 각 개인에게 경제 행위의 방향을 지시해준다. 다만, 가격은 어떤 한 사람이 인위적으로 정해놓거나 돈을 들여서 만들어놓은 신호등이 아니라, 각 개인의 자발적인 의사에 의해 형성된, 보이지 않는 신호등이라 하겠다.

그렇다면 가격기구는 희소한 자원을 어떻게 배분하는가 하는 경제문제를 해결하는 데 얼마만큼 잘 작동하고 있을까? 이에 대해서 대부분의 사람들은 시장경제의 경제적 성과를 평가함에 있어서, 가격기구가 경제적 효율성을 달성하는 데 대체적으로 성공적이라고 생각한다.

여기서 경제적 효율성의 기준으로는 이탈리아의 경제학자 파레토 V. Pareto가 제시한 '파레토 최적Pareto optimum' 이란 기준이 가장 많이 사용된다. 이는 하나의 자원배분 상태에서 다른 어떤 사람에게 손해가 가지 않고서는 다른 어떤 사람에게 이득이 되도록 할 수 없는 상태를 말한다. 만약, 일정하게 주어진 자원하에서 어떤 사람의 이득이 종전과 같이 유지되면서도 다른 사람의 이득을 높일 수 있는 여지 또한 남아 있다면, 그 사회의 자원은 낭비 없이 활용되었다고 볼 수 없다. 따라서 어떤 사람의 이득을 발생시키려면 부득이 다른 사람에게 손해가 가게 경제가 운영되며, 이때 자원이 최적 활용되었다고 할 수 있다. 요컨대 어떤 사람의 상태를 해치지 않고는 다른 사람의 상태를 개선시킬 여지가 없는 상태가 파레토 최적상태다.

다수의 수요자와 공급자가 있고 가격에 관한 정보가 완전하며, 진입의 자유가 있는 완전경쟁 상태가 가상적으로 달성되었다면, 시장기구의 작동에 의해 파레토 최적상태가 성취될 수 있다는 것이 경제학자의 오랜 연구 결과다. 이 연구 결과는 좀 복잡한 논의를 필요로 하지만, 생산량이 주어진 경우 시장기구에 따른 교환에 의해 어떻게 파레토 최적이 달성되는가를 소비생활 면에서 간단하게 생각해보기로 하자.

만약 어떤 마을의 빵 장수가 빵을 12개 갖고 있고, 포도주 장수가 포도주를 18병 생산했다고 하자. 또한 두 사람의 선호는 동일하며, 각자가 빵을 b만큼 소비한 경우 한계효용이 $(21-b)$이고, 포도주를 w만큼 소비한 경우 포도주의 한계효용이 $(28-2w)$로 된다고 가정하자. 이때 빵 생산업자와 포도주 생산업자는 자신이 만든 물건만을 소비하는 것보다, 서로 빵과 포도주를 약간씩 바꾸어 소비하는 것이 이익이 될 것이다. 왜냐하면 한계효용균등의 원리에 따라 볼 때, 빵과 포도주 소비에서 얻는 각 한계효용의 비율이 가격비율과 같은 점에서 소비량을 결정해야 효용을 최대화할 수 있기 때문이다.

만약 빵 장수가 x개의 빵을 내놓고, 포도주 장수가 y병의 포도주를 내놓아서 서로 교환했을 때, 교환 전과 교환 후의 각자의 소비량을 표시하면 도표 42와 같다.

그런데 빵 장수와 포도주 장수의 선호가 같다고 가정했으므로, 양자 모두 소비패턴이 같아야만 만족도 역시 최대가 된다. 따라서 우리는 각자가 빵 6개, 포도주 6병씩을 나누어 먹기 위해, 빵 2개에 대해

도표 42 | 교환 전후의 빵과 포도주 소유량

	교환 전 소유량		교환 후 소유량	
	빵	포도주	빵	포도주
빵 생산업자	12(개)	0(병)	12−x	y
포도주 생산업자	0	18	x	18−x
총계	12	18	12	18

포도주를 3병꼴로 교환하는 것이 서로에게 가장 이익이 됨을 알 수 있다. 즉 $x=6, y=9$가 된다.

이때, 우리는 한계효용균등의 원리가 충족됨을 알 수 있다.

$$\frac{\text{빵 장수의 빵에 대한 한계효용}}{\text{빵 장수의 포도주에 대한 한계효용}} = \frac{21-(12-x)}{28-2y} = \frac{15}{10}$$

$$\frac{\text{포도주 장수의 빵에 대한 한계효용}}{\text{포도주 장수의 포도주에 대한 한계효용}} = \frac{21-x}{28-2(18-y)} = \frac{15}{10}$$

$$\frac{\text{빵 1개의 가격}}{\text{포도주 1병의 가격}} = \text{빵과 포도주의 교환비율} = \frac{y}{x} = \frac{9}{6}$$

위와 같이 자신의 이익을 좇아 교환을 한 경우 각자가 최대한의 이익을 볼 수 있는 조건은 우리가 소비자의 행동원리에서 설명한 대로 한계효용균등이 지켜지는 경우다. 따라서 완전경쟁시장에서는 대체로 소비 면에서 효율성이 달성되는 것이다.

이 상황을 좀더 쉽게 알아보기 위해 두 사람의 상태를 도표 43으로 그려보았다. 이를 위해서 필요한 그림이 에지워드라는 학자가 개발

도표 43 | 에지워드 상자와 파레토 최적

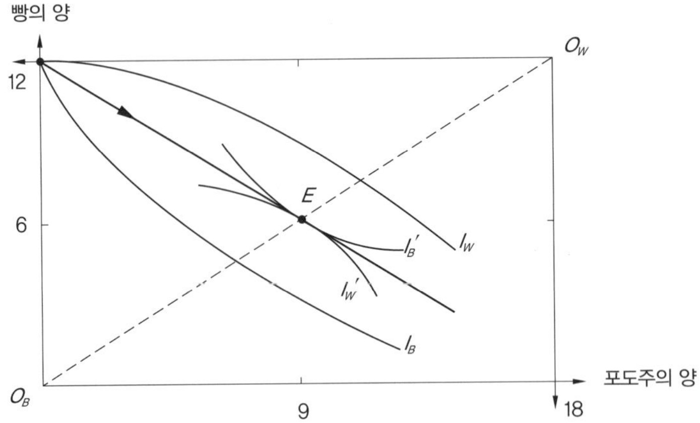

한 상자형 도표다. '에지워드 상자Edgeworth box'라고 불리는 이 그림에는 가로축에 포도주의 양, 세로축에 빵의 양을 표시하고, 교환 전과 교환 후에 각자가 갖는 물건의 양을 한 점으로 표시하게 되어 있다. 앞의 예에서 경제 전체의 물건의 양으로 빵 12개와 포도주 18병이 있었으며, 빵 장수의 상태를 왼쪽 아래의 원점 O_B에서 시작해 오른쪽으로 측정하고, 포도주 장수의 상태는 오른쪽 위의 원점 O_W를 시작으로 왼쪽으로 측정한다. 이때 교환 전 각자의 상태는 C점과 같이, 빵 장수가 빵 12개를 모두 갖고 포도주 장수가 포도주를 18개 모두 가진 상태로 표시된다.

교환 전에 빵 생산업자가 누리는 만족도를 무차별곡선 I_B 수준이라고 하고, 포도주 생산업자가 누리는 만족도를 O_W에서 본 무차별곡선 I_W로 나타낸다고 하자. 이때 두 사람은 빵과 포도주를 교환함으로써 각자의 만족도를 증가시킬 수 있으므로 상호 이익이 되는 화살표 방향으로 각자의 상태를 개선하려고 할 것이다. 이를 파레토 기준에 따라 개선되었다고 말한다.

그런데 이 교환이 끝나 만약 E 점 상태가 되어 양자의 무차별곡선인 I_B'와 I_W'가 접하는 점이 생겼다면, 더 이상 개선의 여지는 없을 정도로 최적상태가 된 것이다. 이때 파레토 최적상태가 달성되는데, 앞의 식에서 보듯이 각자의 한계효용의 비가 동일하며, 이것이 실선으로 표시된 빵과 포도주의 가격 비율과도 같음을 알 수 있다.

이제까지 시장에서 가격을 신호로 하여 자신의 이익을 좇아 행동한 결과 소비생활 면에서 효율성이 달성될 가능성에 대해 이야기해 보았는데, 이와 같은 논의가 생산 면에서도 적용될 수 있다. 경제 전체의 생산요소 부존상태와 이 요소를 이용해 생산물을 만드는 기술적 가능성을 나타내는 생산함수를 알 경우, 한계생산물균등의 원리에 따라 다음과 같은 조건이 만족되면 파레토 최적이 달성된다.

$$\frac{\text{A기업에서의 노동의 한계생산물}}{\text{A기업에서의 자본의 한계생산물}} = \frac{\text{노동서비스의 가격}}{\text{자본서비스의 가격}}$$

$$= \frac{\text{B기업에서의 노동의 한계생산물}}{\text{B기업에서의 자본의 한계생산물}}$$

에지워드 상자를 이용하면 쉽게 시장기구에 의해 앞의 조건이 달성되고, 이 조건하에서 파레토 최적이 이루어진다. 이는 기업이 이윤을 최대화하는 과정에서 가능한 한 적은 비용으로 생산을 하려 하기 때문이다.

따라서 소비나 생산 면에서 볼 때 시장기구는 경제적 효율성을 달성하는 데 우수한 경제생활 방식임을 알 수 있다. 나아가 시장기구는 각 개인이 자신의 경제생활을 해나가는 데 판단의 근거가 되는 가격이라는 정보를 쉽게 전달한다는 면에서 아주 효율적이다. 만약 사회주의 경제에서처럼 중앙정부가 모든 소비자의 선호와 모든 생산자의 기술상태를 완전히 알아서 가장 효율적인 자원배분을 이루려 한다면, 정보를 얻는 데도 엄청난 비용이 들 것이다. 사회주의 경제가 아니라 하더라도, 어떤 생산업자가 의견조사를 통해 자신의 상품에 대한 선호를 알아보고 다닌다면, 조사하는 데 비용이 많이 들 것이다. 이에 비해 시장에서는 가격과 거래량의 움직임에 의해 수요가 변했는지를 금방 알 수 있으므로 쉽게 행동을 계획할 수 있다. 말하자면, 시장기구란 신호등과 같으면서도 작동하는 데 돈이 별로 안 드는 제도인 것이다. 이것은 마치 보이지 않는 대용량 컴퓨터가 스스로 알아서 가격을 계산해주는 것과 같다.

시장의 실패

이제까지 시장경제에서 가격을 신호로 삼아 소비자와 생산자들 간에 자발적인 교환과 경쟁을 통한 효율적인 자원배분이 일어날 수 있음을 살펴봤다. 그러나 이것은 주로 완전경쟁이라는 상당히 제약적인 가정하에서 시장기구의 효율적인 작동원리를 알아볼 것이다.

그러나 현실경제에서는 이와 같이 완전경쟁에 가까운 상태가 존재하지 않으며, 이제까지 고려하지 않은 많은 요인들로 인해 시장기구의 작동이 원활하게 되지 않을 수도 있다. 예를 들어 독점이 존재할 때, 생산량은 사회적으로 최적인 상태보다 적게 생산될 수도 있다. 또한 비록 완전경쟁에 가까운 상태에 있더라도, 한 개인의 경제 행위가 시장기구를 통하지 않고 직접 다른 개인의 행위에 영향을 준다면 효율적인 자원배분이 힘들어진다. 이와 같이 모든 경제 행위를 시장기구를 통해서 할 경우, 오히려 바람직한 결과가 실현되지 못하는 현상을 '시장의 실패market failure' 라고 한다.

시장기구를 통해 성공적인 성과가 나타나지 않고 실패가 발생하는 요인에는 여러 가지가 있는데 대체로 외부성, 공공재, 시장의 불완전성과 불확실성, 소득의 불공정성 이렇게 네 가지로 나눌 수 있다.

첫째, '외부성externality' 이란 어떤 경제 행위의 결과가 행위자 자신에게는 아무런 대가나 비용도 주지 않으면서 다른 사람의 경제 행위에 이익이나 손해를 끼치는 경우를 말한다. 다른 사람에게 이익을 주는 경우를 '외부경제external economy' 라 하고, 손해를 주는 경우를 '외부불경제external diseconomy' 라고 하는데, 어떤 경우든지 시장기구를 통한 거래가 아니라 시장기구의 외부에서 효과가 발생한다는 점에서 '외부효과' 라고 한다.

외부경제의 예를 들면, 과수원 옆에 양봉원이 있는 경우를 생각할 수 있다. 과수원에서 사과 꽃이 많이 피면 벌들도 꿀을 많이 생산할 수 있는데, 이때 양봉업자는 과수원업자에게 아무런 대가도 주지 않고 과수원에서 생기는 외부효과를 자신의 이익으로 받게 된다. 이때 과수원에서 발생되는 사회적 이익은 사실상 사과에서 얻는 것과 벌

꿀을 더 많이 생산하게 되어 얻는 효과를 합쳐서 생각해야 하지만, 과수원업자 개인의 이익은 사과를 팔아서 얻는 이익밖에 없으므로, 과수원업자의 생산량은 사회적으로 최적인 사과 생산량보다 적게 결정될 것이다. 물론, 이때 외부효과에서 발생하는 이익을 주고받는 당사자가 확실하다면, 양봉업자가 과수원업자에게 대가를 줌으로써 사과를 더 많이 생산하게끔 만들 수도 있다. 그러나 이익 발생자와 이익 수혜자가 확실치 않을 경우에는 정부가 과수원업자에게 보조금을 주어 사과생산을 장려함으로써 사회적으로 최적인 수준까지 생산량을 끌어올리는 방법을 생각할 수 있다.

시장 실패의 요인 중 하나인 외부성은, 어떤 경제 행위의 결과가 행위자 자신에게는 아무런 대가를 주지 않으면서 다른 사람의 경제 행위에 이익(외부경제)이나 손해(외부불경제)를 끼치는 것이다.

외부불경제의 예로는, 공해를 배출하는 공장 옆에서 농사를 짓는 경우를 들 수 있다. 공해를 배출하는 공장이 더 많이 가동됨으로써 쌀 수확량이 감소한다면, 농부는 불이익을 당하게 된다. 이때 공장에서 개인적인 비용은 사회 전체의 비용보다 낮게 계산될 것이므로, 공장에서의 생산량은 사회적으로 적절한 수준보다 더 많이 결정될 것이다. 도표 44에서 보듯이, 공장 가동 시 개인적 한계비용(MC_p)과 여기에서 공해물질 배출로 인한 비용을 합한 사회적 한계비용(MC_s)을 비교해볼 때, 개인적 한계비용이 사회적 한계비용보다 적다. 따라서 가격기구에만 맡겨둔 상태에서는 사회적으로 최적인 생산량(Q_s)보다 더 많은 생산량(Q_p)이 결정될 것이다. 이때 정부는 개인적 비용과 사회적 비용의 차이(t)만큼 벌금이나 조세를 매김으로써 생산량을 사회적으로 최적인 수준으로 규제할 수 있다.

지금까지 생산의 외부성에 대해서 생각해보았는데, 소비자 간에도 외부성이 존재할 수 있다. 예를 들어, 선진국이나 고소득층의 소비행태를 보고, 후진국 국민이나 저소득층에서 자신의 소득 수준에 맞지 않게 지나친 소비를 하는 경우가 있다. 이 경우 사치품이라고 생각되는 물건에 대해 정부가 특별소비세를 매겨 소비를 억제하는 조치를 취하기도 한다.

둘째, 시장의 실패를 가져오는 요인으로 '공공재public goods'가 있다. 공공재란 단순히 정부나 공공단체가 공급하는 물건이 아니라, 각 경제주체들이 공동으로 소비하며(비배타성), 소비하려는 사람이 늘어나더라도 만족도가 별로 변하지 않는(비경합성) 물건을 말한다. 예를 들어, 치안서비스나 도로와 같은 경우, 공공재의 두 가지 특징(비배타

도표 44 | 외부성과 시장의 실패

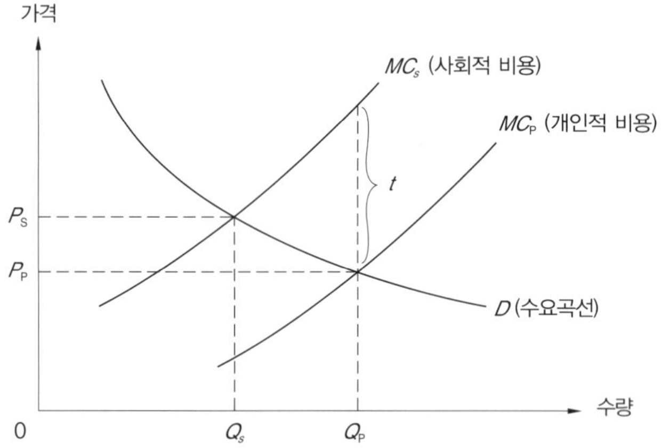

성과 비경합성)이 잘 드러난다. 즉, 경찰이 사회 전체의 치안질서를 유지하는 경우 그 혜택은 모든 경제주체들이 공동으로 얻게 되며, 새로 사람이 태어나거나 외국인이 들어오더라도 치안서비스의 정도는 변하지 않는다.

공공재가 필요할 때, 공공재의 공급을 시장기능에 맡겨놓으면 시장의 실패가 발생한다. 공공재가 일단 공급되면 각 개인은 공짜로 이용할 수 있기 때문에, 아무도 실제로 비용을 부담하지 않으려 할 것이다. 예를 들어, 도로를 건설하는 데 상당한 비용이 들지만, 각 개인에게 그 비용을 내라고 하면 어떤 사람도 자발적으로 내지 않을 것이다. 도로가 만들어지는 경우 공짜로 혜택을 누릴 수 있으므로, 다른 사람들이 비용을 내어 도로를 건설하기를 기다릴 것이기 때문이다. 이와 같이 다른 사람의 부담에 의해 생산된 공공재에 편승하려고 하여 아무도 비용을 부담하지 않으려 하는 문제를 '무임승차자free rider의 문제'라고 한다.

무임승차의 가능성이 있을 때는, 아무도 나서서 공공재를 공급하려 하지 않을 것이므로 사회적으로 필요한 수량보다 공공재가 적게 공급될 것이다. 따라서 정부는 조세를 통해 얻어진 재원을 바탕으로 공공재인 공원, 도로, 경찰, 일기예보와 같은 재화나 서비스를 공급해야 한다.

셋째로, 시장정보의 불완전성과 불확실성 때문에 시장기능을 통해서는 자원의 효율적인 배분이 일어나지 않을 수 있다.

소비자의 선호나 생산기술 면에서 걷잡을 수 없이 변화가 심한 경우, 민간기업이 위험을 기피하거나 적절한 투자를 하지 않음으로써 적절한 생산과 경제성장이 잘 이루어지지 않는 경우도 있다. 이때 정부는 기술개발에 대해 세제상의 혜택이나 보조금을 줌으로써 더 효율적인 생산이 되도록 유도할 수 있다.

시장정보의 불완전성과 불확실성으로 인해 발생하는 문제 중 특히 심각한 것으로, 실업과 유휴시설이 생기는 불황이 있다. 각 개인이나 기업이 시장에서 모든 정보를 신속하게 얻어서 자원을 적재적소에 잘 이용하면 문제가 없을지 모르나, 현실경제에서는 정보의 취득과 해석에 차이가 있으며 모든 정보를 개인이 갖고 있지 않으므로 경제활동 수준 자체가 급격히 떨어질 가능성이 있다. 이와 같은 문제는 거시경제학의 주제로서 앞으로 상세히 설명할 것이다.

마지막으로, 시장기구에 의해 경제를 운영할 때 발생하는 문제로서, 소득의 불공정성을 들 수 있다. 시장경제에서는 구매력이 있는

창업 中企 · 신기술 벤처로 지원 몰아준다

◆ 중기 구조조정 막올라

기보의 재정 안정화 방안과 신용보증제도 개편방안은 표면적으로는 기술신보의 부실화된 재정을 충당해 주는 대책이지만 그 보다는 중소기업 구조조정의 시작을 알리는 신호탄이라는 측면에 의미가 더 깊다.

중소기업청과 함께 중소 · 벤처기업의 자금줄 역할을 해 왔던 신용보증기금과 기술신보의 보증제도에 대한 개편은 곧 그동안 '퍼 주기' 식으로 인식됐던 중소기업 지원대책의 일대 전환을 의미하기 때문이다.

이같은 중소기업 정책에서 기술신보 위기가 도래했고 이는 정부도 오래 전부터 감지하고 있었다. 그동안 중소기업 지원정책에 대한 일대 수정이 불가피하다는 목소리를 꾸준히 내 온 이유도 여기에 있다.

시중은행의 한 관계자는 "기본적으로 중소기업은 자금을 아무리 많이 지원해도 어렵다는 얘기를 하게 된다"면서 "이번 대책은 중소기업에 대한 구조조정의 서막이라고 할 수 있고 이를 계기로 중소기업의 기술력과 경쟁력을 향상시킬 수 있는 보다 과학적인 지원 정책이 마련돼야 한다"고 말했다.

◆ 옥석 가리기 시작

정부의 복안은 한마디로 옥석을 가려내 '썩은 사과'는 빨리 골라낸다는 것이다. 위기에 처한 기보에는 신보에 돌아갈 금융기관 출연금을 전액 돌리고 내년도 금융기관 출연금도 미리 받아 재정을확충하기로 했다. 이렇게 확보된 5100억원과 내년 정부 출연금 4500억원으로 신용보증기관들의 건전성을 확보한다는 방침이다.

이를 바탕으로 신용보증 정책을 전면적으로 뜯어고칠 계획이다. 무차별로 보증하던 것을 앞으로는 선별로 지원하되 규모도 차차 줄이겠다는 것이다. 가망이 없는 한계 중소기업과 장기간 신용보증을 받은 기업, 정부의 보증없이도 자금조달이 가능한 우량 중소기업에는 보증을 축소하기로 한 것이다.

대신 창업기업이나 기술기업 등 경쟁력과 발전 가능성을 갖춘 혁신형 중소기업에 보증을 몰아줄 계획이다. 신보는 일반 중소기업과 수출?영세기업에, 기보는 벤처기업, 이노비즈(Inno-Biz:Innovation-Business) 등 기술혁신형기업 지원에 집중, 특화할 방침이다.

◆ 중소기업 업계 혼란 불가피

이번 정부대책이 일선 현장에서 본격적으로 효력을 나타내게 되면 중소기업 업계도 일대 혼란을 겪을 것이 분명하다. 정부의 신용보증으로 대출을 받아 연명하던 중소기업들은 부도를 피할 수 없을 것으로 보인다. 또 심사기법에서 차별화가 안된 국내 금융기관들은 정상적인 중소기업 대출까지 축소할 가능성이 있어 자칫 중소기업 전반에 자금경색이 일어날 수도 있다.

《파이낸셜뉴스》 2005년 6월 22일
임대환 기자

부유한 사람들의 의사가 아무래도 많이 작용하므로, 소득과 자산이 불공평한 상태로 지속될 가능성이 크다. 특히 시장경제에 참여해 소득을 얻을 만한 생산요소를 갖지 못한 노약자나 장애인의 생활은 더욱 어려워질 것이다. 이 경우, 정부는 조세감면이나 보조금과 같은 적절한 소득재분배정책을 써야 한다. 저소득층에 대한 의료보조나 취로사업이 이러한 취지 아래 시행되는 정책의 예라 할 수 있다.

민주주의 정치제도와 공공선택

앞에서는 주로 시장기구에 의한 효율성 달성의 실패란 측면에서 시장의 실패와 정부의 역할을 논의했지만, 과연 효율성의 개념 만으로 어떤 사회에 최상의 만족을 주는 효용배분점을 찾아낼 수 있을까? 한마디로 그렇지 않다. 우리는 배분에 대한 그 사회구성원들의 특정한 가치판단을 포함하는 사회후생함수를 생각하고 나서야 비로소 최상의 효용배분점을 찾을 수 있다. 즉, 때로는 그 사회의 가치판단에 의해 효율적이지 않은 점에서도 선택은 이루어질 수 있다. 사회적으로 평등의 개념을 만족시키는 것이 의미가 있을 경우, 비효율적인 점도 사회적 선택으로 의미를 지닐 수 있다.

이와 관련해 애로K. J. Arrow의 '불가능성 정리Impossible Theorem'는 하나의 생각거리를 제공한다. 애로는 우선 사회적 선호체계가 지녀야 할 네 가지 공리를 제안했다. (1) 하나는 완전성completeness과 이행성transitivity으로 모든 사회적 상태를 비교 평가할 수 있어야 하며, a> b> c이면, a>c가 성립한다는 것이다. (2) 둘째는 파레토 원칙으로 모든 사람이 a>b이면, 사회 전체적으로도 a>b이다. (3) 셋째는 비독재성(또는 민주성non-dictatorship)으로 사회의 어느 한 구성원의 선호가 전체 사회의 선호를 좌우해서는 안 된다는 것이다. (4) 넷째는 제3의 선택가능성으로부터의 독립independence of irrelevant alternatives 원칙으로 a, b의 두 사회적 상태를 비교할 때, 이들과는 연관이 없는 제3의 변인 c가 개입한다 해도 a, b 사이의 선호순위는 변화가 없다는 것이다.

애로는 여기서 (1), (2), (4)의 공리(대체로 합리성과 관련됨)를 만족시키는 사회적 선호체계는 반드시 공리 (3)을 위배하게 된다는 것 즉, (1), (2), (3), (4) 조건을 동시에 만족시키는 사회적 의사결정 방법은 없다는 것을 증명했는데, 이것이 바로 불가능성 정리다. 이는 곧 네 가지 공리를 모두 갖춘 합리적이고 민주적인 사회후생함수가 존재하기 어려움을 의미한다.

애로의 이러한 불가능성 정리는 사실 의사결정 방법만을 잘 정하면 바람직한 결과가 나오리라는 낙관적 생각이 근거 없음을 보여준다. 즉, 올바른 사회적 의사결정을 위해서는 구성원의 심사숙고, 의사소통 협상 등 많은 노력이 들어감을 의미한다.

그러면 이러한 공공선택과 관련해 다수결의 원칙이 지배하는 민주주의 사회에서 선택은 얼마나 효율적인가? 이와 관련해 애로나 뷰캐넌J. Buchanan 등은 흥미로운 문제를 제기했다. 우선, 다수결에 의한 공공선택의 문제에 대한 것은 아니지만, 이미 언급한 바와 같이 애로는 불가능성 정리를 통해 민주사회의 바람직한 특성(합리성, 민주성 등)들을 모두 충족시키는 사회후생함수는 존재하지 않는다는 사실을 입증했다. 이렇게 보면, 우리가 어떤 특정한 사회후생함수를 전제로 하여 경제사회를 분석하거나 설명한다는 것은 일면 사회구성원들이 바라는 모든 것들이 아닌, 어떤 특정한 사회적 가치를 염두에 두고 있음을 말하는 것인지도 모른다.

이러한 애로의 문제 제기가 있기는 하지만, 오늘날의 민주사회에서는 다수결majority voting rule에 의해 많은 공공의 문제를 결정하고 있다. 그런데 과반수 찬성에 의한 결정 방식에도 몇 가지 문제가 있다. 그 중 하나는, 이 방식은 투표자들 사이의 선호의 강도를 고려할 수 없다는 점이다. 예를 들어, 특정 사안에 대해 다른 사람은 사실상 무차별하고 어떤 사람은 강렬히 원하는 경우라도, 모든 사람의 표는 동등하게 취급되기 때문에 각자가 지닌 선호의 특수성은 결정에 반영되지 않는다. 또한 집단 모두의 이해가 걸린 문제에 있어서는 집단 사이의 담합logrolling에 의해 다수결원칙이 왜곡될 수 있다.

이에 더해, 개인의 선호가 이행성transivity(예를 들어 어떤 세 가지 대안 ㉠, ㉡, ㉢에 대해 ㉠이 ㉡보다 선호되고 ㉡이 ㉢보다 선호되면, ㉠은 ㉢보다 선호된다. 이를 이행성이라 한다)을 충족시키더라도 과반수 찬성에 의해 사회적 선호를 매길 때에는 이행성을 확보하지 못하는 경우가 생기며, 이를 투표의 역설voting paradox이라 한다. 예를 들어 도표 45에서처럼 투표자 갑은 ㉠>㉡>㉢의 선호를, 을은 ㉡>㉢>㉠의 선호를, 병은 ㉢>㉠>㉡의 선호를 나타내고 있다 하자. 이 경우, ㉠과 ㉡에 대한 투표가 이루어질 경우 갑과 병이 ㉠을 지지해 ㉠이 채택되며, ㉡과 ㉢에 대한 투표가 이루어질 경우 갑과 을이 ㉡을 지지해 ㉡이 채택될 것이다. 여기서 만약 이행성이 확보된다면 마땅히 ㉢보다는 ㉠이 선택되어야 한다. 그런데 막상 ㉠과 ㉢에 대한 투표가 이루어지면

오늘날의 민주사회에서는 다수결에 의해 많은 공공의 문제를 결정하고 있다. 그런데 과반수 찬성에 의한 결정 방식에도 문제가 있다. 모든 사람의 표는 동등하게 취급되기 때문에 각자가 지닌 선호의 특수성은 결정에 반영되지 않는다.

도표 45 | 투표의 역설이 발생하는 경우

투표자	갑	을	병
1순위	㉠	㉡	㉢
2순위	㉡	㉢	㉠
3순위	㉢	㉠	㉡

오히려 을과 병이 ㉢을 지지하게 되어 ㉢이 채택될 것이다. 이는 모두 다수결 투표제가 지닌 한계이다. 다수결의 한계에 대해서는 좀더 자세한 설명이 필요하지만 여기서는 생략하기로 한다.

정부의 실패와 시장경제의 앞날

이제까지 시장기능만으로 충분히 경제적 효율성과 공평성을 달성하지 못하는 경우, 정부가 각종 정책을 통해 경제에 개입해야 함을 밝혔다. 그러나 정부가 개입했다고 해서 반드시 시장의 실패가 고쳐질 수 있는 것은 아니다. 때때로 정부가 잘못된 개입을 함으로써 오히려 시장경제의 활발한 운영을 해칠 수도 있다. 특히, 정부나 공공부문에서는 민간부문에서와 같이 효용 최대화나 이윤 극대화와 같은 동기가 충분치 못하므로 정부개입의 폐단이 생길 수 있다. 이러한 부작용을 '정부의 실패 government failure' 라고 한다.

일반적으로 정부의 실패란 정부의 각종 규제나 정책이 원래의 목적을 달성하지 못하는 것을 말하는데, 정부의 실패가 생기는 요인으로는 크게 보아 정부조직 내부의 문제와 정부의 의사결정 과정에 영향을 미치는 갖가지 문제들이 있다.

먼저, 정부조직 자체의 문제로는 정부가 공공의 이익을 위해 일한다 하더라도 정부가 민간의 정확한 욕구와 경제상태를 완전히 알지 못하기 때문에 생기는 잘못된 판단을 생각할 수 있다. 또한 때때로 정책시행의 담당자인 관료들은 관료조직 자체의 이익인 조직확대를 위해 불필요한 규제나 지출을 행하는 경우가 많다. 각종 전시적 행정이나 불필요한 조직 확대 등이 그 예다.

다음으로 정책결정 과정상의 문제로서 각종 이익단체의 영향을 생각할 수 있다. 동업자 집단, 협회와 같은 이익단체가 관료에게 영향력을 행사해 정부정책의 혜택이 해당 이익단체에 돌아오도록 유도함으로써 공공의 이익을 해칠 수도 있다. 특히 대의민주제도가 갖춰진 경우, 정당은 선거에서 표를 많이 얻기 위한 인기위주의 정책을 개발함으로써, 선거 인플레이션과 같은 부작용을 가져오기도 한다.

따라서 정부가 불가피하게 경제활동에 개입하더라도 그 경제적 효과를 잘 감안해 적절한 방식으로 개입해야 함을 알 수 있다. 요컨대, 시장경제의 장점인 효율성을 해치지 않는 범위에서 정부가 적당히 개입해야 하는 것이다. 1980년대 말 이후 중앙집권적 계획에 의해 경제를 운영하는 많은 사회주의 국가들이 효율성 저하로 인해 곤란을 겪는 상황을 볼 때, 시장경제를 통한 효율성 추구는 그 중요성이 점점 부각되고 있는 실정이다.

요약

이 장에서는 시장기구를 통한 자원배분이 효율적으로 이루어질 가능성이 많음을 먼저 설명했다. 즉 소비자의 효용 최대화와 기업가의 이윤 최대화라는 개인이익의 추구를 통해, 경제에서 주어진 자원이 가장 쓸모있게 배분된다는 것이다.

그렇지만 외부성이 존재하는 경우나 공공재의 경우, 시장기능을 통해서 사회적으로 최적인 생산량이 꼭 생산되는 것은 아니므로, 정부가 조세나 보조금과 같은 조치를 통해 효율성을 높여야 함을 알 수 있다. 또한 시장이 불완전하거나 불확실성이 많은 경우, 정부가 경제정책을 통해 시장의 실패를 극복해야 한다. 나아가 시장기구를 통해 효율성이 달성되었다고 해서 공평성이 보장되는 것은 아니므로, 소득재분배정책이 필요하다.

그런데 정부가 경제에 개입하더라도 정부의 실패 등으로 인해 의도한 목표가 반드시 달성되는 것은 아니므로, 지나친 경제개입을 해서는 안 된다는 사실도 알 수 있다.

중요개념

- 파레토 최적
- 시장의 실패, 정부의 실패
- 외부성
- 공공재
- 효율성과 공평성
- 불가능성 정리
- 투표의 역설

더 깊이 이해하기

시장경제에서 자원배분을 행할 때, 시장의 실패 가능성 때문에 정부가 경제에 개입할 필요성이 있다는 것은 누구나 잘 알고 있다. 그러나 정부가 쓰는 돈도 결국 국민이 부담해야 하므로 막연하게 정부에게 너무 많은 것을 기대하는 것은 잘못이다. 따라서 공동생활을 위해 필요한 지출이 무엇인지 잘 판단해야 한다.

보통 사람들은 각자 자신의 이익을 위해 자기가 필요한 것이 공동의 이익이 된다고 주장하기 쉽다. 그러므로 국민 모두에게 영향을 주는 공공지출의 대상과 양을 어떻게 정할 것인가 하는 문제는 곰곰이 생각해볼 문제이지만, 현재까지 이에 대해 아주 만족할 만한 해답은 나와 있지 않다. 오히려 공공적인 선택 과정에서 우리가 생각할 수 있는 좋은 기준인 일인의 독단적 결정금지, 일관된 결과 등 여러 기준을 동시에 만족시키는 선택방법은 존재하지 않는다는 애로의 불가능성 정리가 제시되어 있다. 이에 따라 국민 각자의 양식 있는 판단과 공정한 선거 등 국민들의 공동생활에 대한 상호 기여가 절실히 필요함을 알 수 있다.

경제학자 이야기 9

후생경제학의 선구자, 빌프레도 파레토

Vilfredo Pareto(1848~1923)

빌프레도 파레토는 1848년 파리에서 태어나 이탈리아에서 교육을 받았으며, 1869년 이탈리아 토리노 공대를 졸업하고 철도국 기사장으로 일했다. 1891년 발라를 만나 경제학을 공부했으며, 1893년 발라의 뒤를 이어 로잔 대학에서 교수로 일했다. 말년에는 이탈리아 파시스트 정부의 상원의원으로 임명되기도 했다.

파레토는 사회 전체적인 무차별곡선이란 생각으로 사회후생함수를 생각했으며, 완전경쟁시장의 일반균형 상태인 파레토 최적성Pareto Optimaum 개념을 제안하기도 했다. 파레토 최적성은 이론적으로는 시장경제가 추구하는 이상적 전형이었으며, 이 상태를 벗어나면 경제적으로 좋아지는 사람은 하나도 없고 적어도 한 사람은 나빠지는 결과를 초래한다는 이론이었다.

따라서 경제정책의 목표는 파레토 최적을 유도할 수 있는 이론적 체계에 기초해야 한다고 볼 수 있다. 사실, 그의 이러한 설명과 논증은 애덤 스미스의 보이지 않는 손의 움직임을 학문적으로 특히 미시적으로, 명쾌하게 설명한 것이기도 했다.

그는 또한 파레토 법칙이란 소득분포이론을 주장하기도 했다. 그의 소득분포함수는 함수전환을 통해 단순한 지수

분포로 바꿀 수 있는 것으로, 소득불균형을 측정하는 데에 자주 사용되며, 로렌츠곡선과도 유사한 성격을 지닌다.

파레토의 업적은 초기에는 주로 이탈리아와 프랑스에서만 인정되었으나 그후 널리 알려지게 되었다. 1906년의 『정치경제학 개설』은 그의 대표작이기도 하다.

| 알아볼 내용 |

3부에서는 국민경제 전체를 어떻게 볼 것인가를 논의한다. 이것은 한 나라 경제활동의 전체적인 크기를 검토하고 그 활동을 평가하는 일이라 할 수 있다. 즉, 국가 전체의 소득규모나 일반적인 물가 수준, 그리고 국민 전체의 소비 수준과 생산 수준 등의 크기와 변동이 주된 관심사다.

이러한 국민경제에 대한 논의는 기본적으로 하나의 중요한 생각을 바탕으로 하고 있다. 그것은 국민경제가 순환적 흐름을 가진다는 생각이다. 예를 들어 기업이 생산한 물건을 사기 위해 가계는 돈을 사용하며, 이 돈은 다시 생산에 필요한 노동과 원료를 구입하기 위한 기업의 생산자금으로 쓰이게 된다. 여기서 가계는 기업으로부터 노동 등의 생산에 필요한 것을 제공한 대가를 지불받으며, 이것은 또한 가계의 수입이 된다. 그리고 이러한 가계의 수입은 상당부분이 다시 기업이 생산한 물건을 구입하는 데 쓰이게 될 것이다. 이렇게 보면, 가계가 생산요소를 제공하고 기업으로부터 얻게 되는 소득은 사실상 재화와 용역을 사용하기 위해 지출하는 것과 같게 될 것이다. 그리고 이것은 동시에 그 경제의 전체 생산물의 가치와도 일치할 것이다.

이처럼 한쪽의 재화와 용역의 흐름과 그 반대편의 화폐의 흐름은 국민경제에 대한 논의에 기본적인 바탕을 이룬다. 여기서 우리가 생산하는 재화나 용역의 가치에 대한 개념과, 화폐의 개념은 이러한 국민경제의 순환과 연계되어 있기도 하다. 국민경제에서 물가나 고용 수준 등을 논의할 때도 이러한 생각은 중요한 역할을 할 것이다.

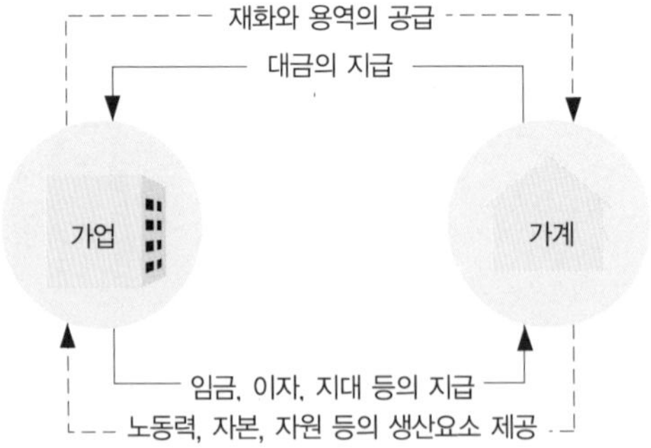

3
국민경제의 크기는 어떻게 결정되나

1

국민소득이란 무엇인가

| 국민경제 규모의 측정 |

읽을거리

국민경제 활동의 다양한 구성

흔히 우리가 신문이나 방송에서 접하게 되는 국민경제의 크기는 주로 국민들의 소비활동과 투자활동, 정부의 경제활동과 그 나라의 국제거래로 구성되어 있다. 그런데 이러한 각 부분의 활동비중은 각 국가의 사정에 따라 큰 차이를 보인다. 예를 들어 1980년대 중반 미국은 소비활동이 66%, 투자활동이 16%, 정부의 경제활동이 21%, 수출이 -2%를 차지한 반면, 제2차 세계대전 중인 1944년에는 소비활동이 51%, 투자활동이 3%, 정부지출은 무려 46%에 달했다. 또한 석유수출이 그 나라 경제에서 중요한 비중을 차지하는 쿠웨이트의 경우(1970년대 말)에는 소비활동과 투자활동을 합해 29%, 정부활동은 14%인 반면, 국제거래와 관련된 순수출은 57%에 이르렀다. 이렇게 국민경제의 활동 구성은 그 나라 경제상황과 밀접하게 연관되어 있다.

GDP, 국민경제의 활동지표

국민경제는 많은 수의 기업과 가계, 그리고 이들과 함께 정부가 움직인 결과로 나타난다. 국민경제는 그 규모가 엄청나기 때문에 그냥 눈으로만 파악하는 데는 한계가 있다. 실업률이나 물가의 변화 등 경제 내의 커다란 움직임들을 제대로 파악하기 위해서는 국민경제 전체의 활동을 보여주는 지표가 필요하다.

이러한 국민경제의 활동지표는 경제 전체에 대한 다음의 몇 가지 기본적인 질문들과 밀접하게 관련되어 있다. 즉, 일정 기간(예를 들어 1년)에 얼마나 많이 생산하는가, 이러한 생산으로부터 얼마나 많이 소득을 얻는가, 그리고 이러한 생산과 그것으로부터 얻은 소득은 어디로 흘러가는가 등에 대한 관심은 우리가 국민경제의 활동을 살펴보고 측정하려 할 때 매우 중요하다.

이러한 관심을 가지고 경제 전체의 활동을 측정함으로써 우리는 여러 가지 도움이 되는 정보를 얻을 수 있다. 우선 경제활동의 측정은 경제 내에서 일어나고 있는 중요한 경제문제들을 인식하는 데 커다란 도움이 된다. 예를 들어, 국민경제의 총생산지표를 보고 경제가 호황인지 불황인지를 짐작할 수 있다. 또한 국민경제의 활동에 대한 측정은 여러 경제정책들의 결과를 평가하거나 경제상태를 비교하는 기준이 되기도 한다. 예를 들어 소비지출의 측정과 비교를 통해 소비진작정책이 효과를 거두었는가를 판단할 수 있으며, 경제 전체의 활동을 보여주는 지표를 통해 올해의 경제상태와 작년의 경제상태를 비교해볼 수도 있다.

또한 이러한 국민경제 활동의 측정을 통해 경제 내의 각 부분이 어떻게 연계되고 구성되어 있는가에 대해서도 알 수 있다. 즉, 생산물은 어떻게 사람들에게 배분되는지, 소비지출은 투자지출과 어떻게 관련되는지, 조세와 정부의 지출은 국민경제의 생산에 어떻게 관련되는지 등에 대한 정보 역시 이를 통해 얻을 수 있다.

국민경제 활동의 원활한 측정을 위해 일정 기간에 경제 전체가 생산한 산출물을 다루기 쉬운 형태로 계산해야 하는데, 이때에 우리가 사용하는 것이 '가격'이다. 시장의 재화와 용역 대부분에는 가격이 있다. 물론, 시장경제에서 이미 언급한 바와 같이 가격은 그 상품의 가치를 표시해준다. 이러한 가격을 통해 우리는 쉽게 일정 기간에 생산된 산출물들의 가치를 합산해볼 수 있다.

경제 전체의 활동 수준을 측정하기 위해 가장 많이 쓰이는 경제지표가 '국내총생산GDP: gross domestic product'이다. 이는 일정 기간에 국내에서 생산된 최종 재화와 용역의 시장가치의 합을 말하는 것으로서, 주로 그 기간을 1년으로 생각하며, 각 산출물의 시장가치는 그것의 시장가격에 수량을 곱해 산정한다.

이러한 GDP는 언급한 바와 같이 국민경제의 전체적인 생산 수준을 표현한다. 예를 들어 2004년의 우리나라 GDP가 약 693조 4,240억 원이었다면, 그 속에는 쌀이나 어폐류 등의 농림어업과 건물과 자동차 등의 제조광공업, 영화나 이발 등의 서비스업 등 수많은 최종 생산물들의 시장가치가 모두 고려되어 있다. 참고로 2004년의 경우 농림어업은 전체 GDP의 약 4% 정도였으며, 광공업 및 건설 · 전기가스업 등이 약 49%, 그리고 서비스업이 약 47%를 차지했다.

도표 46 | 산업별 GDP 구성비(2004년 기준)

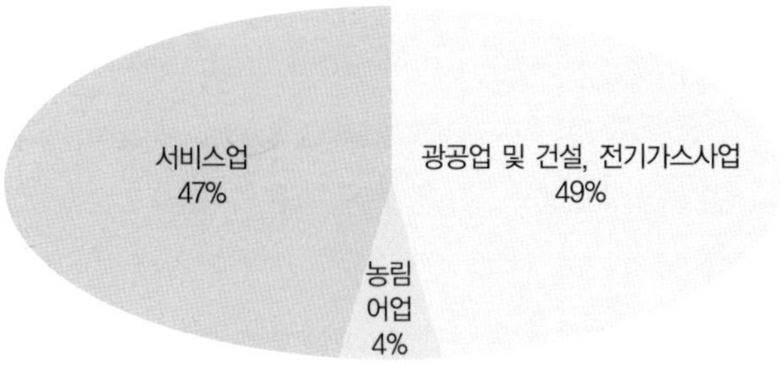

이러한 GDP의 변화는 그 나라 국민경제의 변화 추이를 동시에 짐작케 한다. 참고로 우리나라의 경우에도 외환위기와 IMF의 구제금융을 경험했던 1998년은 그 전년도보다 6.9%가 줄어든 약 487조 1,830억 원의 국내총생산이 이루어졌다. 그리고 IMF의 구제금융을 극복했던 1999년과 2000년에는 9.5%와 8.5%의 고성장을 기록했다.

국내총생산은 경제학자나 정치가들이 경제적인 변화를 이야기하기 위해 자주 사용하는 개념이기도 하며, 아침저녁 신문과 방송에서 자주 접하는 용어이기도 하다. 사실, 종전에는 국민경제의 총체적 생산 수준의 지표로 그 나라 국적을 지닌 국민들에 의해 1년 동안 생산되는 최종 생산물의 시장가치의 총합인 국민총생산GNP 개념을 사용했다. 그러나 세계화의 진전으로 국내에 진출하는 해외기업이 많아지고 다국적 기업의 활동이 활발해지면서, 그 나라의 생산활동이 얼마나 활발한지는 오히려 국내에서 이루어지는 최종 생산물을 중심으로 평가하는 것이 더욱 타당한 것으로 여겨져, 오늘날 많은 국가들은 국내총생산을 더욱 많이 사용하고 있다. 따라서 GDP에 대한 정확한

도표 47 | 최근의 한국 GDP 변화 추이

(단위: 10억 원)

연도	1997	1998	1999	2000	2001	2002	2003	2004
GDP	523034	487183	533399	578664	600865	642748	662654	693424
증가율(%)	4.7	−6.9	9.5	8.5	3.8	7.0	3.1	4.6

*2004년은 잠정치

출처 〈한국은행, 2001-2006, 통계자료(한국은행 경제통계시스템)〉

이해는 경제변화에 대한 여러 논의들을 이해하는 데 필수적이라 할 수 있다.

GDP의 계산과 구성요소

국내총생산은 그 측정과 이해에 있어 다음과 같은 몇 가지의 중요한 요소를 지니고 있다.

GDP의 측정은 이중계산을 피하고 있다. 예를 들어 생산된 자동차의 가치가 GDP의 일부분이라 할 때, 이 자동차의 가치만 계산되며 자동차 구성요소인 타이어의 가치가 다시 계산되지는 않는다. 그것은 자동차의 가치를 계산할 때, 타이어의 가치가 이미 포함되었기 때문이다. 그런데 현실적으로 어떤 재화가 최종 소비를 위해 쓰이는 것인지 알기란 무척 힘들다. 예를 들어 타이어는 자동차 부품으로 쓰이기도 하지만, 어린이 놀이터에서 놀이용으로 쓰일 수도 있는 것이다. 이중계산을 피하기 위해, 최종재의 가치를 합산하기보다는 기업의 부가가치를 합산함으로써 GDP를 측정할 수 있다.

이 부가가치는 우리가 마지막에 사용하는 최종재의 가치에서 이를 만들어내기 위한 중간재의 구입비용을 제하면 얻을 수 있다. 예를 들어 자동차 한 대의 시장가격이 700만 원이고, 이를 만들기 위해 투입한 중간재인 철판, 타이어, 전자제품 등의 구입비용이 500만 원이라면, 이 자동차 한 대의 생산 부가가치는 200만 원이 된다. 이때 중간재 생산에 든 비용 500만 원이 모두 부가가치라면 최종재인 자동차의 가격은 두 부가가치의 합 700만 원으로 나타난다. 사실 이렇게 생각하면 부가가치는 생산물의 전체 가치 가운데에서 생산자가 원래 가지고 있는 노동이나 자본을 바탕으로 만들어낸 가치를 표현해주는 것이기도 하다.

이외에도 GDP가 '일정 기간 내에 생산된currently produced' 모든 재화나 용역의 가치라는 점에 유의해야 한다. 예를 들어 그 기간에 상관없이 이미 존재하는 자산이나, 집과 같은 것은 GDP로 계산되지 않는다. 또한 새로 지은 집이나, 기존의 건물이라 하더라도 이를 수리해서 그 가치를 높였다면 그 부분은 GDP에 계산된다. 또한 불법적으로 거래되는 것이나 가정에서 생산 또는 소비되어 시장을 거치지 않는 물건은 계산되지 않는다.

GDP는 국내에서 만들어진 생산물의 가치만을 포함한다. 예를 들어 사우디아라비아에 있는 한국인들이 생산한 건물은 GDP에 포함되지 않지만, 우리나라에 있는 외국인 기업의 생산물은 우리나라의 GDP에는 포함되는 것이다.

마지막으로 GDP의 산정에 유의해야 할 사항은 최종 산출물의 가치가 시장가격에 따라 계산된다는 점이다. 이와 관련해 어느 시점의 시장가격이냐에 따라 경상가격GDP와 불변가격GDP로 나눌 수 있다. 예를 들어 2005년의 GDP를 계산하고자 할 때, 그것을 2005년의 가격 수준으로 계산하면 이를 '경상가격GDP'라 하고, 2000년의 가격 수준을 기준으로 계산하게 되면 이를 '2000년 기준의 불변가격GDP'라 한다. 이러한 분류는 다음의 명목과 실질의 개념 아래서 좀 더 자세히 논의할 수 있을 것이다.

이제 국내총생산을 국민경제의 순환적 흐름과 관련해 생각해보자. 지금까지 우리가 정의한 GDP는 한 나라가 생산해낸 최종재의 시장가치의 총합이란 측면에서 보면 생산에 기초한 것이었다. 그런데 만약 한 경제의 국내총생산이 측정되었다면, 이 경우 만들어진 생산물은 누군가에 의해 구입되어 쓰일 것이다. 즉, 소비자들이 구입할 수도 있으며, 기업(외국계 기업을 포함한 국내의 모든 기업)이 새로운 생산을 위해 구입할 수도 있고, 정부가 공무원들을 위해 구매할 수도 있다. 그뿐만 아니라 외국에서 우리의 생산물을 필요로 할 수도 있을 것이다(순수출). 이 과정에서 자국민들이나 외국이 생산된 산출물에 대해 지출하는 돈의 총액은, 결국 생산된 산출물들의 시장가치인 GDP와 같아지게 될 것이다.

이와 같이 경제 전체가 일정 기간에 지출하는 금액 전부를 합해 국내총지출을 계산할 수 있다면, 이를 통해서도 GDP를 측정할 수 있게 된다. 그리고 이러한 총지출 수준은 산출물에 대한 국민경제 전체의 수요를 나타내주는 것으로 경제 전체의 총수요를 이루는 것이기도 하다. 민간의 소비수요, 기업의 투자수요, 정부의 지출수요 및 외국경제와 관련된 수출수요는 이러한 총수요를 구성하는 부분이다.

이때 수출은 순수출을 말하며 수출에서 수입을 뺀 부분이다. 외국에서 수입한 것은 국내에서 이루어진 생산이 아니기 때문에 그것이 국내시장에서 유통되어도 국내총생산을 구성하지는 않기 때문이다. 이렇게 보면 민간의 소비지출, 기업의 투자지출, 정부의 구입, 해외와 관련된 순수출은 GDP를 구성하는 중요 부분이 되며, 가계 · 기업 · 정부 · 해외경제는 GDP를 만들어내는 중요 경제주체가 될 것이다.

한편 생산된 산출물의 구입과 관련된 지출의 측면과 함께, 생산물을 만들어내는 과정에서 각 생산요소인 노동, 자본, 토지 등이 갖게 되는 소득 역시, 국민경제의 순환이란 관점에서 생각해야 할 중요한 면이다.

기업의 입장에서 생각해보면, 생산물을 만들기 위해 기업이 필요한 여러 생산요소에 지불하는 비용 즉, 사용한 노동에 대한 임금, 빌려 쓴 생산자금에 대한 이자, 공장부지에 대한 임대료, 기업가의 몫 등은 결국 그 생산물을 만들어 판 수입과 같게 된다. 이때 각 생산요소에 지불하는 비용은 그 생산요소의 소유자에게는 소득이 될 것이다. 예를 들어, 임금은 가계의 근로소득을 구성하게 될 것이며, 이자 등은 자산소득을 이루게 될 것이다. 여기서 일반적인 비용을 다 지불한 후 총수입에서 남는 것은 기업의 이윤이 될 것이며, 이것은 기업 소유주의 소득이라 할 수 있다.

이렇게 생각한다면 일정 기간의 전체 국민소득은 그 기간에 국내의 모든 기업이 생산한 산출물들의 시장가치인 국내총생산과 비슷하다고 할 수 있다. 이것은 사실 생산된 것의 가치를 누가 얼마나 가지느냐의 국민생산의 분배 측면이다.

도표 48 | 국민소득의 세 측면

총생산

// \\

총지출 = 분배(국민소득)

지금까지의 논의에서 알 수 있듯이 국민총생산은 세 가지의 측면을 동시에 가진다. 첫째는 국내 경제 내에서 1년 동안 생산된 재화와 용역의 시장가치의 총합으로, 이는 경제 내의 총공급 수준을 이룬다. 둘째는 누가 산출물을 사려 하느냐의 지출 측면인데, 이는 경제 전체의 총수요를 구성한다. 마지막으로 셋째는 생산과 판매의 과정에서 여러 생산요소들이 얻게 되는 소득분배의 측면이다. 여기서 총수요와 총공급의 측면들은 다음 장에서 더욱 자세히 논의될 것이다. 여하튼, 어떤 경우에든 국내총생산 및 총지출, 분배된 국민소득은 결국은 같아진다. 이를 흔히 '국민소득 삼면등가의 법칙'이라 하기도 한다.

우리는 이상에서 국민경제 전체의 경제활동 수준에 대해 이야기해 왔지만, 어떤 국가의 생활 수준을 이야기하고자 할 때에는 흔히 1인당 GDP를 사용한다. 1인당 GDP는 국내총생산을 그 나라의 인구 수로 나누어 얻은 것이며, 국가 간의 소득 수준을 비교할 때나 그 국가 내에서 시간대별 국민들의 소득 수준을 비교하고자 할 때 주로 사용하게 된다. 예를 들어 2004년 우리나라의 1인당 국민소득은 1만 4,162달러이며, 이는 2000년의 1만 841달러에 비하면 매우 높아진 수

도표 49 | 주요국의 1인당 국민소득 비교(2003년 기준)

준이다. 이러한 1인당 지표는 대체로 어느 나라 국민이 어느 정도 잘 살고 있는지 비교하는 데 쓰인다. 국내총생산이 같더라도 인구가 많으면 한 사람에게 돌아가는 몫이 적을 것이다. 국민들의 복지 상태는 평균적인 소득 수준인 1인당 소득 수준으로 계산하는 것이 더욱 유용하기 때문이다.

실질국민소득과 명목국민소득

그러면 이제 이러한 GDP를 시장가격의 상승 즉, 인플레이션과 같은 가격상승과 관련해 생각해보자. 이와 관련해 우리가 생각해볼 수 있는 것이 '명목국내총생산nominal GDP'과 '실질국내총생산real GDP'의 개념이다. 여기서 '명목'과 '실질'의 개념은 다른 경제지표들을 논의할 때에도 마찬가지로 자주 쓰이는 것이기도 하다.

명목국내총생산은 가격상승의 영향을 포함한, 생산된 모든 재화와 용역의 가치다. 모든 것은 팔린 그 가격으로 계산된다. 국민의 복지 측정 도구로써의 명목국내총생산의 문제점은 개개인의 최종 생산물의 가격이 2배 오르면 국내총생산 또한 2배가 된다는 것이다. 만약 국민이 자동차, 옷 등을 2배 생산해서 옛날 가격으로 팔아도 국민총생산은 2배가 되지만, 같은 산출로 그 가격이 2배가 되어도 국민총생산은 2배가 된다. 이것은 마치 똑같은 빵에 바람을 넣어 부풀려놓은 것과 같은 격이므로, 실제 국민경제에서 사용할 수 있는 재화나 용역의 양이 증가한 것과 구별할 필요가 있다.

실질국내총생산은 산출의 현재 시장가치보다는 산출된 양의 측정에 초점을 맞춘다. 우리는 일반적으로 실질국내총생산을 특정 기준연도의 가격으로 계산된 현재 산출의 가치로 정의하고 있다.

예를 들어, 한 국가가 일반적으로 먹을 수도 있고, 입을 수도 있고, 연료로도 잘 타고, 건물을 짓는 데도 이용할 수 있는 어떤 물건만을 생산하고 있다고 생각하자. 이러한 믿을 수 없는 생산품을 '도깨비 방망이'라 부르기로 하자.■ 2000년에 도깨비 방망이의 국내총산출이 5,000톤이었고 1톤이 1원이었다면 명목국내총생산은 5,000원이 될 것이다. 이것은 특정 연도에 생산된 모든 재화와 용역의 총가치인 것이다.

5년 후인 2005년에 도깨비 방망이의 산출이 5,200톤으로 증가했다고 치자. 그런 다음 어떤 요인에 의한 물가상승으로 가격이 톤당 1.10

■ Levi M., 『Thinking Economically』, 조영달 역, 집문당

가격상승에 따른 명목국민소득의 상승은 똑같은 빵에 바람을 넣어 부풀려놓은 것과 같은 격이다.

원으로 올랐다고 하자. 명목국내총생산은 1.10×5,200=5,720원이고 이것은 톤당 1.10원인 도깨비 방망이 5,200톤의 가치가 된다. 그러나 실질국내총생산은 2000년 가격으로 측정하면 1.0×5,200=5,200원이다. 이와 같이, 실질국내총생산은 현재 연도(2005년)의 산출을 기준 연도(2000년)의 가격으로 평가하는 것이다.

실질국내총생산과 명목국내총생산을 비교함으로써 인플레이션을 측정할 수 있다. 실질국내총생산으로 명목국내총생산을 나누면 5,720÷5,200=1.10이다. 여기서 0.10은 2005년에 도깨비 방망이의 가격이 10% 상승했음을 나타내는 것이다.

또 다른 예를 들어보자. 2005년에 도깨비방망이의 산출이 5,500톤으로 증가했고 가격도 톤당 1.25원으로 올랐다고 하자. 명목국내총생산은 1.25×5,500=6,875원이다. 2000년 가격으로 실질국내총생산은 5,500×1.0=5,500원이다. 실질국내총생산에 대한 명목국내총생산의 비율은 6,875÷5,500=1.25이다. 이것은 2005년과 2000년 사이에 쌓인 물가상승이 25%임을 나타낸다.

이와 같이 명목국내총생산과 실질국내총생산을 비교함으로써 얻게 된 지표가 GDP디플레이터deflator인데, 이를 이용해 물가상승의 정도를 알 수 있다. GDP디플레이터는, GDP가 모든 최종 산출물의 가치이므로 국내에서 생산된 모든 재화와 용역에 포함된 가격의 상승을 의미한다. 따라서 GDP디플레이터는 소비자물가지수CPI: consumer price index보다는 물가상승의 전체적인 추세를 알 수 있게 해준다.

소비자물가지수는 서울을 비롯한 주요 도시의 가계가 사용하는 대표 소비재의 가격동향을 보여주는 지표로서, 전형적인 도시 소비자의 장바구니에 주목하므로 산업체 장비, 정부의 서비스 같은 것에 의해 생산되는 커다란 부분은 포함하지 않고 있다. 소비자물가지수가 보통 소비자의 구매력을 알아내는 데 유용한 반면, GDP디플레이터는 전체적 인플레이션을 잘 보게 해주는 것이다.

실제로 생활 수준은 산출의 양에 달려 있는 것이지 그것의 명목적 가치에 의존하는 것은 아니다. 따라서 생활 수준에 관해서는 개인적이든, 국민경제 전체이든 간에 문제가 되는 것은 실질소득, 실질생산이란 것은 말할 필요도 없다. 이처럼 생활 수준을 결정하는 것은 오직 산출의 양이기 때문에, 생활 수준은 화폐량의 증가에 따른 물가의 상승에 즉각적으로 영향받지는 않는다.

우리가 지금까지보다 지폐를 많이 가지게 되어도 그것이 우리를 부유하게 하지는 않는 경우가 있다. 이와 비슷하게 임금이나 봉급이 심각하게 인하되어도 빈곤해지지 않는 경우도 있을 것이다. 이것은 만일 우리가 예전처럼 생산한다면 산출 수준은 같고 따라서 실질소득도 같아지기 때문이다. 그러나 사람들이 지폐를 받은 후에는 더 많

소비자물가지수는 서울을 비롯한 주요 도시의 가계가 사용하는 대표 소비재의 가격동향을 보여주는 지표다. 따라서 도시 소비자의 장바구니에 주목해 실질적인 구매력을 알아내는 데 유용하다.

이 지출하려 하고 임금 인하 시에는 지출을 주저하는 가능성 때문에, 잠정적으로 명목가치가 변화하고 이것이 사람들의 경제적 의사결정에 영향을 끼칠 수도 있다.

GDP의 한계와 경제적 후생

이상에서와 같은 GDP의 계산이 여러 가지 면에서 매우 유용한 것은 사실이지만, 이 역시 그 측정에 있어서나, 국민경제의 복지 수준의 지표 또는 경제성장의 지표로 사용하는 데에는 한계가 있다. 우선 GDP는 그 계산상의 어려움에 의해 시장을 통하지 않는 재화나 용역은 추계에서 제외된다. 예를 들어 주부의 노동이나 암거래, 대학생의 과외 수입 등은 GDP의 계산에서 제외된다.

높은 수준의 GDP가 어느 정도 생활 수준이 높다는 것을 보여주는 것은 사실이지만, 이 역시 국민의 복지 수준을 나타내는 지표로는 여러 가지 한계를 지닌다. 예를 들어 공해나 환경 오염 등은 GDP에는 고려되어 있지 않다. 그뿐만 아니라 GDP는 주로 물질적인 것을 중심으로 계산되기 때문에 인간이 가지는 정신적 · 심리적 비용이나 편익들을 거의 고려하지 않고 있음도 중요한 한계의 하나라 하겠다. 예를 들어 사람들이 생활 속에서 즐기는 '여가'는 정신적으로 매우 중요한 것이지만 GDP의 계산에는 고려되어 있지 않다.

또한 GDP는 그 경제의 '필요'를 충분히 반영하지 못하고 있다. 예를 들어 북미의 캐나다 등과 같은 나라는 지리적 특성 때문에 소득의 상당부분을 난방이나 장거리 통신에 쓴다고 하자. 이때 이들 나라가 난방이나 장거리 통신의 문제가 거의 없는 카리브해의 몇몇 나라들보다 GDP 수준이 조금 높다고 해서, 이것이 국민경제 전체의 생활 수준이 높다는 것을 의미하지는 않을 수도 있다. 캐나다와 같은 나라는 GDP의 상당부분을 그 경제의 필요에 따라 난방이나 통신에 써야 할지도 모르기 때문이다.

복지 수준 지표로서의 한계라는 측면에서 또 하나 언급해야 할 것은 GDP와 분배의 문제다. 예를 들어 GDP가 같은 수준인 두 나라를 볼 때, 한 나라에는 소득이 매우 많은 사람과 그렇지 못한 사람이 있는 반면, 다른 나라는 대다수의 국민이 비슷한 소득 수준에 있는 경우가 있을 수 있다. 즉, 어떤 경제에서 세 사람의 소득이 각각 100원씩일 때나, 세 사람의 소득이 30원, 50원, 220원일 때나, GNP는 300

GDP는 여러 가지 한계를 가지고 있는데, 각 나라의 다양한 경제적 '필요'를 충분히 반영하지 못한다는 점도 그 중 하나다. 예컨대 추운 나라는 그렇지 않은 나라에 비해 GDP의 상당부분을 난방에 써야 할 것이다.

원이라는 같은 숫자로 나타나지만 전자가 후자보다 건실한 경제라고 평가된다.

결과적으로 GDP 수준이 같을 때 많은 중산층이 존재하는 경제사회가 그렇지 못한 사회보다 분배의 측면에서 낫다고 할 수 있지만, GDP 수치만으로 경제를 평가하는 것에는 한계가 따른다.

이러한 한계에도 불구하고 GDP는 국내의 경제활동의 규모와 변동을 잘 보여주기 때문에, 각국에서 비교적 공통된 기준으로 통계를 내고 있다.

요약

이 장에서 우리는 한 나라의 경제활동 규모를 보여주는 지표와 그것을 둘러싼 여러 가지 논의들을 생각해보았다. GDP라는 것이 무엇이며 그것은 어떻게 측정되며, 개념 및 측정상의 한계는 무엇인가 등이 논의의 초점이었다. 이 과정을 통해 그 측정과 관련해 명목과 실질의 개념을 이해할 수 있었으며, GDP에 대한 접근방법과 관련해 국내총생산의 지출 측면과 소득 측면을 생각해볼 수 있었다. 이러한 논의들은 이제 다음 장에서 국민경제의 흐름과 총수요, 총공급 등을 이해하는 기초가 될 것이다.

중요개념

- 국민경제의 순환
- GDP
- 명목국내총생산, 실질국내총생산
- GDP와 국내총지출 및 국민소득
- GDP 개념의 유용성과 한계

더 깊이 이해하기

우리는 이 장에서 GDP를 중심으로 논의했지만, 소득 측면에서 국민소득National Income이나 가처분소득Disposable Income 등의 개념을 생각할 수 있다. 좀더 자세한 논의를 위해서는 다른 경제학 서적들을 참고할 수 있을 것이다.

경제학자 이야기 10

실증적 분석의 권위자, 사이먼 쿠즈네츠

Simon S. Kuznets(1901~1985)

쿠즈네츠는 1901년 4월 30일 러시아 핀스크의 유대인 가정에서 태어났다. 그후 미국으로 이민해 1926년 컬럼비아 대학에서 경제학으로 박사학위를 받았다. 펜실베이니아 대학, 존스홉킨스 대학 및 하버드 대학에서 강의를 했으며, 1966년에 간행한 『근대경제의 성장』은 그의 대표작으로 노벨경제학상을 안겨준 작품이기도 하다.

1934년 미국 상무성의 지원으로 오늘날 우리가 쓰고 있는 국민총생산을 추산해 역사상 최초로 국민소득의 개념을 정립하고 생산과 지출, 분배의 측면이 결국은 삼면등가성이 있다는 사실을 제시했다. 이러한 국민총생산 개념의 설정은 경제학의 계량화에 크게 기여했으며, 한 나라의 경제성장의 크기를 구체적으로 계측할 수 있게 했다. 그는 또한 경제성장과 소득분배와 관련해서도 유명한 U자 가설을 제안했다. 즉 공업화의 초기에는 모두가 가난해 평등의 정도가 높지만, 공업화가 진행되면 빈부의 격차가 일어나서 평등도가 낮아진다. 그러다가 후기에 이르면 정부의 재분배정책이 효과를 발휘하면서 다시 평등도가 높아진다는 것이다.

쿠즈네츠는 한국경제에 대해서도 큰 관심이 있었으며, 1965년에 방한해 공업화에 따른 농업의 상대적 낙후에 대해 강연하기도 했다.

2

국민소득의 창출과 처분

| 총수요와 총공급 |

읽을거리

케인스와 거시경제학

일반적으로 미시경제이론과 거시경제이론은 현대경제학의 두 기둥으로 알려져 있다. 그런데 애덤 스미스 이후 초기의 경제학은 주로 시장의 가격 형성과 분배문제에 관심을 둔 미시경제이론의 영역에 치중했다. 거시경제이론이 주목받기 시작한 것은 케인스의 『일반이론』이 출간된 1930년 이후의 일이다. 국민소득의 결정이나 물가와 실업의 문제 등 오늘날의 주된 관심의 대상인 국민경제의 여러 문제들이 이를 통해 다루어졌다. 이 점에서 케인스는 거시경제이론의 확립에 지대한 영향을 끼쳤다.

그러나 엄격하게 말해 미시경제이론과 거시경제이론이 달라야 할 이유는 없다. 물론, 구성의 모순과 같은 예를 들 수는 있지만, 거시경제 역시 개별 경제주체의 의사결정의 산물이기 때문이다. 이러한 반성에서 오늘날 거시경제이론의 미시경제적 기초를 강조하는 사람들이 많다. 사실 우리가 이 장에서 논의하려는 총수요와 총공급의 개념도 일면 이러한 미시경제이론과 거시경제이론의 통합경향을 보여주는 것으로도 여길 수 있다.

—이준구 · 이창용, 『경제학원론』, 제2판, p. 401

돌고 도는 국민경제

국민경제 전체를 바라볼 때, 사람들의 주요 관심사는 주로 인플레이션, 실업, 경제성장, 국제수지와 환율, 그리고 기업과 가계의 행동 및 정부의 경제정책 등이다. 이러한 것들은 사실 서로 긴밀히 연결되어 있다. 예를 들어 기업의 생산활동이 제대로 잘 이루어지지 않으면 국민경제 전체의 성장이 둔화하고, 실업이 발생하며 물가의 상승 역시 둔화하는 경향이 있다.

한 예로, 가계가 물건의 구입 등에 대한 소비지출을 상당한 정도로 줄이는 경우를 생각해보자. 그러면 기업은 물건을 팔기 힘들어질 것이며, 시장에서 물건의 가격은 더이상 오르지 않거나 상승 폭이 둔화될 것이다. 그러면 기업은 자신의 생산 수준을 낮추게 될 것이다. 이처럼 경제 전체에서 기업의 생산이 줄어든다는 것은 동시에 성장이 둔화함을 의미하며, 또한 기업의 입장에서는 물건을 생산하기 위한 노동력이 과거보다 덜 필요함을 의미하게 된다. 이것은 곧 실업의 증가를 의미한다. 그리고 이러한 경우 정부는 경제에 활력을 불어넣기 위한 경제정책을 실시하게 될지도 모른다.

이처럼 경제성장의 수준과 실업, 물가 및 기업과 가계의 행동들은 서로 밀접한 관계를 가진다. 바로 앞의 예처럼 경기침체와 낮은 수준의 경제성장, 실업의 증가, 물가상승의 둔화 등은 대체로 그 경향을 같이한다. 또한 경제의 높은 성장은 저성장과는 달리 대체로 실업을 크게 줄이게 될 것이다.

이러한 경제 전체의 여러 가지 변화들을 손쉽게 설명할 수 있는 하

국민경제의 순환 가계와 기업의 행동은 경제성장의 수준과 실업률, 물가 등에 영향을 미친다. 후자의 시장상황이 가계와 기업의 행동을 결정하기도 한다.

나의 이론적인 틀(모형)이 필요하다. 이 장에서 다루려는 '총수요와 총공급' 및 '국민소득의 결정'에 관한 것도 바로 이러한 국민경제의 변화를 분석하는 일종의 틀 역할을 할 수 있을 것이다. 여기서 총수요는 일정 물가 수준에서 경제 전체에 수요되는 국민지출 수준을 말하며, 총공급은 일정 물가 수준에서 경제 전체에 공급되는 국민생산 수준을 말한다. 이 장의 논의가 진행됨에 따라 왜 GDP가 일정 수준에 머물러 있지 않고 변동하며, 어떤 요인들이 일정 시점에서 GDP의 수준을 결정하는 데 영향을 미치는가에 대한 것들을 어느 정도 이해하게 될 것이다.

그런데 이러한 경제변화에 관한 분석에서는 국민경제 전체에 대한 기본 시각이 달라지면 그 분석방법도 달라질 수 있다. 이 장에서 시도하려는 바와 같이 총수요를 중심으로 생각하는 것은 주로 1930년대에 케인스J. M. Keynes에 의해 발전되어온 것이다. 즉 『고용, 이자 및 화폐에 관한 일반이론』(1936)이란 케인스의 저서는 국민경제를 체계적으로 분석하는 분수령이 되었다.

그러나 프리드먼M. Friedman과 같은 학자들은 인플레이션을 보기 위해서는 케인스의 생각이 적합하지 않다는 점을 지적했다. 이후 흔히 합리적 기대론자라 불리는 루카스R. Lucas나 사전트T. Sargent 등도 객관적 경제에 관한 자료뿐만 아니라, 미래의 경제활동과 정부정책에 관한 사람들의 기대를 고려함으로써 국민경제를 분석하는 데 커다란 공헌을 했다.

이러한 발전에 힘입어 오늘날 국민경제 전체의 분석은 케인스 이후에 중요시된 총수요 측면과 함께 총공급 측면을 모두 고려하는 방향에서 이루어지고 있다. 이 장에서도 여러 가지 국민경제 분석의 경향을 생각해볼 것이다. 물론 기본적으로는 케인스의 틀에 입각해서, 그러나 총공급의 측면을 고려하면서 경제 전체를 이해하기 위해 노력할 것이다.

이제 경제 전체의 총수요와 총공급을 자세히 논의하기 전에, 앞장에서 언급했던 국민경제의 순환과 관련해 경제 전체의 지출(가계가 중

심이 된)과 생산(기업이 그 중심) 사이의 상호 작용에 대한 이야기를 조금 더 해보기로 하자. 이는 총수요와 총공급을 통한 경제 전체의 균형에 관한 이해를 크게 도울 수 있을 것이다.

기본적으로 국민경제에서 생산 수준과 지출 수준은 상호 의존적으로 결정된다. 사실 한 경제에서의 재화와 용역에 대한 수요의 수준(지출하고자 하는 양의 수준)은 기업이 얼마만큼을 생산할 것인가를 결정하게 해준다〔도표 50의 (ㄱ) 참고〕. 여기서 이러한 기업의 생산 수준은 각각의 생산요소가 얻게 되는, 즉 각 생산요소가 분배받는 소득 수준을 결정하며, 이러한 소득이 쓰이는 소비와 저축 및 세금으로 나가는 부분을 합하면 결과적으로 소득 수준과 동일한 크기를 가지게 된다〔도표 50의 (ㄴ) 참고〕. 그런데 이 소득 수준은 생산을 위한 경제 전체의 상품에 대한 수요 수준을 또한 결정하게 된다〔도표 50의 (ㄷ) 참고〕.

도표 50 I 생산 수준과 지출 수준결정의 상호 의존

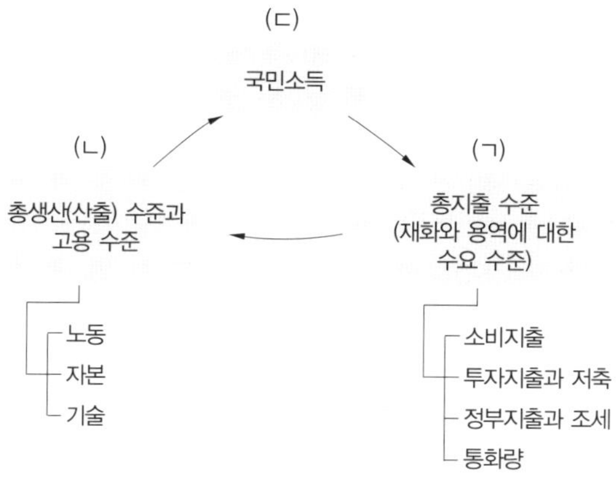

이러한 경제 전체의 순환 과정에서 한 부분에서 일어난 변화는 다른 부분의 변화를 일으킨다. 예를 들어 안정상태(균형상태)에 있는 경제에서 가계가 갑자기 지출 수준을 크게 줄이면, 기업은 생산 수준을 줄이게 될 것이다. 이에 따라 고용 수준도 낮아질 것이고 따라서 소득 수준 역시 줄어들게 될 것이다. 이때 이러한 소득 수준의 감소는 다시 가계의 지출을 감소시키는 요인이 된다.

그러면 수요 감소와 생산 수준 감소, 그리고 이에 따른 소득 감소와 이어지는 수요의 감소 등에서 볼 수 있는, 꼬리를 문 변화체인은 언제 끝나게 되는가. 많은 경제학자들은, 위의 예에서 본 수요 감소에 의한 경제활동의 위축과 같은 경제변화는, 결국 장기적으로는 그 경제가 가지고 있는 잠재적 역량을 바탕으로 그러한 방향을 향해 점차적으로 이동하게 된다고 생각하고 있다.

그러나 단기적으로는 그러한 잠재적 역량의 수준에서 벗어나 어떤 일정 지점에서 멈추게 될 수도 있다. 이것은 경제가 새로운 단기적 균형상태로 이동하게 됨을 의미한다. 즉, 이런 변화들은 단기적으로 경제 전체의 재화와 용역의 수요 수준을 의미하는 지출 수준과 전체 공급 수준을 의미하는 생산 수준(이는 곧 분배된 소득 수준의 크기와 같음)이 같아질 때 멈추게 될 것이다. 여기서 국민경제는 새로운 균형에 이르며, 경제 전체의 수요와 공급이 균형을 이루는 점에서 그 경제의 가격 수준이 결정될 것이다. 이러한 상태에서 실질국민소득이나 물가 수준 및 고용 수준이 결정되는 것이다.

또한, 단기의 경우에는 화폐의 역할 역시 장기와는 다를 수 있다. 즉, 화폐 단위로 측정되는 명목변수, 수량이나 상대가격을 나타내는 실질변수가 있는데, 통화량의 경우 단기에는 실질변수에도 영향을 끼치게 되는 것으로 많은 경제학자들은 생각하고 있다. 그러나 애덤 스미스 이래로 케인스 이전까지의 학자들은(흔히 고전학파로 칭함) 화폐는 명목변수에만 영향을 끼치고 실질변수에는 영향을 끼치지 않는다고 생각했다. 즉, 화폐는 중립적이라는 생각이었다. 오늘날 이러한 화폐의 중립성은 장기적으로는 그럴 수 있을 것으로 생각되지만, 단기적으로는 그렇게 타당하지 않은 것으로 생각하는 사람이 많다.

이러한 단기적 경제변화의 과정에서 경제 전체는 불안정함을 경험하게 될 것이며, 그 변화의 폭이 크면 국민경제는 커다란 어려움을 겪게 될 것이다. 1930년대에 미국에서 시작된 대공황 The Great Depression 은 바로 이런 변화의 폭이 매우 컸던 경우의 예라 할 수 있다. 여기서 경제 전체의 생산 수준과 경제활동들을 좀더 안정시키기 위해 정부

도표 51 | 국민경제의 총수요와 총공급

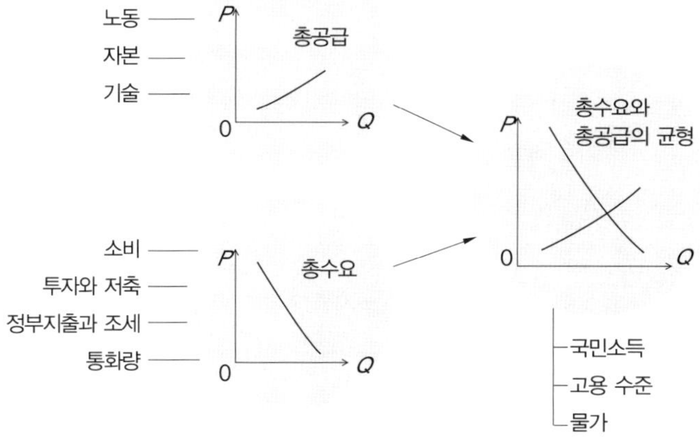

가 무엇을 어떻게 해야 하는가에 관한 논의가 생겨날 수 있다.

이러한 국민경제의 균형에 관한 논의는 다른 방식으로 설명될 수 있다. 즉, 케인스의 경우와 같이 총수요의 측면을 중심으로 국민경제 순환에서 흘러나가는 부분을 '누출$_{\text{leakages}}$'이라 하고, 흐름에 투입되는 것을 '주입$_{\text{injections}}$'이라 할 때 이 양자가 같아지면 국민경제가 균형에 이르게 된다고 볼 수도 있다.

예를 들어, 우리는 가계나 기업뿐만 아니라 정부 및 외국과의 교류를 포함해서 다음에 제세하는 그림과 같은 국민소득의 흐름을 생각할 수 있다. 이 흐름은 이 부의 시작에서 보았던 가계와 기업의 순환 모형을 정부와 외국의 경우를 포함해서 조금 더 자세히 그려놓은 것이다.

이 흐름에서 볼 수 있듯이 생산요소의 공급으로 분배받은 소득은 일부분 정부에 대한 조세의 형태로 흘러나가고 다시 가계가 얻은, 사용할 수 있는 소득 가운데 일부분은 외국상품의 수입으로 흘러나간다. 저축 또한 흐름에서 빠져나가는 부분이 된다. 이처럼 국민소득의

1929년에 시작되어 1933년까지 세계 각국을 휩쓴 대공황은 생산 축소, 기업 도산, 실업자 증대 등 경제활동의 마비를 일으켰다. 이의 극복을 위한 국가의 역할에 대한 논의가 활발해졌다.

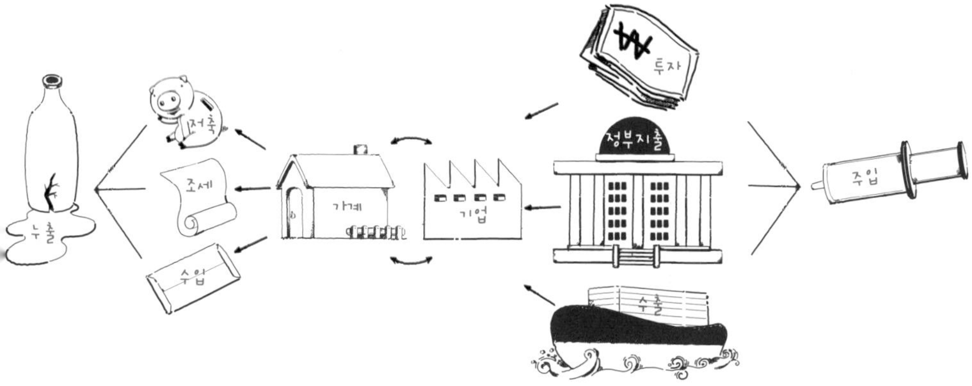

흐름에서 빠져나가는 부분을 누출이라 한다면, 조세의 형태로 정부에 귀속되는 부분과 저축 및 수입상품을 위한 지불은 일단 소득순환에서의 누출이 될 것이다(물론 저축이나 조세는 나중에 다시 소득의 흐름에 합류하게 되겠지만).

그리고 정부의 지출이나 기업의 투자 및 수출로부터 얻은 수입은 새로이 소득의 흐름에 보태진다. 이처럼 한 경제체제의 흐름에 다시 투입되는 것을 주입이라 한다면 정부지출, 기업의 투자 및 수출로부터의 수입 등은 바로 국민경제의 흐름에 보태어지는 주입이라 할 수 있다.

이러한 주입과 누출의 양이 같으면 경제는 안정적인 흐름을 계속하게 되고 이때 국민경제는 균형에 이르게 된다. 이러한 경제전체의 균형은 주입과 누출이 동시에 존재하는 물탱크의 물을 일정 수준으로 유지하는 것과 같다.

만약 누출이 주입보다 크면, 머지않아 물탱크의 물은 말라버릴 것이다. 이는 경제에서, 상품수요가 줄고 생산 수준이 낮아지며 이것은

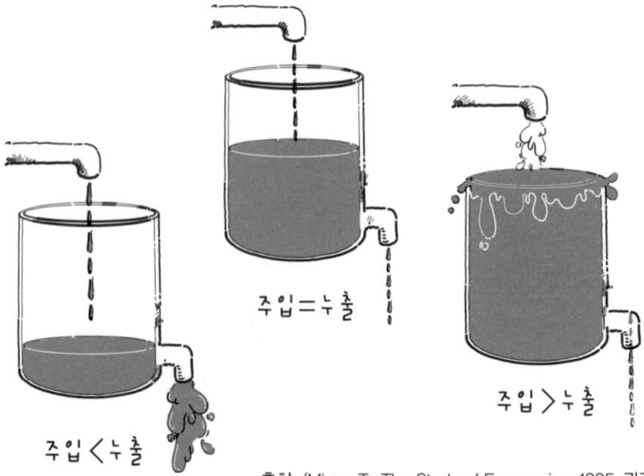

출처 〈Mings T., The Study of Economics, 1995, 관련부분 재구성〉

다시 고용 수준을 낮추고, 또다시 소비수요를 감소시켜 급기야는 더욱 생산 수준을 낮추게 하는 것과 유사하다.

그러나 만약 물탱크에서 주입이 누출보다 많으면, 시간이 지남에 따라 물이 넘쳐흐르게 될 것이다. 물의 흐름이 물탱크의 용량을 벗어났기 때문에 이러한 일이 발생한 것이다. 이는 그 경제가 증가하는 재화와 용역의 수요를 받아들일 수 없음을 의미한다. 이 경우 그 경제는 심각한 물가 상승을 경험하게 될 것이다.

케인스는 이러한 방식으로 국민경제의 흐름을 분석하고 경제성장이 낮고 실업률이 높을 경우, 주입을 늘림으로써 단기적으로는 경제를 활성화할 수 있다고 판단했다. 대공황과 같은 불황의 시대에 정부의 지출이 중요하다고 생각한 것도 이러한 국민경제의 흐름을 염두에 둔 것이었다고 할 수 있다.

총수요와 총수요곡선

이제 이상의 논의를 바탕으로 경제 전체의 총수요와 총공급에 대해 좀더 자세하게 생각해보기로 하자. 그런데 이에 관한 논의를 계속하기 전에 몇 가지 유의해야 할 점이 있다. 그 하나는 앞으로 우리의 논의는 일반적으로 경제학자들이 하는 것처럼 '다른 조건은 일정하다' 고 가정할 것이란 사실이다. 이는 총수요의 경우 주로 정부의 정책이 일정함을 의미하는 것이고 총공급의 경우 생산요소의 가격과 기술 수준 및 완전고용하에서의 생산 수준이 일정하다는 것을 의미한다.

또한, 국민경제의 분석을 위해 사용하는 총수요와 총공급은 개별시장을 분석할 때에 쓰이는 수요 · 공급과는 중요한 차이가 있다. 즉, 개별 시장의 경우에는 대체재가 있을 수 있어 아침식사 대용으로 먹는 식빵의 가격이 상대적으로 높아지면 비즈니스맨들은 가격이 그대로인 포장용 아침 햇반으로 대체할 가능성이 있다.

그런데 총수요와 총공급에서는 이러한 대체가 불가능하다. 우리가 사용하는 산출량은 실질GDP로서 국민경제의 모든 시장에서 산출되는 수량을 총망라한 것이기 때문이다. 따라서, 총수요곡선이 왜 우하향하고 총공급곡선이 왜 우상향하는지에 대해서는 미시경제적 설명방식과는 다른 설명이 필요하다.

이외에도 주의해야 할 다른 하나는 총수요와 총공급을 분석할 때 사용하는 변수의 성격이다. 즉, 언급한 바와 같이 산출량은 실질GDP인 실질변수다. 그런데 물가 수준은 화폐로 측정되는 명목변수다. 이러한 실질변수와 명목변수의 성격은 앞에서 설명한 바와 같이 화폐의 중립성을 염두에 둔다면 중요한 의미가 있을 수 있다. 예를 들어 화폐가 중립적이면, 같은 기술 수준에서 노동과 자본량에 따라 좌우되는 총공급은 명목변수인 물가 수준의 영향을 받지 않을 것이며, 다른 조건이 일정하다면 장기적으로는 일정 수준에 머물 것이다. 그런데 예를 들어, 통화량이 변하면 총수요도 변할 것이지만 일단은 분석의 편의를 위해 여기서는 통화량은 고정된 것으로 전제한다.

이제 이러한 점들을 염두에 두면서 국민경제의 총수요 측면을 생각해보기로 하자. 국민경제 내의 경제활동은 생산물에 대한 수요를 기반으로 이루어지며, 이는 곧 최종재에 대한 국민경제의 지출을 의미한다. 물론 국민경제의 순환에 비추어보면, 이러한 생산물에 대한 수요는 국민소득의 창출을 의미하는 것이기도 하다. 만약 기업이 이러한 수요에 맞추어 생산활동을 한다고 하면, 수요가 증가할 경우 기업의 생산도 증가하고 이에 따라 사람들에게 배분되는 국민소득 역시 증가할 것이기 때문이다.

그러면 국민경제의 어떠한 부문에서 이와 같은 수요를 가지게 되는가. 국민소득계정에서도 알 수 있듯이 주로 가계, 기업, 정부, 그리고 외국인들이 우리 상품을 원하게 될 것이다. 가계는 소비를 위한 재화나 용역이 필요하며 이를 위해 자신의 소득을 지출하게 될 것이다. 기업은 투자를 위해, 정부는 도로를 보수하거나 학교의 수업을 위해 그리고 새로운 항만의 건설 등의 일을 위해 재화와 용역을 원하게 될 것이며 이를 위해 지출할 것이다. 그리고 외국인들의 우리 상품에 대한 수입에서, 우리가 외국에서 수입한 것을 제외한 부분인 순수출 역시 우리 재화와 용역에 대한 해외의 순수요가 될 것이다. 여기서 가계의 소비수요, 기업의 투자수요, 정부의 지출수요 및 외국에 대한 순수출수요들을 모두 합해 국민경제 전체의 '총수요'라 한다.

이처럼 국민경제의 총수요를 구성하는 부분을 식으로 표현하면 다음과 같다.

$$Y = C + I + G + NX$$

여기서 Y는 국민경제의 총수요(총지출 수준), C는 소비지출, I는 투자지출, G는 정부지출, NX는 해외 순수출을 의미한다.

국민경제에서 물가 수준이 상승했다고 가정해보자. 우선 가격 수준의 상승은 국민경제에 있어서 사람들이 가지고 있는 화폐의 실질가치를 떨어뜨린다. 사람들이 실질소득 수준을 유지하고 싶어하면, 그들은 상품의 구입을 줄이게 될 것이며 이에 수요량은 감소하게 된다. 반대로 물가가 하락하면 구매력이 높아져 사람들은 스스로 더 부자가 된 것으로 느껴 소비를 늘리게 된다. 이러한 효과를 흔히 '자산효과wealth effect'라 하며 피구A. Pigou(1877~1959)에 의해 주장되었다 하여 '피구효과'라고도 한다.

둘째로 물가가 오르면 사람들이 구입에 써야 할 화폐량이 많아져 예금할 수 있는 돈도 줄어든다. 이 경우 금융시장에서는 돈의 부족으로 이자율이 올라간다. 이에 따라 기업의 투자비용이 증대해 기업의 투자수요는 줄어들게 될 것이다. 이 경우 국민경제의 총수요 역시 줄어들게 된다. 이러한 이자율효과를 흔히 케인스효과라 부르기도 한다. 그런데 소비지출의 경우, 이자율이 높아지면 사람들이 오히려 저축을 늘릴 수 있어 이러한 효과는 일정치 않을 수도 있다.

셋째로 우리 상품의 가격 수준이 상승하면 외국인들은 우리 상품의 구입을 줄이고 비슷한 종류의 다른 나라 물건을 구입하게 될 것이다. 동시에 우리나라 사람들은 상대적으로 저렴한 외국 물건의 수입을 늘릴지도 모른다. 그러면 순수출이 낮아져 경제의 총수요 수준은 낮아질 것이다. 또한 국내 물가의 상승은 앞에서 언급한 바와 같이 이자율의 상승으로 이어지며, 이자율이 상승하면 우리나라 금융채권의 수익률이 높아져 외국의 자본들이 이를 구입하게 될 것이다. 그러면 외환시장에서는 외국인들이 달러를 원화로 바꾸어 우리나라 금융상품을 구입하려 할 것이기 때문에 달러의 공급이 늘어나, 우리나라 돈과 달러와의 교환비율인 환율이 낮아지게 될 것이다. 이렇게 되면 이 역시 수출의 가격 경쟁력이 떨어지고, 우리 돈의 구매력이 높아져 수입은 증가하게 된다. 따라서 이러한 경우에 있어서도 순수출은 줄어들고 그 경제의 수요 수준은 감소하게 될 것이다.

물가가 하락해서 구매력이 높아지면 사람들은 자신이 더 부자가 된 것으로 느껴 소비를 늘리게 된다. 이를 자산효과 혹은 피구효과라 한다.

도표 52 | 총수요곡선

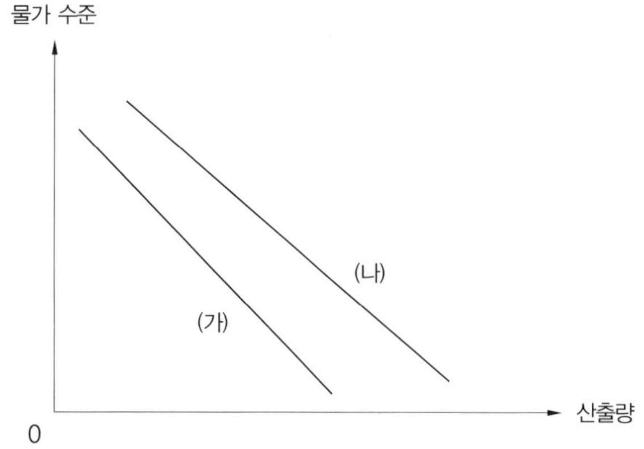

이처럼 한 국민경제의 물가 상승은 총수요 수준의 하락으로 나타나며, 이와는 반대로 물가가 하락하면 총수요 수준은 비슷한 논리에 의해 증가하게 될 것이다. 즉, 가격(물가) 수준이 하락하면 늘어날 것이고 가격 수준이 상승하면 줄어들 것이다. 여기서 가격 수준을 세로축으로 잡고 총수요량을 가로축으로 잡았을 때 우하향하는 총수요곡선을 생각할 수 있을 것이다.

물론, 총수요를 구성하는 다른 요소들을 변화시키는 요인(물가 수준을 제외한)이 발생하여 외생변수가 되면 총수요곡선 자체를 이동시킨다. 예를 들어, 정부의 감세정책으로 인한 가처분 소득의 증가와 소비지출의 증가, 통화량의 증가로 인한 이자율 하락으로 투자수요가 늘어난 경우를 생각해보자. 정부의 대규모 공공 건설공사로 인한 지출 확대, 이라크 전후 복구 등 중동지역의 경제활성화로 인한 해외경기의 상승 등은 국내 총수요 수준을 증가시키고 이는 도표 52에서 총수요곡선을 (가)에서 (나)로 이동시키게 될 것이다. 또한 이와 상반되는 경우는 (나)와는 다른 방향으로 이동시키게 될 것이다.

총수요의 구성

총수요를 이루는 각각의 구성요소들을 좀더 자세히 살펴보기로 하자. 이는 앞에서 여러 번 언급한 바와 같이 소비지출, 투자지출, 정부지출, 그리고 순수출에 대한 부분이 될 것이다.

우선 가계의 경우를 보면, 주로 소비를 위한 재화나 서비스를 원하고 이를 위해 지출하려 할 것이다. 이러한 소비지출은 일반적으로 총수요의 50%를 훨씬 넘는 커다란 비중을 차지하고 있어 총수요 구성에서 그 비중이 매우 크다.

사실 가계가 사고자 하는 재화나 용역의 범위는 대단히 넓다. 자동차, 냉장고, 세탁기, 가구 등과 같이 상당 기간 동안을 이용할 수 있는 내구성 재화에서 옷이나 음식물과 같은 일회용 비내구성 재화 및 이발이나 병원 치료 등의 서비스들도 모두 가계의 소비대상 상품들이다. 물론 가계는 그 상품의 성질에 따라 조금씩 다른 구매 행위를 하게 될 것이다. 예를 들어 자동차와 같은 상품은 채소류의 상품과는 달리 그 값이 비싸고, 오랫동안 사용해야 하기 때문에 경제적으로 힘든 시기(예를 들어 노사분규로 공장가동이 불완전한 시기)에는 그 구입을 조금 뒤로 미루게 된다.

그리고 매우 많은 요인들이 이러한 가계의 지출 수준을 결정하는

데 영향을 미치게 될 것이다. 예를 들어 자식을 대학에 보내야 할 시기에 있는 가정이나 노후를 대비해야 할 상황에 있는 가정은 자연히 소비지출을 줄이고 저축을 늘려갈 것이다. 또한 부모로부터 대단히 많은 재산을 상속받은 사람은 물 쓰듯 돈을 쓸지도 모른다. 그러나 대체로 가계가 쓸 수 있는 소득의 크기(가처분소득을 말함: 소득에서 세금을 납부한 후의 소득)는 그 가계의 소비를 위한 지출을 결정하는 매우 중요한 요인이다. 지금까지의 많은 연구들은 이러한 소비와 가계의 소득 사이에 상당히 강한 상호 관련성이 있음을 보여준다. 즉 소득이 커지면 소비도 증가하고, 소득이 줄어들면 소비도 감소하는 것으로 생각할 수 있는 것이다.

이처럼 소비에 영향을 주는 여러 요인과 소비와의 관계를 나타내는 함수를 소비함수라 한다. 소득과 소비의 관련성, 즉 가계가 쓸 수 있는 각 소득 수준에서 얼마의 소비지출이 이루어지는가를 보여주는 것 역시 소비함수의 일종이다. 케인스는 가처분소득의 크기가 소비의 가장 중요한 결정요인이라 주장했으며 이를 '절대소득가설absolute income hypothesis'이라 부른다.

여기서, 단위화폐의 소득이 늘어났을 때 얼마의 소비가 증가하는가를 '한계소비성향'이라 하며, 주어진 가처분소득에서 소비가 차지하는 비율을 '평균소비성향'이라 한다. 이러한 것들을 알면, 일반적으로 그 경제의 소득과 소비의 관계를 설정해볼 수 있다. 예를 들어 한 경제 내에서 가계가 증가한 가처분소득의 약 75%를 소비하게 된다면 그 경제의 한계소비성향은 0.75라 할 수 있으며, 한 해의 가처분소득 가운데에서 70%가 소비되었다면 평균소비성향은 0.7이 된다. 이러한 자료를 통해 우리는 하나의 소비함수를 만들어낼 수 있다.

그런데 여러 소비함수에 대해 좀더 자세한 논의를 위해서는 한두 사람의 주장에 관한 논의가 더 필요하다. 즉, 프리드먼에 의해 개발된 '항상소득이론permanent income theory'과 모딜리아니F. Modigliani 등에 의해 개발된 '생애주기이론life cycle theory'이 있다.

항상소득이론은 소비는 소득에 일정한 비율로 이루어지지만, 이때의 소득은 현재의 소득이라기보다는 미래소득을 포함한 상당 기간 소득의 평균인 항상소득이라는 것이다. 이는 가계가 일시적인 소득의 변화에 어떻게 대응하는가를 잘 보여준다. 즉, 가계는 일시적으로 소득이 줄더라도 소비를 그만큼 줄이지는 않는다는 것이다. 오히려 가계는 자신이 가지고 있는 자산을 처분해 생활 수준을 유지하려 할 것이다. 항상소득가설은 이러한 가계의 소비를 설명하는 데 크게 이바지했다.

생애주기이론은 항상소득이론과 같이 현재의 소득이 아닌 미래소득도 포함된 장기간의 소득이 지니는 중요성을 강조했다. 하지만 이때의 장기간을 개인이나 가계의 전생애로 생각했다. 즉, 사람들은 자신의 미래와 미래소득을 예측하며, 이것 역시 소비에 중요한 영향을 끼친다는 것이다. 생애주기이론에 따르면, 지금은 높은 소득을 가지지만 미래에 그 소득이 크게 줄어들 것이 예상된다면, 사람들은 소비를 줄이고 저축에 힘쓸 것이다. 이 이론은 왜 학생들이 그들의 소득보다 더욱 많이 소비하며, 왜 특히 정년퇴직 후를 위해 사람들이 많은 돈을 저축하는가 등에 대한 이해를 돕는다.

이상에서 살펴보면 소비 수준을 결정하는 데는 가처분소득의 크기

이외에도 여러 다른 요인이 있을 수 있음을 알 수 있다. (1) 예금이나 주식 및 부동산 등의 재산이 많은 사람들은 그렇지 않은 사람들보다 소비 수준이 높을 수 있다. (2) 또한 물가 수준이 변해도 소비 수준은 영향을 받는다. 물가가 하락하면 명목자산의 실질가치가 상승할 것이고 이것 때문에 소비지출이 늘지도 모른다. 이처럼 물가변동이 실질자산의 가치변화를 통해 소비지출에 영향을 미치는 것을 '실질자산효과real balance effect'라 한다. (3) 이자율 역시 소비 수준에 영향을 끼칠 수 있다. 이자율이 높아지면 사람들은 소비를 줄이고 저축을 늘릴 수도 있기 때문이다(이 부분은 아직 분명하지는 않지만). (4) 미래소득 역시 소비 수준의 결정에 중요하다. 앞에서 언급한 항상소득이론이나 생애주기이론은 이를 잘 보여주었다.

그러면 여기서 가계의 소득 가운데 소비되지 않은 부분에 대해서 생각해보기로 하자. 가계의 사용 가능한 소득(가처분소득)은 여러 가지 용도로 쓰일 수 있다. 즉, 가계는 자신의 소득으로 필요한 재화나 용역을 구입한다. 장래를 위해 또는 자산의 증식을 위해 은행에 저축하기도 하고, 일부는 주식을 매입하기도 할 것이다. 그런데 이러한 자산 증식을 위한 행위는 행위자의 입장에서는 투자한다고 할지 모르나 경제분석의 입장에서는 저축에 해당하는 것이다.

여기서 만약 이자 지불을 위한 지출을 무시하고, 소득 가운데에서 소비되고 남은 부분을 저축으로 정의한다고 해보자. 가계의 소득 가운데 얼마를 소비할 것인가가 결정됨과 동시에 얼마를 저축하는가가 결정됨을 알 수 있다. 이처럼 가계에 대한 분석에서 소비함수가 결정되면 자동으로 저축함수가 결정된다고 할 수 있다. 예를 들어 한계소비성향을 0.75로 한 소비함수가 '(소비)=0.75×(소득)'으로 주어졌다면 동시에 '(저축)=0.25×(소득)'의 저축함수가 생겨날 수 있는 것이다.

사실 저축은 국민경제의 움직임에 대단히 중요한 역할을 한다. 저축된 돈은 금융기관을 통해 기업으로 들어가 기업의 투자활동을 뒷받침한다. 이는 기본적으로 경제적 생산활동의 원동력이 되고 이를 통해 경제성장이 가능하다. 이러한 관점에서 볼 때 기업의 해외 차입이 없다면, 전체 경제에서 저축과 투자는 결과적으로 일치($S=I$)하게 될지 모른다.

이러한 소비와 저축의 관련성을 염두에 두고 오늘날 우리 사회에서 문제시되고 있는 과소비를 생각해보자. 과도한 소비는 일시적으로 기업의 생산활동을 자극해 국민소득 수준을 높일 수 있다. 그러나 그것은 저축을 줄게 하고 장기적으로 투자재원을 감소시켜, 결국 기업의 투자활동과 경제성장을 위축시키게 된다. 이러한 관점에서 소비보다는 저축이 미덕일 수 있는 것이다.

이제 다음으로 기업의 투자지출에 대해 생각해보자. 논의를 계속하기 전에 투자의 개념을 좀더 명확히 할 필요가 있다. 경제의 분석을 위해 사용하는 투자는 흔히 일반인이 생각하는 투자와는 그 의미를 조금 달리하기 때문이다. 보통 사람들은 투자를 생각할 때 생산활동에 사용되는 기업이 사용하는 돈을 생각한다. 그러나 이와 달리 경제분석을 위해 사용하는 투자는 단순한 금전적인 투자가 아니다. 오히려 생산활동을 촉진시키거나 증진시키기 위해 생산되어, 다른 생산활동을 위한 요소로 사용될 수 있는 기계, 설비, 건물 등의 물리적

자본의 증가(고정투자)와 시장에서 팔리지 않은 재고 상품의 증가(재고투자)를 모두 포함하는 '물리적 투자physical investment'를 의미한다.

이러한 방식을 통해 대체로 세 가지의 투자를 생각할 수 있다. 첫째로 새로운 공장과 장비의 구입이다(설비투자). 기업의 입장에서는 아마도 전체 투자금액의 상당부분을 여기에 사용할 것이다. 예를 들어 기업이 새로운 컴퓨터 또는 엔진을 구입하는 것을 비롯해 새로운 생산라인 설치, 새로운 건물 신축 등은 모두 이 유형의 투자라 할 수 있다.

또 하나의 투자형태는 주택, 건물 등의 건설이다(건설투자). 예를 들어 새로운 주택의 건설은 오랜 기간 그곳에 사는 사람들을 만족시켜주며, 이로부터 매년 그 집에서 더 이상 살 수 없을 때까지 새로운 만족감(효용)을 만들어낼 수 있다. 생산의 개념을 단순히 눈에 보이는 물건을 만들어내는 것이 아닌 효용의 창출을 중심으로 생각한다면, 이러한 주택의 구입과 건설은 중요한 투자활동이 될 수 있다. 오늘의 기업은 이러한 주거에 관심을 가지고 새로운 주택을 마련하고, 이를 근로자나 기업 자신을 위해 사용하고 있다. 그러나 이것이 기업의 주된 투자활동이 될 수는 없다.

마지막으로 하나 더 이야기해볼 수 있는 투자형태는 기업이 만든

도표 53 | 대한민국의 투자지출 변화 추이(실질증감율)

	1996	1997	1998	1999	2000	2001	2002	2003
건설투자	7.5	2.3	−12.4	−3.7	−0.7	6.0	5.3	7.6
설비투자	9.2	−9.6	−42.3	36.8	33.6	−9.6	7.5	−1.5

* 1998년은 IMF 기간임을 고려할 것, 2003년은 잠정치임

출처 〈한국은행, 2001-2006, 통계자료(한국은행 경제통계시스템)〉

상품의 재고량 증가다(재고변화). 기업의 재고는 생산했으나 팔리지 않고 그대로 기업이 가지고 있는 상품의 양이다. 예를 들어 어떤 기업이 한 해에 10만 대의 세탁기를 생산해서 9만 대만 시장에서 팔았다고 하자. 이때 팔린 9만 대는 소비지출에서 나타나지만, 팔리지 않은 1만 대는 가계의 소비로 계산되지 않는다. 그러나 팔리지 않은 1만 대 역시 만들어진 물건임에는 틀림없기 때문에 그것도 그해의 GDP에 포함된다. 여기서 만약 팔리지 않은 1만 대를 그 기업 스스로 산 것으로 생각한다면, 이 문제는 쉽게 해결될 수 있다. 이 경우 기업은 새로운 재고를 증가시키는 것이 될 것이다. 이것은 갑작스러운 수요증가에 대비할 수 있도록 기업이 스스로에게 투자하는 것으로 생각할 수 있다. 이렇게 되면 생산된 모든 것이 국내총생산 수준에서 계산될 수 있게 된다. 그러므로 이러한 기업의 재고투자는 국민경제의 분석에 있어 매우 중요한 역할을 하는 것이다.

그러면 기업의 투자결정에 영향을 끼치는 요인에는 어떠한 것들이 있을까? 일반적으로 기업은 장래에 얼마나 많은 수익을 남길 수 있을까를 생각하고, 또한 그들이 구입하게 되는 기계나 건물 등에 얼마나 큰 비용이 드는가 등을 고려한다. 미시경제적으로 생각하면, 자본재 한 단위의 한계비용(경쟁시장이라 가정하면 가격)과 이를 한 단위 투자했을 때에 기대되는 한계수익의 현재가치가 같을 때를 최적의 투자수준으로 고려할 것이다.

여기서 물론 기업의 장래 상품에 대한 수요의 예측과 기대수익 예상은 미래경제에 대한 기업의 전망과도 관련되어 있다. 기업은 미래경제에 대한 전망이 좋으면 투자를 늘릴 것이지만, 그렇지 못하면 현상태를 유지하거나 오히려 투자 수준을 줄일 것이다.

그뿐만 아니라, 투자는 사내에 유보된 재원이 많거나 쉽게 자금을 조달할 능력이 있는 경우에 더욱 쉬워진다. 아무리 높은 수익이 예상되는 투자계획도 자금이 부족하거나 외부에서 자금을 구할 능력이 없으면 실행될 수 없다. 따라서 자금조달의 용이성 역시 투자에 커다란 영향을 미친다.

그런데 오늘날 대부분의 기업은 상당부분의 투자를 위한 자본을 은행 등의 금융기관에서 대출받아 충당하기 때문에, 기업의 투자비용 고려에서 가장 중요하게 여겨지는 것은 이자율이라 할 것이다. 그러므로 기업의 입장에서 이자율이 높아지면, 투자를 위한 자본 마련에 드는 비용이 높아짐을 의미하게 되며, 이 경우 투자를 망설이게

기업의 투자결정에는 비용, 수익성, 전망, 자금조달의 용이성, 이자율 등이 복합적으로 영향을 미친다.

될 수도 있다. 반대로 이자율이 낮아지면 투자비용이 적어짐을 의미하므로 이는 기업의 투자를 위한 여건이 좋아짐을 뜻한다. 또한 현재가치를 이용해 설명해도, 이자율이 높아지면 현재가치가 하락하므로(2부 5장 참조), 앞에서 언급한 한계비용-수익 분석에서 최적의 투자수준도 떨어질 수밖에 없다.

이처럼, 기업의 투자수요의 크기는 미래의 수익에 대한 예측과 이자율과 같은 투자비용에 관련된 것들의 변화, 자금조달의 용이성 등에 의해 크게 좌우될 것이다. 그 중에서도 이자율은 앞에서 언급한 바와 같이 투자 수준결정에 매우 결정적인 변수로 알려져 있다.

기업의 투자(물리적 투자)는 국민소득을 증가시킬 수 있는 매우 중요한 요소다. 우선 기업의 투자수요는 그 자체로서 경제의 총수요를 증가시킬 뿐만 아니라, 이것은 다시 생산의 증가에 따른 소득증가를 가능하게 해 소비지출의 증가를 가져오게 하고 이것을 통한 생산활동의 증가를 부추기게 된다. 이를 흔히 투자의 '승수효과multiplier effect'라 한다. 승수효과는 투자뿐만 아니라 소비지출, 정부지출 등에도 있다. 흔히, 지출의 증가가 국민소득을 몇 배나 더 큰 폭으로 증가시키는 결과를 가져오는데, 이를 승수효과라 부른다. 이러한 투자의 중요성 때문에 많은 자본주의 경제사회는 때때로 기업의 투자활동을 부추기기 위한 노력을 하게 된다.

우리는 지금까지 총수요를 구성하는 중요한 두 부분으로 소비지출과 투자지출에 대해 이야기해왔다. 물론 이와 함께 오늘의 경제사회에서 정부의 지출이나 외국의 상품수요는 매우 중요한 총수요의 구성요소다.

현대사회에서 정부는 국방이나 치안과 같은 기본 임무 이외에도 사회복지와 간접자본에 투자하고 경제발전과 안정을 위한 여러 정책을 추진한다. 이러한 여러 기능을 수행하기 위해 정부가 구입하는 재화와 서비스의 총가치를 '정부지출'이라 부른다. 이러한 정부지출은 어떤 한 해 동안 생산된 최종재에 대한 지출을 의미하기 때문에, 실업수당과 같은 보조금 등의 이전지출은 최종재를 수요한 것이 아니라 단지 구매력을 이전한 것에 불과하므로 정부지출에 포함되지 않는다. 물론, 이러한 이전지출도 정부가 쓴 돈 전체를 의미하는 재정지출에는 포함될 것이다. 이렇게 보면 정부의 재정지출과 총수요를 구성하는 정부지출은 조금 다른 개념임을 알 수 있다.

정부지출은 그 방향을 어떻게 잡는가 또는 어느 부분에 지출하는가 등에 따라 일종의 경제정책 변수가 되기도 한다. 물론, 정부지출

신도시 건설공사 현장 정부에 의한 도로 및 아파트 등 공공시설의 건설은 총수요의 증가를 통해 국민들의 소득 수준을 향상시킨다. 이는 다시 소비지출을 증가시켜 계속적인 소득증가를 불러일으킬 것이다.

의 증가는 단기적으로 승수효과를 불러일으킬 것이다. 예를 들어, 정부에 의한 도로와 공공시설의 건설은 총수요의 증가를 통해 국민들의 소득 수준을 향상시킨다. 이는 다시 소비지출을 증가시켜 계속적인 소득증가를 불러일으킬 것이다.

이와 더불어 총수요에는 순수출이 포함되어야 한다. 외국에서 요청하는 재화와 서비스(수출)의 생산 역시 국내에서 이루어지기 때문이다. 그러나 이에 더해 수입은 제외되어야 한다. 소비지출이나 투자지출 및 정부지출 속에는 해외에서 수입한 재화와 서비스도 포함되어 있어, 이 부분은 사실상 국내에서 이루어진 생산이 아니기 때문이다. 이처럼 수출에서 수입을 뺀 부분을 순수출이라 하고, 이 역시 중요한 총수요의 일부분이다. 여기서 유의해야 할 점은 순수출 자체는 그 비중이 작고 때로는 수입이 많을 경우 마이너스가 되기도 하지만, 이는 수출과 수입이 상쇄되기 때문이라는 점이다. 실제로 수출과 수입은 총수요의 30%가 넘는 비중을 차지하고 있다.

순수출에는 여러 가지 요인이 작용한다. 예를 들어, 국내의 소득 수

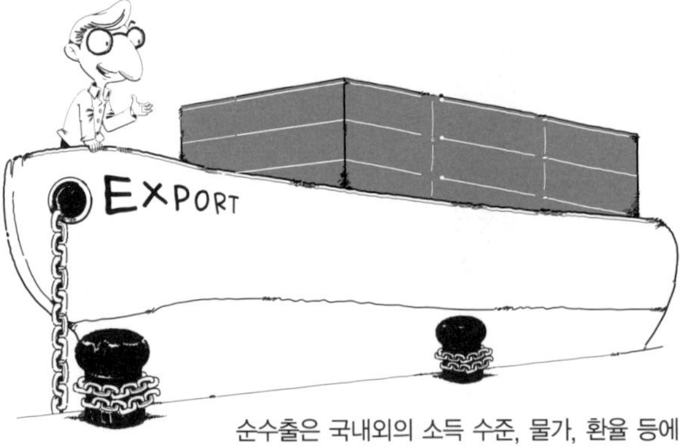

순수출은 국내외의 소득 수준, 물가, 환율 등에 의해 영향을 받는다.

준이 높아지면 사람들은 가격이 좀 비싸더라도 외국상품도 구입대상으로 삼을 가능성이 있게 되어 수입이 증가할 것이며, 외국의 국민소득이 높아지면 우리나라 물건의 수출이 증가할 가능성이 높다. 또한 국내의 물가 수준이 높아지면 수출이 줄어들고 수입이 증가할 가능성이 크다. 환율(원/달러) 또한 중요한 역할을 하게 된다. 환율이 상승하면 외국환의 구매력이 증대해 우리 물건이 싸진 것과 비슷한 효

도표 54 | 대한민국의 수출과 수입변화

(2000년 기준, 단위: 10억 원)

	1997	1998	1999	2000	2001	2002	2003
수출	153,539	172,965	198,255	236,209	229,764	260,220	301,171
수입	181,706	142,072	181,564	217,979	208,898	240,665	263,908

*2003년은 추정치임

출처 〈한국은행, 2001-2006, 통계자료(한국은행 경제통계시스템)〉

도표 55 | 월별 수출입 현황

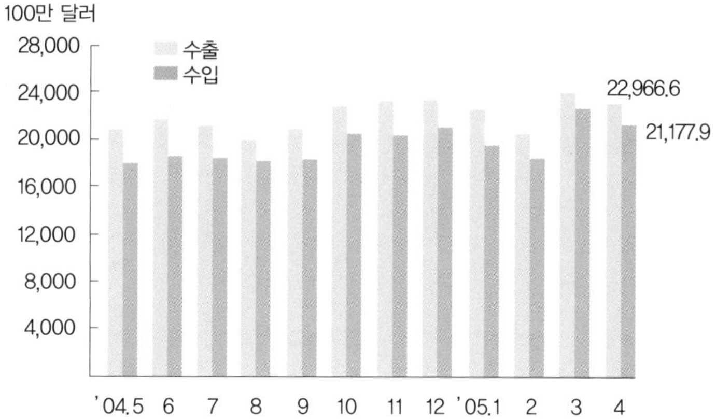

*2005년은 잠정치임

출처 〈한국은행, 2001-2006, 통계자료(한국은행 경제통계시스템)〉

과가 있으므로 수출이 증대할 가능성이 있고, 수입은 오히려 줄어들 것이다. 이러한 부분들은 추후에 해당 부분에서 다시 좀더 자세히 논의하기로 한다.

총공급곡선과 총공급의 구성

이제 총공급에 대해 이야기해보기로 하자. 한 경제에 있어서 주로 기업의 생산을 통해 얻어진 전체 생산물은 그 경제의 총공급 수준을 형성한다. 그리고 여기서 생산된 것이 모두 분배되고 처분된다는 점을 생각한다면 사실상 생산을 통해 만들어진 국민소득을 사용(처분)이란 측면에서 합하게 되면, 총공급 수준과 그 가치의 측면에서 같아짐을 알 수 있다.

그러면 과연 국민소득은 어떻게 처분되는가? 이에 대한 논의는 국민경제의 총공급 수준을 보여주게 될 것이다. 우리는 소득 가운데 상당부분을 의식주나 기타 우리의 만족 수준을 높일 수 있는 곳에 소비(국민소득 지출의 측면에서 소비는 수입품에 대한 것도 포함하나, 국민소득의 측면에서는 국내생산물에 대한 것만 포함한다)한다. 예를 들어 새로운 옷을 산다거나 영화를 보는 것 등이 바로 그러한 것이다. 그러나 소득을 모두 물건을 사는 데에 사용하지는 않는다. 소득의 일부분을 소득세나 판매세, 재산세 등의 조세형태로 정부에 내게 된다.

그리고 이렇게 쓰고 난 나머지 부분을 여러 형태로 저축한다. 예를 들어 우리는 남은 돈을 은행에 저금할 수도 있고, 채권이나 주식을 살 수도 있으며 또한 때에 따라 생명보험 등의 형태로 저축할 수도 있다.

이러한 여러 형태의 저축은 모두 은행에 남겨지는 것은 아니지만, 만약 우리가 그것을 땅속에 파묻어두지만 않는다면, 결국 국민경제의 지출 흐름 속으로 합류하게 될 것이다. 예를 들어 여러분이 저축한 돈으로 새로 발행되는 주식을 샀다면, 그 돈은 회사의 새로운 투자를 위한 자본으로 사용되어 일종의 투자지출로 변화할 것이다. 또 만약 저축으로 정부의 채권을 구입한다면, 그 돈은 정부가 학교를 세우거나 도로를 확장하는 등의 정부지출로 쓰이게 될 것이다. 그리고 국민소득의 흐름에서 이러한 지출 측면으로의 합류는 정부가 걷게 되는 조세의 경우에 있어서도 마찬가지라 할 수 있다.

여기서 언급한 소비, 저축, 조세 등을 합해 국민소득의 사용(처분)이란 측면에서의 합을 구할 수 있으며, 이는 곧 생산을 통해 얻어지는 국민경제의 총공급 수준의 가치를 나타내준다. 다음의 식은 이를 보여주는 항등식이며, Y_S는 총공급 수준, C는 소비, S는 저축, T는 조세를 의미한다.

$$Y_S = C + S + T$$

그러면 무엇이 그 경제의 공급을 형성하는 생산 수준을 결정하고 변화시킬까? 아마도 장기적으로는 주로 경제 내의 생산함수와 관련이 있는 노동력, 자본보유 수준 및 자연자원, 기술 수준, 그리고 사람들의 일하려는 의욕 등이 총공급을 결정하는 데 중요한 역할을 할 것이다. 예를 들어 새로운 생산기술이 개발되거나, 노동의 생산성이 높아지거나 또는 자본 수준이 증가해도 총공급 수준은 증가할 수 있다. 그리고 사람들의 일하려는 의욕이 증가하거나, 교육이나 훈련을 통해 일과 관련한 기술skill을 향상시킬 때에도 총공급 수준은 크게 증가된다. 이러한 장기적인 경우에는 실질변수인 총공급 수준은 경제 내의 모든 재화와 용역의 가격상승을 의미하는 물가 수준에 영향을 받지 않는다.

그런데 단기적으로는 임금 역시 기업의 생산 수준에 영향을 미칠 수 있다. 예를 들어 임금 수준이 높아지고 상품가격은 그대로 있으면, 기업은 같은 상품가격에서 이윤이 줄어들어(임금의 증가에 의해 비용이 더 들므로) 생산 수준을 낮출 수도 있다. 반대로 임금이 하락하면 기업의 생산 수준이 높아질 수도 있는 것이다. 이것은 원자재 등의 생산요소의 경우에도 마찬가지다. 원자재가격의 상승은 비슷한 이유로 기업의 생산 수준을 낮추게 될 것이다.

여기서 총공급 수준은, 앞에서 언급한 장기적인 요인들이 일정할 때, 그 경제 내의 가격 수준의 변화에 크게 영향을 받는다. 즉, 국민경제의 총공급 수준은 가격 수준이 하락하면 감소하고 가격수준이 상승하면 증가한다. 예컨대 사람들은 물가 수준이 변화할 때 착각을 일으킬 수 있다. 생산자는 자신의 상품가격이 오르면 이를 자기 제품의 상대가격상승으로 오인해 수익성이 높아졌다고 판단하고 생산을 늘릴 가능성이 있는 것이다(착각이론). 상품가격이 명목임금 등의 생산요소가격보다 더 빨리 상승하면 기업은 자신의 이윤을 증대시킬 수 있을 것으로 판단, 생산을 증대시킬 것이다. 물가 수준의 변화에 비해 명목임금은 어느 정도 경직적일 수 있다. 고용계약 기간이 길고 임금결정에 영향을 주는 사회적 규범이나 인식도 천천히 바뀔 것이기 때문이다(임금경직성이론).

그런데 임금뿐만 아니라 일반 재화의 가격 역시 어느 정도는 경직적일 수 있다. 가격조정에는 비용(상품목록의 인쇄 등)이 들며, 이를 꺼려하는 기업은 그대로 가격을 유지할 것이다(가격경직성 이론). 이 경우, 물가가 하락하면 기업은 자신의 가격을 유지하며 따라서 판매량은 줄어들고 생산과 고용이 하락할 것이다.

여기서 우리는 세로축을 물가 수준으로 하고, 가로축을 산출량으로 했을 때, 장기 산출량에 미달하거나 벗어나면서 우상향하는 총공급곡선을 얻을 수 있다. 이러한 우상향하는 공급곡선은 시장의 불완전성과 함께 물가 수준이 사람들의 예상에서 벗어나기 때문이며, 위에서 설명한 세 가지 이론도 사실은 이를 의미하는 것이다. 즉, 물가가 예상보다 높으면 생산자는 수익을 생각하고 산출을 늘리며, 그 반대의 경우는 산출이 줄어들 것이다. 그리고 이러한 예상과 실제의 불일치는 시장의 불완전성에 기인한다.

물론 이렇게 우상향하는 단기 총공급곡선도, 한 경제의 산출 능력을 벗어날 수는 없다. 모든 기업이 자신의 생산역량을 모두 발휘하게 되면, 기업들은 가격 수준이 상승한다 해도 더 이상 생산량을 늘릴 수 없다. 물론 가격이 올라가면 기업은 초과시간 노동을 실시하기도 하고 더욱 많은 인력을 고용하기 위해 노력할 것이다. 그러나 여기에도 한계가 있다. 결국 기업은 자신의 장비나 고용 수준을 넘어서서 생산할 수는 없다. 이 경우 총공급곡선은 가격 수준의 상승과 상관없이 수직의 형태를 가지게 된다. 이러한 점을 고려할 때 어느 정도까

도표 56 | 총공급곡선

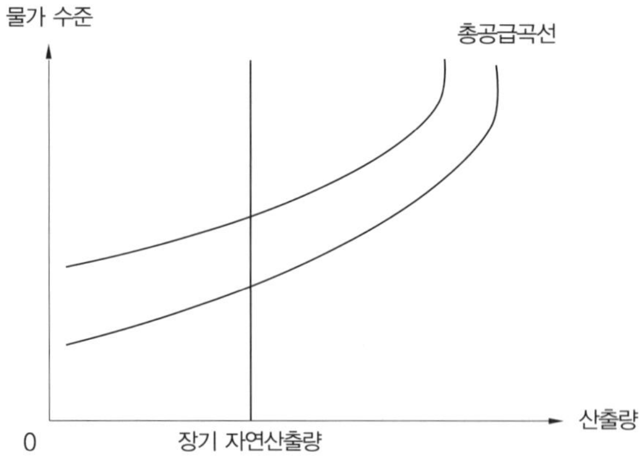

지는 우상향하나 그 이상에서는 수직인 총공급곡선의 모양을 생각할 수 있다.

총공급곡선은 장기 총공급의 변화를 불러일으킬 수 있는 요인들이 변화하면 이것이 외생변수로 작용함으로써 이동하게 될 것이다. 예를 들어, 자연실업률이 상승해 노동인구가 줄어들면 총공급곡선은 왼쪽으로 이동할 것이며, 기술이 진보하면 총공급곡선은 오른쪽으로 이동할 것이다.

총수요와 총공급의 균형

지금까지 논의한 총공급과 총수요를 바탕으로 국민경제의 균형을 이야기해볼 수 있다. 즉, 국민경제는 경제 전체에 공급되는 재화와 용역의 총량인 총공급 수준과 그 경제에서 생산되는 재화와 용역에 대한 경제 전체의 수요인 총수요 수준이 일치하는 곳에서 균형에 이르게 된다. 그리고 이 균형점에서 균형국민소득과 물가 수준이 결정된다.

이러한 방식으로 경제 전체를 생각해보는 것은 처음에 언급했던 바와 같이 국민경제 내의 변화들을 쉽게 파악할 수 있게 한다. 예를 들어 한 경제 내에서 갑자기 기름값이 상승하거나, 근로자의 임금이 올라서 생산요소의 가격이 크게 올랐다고 생각해보자. 그러면 기업으로서는 일정 수준의 생산물을 공급하는 데 더욱 큰 비용이 들게 될 것이며, 기존 가격 아래에서는 생산량을 줄이게 될 것이다. 즉, 이 경우 모든 가격 수준에서 공급되는 생산물에 대한 양이 줄어들게 될 것이다.

이것은 총공급곡선이 좌측으로 이동함을 의미하며 도표 57과 같이 나타낼 수 있다. 즉, 도표 57에서 보듯이 처음에 경제가 *E*점의 균형에 있을 때 갑작스러운 생산요소 가격의 상승을 경험하게 되면 총공급곡선은 좌상향으로 이동하게 된다. 그러면 경제는 처음의 균형점 *E*에서 새로이 총수요와 일치하는 *E′*의 균형점으로 이동하게 된다. 이 경우 경제 전체의 가격 수준은 과거의 *E*점 균형에서보다 높아지며, 생산 수준은 낮아지게 된다. 즉, 새로운 균형 *E′* 에 있어서의 가격 수준 *P′* 는 과거의 균형점 *E*에서의 가격 수준 *P*보다 더욱 높으며, 산출 수준 *Q′* 는 과거의 산출 수준 *Q*보다 더욱 낮아진 상태에 있게 된다. 결론적으로 요소가격의 상승은 국민경제에 있어서 단기적으로는 물가의 상승과 생산 수준의 하락을 초래한다.

위의 경우는 공급 측면의 변화였지만 투자수요의 증가에 따른 수

도표 57 | 국민경제에서의 생산요소 가격상승의 영향

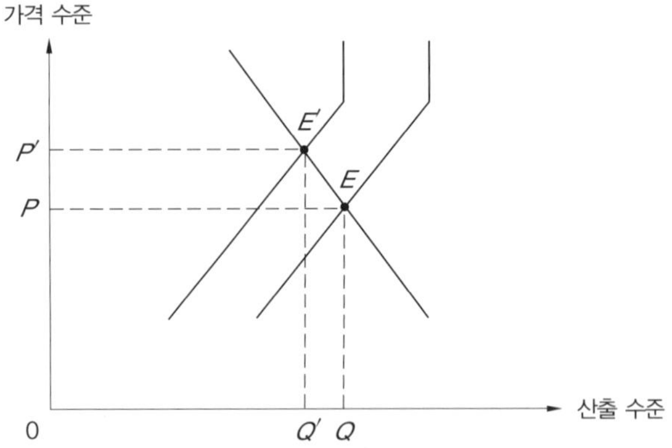

요 측면의 변화도 비슷한 방식으로 분석할 수 있다. 즉, 투자의 증가는 총수요곡선을 우상향으로 이동시킬 것이며, 이는 생산 수준의 증가와 물가의 상승경향을 만들어낼 것이다. 또한 소비성향이 높아져 소비가 증가해도 단기적으로 총수요곡선이 위쪽으로 이동해서 균형 산출량이 늘어나고 국민경제가 활성화될 가능성이 있다. 최근 들어 불경기의 극복을 위해 소비 여력이 있는 사람들이 돈을 좀 써야 한다고 말하는 경제해설자들을 볼 수 있는데, 이는 이러한 총수요의 증대를 염두에 둔 것으로 보인다.

물론, 이러한 분석은 케인스식으로도 이루어질 수 있다. 앞에서 보았듯이 국민소득의 처분 측면으로 계산되는 총공급은 소비와 저축과 세금의 합이었으며, 국민소득의 지출 측면으로 계산되는 총수요의 크기는 소비지출, 투자지출, 정부지출 및 해외순수출의 합이었다. 그리고 이 양자는 국민소득의 순환 측면에서 보면 항등적으로 같다고 볼 수 있다. 따라서 국민경제의 균형 조건으로 다음의 식을 생각해볼 수 있으며, 이는 달리 말해 국민경제에서 주입과 누출이 같아지는 것이다.

$$Y_d = C + I + G + (X - M) = C + S + T = Y_s$$

$$\text{또는} \quad I + G + X = S + T + M$$

요약

이 장에서 우리는 국민경제 내의 움직임들을 파악하기 위한 한 가지 분석의 틀을 논의했다. 이 과정에서 총수요와 총공급 및 그 구성, 총수요와 총공급의 일치를 통한 국민경제의 균형에 대해서 알아보았다. 이러한 분석들은 앞으로의 실업이나 물가 및 정부의 경제정책을 논의하는 기본 바탕으로서의 역할을 할 수 있을 것이다.

중요개념

- 국민경제의 순환
- 국민소득 삼면등가의 법칙
- 누출, 주입
- 총수요와 총공급
- 소비지출, 투자지출, 정부지출, 순수출
- 소비함수, 절대소득가설, 항상소득이론, 생애주기이론
- 투자의 개념
- 착각이론, 임금경직성, 가격경직성
- 국민경제의 균형

더 깊이 이해하기(*IS*-*LM*모형)

여기서 케인스의 생각을 정교화하여 화폐시장과 실물시장을 동시에 균형시킬 수 있는 *IS*-*LM*모형을 제시한 힉스의 경우와, 고전파의 사고를 일정 부분 계승한 프리드먼 등의 화폐론자들의 생각에 대해 좀더 자세히 살펴보기로 하자(단, 해외 부분은 제외함).

우선 먼저, *IS*-*LM*곡선에 대해 살펴보자. 앞에서 이미 우리는

'$Y_S=C+I+G$' 에서 생산물시장이 균형을 이루게 됨을 논의했다. 이제 이러한 생산물시장의 균형에서 명목이자율이 상승하면 어떻게 될까? 이자율이 상승하면, 앞에서 언급한 바와 같이 민간의 소비수요가 감소하고, 기업으로서는 비용이 높아지는 것과 같으므로 이윤율 하락으로 투자는 감소하게 될 것이다. 결과적으로 총지출이 감소해 균형소득이 감소하게 된다. 이렇게 생산물시장에서 이자율의 변화에 따른 새로운 균형국민소득의 변화를 보여주는 곡선이 *IS*곡선이다.

도표 58 | *IS*곡선과 생산물시장의 균형

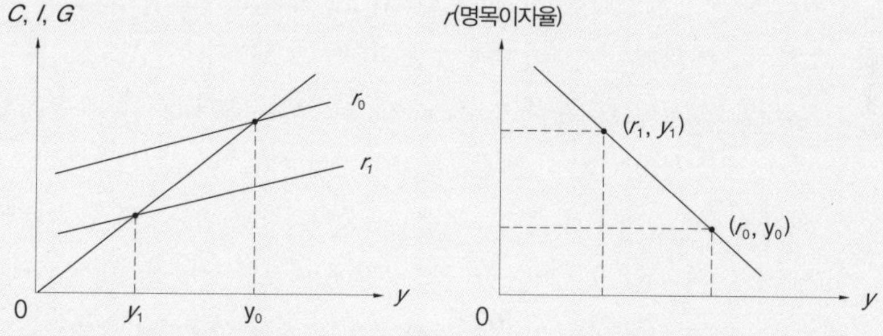

다음으로 소득의 변화에 따른 화폐시장 균형의 변화를 통해 *LM*곡선을 도출해보자. 화폐시장 역시 화폐수요와 공급이 일치하는 점에서 균형에 있게 된다. 여기서 소득이 상승하면 화폐시장은 어떻게 변화하는가. 화폐를 예비로 지니고 있으려는 수요(예비적 수요)나, 거래를 위해 돈을 사용하려고 보관하는 등의 수요(거래적 수요)가 늘어나 화폐수요가 증가하게 된다. 화폐시장에서 화폐수요의 증가는 화폐의 공급이 일정한 상태에서는 이자율을 상승시키게 된다. 이처럼 소득변화에 따른 화폐시장의 새로운 균형에 따른 이자율변화를 보여주는 곡선이 *LM*곡선이다.

도표 59 | LM곡선과 화폐시장의 균형

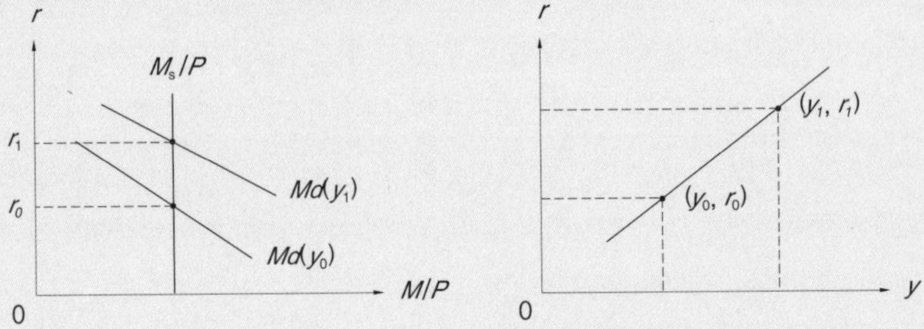

이상에서 우리는 생산물시장과 화폐시장에서의 이자율과 소득 수준의 변화를 추적했다. 여기서 *IS*곡선과 *LM*곡선이 서로 만나는 점은 그 정의상 생산물시장과 화폐시장이 동시에 균형을 이루는 점이다.

이러한 *IS–LM*곡선을 통해 우리는 경제의 변화를 좀더 정교하게 분석할 수 있다. 예를 들어, 정부의 재정지출이 증가했다면, 생산물시장에서는 같은 이자율에서 총지출 수준(소득 수준)이 증가하므로 이는 *IS*곡선의 우측 이동(IS_1)을 의미한다. 그러면 *IS–LM* 분석에 따르면 국민경제(생산물시장과 화폐시장)는 *LM*곡선을 따라 이자율이 어느 정도 상승하고 국민소득도 어느 정도 상승하는 점에서 새로운 균형에 이르게 된다. 이에 대해 고전학파의 경우는, 국공채의 증가를 통해 재정지출이 증가하면, 자금시장에서 수요가 증가해 이자율이 상승하고, 이렇게 상승된 이자율이 저축을 증가시켜 소비를 감소케 하고 투자수요를 감소하게 해 결국은 정부지출의 증가효과를 구축해버린다. 이를 '구축효과crowding-out effect'라 한다. 그리고 명목변수와 실질변수가 이분된 경우에는(이 경우 *LM*곡선이 수직), 재정정책은 총수요의 변화에 아무런 영향을 끼치지 못한다. 도표 60에서 E_1점은 이를 보여준다.

이러한 *IS–LM*곡선을 통해 또한 총수요곡선을 도출할 수 있다. 즉, 물가가 상승($P_1 > P_0$)하면 동일한 소득 수준에서 명목이자율이 상승하게 되므로, *LM*곡선은 좌상향하게 되고 *IS*곡선을 따라 소득은 감소한다. 따라서 물가의 상승과 소득 수준의 하락이란 조합을 만들 수 있게 된다. 총수요곡선을 생산물시장과 화폐시장의 균형 아래서 이루어지는 물가와 산출 수준과의 관계를 표시하는 것으로 정의하면, 이러한 *IS-LM*곡선의 분석을 통해 물가와 소득 수준이 부負의 관계를 지니는 총수요곡선을 도출할 수 있다.

이상에서 언급한 *IS-LM*곡선은 케인스의 생각을 정교하게 나타내는 데에는 매우 성공적일 수 있지만, 현실경제를 분석하는 데에는 여러 가지 한계를 지니고 있다. 예를 들어, 이 모형은 기본적으로 총공급의 측면이 빠져 있으며, 인플레이션과 같은 경제의 동태적 측면을 다루기 어렵고 균형에서 벗어날 경우의 조정 과정을 표현하기 어렵다. 또한, 케인스가 강조했던 자본주의 시장에서의 기대에 대한 고려가 부족하다는 점 등에 대해서는 비판을 면하기 어려운 것으로 보이며, 화폐량 자체도 중요한 역할을 함에도 불구하고 *IS-LM*모형이 이러한 측면들을 다룰 수 없다는 점을 비판할 수 있다.

도표 60 | 재정지출과 *IS-LM*곡선

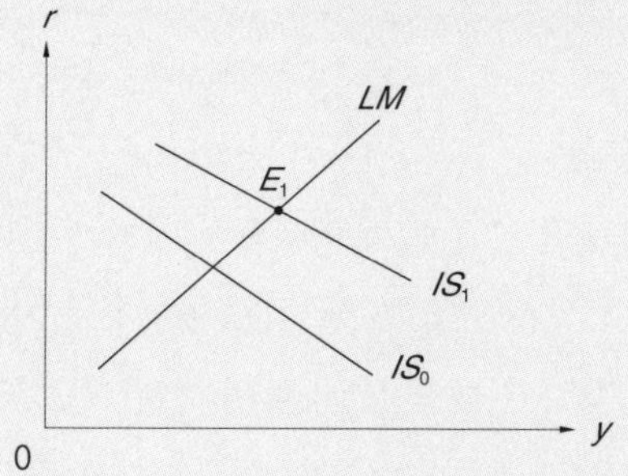

도표 61 | 총수요곡선의 도출

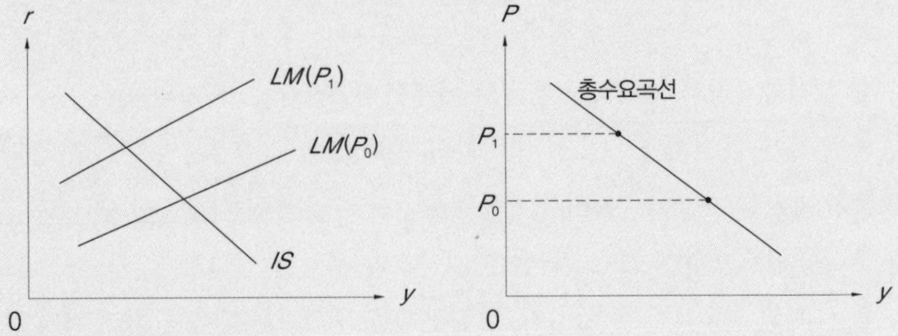

이처럼 여러 비판이 있는데도 *IS-LM*모형은 오늘날까지 대학의 학부 거시경제 교과서에서 국민경제를 설명하는 중요한 틀로 사용되고 있다. 이것은 이 모형이 지니는 간결함과 정교함 때문이 아닌가 여겨진다.

이러한 케인스학파의 접근에 대해 1950년대와 1960년대에 또 하나의 대안은 통화론자였다. 프리드먼을 중심으로 한 통화론자들은 케인스의 경제분석 방법과 주장에 모두 이의를 제기했다. 우선 통화론자들은 평균적으로 보아 사람들은 합리적으로 행동하고 개별 경제의 의사표시는 시장을 통해 조정된다고 생각했으며, 외부의 인위적인 시장 간섭은 오히려 시장을 왜곡시킨다고 생각했다. 통화론자들은 이러한 점에서 시장의 실패는 일반적인 현상이 아니며, 시장에 대한 인위적인 제약이 이를 불러일으킨다고 생각했다. 이들에게는 오히려 정부의 실패가 더욱 일반적인 것이며 문제였다. 따라서 통화론자들은 정부가 시장에 깊이 개입하지 말고 기본 규범의 집행과 공공재의 공급에 그 역할을 한정해야 한다고 주장했다. 통화론자들의 이러한 성향은 사실 고전학파의 전통을 이어받은 것이라 하겠다.

통화량 증가의 효과에 대한 통화론자들의 견해는 케인스학파의 분석과 일치하지 않는다. 통화론자들에 따르면, 통화량의 증가로 돈을 더 많이 갖게 된 사람들에 의해 재화나 용역에 대한 수요가 증가할 수는 있지만, 화폐수요는 이자율 변화에 그리 민감하지 않아 통화량 증가에 따라 이자율이 하락하더라도 화폐수요는 그리 늘지 않는다는 것이다. 또한 만약 사람들이 화폐환상을 지니지 않을 경우에는 통화량 증가로 인해 총수요가 증가해 물가가 상승하고 임금만 올라갈 뿐, 실제의 생산량과 고용량은 증가하지 않는다고 보았다(총수요의 증가로 물가가 상승하면 기업의 노동수요가 늘겠지만 화폐환상이 사라져 동시에 근로자들이 물가상승을 예측하므로 노동공급곡선도 따라서 변하게 된다. 결국, 노동시장에서는 고용량은 그대로이고 임금만 인상하게 된다. 고전학파의 경우를 생각하면 이를 쉽게 이해할 수 있다). 즉, 화폐는 중립적인 것이다. 그리고 이러한 통화론자들의 생각은 실질 부분과 명목 부분 간의 이분성을 지지하는 것이었다.

또한 실업률과 인플레이션 간의 상반관계(필립스곡선)에 대해서도 통화론자들은 동의하지 않았다. 통화론자들은 화폐환상이 존재하지 않으면 장기적으로는 인플레이션이 있어도 고용이 늘거나 실업이 줄지 않는다고 주장했다. 물론, 단기적으로는 화폐가 중립적이지 못해 인플레이션에 따라 실업이 줄어들 수도 있으나, 이는 어디까지나 조정 과정이라는 것이다. 따라서, 통화론자들은 화폐공급량의 변화를 통해 경제에 영향을 주려는 시도는 오히려 경제를 불확실하게 하고 자원배분을 왜곡시킬 뿐이라 주장했다. 그들은 화폐가 중립적인 한, 안정적 통화공급만이 최고의 정책이라고 생각했던 것이다.

통화론자들은 재정정책 역시 반대했다. 경기조절을 위한 단기적인 경제정책은 경제환경을 불안정하게 만들고 또한 구축효과에 의해 재정정책의 효과도 미지수라고 보았다. 조세(제도) 역시 일종의 사회규범이고, 정부재원 조달이란 장기적 목적에 의한 것인 만큼, 이를 자주 변경하는 것은 경제활동의 혼란만 가중시킬 것이라 주장했다. 결국, 통화론자들은 재정 정책 역시 장기적인 관점에서 안정적으로 집행되어야 한다고 생각했다. 이처럼 정부의 시장불개입, 금융정책과 재정정책에 대한 안정적 집행 등에 나타난 통화론자들의 생각에서 그들이 자유주의의 전통을 따르고 있음을 짐작할 수 있다.

이상에서 케인스학파와 통화론자들의 생각을 살펴봤다. 물론 그들이 화폐중립이나 경제정책에서 상당한 차이를 보이고 있음도 사실이지만, 양측 모두 총수요의 측면을 중시한 점은 공통점이라 할 수 있다.

그러나 이에 대해, 1980년대 들어서서 공급 측면을 중시하는 하나의 주장이 대두되었다. 1970년대를 통해 미국의 경제성장률이 둔화하고 노동생산성이 하락하면서 투자와 자본형성에 영향을 미치는 요인이 무엇인가를 재검토한 결과, 일군의 경제정책가들은 조세감면과 균형예산의 추진 및 기업의 환경인 규제 혁파를 통해 저축과 투자를 불러일으킬 수 있다고 생각했다. 이러한 연장선상에서 그들은 복지지출 삭감과 기업의 노동훈련을 강조했다. 이들의 경제정책은 실제로 레이건 행정부를 통해 실천되어 어느 정도 성공을 거두기도 했다.

출처 〈Fisher 외(Introduction to Macroeconomic, 1988), 이지순(거시경제학, 2000), 정운찬, 김영식(거시경제학, 2005) 등을 참고하여 본서의 목적에 적합하게 재구성 함〉

경제학자 이야기 11

현실주의자, 케인스

John Maynard Keynes(1883~1946)

케인스는 케임브리지 대학의 교수였던 존 네빌 케인스와 케임브리지 시의 시장이었던 플로렌스 브라운 사이에서 태어났으며 케임브리지 대학에서 수학과 경제학을 공부한 뒤 인도의 식민청에서 2년간 근무하기도 했다. 1914년 제1차 세계대전과 함께 재무부에서 일하기 시작했으며, 외환담당관을 거쳐 대전 후 파리강화회담의 재무부 수석대표를 맡기도 했다.

1936년에는 그의 대표작인『고용, 이자 및 화폐에 관한 일반이론』을 저술했으며, 1943년에는 국제통화기금IMF과 세계은행의 창설에 참여하기도 했다. 그는 이러한 활동을 통해 유효수요의 개념을 통한 소비수요, 투자수요, 정부지출 등의 총수요의 중요성과 정부의 재정정책을 옹호하고 고전학파의 자유방임주의를 강력히 비판했다. 그의 이러한 생각은 유효수요의 창출을 통한 불황 탈출의 계기가 되었다.

또한, 그의 국민경제에 대한 분석은 그후 거시경제학 성립의 기반이 되었다. 케인스는 20세기 경제학계의 최고봉이라 할 수 있으며, 오늘날 누구도 그의 영향에서 자유롭지 않다 하겠다.

3

정부는 무엇을 하는가

읽을거리

정부는 괴물인가

오늘날의 정부는 괴물과 같다. 야경국가시대처럼 치안유지나 국방 등의 기본적인 일들을 할 뿐만 아니라, 농업에서 예술에 이르기까지 매우 많은 일에 관여하고 있다. 과연 오늘날의 정부가 얼마나 많은 일을 해야 하고, 어떠한 일들을 해야 하는가는 국민경제에서 정부의 역할을 연구하는 사람들의 커다란 연구주제이자, 모든 국민의 관심의 대상이다.

출처 〈Kenneth B., Allen W., Economics of our free enterprise system, 16장, 1982〉

정부의 역할에 관한 논쟁

오늘날 개별 기업과 가계를 중심으로 하는 시장이나 국민경제 전체를 논의함에 있어, 과연 정부의 적절한 역할이 무엇인가 하는 것은 커다란 논쟁거리다. 미시적인 시장에 대한 논의에서도 시장이 그대로 방치되는 경우, 매우 불안정하며 그 기능이 제대로 작동하지 않는다고 믿는 사람들은 정부가 적극적으로 경쟁을 조장하고 교육과 같은 필요한 공공재를 공급해야 하며 공정한 소득분배를 위해 노력해야 한다고 생각한다.

반대로 정부의 적극적인 시장개입을 반대하는 사람들은 상황을 악화시키는 것은 시장이 아니라 오히려 정부라고 생각한다. 즉, 정부의 실패가 더욱 우려스러운 것이다. 그들은 시장에서 정부의 역할이 줄어들면 시장의 효율성이 더욱 높아질 것이라고 주장한다.

국민경제에 관한 논의에 있어서도—위의 경우와 논의되는 문제의 종류는 다르다 하더라도—정부가 무엇을 해야 하고 할 수 있는가 하는 것은 역시 커다란 논쟁거리다. 예를 들어 케인스와 비슷한 사고를 가진 사람들은 방치한 국민경제는 그 변동이 너무 심하기 때문에, 정부가 그 폭을 줄이는 데 중요한 몫을 해내야 한다고 생각한다. 즉, 그들은 정부가 조세나 정부지출을 조정함으로써 경제가 침체되어 있을 때 힘을 불어넣을 수 있다고 믿는 것이다. 예를 들어, 총수요의 부족으로 완전고용을 달성하지 못하고 있는 경우, 정부는 지출을 늘리고 세금을 인하하며 화폐공급을 확대해 이자율을 낮추는 등의 노력을 통해 경기를 활성화시킬 수 있다. 이와는 반대로 총수요의 과도로 인

부동산대책 집값 상승 못 꺾어

뛰는 집값을 잡기 위해 80년 말부터 정부가 내놓은 부동산 경기 억제 대책은 별다른 효과를 거두지 못한 것으로 분석되었다.

또 주택 가격에는 금리가 큰 영향을 미치는 만큼 금리 정책에 신중을 기해야 한다는 주장이 제시되었다. 20일 한국개발연구원(KDI)이 발표한 '주택시장 분석 과 정책과제 연구보고서'에 따르면 87년부터 2003년 2분기까지 발표된 정부의 부동산 억제 대책과 주택 가격과의 상관관계를 분석한 결과 정부 대책이 집값 상승을 꺾는 데 실패한 것으로 나타났다.

차문중 KDI 박사는 "정부의 활성화 대책이 부동산 경기 진작에 영향을 미쳤다는 증거를 찾을 수 없었다"며 "정부가 사태를 진단하고 대책을 수립해 시행에 들어가는 시간이 길어 회복 시점에 들어서야 정책이 실행되기 시작한 것 등이 이유가 될 수 있다"고 주장했다.

보고서는 거시경제변수와 주택가격과의 관계에 대해 금리가 국내총생산 통화량 등 다른 경제변수에 비해 주택시장에 확실하고 전방위적인 영향을 미쳤다고 분석했다.

《매일경제신문》 2005년 2월 21일
황형규 기자

플레이션의 위험이 있는 경우, 정부는 지출을 삭감하고 세금을 늘리며 화폐공급을 축소해 경기를 진정시킬 수 있다. 이처럼 재정정책이나 통화정책을 통해 경제를 안정된 상태로 이끌려는 정책을 '경기의 미세조정fine-tuning'이라 한다.

실업률과 물가상승 사이의 우하향하는 음의 관계를 보여주는 필립스곡선이 확인된 후, 초기의 케인스학파들은 이를 통해 일정 실업률을 줄이기 위해 어느 정도의 물가상승을 감수해야 하는가를 알 수 있고, 이를 정책에 반영함으로써 경제안정화정책을 성공적으로 추진할 수 있다고 생각했다. 케인스의 거시경제 모형과 함께 이러한 필립스곡선은 정부정책을 통한 경제안정에 커다란 확신을 주었다.

그러나 이와 견해를 달리하는 사람들은 정부가 지출이나 조세 등을 통해 국민경제에 적극적으로 개입할 경우, 결코 경제를 안정시킬 수 없으며, 잘못하면 경제를 더욱 불안정하게 만든다고 주장한다. 이러한 주장에는 재정정책이나 금융정책은 즉각적으로 경제에 영향을 끼치는 것이 아니라 상당한 시차를 두고 그 효과가 나타나며, 정책이

8 · 31 부동산대책 한달, 강남권 집값 하락 가시화

건설교통부는 8 · 31대책의 영향으로 집값이 하향 안정세를 기록하고 있다고 밝혔다. 특히 올 상반기 집값 상승을 주도했던 서울 강남과 경기 분당 · 과천 지역의 아파트 값은 8 · 31대책의 영향을 크게 받아 집값 하락세가 두드러지고 있는 것으로 조사됐다.

이밖에도 정부는 최근 전셋값 상승에 따른 서민 주거안정을 위해 보완책으로 주택금융공사 보증서 발급대상을 6등급에서 8등급까지 확대키로 했다.

추병직 건설교통부 장관은 29일 8 · 31부동산 종합대책 발표 한달을 맞아 가진 기자간담회에서 "정부 정책 발표 후 부동산 시장 전반에 투기목적의 수요가 사라지면서 실수요자 중심의 건전한 시장질서가 빠른 속도로 자리를 잡아가고 있다"고 말했다.

추장관은 "9월 한달간 아파트 시장이 매수세의 위축으로 본격 하락세를 나타내고 있고 전세가격도 안정세를 회복하는 등 정책의 효과가 긍정적으로 흐르고 있다"며 "입법조치 등 후속조치도 당정 · 여야간 긴밀한 협의 아래 일정대로 차질없이 추진하고 있다"고 설명했다.

《파이낸셜뉴스》 2005년 9월 29일
함종선 기자

효과를 발휘할 기간대의 경제상황을 예측하는 것이 사실상 불가능하다는 생각이 깔려 있다. 사실, 많은 가계는 지출 계획을 미리 세울 것이기 때문에 이자율의 변동을 곧바로 반영해 행동하기는 힘들며, 세금의 인상이나 인하도 국회를 통과하거나 여론을 반영해 조정하는 데에 상당한 시간이 걸린다. 따라서 어떤 정책이 효과를 발휘하는 시점의 경제상황이 잘못 예측되면, 그 정책은 오히려 경제에 악영향을 끼칠 수 있다.

프리드먼과 같은 통화론자들은 이러한 주장에 동조하는 대표적인 사람들이다. 그들은 정부는 가능한 한 시장에 개입하지 말고 일정한 준칙을 따라 안정적으로 경제정책을 운영해야 한다고 역설했다. 또한 필립스곡선에 대해서도 우하향(물가와 실업률의 부의 관계)의 특성은 단기적일 뿐이라 주장하고(즉, 단기의 정책효과는 어느 정도 인정하는 것으로 여겨짐), 오히려 장기적으로는 수직의 모양을 갖는다고 주장했다. 이러한 수직의 필립스곡선은 경제안정화정책이 장기적으로 실업률 하락에 아무런 도움을 주지 못함을 의미한다. 이를 흔히 '자연실업률가설' 이라 한다.

이에 대해 루카스R. Lucas와 같은 신고전파 경제학자들은 합리적 기대이론을 내세우며 단기적으로도 자연실업률가설이 달성되어 안정화 정책의 효과는 없다고 주장했다. 그들에 따르면, 사람들은 단순히 과거와 현재의 정보에 기초해 관심대상이 되는 변수의 미래에 대한 기대를 형성하는 것이 아니라(적응적 기대adaptive expectation), 사용할 수 있는 모든 정보를 활용해 미래에 대한 기대를 형성하며 또한 실수를 통해 학습하게 된다(합리적 기대rational expectation)는 것이다. 따라서 사람들은 정부가 확대경제정책을 쓸 것이라 생각하면 이러한 합리적 기대를 통해 물가상승율을 비교적 정확히 예상하게 되며, 근로자들은 곧바로 그만큼의 임금인상을 요청하게 된다. 이렇게 되면 사실상 단기적으로 팽창정책은 물가만 상승시킬 뿐 실업률에는 아무런 영향을 끼칠 수 없다. 이를 흔히 '정책 무력성의 명제policy ineffectiveness' 라 한다.

물론, 이러한 정책 무력성은 예상된 정책에 대해 나타나는 것이므로, 사람들이 예상할 수 없는 경우에는 나타나지 않을 것이다. 그러

사람들은 과거의 정보, 현재 사람들의 말, 인터넷이나 잡지 등을 통해 미래에 대한 기대를 형성하며 또한 실수를 통해 학습하게 된다.

나 예상치 못한 정책이라도 한번 시행되면 사람들은 그 실수로부터 깨달음을 얻어 다음부터는 합리적 기대를 하게 될 것이다. 또한 예상치 못한 정책은 주로 일관성을 상실하는 경우가 많은데, 이러한 경우 경제 내에 불확실성과 비효율성이 높아져 그 폐해가 심각할 수 있다. 이로부터 신고전파 경제학자들은 정부가 이러한 예상치 못하는 정책을 통한 미세조정을 지속적으로 할 수는 없을 것이라 주장한다.

그런데 이러한 정책 무력성의 명제 역시 오늘날 신케인스 경제학자들에게 도전받고 있다. 이들은 설령 합리적 기대를 인정한다 하더라도 임금의 계약기간 존속이나 시장정보의 불완전성, 기업의 가격변동에 따르는 메뉴비용 등으로 시장가격은 일정한 정도로 경직성을 띨 수밖에 없다고 주장하고 있다. 따라서 이들은 단기적인 정부의 자유방임적 태도에 반대하며, 시장의 불완전성을 보완하기 하기 위해서라도 정부의 개입은 필수적이라 주장한다.

현대 정부의 주요 역할

정부의 역할에 대한 서로 다른 견해에도 불구하고, 대부분의 사람들은 오늘의 경제사회에 있어서 정부가 대단히 중요한 경제의 주체로 막강한 힘을 가지고 있다고 생각하고 있다. 실제로 오늘날 대부분의 국가에 있어서 정부는 매우 중요한 역할을 수행하고 있을 뿐 아니라 국민경제 활동 전체의 규모 가운데 상당한 부분을 차지하고 있다. 예를 들어 미국을 포함한 선진국의 경우 최근의 GDP에서 차지하는 정

도표 62 | 우리나라 예산규모

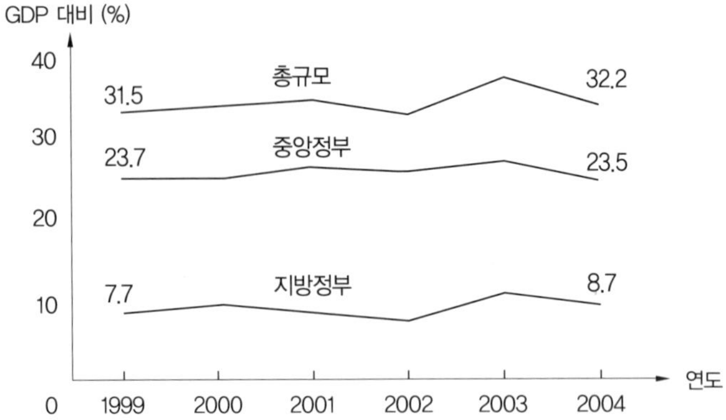

*1995년 기준 명목 GDP임. 2003년과 2004년은 예산안 편성 시(2003. 9)의 각 연도 전망치임

출처 〈통계청, 2001-2006, 통계자료(통계청 통계정보시스템)〉

부 재정의 규모는 평균 35%를 넘고 있다. 우리나라도 도표 62에서 볼 수 있는 것처럼 GDP에서 차지하는 정부 재정의 규모가 전체 GDP의 30%를 넘고 있다.

이와 같이 덩치가 큰 정부는 오늘날 구체적으로 어떠한 일들을 하고 있는가? 말하자면 정부는 복싱경기에서 심판의 역할을 하고 있는 셈이다. 복싱경기에는 비록 일정한 규칙이 있지만, 선수들은 상대방의 몸을 발로 차거나 머리로 받는 등의 반칙을 범할 수 있다. 여기에 만약 심판이 없다면 반칙을 당한 선수는 매우 불리하게 될 것이다.

국민경제의 시장에서 정부는 이와 같은 심판의 역할을 수행한다. 정부는 개인과 기업이 할 수 있는 것과 없는 것을 규율하기도 하며 도둑과 범죄로부터 각 경제주체들을 보호하기도 한다. 또한 정부는 시장의 효율적인 작동을 위해 이에 관한 규칙을 만들어 시행하기도 한다. 정부가 허위광고를 규제하거나, 시장에서의 경쟁을 유지하기 위해 공정거래법을 만들어 시행하는 것 등이 그 예다.

이와 함께 국민경제에서 정부는 의무 또는 공공교육이나 국방, 도로, 공원, 전화서비스 등 매우 많은 재화와 용역을 생산하기도 하고, 사무용품이나 관공서 건물 등의 필요한 물건들을 구매하기도 한다. 이 가운데 공공교육이나 국방과 같은 의무적인 것을 사용하는 사람은 직접적으로 그 값을 치르지 않는다. 그러나 고속도로를 사용하거나 정부의 유료 출판물을 구입하는 사람은 직접 그 비용을 치러야 한다. 그리고 이러한 생산과 구매에 있어서 정부는 때로는 사기업과 같이 비용과 이익을 고려할 것이다. 예를 들어 정부가 컴퓨터나 프로그램 같은 것을 구입하고자 할 때에는 시장에서 입찰을 통해 가장 유리한 회사의 물건을 사들이게 될 것이다.

정부는 또한 소득이나 자산 및 상품 등에 대해 부과한 세금을 지출

국민경제 시장에서 정부는 개인과 기업이 할 수 있는 것과 없는 것을 규율하기도 하며, 범죄로부터 각 경제주체들을 보호하기도 한다. 경기장의 심판과 같은 역할을 수행하는 것이다.

을 위한 중요한 정부수입원으로 삼는다. 소득세, 법인세, 영업세 등과 같은 납세자에게 직접 부과되는 직접세나 부가가치세나 물품세 등과 같이 물건에 부과되는 간접세 등은 바로 우리의 중요한 조세다. 조세들의 세율은 주로 정부가 결정하게 되는데, 소득세에서 볼 수 있는 바와 같이 소득이 높아질수록 높은 세율을 적용하는 경우도 있으며, 또 판매세의 경우와 같이 과세되는 물건의 값에 상관없이 일정한 세율을 적용하는 경우도 있다. 그리고 조세는 정부의 지출과 마찬가지로 개별시장에서 상품의 공급량과 가격 수준에 영향을 미침으로써, 간접적으로 자원의 배분에 영향을 미치기도 한다.

정부는 이러한 기본적인 일들을 수행하면서 경기의 커다란 변동을 억제하고 경제를 안정시키기 위해 적극적으로 노력한다. 대부분의 시장경제는 경기변동을 경험한다. 이 과정에서 정부는 고용과 생산의 수준을 높이고, 물가상승을 낮춤으로써 구매력을 증진시키기 위해 노력한다. 그리고 이러한 노력들은 주로 세금이나 정부지출 등을 조정하거나, 경제 내의 화폐량을 조정함으로써 이루어진다. 인플레이션이 심한 경우에 통화량의 팽창율을 줄이거나, 경제가 침체되어 있을 때 정부의 지출을 늘려 계획된 도로의 건설을 앞당기는 것 등은 바로 이러한 노력이라 할 수 있다. 이에 더해 특정 산업이나 경제의 잠재력을 키우기 위해 투자보조의 역할을 하기도 하며, 때로는 중소기업을 위한 투융자에 관여하기도 한다. 오늘날 시장경제체제를 유지하고 있는 대부분의 나라에서 이러한 정부의 기능은 매우 중요한 것으로 생각되고 있다.

이상과 같은 정부의 역할 이외에도 오늘날 많은 사람들은 정부가 소득의 공정한 분배를 위해서도 노력해야 한다고 생각하고 있다. 실제로 가난한 농가에 영농자금을 지원하거나 사회보장을 확충하는 것, 그리고 경제활동 능력이 없는 사람들에게 기본 생활자금을 지원하는 것 등이 모두 여기에 속한다. 오늘의 우리 사회에서도 역시 공정한 소득분배를 위한 논의들이 활발하게 진행되고 있다.

마지막으로, 오늘날 정부가 하고 있는 것으로 생각되는 또 하나의 일은 시장에 관한 정보의 수집과 이용에 관한 것이다. 시장경제에서는 물론 가격이 신호등처럼 가장 많은 정보를 전달해준다. 그렇지만 국민경제 전체의 흐름에 관한 정보는 개인으로는 알기 어려운 때가 있다. 국민소득통계나 물가통계 등을 정부나 공공기관이 추계하고 있는 것도 이런 이유에서다. 여기서 정부는 시장의 효율적인 작동을 위해 올바른 정보는 확산시키고, 왜곡되거나 잘못된 정보는 그 흐름을 차단해야 할 것이다.

이상과 같은 역할을 수행하기 위해 정부는 수입을 가져야 하며, 이러한 수입을 이루는 것으로서 조세수입이나 담배나 인삼 등을 중심으로 하는 전매수익금, 그리고 예탁금 등을 들 수 있다. 우리나라의 경우 조세는 전체 세입의 80% 이상을 차지하고 있는 정부의 중요한 수입원이며, 전체 GDP의 20% 이상을 차지하고 있다.

이러한 수입을 바탕으로 정부는 위에서 살펴본 여러 가지 역할을 수행하기 위해 지출 계획을 세우게 되며, 이 계획은 국민경제에 매우 중요하기 때문에 대부분의 국가에서는 국회의 동의와 사후 추인 과정을 거치게 하고 있다. 이것이 바로 예산이다. 정부는 이러한 예산을 바탕으로 여러 가지 일들을 하게 되는 것이다.

도표 63 | 조세부담률

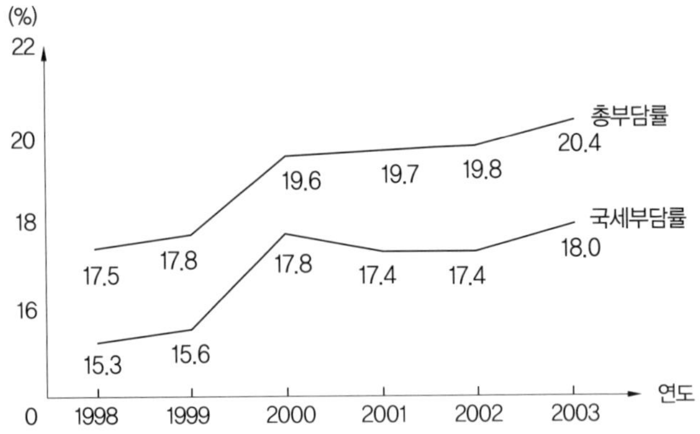

*2000년 기준 명목 GDP임

출처 〈통계청, 2001-2006, 통계자료(통계청 통계정보시스템)〉

정부의 예산규모는 그 국가의 상황에 따라 크게 다르다. 예를 들어 앞에서도 보았듯이 우리나라의 최근 예산규모는 GDP의 30% 정도인데 반해, 사회보장에 크게 치중하고 있는 스웨덴(1984)은 재정규모가 GDP의 35%를 넘으며, 미국은 제2차 세계대전 중이었던 1944년에 정부지출이 GDP의 약 46%였다.

역할 수행을 위한 정책수단

오늘날의 시장경제에서 정부가 모든 일을 다 할 수 있는 것은 아니다. 그러나 정부는 주어진 범위 안에서 여러 가지 수단을 동원할 수 있으며, 흔히 이러한 수단으로 언급되는 것이 조세, 정부의 소비 및 투자지출, 정부의 이전지출, 그리고 통화량의 조정 등이다(그러나 통화량의 조정은 금융과 관련된 부분에서 이야기하기로 하고 이 장의 논의에서는 제외하기로 한다).

사실 이러한 정책수단 가운데에는 정부가 의회의 동의를 얻어 직접 통제할 수 있는 것도 있지만 부분적으로만 통제할 수 있는 것도 있다. 예를 들어, 세율의 결정이나 정부의 구매를 위한 지출과 같은 것은 정부가 의회의 동의를 얻어 직접 통제할 수 있다. 법에 의해 의회는 세율을 결정할 수 있는 권한을 가지며, 이에 따라 누가, 무엇에 대해, 얼마만큼의 세금을 낼 것인지가 결정되고 행정부는 이를 집행할 수 있기 때문이다. 또한 정부가 필요한 재화나 용역을 구매할 때에도, 예산을 통해 의회의 동의를 얻어야 하지만 알고 보면 이 역시 정부의 필요성에 입각해 있다.

그러나 조세수입이나 재정적자의 규모 및 외채 등은 정부가 마음대로 할 수 있는 것이 아니다. 그 단적인 예로 조세수입은 과세대상의 소득이나 이윤 및 세율에 의존하며, 설령 세율을 정부가 마음대로 조정할 수 있다 하더라도 소득이나 이윤은 정부의 통제를 벗어난 것이다. 따라서 정부가 수입을 직접 통제할 수 없으므로 재정적자의 규모 역시 정부가 마음대로 통제할 수는 없는 것이다.

위에서 예로 든 정부의 여러 가지 정책수단들은 국민경제 전체의 견지에서 볼 때에는 주로 총수요와 관련된 것이다. 우리는 앞장에서 정부의 지출이 총수요의 중요한 구성부분임을 보았다. 그리고 만약 소비자의 소득세율이나 기업의 법인세율을 낮추게 되면, 소비자의 가처분 소득이 늘어나 소비가 증가하거나, 기업의 경우 투자를 위한 자금이 늘어날 수 있을 것이다. 이것들은 총수요의 증가를 의미한다.

여기서 정부지출에 대한 약간의 설명이 필요하다. 정부지출은 예를 들어 몇 가지 형태로 이루어진다. 우리나라의 정부지출은 도표 64에서도 나타나는 바와 같이 경상지출, 자본지출, 순융자 등의 형태로 이루어진다. 그런데 여기서 경상지출의 소비지출(급료를 포함하는 재화와 서비스의 구입)과 자본지출(도로, 항만, 교육투자 등)은 그 자체로 총수요의 증가를 통해 국내총생산을 증가시킨다. 그러나 이자의 지급이나 실업자 및 노령자 등에게 지급하는 이전지출이나 수출 보조금, 특정 산업에 대한 보조금, 그리고 민간에 대한 대여의 형태를 취하는 중소기업이나 수출산업에 대한 융자 등은 그 자체로 직접 총수요를 증가시키지는 않는다. 물론, 정부의 이러한 지출도 수혜자들이 이를 근거로 소비나 투자활동을 증가시킬 것이기 때문에 결국 총수요를 증가시키고 국내총생산을 증가시킬 것임은 분명하다.

또한 도표 64에서도 나타나 있듯이 정부의 재정수입 역시 눈여겨봐야 할 대목이다. 한편으로는 이러한 수입 없이는 지출이 불가능하기 때문이며, 다른 한편으로는 지출뿐만 아니라 재정수입의 방식 역시 중요한 정부의 정책수단이기 때문이다. 예를 들어, 정부가 기업의 법인세율이나 개인의 소득세율을 낮추면 투자재원이나 가처분 소득이 늘어나 총수요가 늘어날 가능성이 있으며, 이는 단기적으로는 국내총생산을 높이게 되고 경제활성화에 도움이 될지도 모른다. 참고로, 우리나라 재정수입의 80% 이상은 조세수입으로 이루어지며, 세외수입은 정부에 들어오는 수수료, 입장료, 벌금 등의 형태를 띠고 있다.

오늘날 전세계적으로 정부는 사회복지 분야에 깊은 관심을 표시하고 있으며, 이러한 연유로 많은 나라들에서는 국민들의 조세부담이

도표 64 | 우리나라 중앙정부의 재정 현황(2003년 기준)

	금액(100억 원)	구성비(%)
Ⅰ. 경상지출	13,290.0	84.8
• 재화와 서비스 구입	2,981.2	19.0
• 이자 지급	659.4	4.2
• 보조금 및 경상이전	9,649.4	61.5
Ⅱ. 자본지출	2,661.4	17.0
Ⅲ. 순융자	−270.3	−1.7
재정지출 합계(Ⅰ+Ⅱ+Ⅲ)	15,681.0	100.0
Ⅰ. 경상수입	16,850.3	99.2
• 조세수입	13,536.7	79.7
소득세	2,078.7	12.2
법인세	2,563.3	15.1
부가가치세	3,344.7	19.7
특별소비세	473.3	2.8
관세	684.7	4.0
• 세외수입	3,313.6	19.5
Ⅱ. 자본수입	139.4	0.8
재정수입 합계(Ⅰ+Ⅱ)	16,989.7	100.0

* 재정경제부, 『한국통합재정수지』, 2004

높아져왔다. 여기서 조세수입이 국내총생산GDP에서 차지하는 비중(조세수입/명목 GDP)을 흔히 '조세부담률'이라 하는데, 이 지표는 국민들이 벌어들인 소득 중 정부가 얼마 정도를 가져다 쓰는지를 뜻한다고 할 수 있다. 최근 우리나라의 조세부담률은 20% 정도로 스웨덴(35.3%), 영국(29.7%), 프랑스(27.7%) 등 주요 선진국에 비해서는 아직 낮은 편이다.

그런데 앞에서 언급한 재정수지 현황에서 알 수 있듯이 우리나라의 경우, 재정수입이 지출을 약간 상회해 비교적 건전한 재정운용을 하고 있다. 그렇다면 재정지출이 수입을 초과하는 적자재정은 나쁜 것인가? 이에 대해서는 여러 가지 논쟁이 있을 수 있다.

예를 들어, 케인스주의자들은 경기회복과 실업해소를 위해서는 정부가 지출을 늘릴 수밖에 없고 따라서 정부가 반드시 균형재정을 유지해야 할 필요는 없다고 주장한다. 그러나 다른 한편으로는 현재의 재정적자는 후손들에게 과중한 조세부담을 안겨주며, 미래세대가 사용할 재원을 현재 세대가 사용한다는 측면에서 세대간 공평성에 문제가 있을 수도 있다. 뿐만 아니라 한번 지출이 늘어나게 되면 좀처럼 줄이기 힘든 것이 현실적인 상황이어서 되도록 지출을 증가시키지 않으려는 움직임 역시 강하게 일어나고 있다. 이러한 균형재정의 문제는 앞으로도 중요한 논쟁으로 남을 것으로 여겨진다.

도표 65 | 정부의 확대재정정책

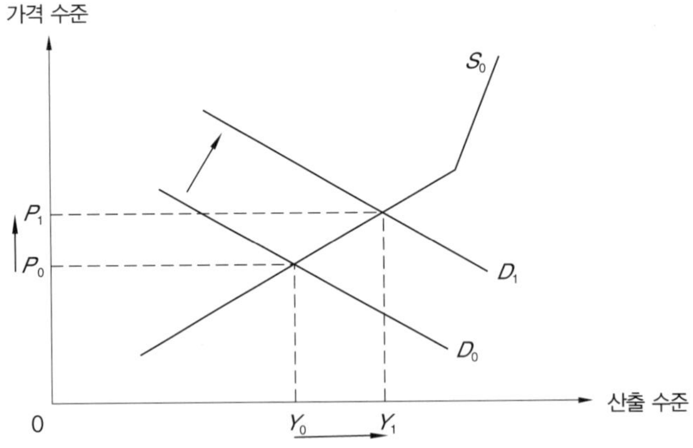

이런 사상을 바탕으로 할 경우 만약 정부가 단기적인 경기부양을 위해 소득세와 기업의 법인세율을 낮추거나 정부의 소비지출이나 투자지출을 증가시키게 되면, 어떠한 일이 일어날까? 앞장의 총수요와 총공급을 중심으로 한 논의들을 토대로 하면, 이는 도표 65에서 보여지듯이 총수요곡선이 오른쪽으로 이동함에 따라 총수요가 증가할 것이다. 따라서 경제 내의 산출 수준은 높아질 것이며, 물가 역시 어느 정도 상승하게 될 것이다.

경제정책의 결정 과정

이상에서 우리는 정부가 국민경제에서 어떠한 역할을 하며, 어떤 정책수단들을 가지고 있는지, 그리고 그러한 정책을 시행한다는 것이 국민경제 전체에서 무엇을 의미하는지에 대해 이야기해보았다. 그러나 오늘날 많은 경제학자들은 이러한 정책의 결정이 경제적이라기보다는 상당부분 정치적인 과정임을 언급하고 있다. 오늘날 대부분의 시장경제가 민주주의 정치체제를 가지고 있음으로 해서, 한편으로는 하나의 정책에 대해서도 그 효과의 분석이 다양할 수 있으며, 사회 내의 각 집단들은 자신의 입장을 중심으로 논리를 전개하려 할 것이기 때문이다.

이처럼 정책의 결정 과정이 정치와 맞물려 있다는 점과 관련해 정책결정자들의 공공선택에 대한 몇 가지 다른 의견을 제안하기도 한다. 지금까지 이야기되어온 한 가지 생각은 정책결정자들이 사회복지의 감소를 최소화하려 한다는 것이다. 즉, 실업해소, 물가억제, 생산 수준 향상 등의 정책목표를 중심으로 국민들의 복지 수준이 떨어지는 것을 막기 위해 최선을 다한다는 것이다(복지감소 최소화이론). 그런데 실제로는 사회복지 감소의 최소화를 가져올 수 있는 정책수단의 발견이 커다란 문제로 지적되고 있으며, 정책결정이 매우 복잡한 과정임에도 불구하고 너무 기계적으로 생각한다는 비판을 받고 있다.

또 다른 관점은 정책결정자들은 사회적 선을 최대화하기보다는 자신들의 복지와 효용을 최대화하려 한다는 것이다. 이러한 관점에서 생각하면 정책결정자들은 자신들의 정치적 장래와 관련해 투표손실 vote loss을 최소화하려 할 것이다(투표손실 최소화이론).

이들은 왜 사회복지 감소의 최소화가 실제 정책결정에서 적용되지 않는가에 대해, 투표자들의 행동에서 집단적인 합리성을 보장할 수 없다는 점을 전제로 다음과 같은 가설적인 제안을 하고 있다. 투표자들은 근시안적이어서, 투표 직전의 경제 상태에 커다란 영향을 받게 된다. 예를 들어 투표 전의 경기부양 등은 재집권에 유리하다는 연구들이 있다. 또한 인플레이션보다는 실업이 투표자들의 투표 행위에 더욱 큰 영향을 미친다. 그리고 대부분의 정치가들은 정부의 돈을 씀으로써 사람들에게 인심을 얻으려 하지, 세금을 많이 거두어들인다거나 필요한 비용을 투표에 영향력이 있는 민간에게 직접 부담시키는 것을 좋아하지 않는다는 것이다. 이렇게 생각하면 정치가들에게 인플레이션을 가라앉히거나 정부의 균형재정을 위한 노력을 기대하기는 어렵다. 즉, '투표손실을 최소화'하는 정책들이 정책결정자들에게 채택되는 것이다.

이러한 공공선택이론과 함께 언급할 수 있는 또 다른 이론은 '정치집단 이론partisan theory'이다. 이 이론은 이념적으로 정치가들을 상대당과 경쟁하는 지도자로 파악한다. 진보와 보수를 표방하는 두 그룹의 정당을 상정하고 진보정당은 고용과 소득분배에 역점을 두는 반면, 보수정당은 물가안정을 중시한다고 생각한다. 즉, 사람들은 진보정당이 정권을 잡으면 정부지출을 늘릴 것이고, 보수정당이 집권하면 물가안정정책을 펼 것이라 생각하므로 정책은 사회복지 감소의 최소화에 초점이 두어지기보다는, 집권당의 이념실현이란 측면에서 결정되기 쉽다는 것이다.

그러면 실제로 오늘날의 시장경제는 주로 어떠한 정책결정 과정을 거치게 되는가? 오늘날의 시장경제에서 시민(유권자)들은 정책결정의 담당자들에게 자신이 좋아하는 것을 투표나 여론의 형성을 통해 표현하고 이의 채택을 위해 때로는 로비활동을 벌이기도 한다. 이 과정에서 정책결정자는 조용한 다수의 이익에 따르기보다 소수의 적극적 반대자나 찬성자의 이익에 따라서 정책을 세우는 사례가 많다. 또한 정책결정자가 자신의 이익을 도모해 불필요하게 사업의 규모를 확장하거나 쓸모없는 기구를 확장하는 경우도 많다.

그러나 일반적으로 부정직하고 공정하지 못한 정책은 결국은 효율성이 저해되는 결과를 낳게 되므로, 시민에 의해 선출되는 정책결정자들은 정책의 선택에서 결국은 조용한 다수의 이익을 무시할 수 없게 될 것이다. 이렇게 결정된 정책은 관료들에 의해 실행되며, 국회와 같은 정책 관련 입법자들은 그 실행의 과정을 감독하는 역할을 하게 된다.

그런데 사실 이러한 정책결정 과정에는 매우 많은 어려움이 따르

공공 경제정책의 결정 과정

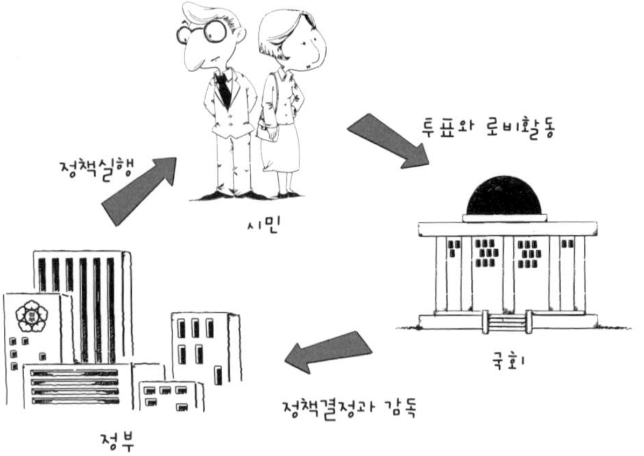

다. 투표로 정책을 결정할 경우에도 우선 어떤 정책들을 중심으로 투표할 것인가가 하나의 중요한 문제로 등장할 것이다. 예를 들어 투표에 부쳐지면 다수의 지지를 받을 수 있는 어떤 정책이 투표의 대상에서 빠지는 수도 있다. 그리고 처음에 어떤 안을 중심으로 투표하느냐 하는 것도 다음 선거에 영향을 미칠 수 있다. 이와 관련해 다수결원칙의 논리적 불일치를 흔히 투표의 역설이라 하기도 하는데, 이미 제2부에서 언급한 바 있다. 뿐만 아니라 때로는 집단간의 협상에 의해 실제로 가장 좋은 안이 채택되지 않거나, 채택이 늦어지는 수도 있다.

요약하면, 기본적으로 모든 사람이 동의하는 안은 거의 존재하지 않는다는 점과, 그 경제사회 내의 각 집단은 서로 다른 의견을 가지고 있다는 점이 오늘날 경제정책의 결정을 어렵게 만드는 핵심요인이라 하겠다.

요약

이 장에서 우리는 과연 오늘날의 정부가 국민경제에 있어 어떠한 역할을 수행하는가를 중심으로 이야기를 전개했다. 이러한 과정에서 정부는 어떠한 정책수단을 가지고 있는가도 역시 우리의 커다란 관심사였으며, 주로 재정정책의 수단들을 통해 이를 논의했다. 그리고 정책의 결정은 현실적으로 단순한 경제적인 면뿐만 아니라 정치적인 측면도 중요시됨을 살펴봤다.

중요개념

- 정부의 역할
- 케인스주의, 통화주의, 신고전파, 신케인스학파
- 정책수단 – 정부지출, 조세
- 균형재정, 적자재정
- 정책결정
- 복지감소 최소화이론, 투표손실 최소화이론
- 공공선택이론, 정치집단이론

더 깊이 이해하기: 조세의 영향과 조세정책

조세가 시장의 복지에 영향을 미친다는 것은 이미 널리 알려진 사실이다. 다음은 판매세(S_2) 또는 소비세(D_1)의 세금이 부과된 후의 시장참여자들의 복지 변화를 나타내고 있다. 이때 조세 부과 후를 보면 생산자와 소비자의 잉여감소분($b+c+d+e$)이 정부에 의한 조세수입분($b+d$)을 능가하게 된다. 즉, 이 경우 전체 시장복지의 감소인 ($c+e$)만큼을 우리는 흔히 '자중손실deadweight loss'이라 한다. 이러한 자중손실은 조세로 인해 소비자가격이 상승하고 생산자가격이 하락해 소비자와 생산자가 이러한 유인에 반응하기 때문에 생겨나는 것으로, 생산자와 소비자의 교환의 이익 실현을 방해하게 된다고 볼 수도 있다.

도표 66 | 조세와 복지변화

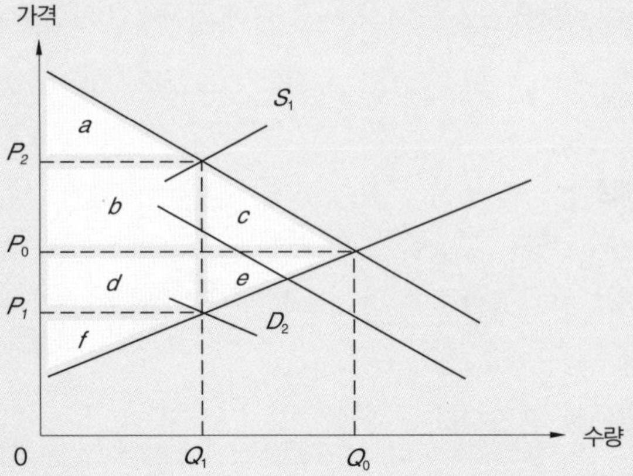

위의 그림에서 보는 바와 같이 판매세가 부과되어 생산자의 공급에서 S_1의 형태(P_2의 가격)가 되든, 소비세가 부과되어 소비자의 수요에서 D_1의 형태(P_1의 가격)가 되든, 균형가격(P_0)은 변화하게 된다. 그러면 시장에서 정부 세금수입으로 [$b+d$]를 갖게 되지만, 소비자는 [$b+c$]의 잉여를 상실하고 생산자는 [$d+e$]의 잉여를 상실하게 된다. 결국 시장 전체의 잉여는 [$b+d$]만큼은 정부가 갖게 되지만 [$c+e$]는 시장에서 줄어들게 된다. 이 부분이 바로 자중손실이다.

그러면 바람직한 조세제도는 어떠해야 하는가? 많은 사람들은 효율성과 형평성을 동시에 지니는 조세제도를 바람직한 것으로 생각하고 있다. 이를 어떻게 고안하느냐는 커다란 논의의 대상이기도 하다.

도표 67 | 조세 후 복지변화

	조세 없을 때	조세 부과 후	변화분
소비자 잉여	$a+b+c$	a	$-(b+c)$
생산자 잉여	$d+e+f$	f	$-(b+e)$
세금수입	없음	$b+d$	$+(b+d)$
전체 잉여	$a+b+c+d+e+f$	$a+b+d+f$	$-(c+e)$

여기서 조세의 효율성은 자중손실과 세금부담자의 행정적인 짐을 최소화하는 조세를 말한다. 조세는 시장 전체로 볼 때 자중손실을 발생시키지만, 세금납부자 자신의 개인적 견지에서도 서류의 준비와 계산 및 회피전략의 마련 등에 시간과 돈을 투자하기 때문에 이를 최소화하는 것은 효율적 측면에서 매우 중요하다.

이러한 조세의 효율성과 관련해 우리는 몇 가지 유형의 조세제도를 생각할 수 있다. 하나는 한계세율의 개념을 도입하는 것으로, 이는 추가적인 1원에 대해 지불되는 세액을 말한다. 한계의 개념은 흔히 사람들의 현시점의 의사결정을 좌우하기 때문에, 사람들의 현재의 근로의욕에 직접적인 영향을 끼치게 되고 자중손실을 좌우할 수 있어 중요한 고려의 대상이 된다. 평균세율은 전체 금액에 부과된 세액 전체의 비율을 말하며, 세금 부담자가 전체적으로 얼마를 희생하는가를 측정하는 데에 유용하다. 이를 통해 소득 중 세금에 들어간 부분을 표시할 수 있다.

이와 더불어 일정세액제도Lump-Sum Tax를 생각해볼 수 있는데, 이는 얼마의 소득이나 행동에 상관없이 일정액의 세금을 부과하는 것이다. 따라서, 이 경우에는 소득에 따라 평균세율은 변하지만, 한계세율은 제로가 된다. 이 세금제도는 일면 매우 효율적이다. 개인의 행동이 세액을 변화시키지 않기 때문에(열심히 일해서 많이 벌어도 세금은 그대로), 세금이 유인제도에 영향을 끼치지 않아서 자중손실을 크게 발생시키지 않을 수 있다. 뿐만 아니라 모든 사람이 쉽게 세금을 계산할 수 있어 행정적인 부담도 거의 없다. 그런데 이 세금제도는 평등의 측면에서는 많은 문제가 생겨 현실세계에서는 적용하기 어려운 측면이 있다. 즉, 정부로부터 많은 혜택을 받는 사람이나 그렇지 않은 사람이 모두 같은 세금을 낸다면, 이 또한 불공평한 일이 아니겠는가.

다음으로 고려해야 할 부분은 조세의 형평성이다. 이는 조세의 짐이 누구에게 있어야 하는가에 대한 논의와 연결된다. 조세제도가 형평성을 지녀야 한다는 점에 대해서는 누구나 동의하지만, 그것의 의미가 무엇인가에 대해서는 많은 의견의 불일치가 있다.

형평성에도 몇 가지 원칙이 있다. 하나는 편익의 원칙Benefit Principle인데, 이는 정부의 서비스로부터 받는 편익에 기초해 그 사람의 세금이 결정되어야 한다는 원칙이다. 이에 따라 휘발유세는 정부제공의 도로이용과 관련된 것으로 생각할 수 있으며, 부자는 국가의 혜택을 더 많이 받을 가능성이 크므로 많은 세금을 내야 한다고 생각하기도 한다. 또 하나는 능력의 원칙Ability-to-Pay Principle이다. 이는 짐을 많이 질 수 있는 사람에게 그에 맞는 조세가 부과되어야 한다는 생각으로, 모든 시민은 정부를 보조하기 위해 같은 희생을 치러야 한다는 생각을 반영한 것이기도 하다. 즉, 100만 원을 가진 사람이 10만 원을 낸다면, 1,000만 원을 지닌 사람은 100만 원을 내야 그 희생이 비슷하다고 생각하는 것과 같다.

그런데 이러한 능력의 원칙에는 수평적 평등과 수직적 평등이 있다. 수직적 형평vertical equity은 많은 능력의 소유자가 많은 세금을 내야 한다는 원칙으로 비례세proportional tax(부자나 빈자나 동일 비율의 세금을 납부함), 역진세regressive tax(고소득층이 저소득층보다 작은 비율의 세금 납부. 예를 들어, 일정세액제도는 일종의 역진적인 조세임) 및 누진세progressive tax(고소득층이 저소득층보다 높은 비율의 조세를 납부함) 등을 생각할 수 있다. 또한 수평적 형평horizontal equity은 비슷한 능력의 소유자는 비슷한 양의 세금을 내야 한다는 원칙이다. 그런데 비슷한 능력을 고려하기란 사실상 극히 어렵다. 예를 들어, 같은 5,000만 원의 소득 수준이라도 아이가 없는 경우와 병이 있는 경우, 아이가 있는 경우 등의 각각의 상황을 고려하고 비교하는 것이 어렵기 때문이다.

사실, 이러한 여러 원칙을 고려해 바람직한 조세제도를 만든다는 것은 매우 어렵다. 또한 흔히 세금은 그것을 처음에 납부하는 사람에게 부담이 가는 것처럼 보이기도 하지만, 자세히 따져보면 그렇게 말하기도 어렵다. 예를 들어, 밍크코트를 사는 사람들은 부자일 가능성이 높다고 생각해 이들에게 높은 수준의 소비세를 부과했다고 하자. 물론 처음에는 조세부담이 이들에게 주어지겠지만, 이들이 밍크코트의 가격상승 때문에 여우코트나 다른 상품을 택하게 되면 결국 밍크코트 생산공장에서 일하는 노동자에게 피해가 갈 수 있으며, 이들 노동자들은 전혀 부자가 아니지만 일정부분의 부담을 지게 된다. 형평한 조세는 이처럼 설계하기가 어렵다.

그런데 오늘날 몇몇 사람들은 고정율세Flat Tax제도를 주장하기도 한다. 예를 들어, 홀R. Hall과 라부시카A. Rabushka(1980년대 초) 등은 이러한 주장을 한 대표적인 사람이다. 이는 경제 내의 모든 소득 계층에 적용할 수 있는 단순하면서도 낮은 세율의 조세제도를 말한다. 예를 들어, '세금=0.15×(소득 - 1,000만 원)'과 같은 제도다. 이때 0.15는 세율이며, 100만 원은 소득공제금액이다. 이 경우, 소득공제 때문에 이 조세제도는 누진적 역할을 할 수 있다. 예를 들어, 900만 원밖에 소득이 없는 사람은 오히려 세금이 음(-)이 되어 정부로부터 15만 원의 보조금을 받을 수 있게 된다.

물론 이러한 고정율세Flat Tax에 대해서는 논란이 많으며, 아직 정답은 없다. 예를 들어, 대출공제, 기부공제 등의 많은 부분을 제거하고 소득공제만 인정하면서 세율을 낮추기 때문에 가처분 소득을 늘려 경제의 효율성을 증진시킬 것이라 주장하기도 하고, 납세자의 행정적인 부담을 덜어준다는 장점을 언급하기도 한다. 그러나 이 제도는 수직적 평등의 측면을 등한시할 수 있으며, 현재의 조세제도보다 덜 누진적이라는 비판을 받고 있기도 하다.

출처 〈Mankiw G., Principles of Microeconomics, 8장, 1997〉

경제학자 이야기 12

신케인스학파 거시경제학

New Keynesian

신고전학파 거시경제학이 정보와 예상의 개념을 경제분석에 도입하고, 완전경쟁적인 시장구조와 신축적인 가격을 가정해 거시경제의 움직임을 설명하려 한다면, 신케인스학파new Keynesian는 불완전한 시장구조(주로 독점적 경쟁시장) 아래서 가격과 임금의 경직성을 도출하고 이를 바탕으로 거시경제 변수들의 변동을 설명하려 한다. 신케인스학파는 실물부분과 화폐 간의 고전적 이분성을 부인하고 실질변수와 명목변수의 상호 관계를 중시하며, 시장의 불완전성이 경제 변동의 중요한 요인이라 생각한다.

신케인스학파는 신고전학파의 합리적 기대는 수용하되, 모든 시장은 항상 청산된다는 가정에 대해서는 회의적이다. 즉, 가격변수는 현실적으로 완전히 신축적이지 못하기 때문에 즉각적인 시장 메커니즘의 작동은 어려우며, 따라서 합리적 기대가설을 도입하더라도 통화정책이나 케인스적인 안정화정책도 여전히 유효할 수 있다는 것이다. 예를 들어, 피셔S. Fisher는 합리적 기대가설을 수용하면서도 명목임금의 장기 계약이 있는 경우 통화정책은 유효할 수 있음을 주장해 신고전학파 거시경제학의 정책 무력성 명제를 반박했다. 피셔에 따르면, 예를 들어 2년마다 계약이 체결된다고 가정할 때, $(t-2)$기에 Pt에 대한 예상은 합리적 기대가설에 의해 형성될 수 있으나, 이는 제한적일 수밖에 없다는 것이다. 왜냐하면, (t-2)기에 t기의 물가를 예상할 경우, 민간이 정부의 반응을 예상할 수 있다 하더라도 (t-1)기의 자료를 이용할 수 없기 때문이다. 따라서 민간이 합리적 기대를 하고 정부가 체계적인 정책을 사용한다 하더라도 단기적으로 정부의 정책은 유효할 수 있다는 것이다.

이러한 단기적 안정화정책의 유효성에 대한 주장 이외에도, 과연 모든 경제주체가 동일한 정보를 공유할 수 있는가에 대해서는 의문의 여지가 있다. 대부분의 경우, 정부는 민간보다 더욱 정확하고 체계적인 정보를 가지고 있으며, 또한 정보획득의 비용이 과다하다면 사람들은 비용편익분석을 통해 그 정보의 획득을 포기할 수 있다. 이 경우, 각 경제주체간에 정보의 비대칭성이 있을 수 있다. 이렇게 되면 정부가 체계적인 정책을 추진한다 하더라도 단기적 안정화정책은 효과가 발생할 수 있게 된다.

그러면 좀더 동태적인 측면에서 얼마나 오랫동안 화폐의 실질변수에 대한 효과가 지속될 것인가? 이는 가격설정자들이 어떻게 행동하는가에 달려 있다. 예를 들어, 가격설정자들은 임금계약처럼 일정 기간 동안 가격을 고정시키거나(또는 미리 결정하거나), 가격을 일정하게 유지하는 데에 드는 기회비용이 일정 수준을 넘을 때 가격을 다시 설정하는 방식으로 행동할 수 있다. 전자를 '시간의존형time dependent'이라 하고 후자를 '상황의존형state dependent'이라 한다. 여기서 가격을 변화시키는 데에는 두 가지 비용이 드는 것으로 여겨진다. 하나는 불완전정보로 말미암아 새로운 상태를 학습하는 데에 드는 비용이고, 다른 하나는 실제로 가격을 바꾸는 데에 드는 비용이다. 이때 전자의 비용이 후자보다 크게 높으면, 가격설정자는 시간의존형으로 행동할 것이면, 그 반대의 경우는 상황의존형으로 행동할 것이다.

또한 신케인스학파는 신용시장의 불완전성을 중시하기도 한다. 신용시장의 불완전성은 주로 자금의 공급자(대여자)와 수요자(차입자) 간의 정보의 비대칭성을 의미하는데, 자금 수요자가 일반적으로 공급자에 비해 더욱 정확한 정보를 지니고 있는 것이 일반적이다. 이러한 비대칭성으로 인해 신용시장은 불완전해지며, 이자율의 자원배분 기능이 저하되고 때로는 신용할당이 이자율의 자원배분 기능을 대체하기도 한다. 예컨대 통화량이 변화할 때 신용시장이 불완전하면 이것이 은행대출 규모를 변화시켜 경제에 영향을 끼칠 수도 있으며, 은행대출이 총수요 결정에 중요한 역할을 하는 경우에는 총수요에 커다란 영향을 주게 된다. 또한 신용시장의 불완전성 때문에 경기변동이 신용시장을 거치면서 그 폭이 더욱 커진다.

결론적으로, 신케인스학파의 기본구도는 불확실성 아래서 불완전하고 비대칭적인 정보를 소유한 경제주체와 각종 정보비용의 존재가, 각종 시장의 불완전성과 가격의 경직성 및 수량조절을 불러온다는 것이다. 그리고 이것이 통화정책을 비롯한 단기의 총수요관리정책이 효과를 발휘하는 근거가 된다는 것이다. 물론 이러한 신케인스학파의 생각은 모형의 내적 정합성의 측면에서는 신고전학파 거시경제학보다 뒤질지 모르지만, 현실을 중시해 점진적인 가격조정(단기적으로는 수량조정)을 사용한다는 점에서는 그 나름의 장점을 지닌 것으로 여겨진다. 따라서 신케인스학파의 정책관은 결국 정부의 정책을 정당화하고 시장을 불완전하게 취급한다는 점에서 케인스의 정책관과 일치한다 하겠다.

4

돈이란 무엇인가

| 화폐와 금융기관 |

읽을거리

어느 날 어떤 돈 많은 왕이 신전에 찾아가서 제사장에게 "나는 곧 먼 나라로 여행을 떠날 계획인데 그동안 나의 금을 맡아주시오"라고 부탁했다. 기쁨을 감추려 애쓰며 제사장은 "이것은 대단히 어려운 일입니다만 기꺼이 맡아드리겠습니다"라고 대답했다. 왕은 1만 루페의 금을 그 신전에 옮겨놓고 금보관증서를 받아 가지고 돌아갔다.

왕이 돌아가자마자 영리한 제사장은 다른 성직자들에게 "지금 곧 시내의 상인들에게 가서 우리가 금을 빌려준다고 말하시오"라고 했다. 곧 한 거상이 금을 빌리고자 제사장에게 찾아왔다. 그 상인으로부터 제사장은 빌려간 금과 함께 약간의 금을 더 갚을 것을 약속받았다. 그 상인은 자신이 빌린 금을 바라보며 "저에게는 이 많은 금을 보관할 장소가 마땅치 않으니 이것을 대신 맡아주십시오. 그리고 제게는 언제라도 필요할 때 돈을 사용할 수 있다는 증서만 주시면 됩니다" 하고 돌아갔다. 그 다음 날엔 다른 상인들이 신전을 찾아왔고 제사장은 위와 같은 일을 되풀이했다.

곧 제사장은 왕의 금보관증서를 충당하고도 여전히 금을 가지고 있을 수 있었다. 그는 이제껏 일어난 일을 곰곰이 생각하며 중얼거렸다.

"그들은 내가 금을 얼마나 가지고 있는지 알지도 못하고 상관하지도 않을 거야. 그들은 다만 언제건 자신들이 그 돈을 사용할 수 있다는 증서만 있으면 되거든. 이건 정말 근사한 돈벌이야."

그후 더 많은 상인들이 찾아왔고 제사장은 왕의 금을 보여주며 그가 전에 온 상인들에게도 빌려준다고 한 금을 그들에게도 빌려주었다. 그는 많은 수입을 얻었지만 금은 여전히 그의 수중에 있었다.

제사장은 동료 성직자에게 말했다.

"나는 이 세상에서 가장 위대한 비밀 하나를 발견했네. 아무것도 없이 돈 버는 마술을 배운 게지. 몇 년 내에 난 왕보다 더 큰 부자가 될 걸세."

제사장의 일은 신전 전체에 퍼져 나갔고 모두가 그의 성공을 축하했다. 마침내 제사장은 신전의 이름을 '국립제일은행The First National Bank'으로 바꿨다. 그 이름은 고대어로 '아무것도 없이 돈을 버는 곳'이란 뜻이었다.

출처 〈Peterson C., Lewis C., Economics, 11장, 1988〉

화폐의 형태와 역할

이제까지 논의했던 기업과 소비자의 행위를 분석하는 중심적 사고는, 한계분석과 공급과 수요의 틀이었다. 그러나 앞장에서 보았듯이 인플레이션이나 실업과 같은 국민경제적 문제들은 단순한 한계분석의 틀에서 취급되지 않는다. 대신에 경제학자들은 일반적으로 소비자와 기업 사이의 소득의 흐름에 따라, 또는 유통되는 화폐의 양으로 구입 가능한 재화와 용역의 전체 산출량의 수요와 공급에 따라 국민경제적인 여러 가지 문제들을 생각해왔다.

이러한 국민경제의 여러 문제들을 취급함에 있어 흔히 이용되는 중요한 두 가지의 개념은 화폐와 생산량이다. 대개의 사람들은 화폐, 생산량과 같은 일상적 용어조차 명확한 의미를 파악하지 못한 채 사용하고 있다. 여기서 화폐와 생산량에 대해 자세히 이해하는 것은 국민경제 전체의 이해를 위해 매우 중요하며, 이미 생산량과 관련해 우리는 앞장에서 많은 논의를 진전시켜왔다.

이제 이 장에서는 화폐의 개념과 관련된 여러 가지 문제들을 논의하게 된다. 즉, 화폐의 기능이나 창조 및 그 수요와 공급 등이 이 장의 주요 내용이 될 것이다.

화폐는 식료품점, 집세, 자동차 수리서비스 등에 또는 기타 서비스에 대한 대가를 지불하는 데에 일반적으로 통용되는 수단이다. 만일 사람들이 이러한 지불을 위한 수단으로 어떤 물품을 받기로 되어 있다면, 일반적으로 통용될 수 있는 상품을 받고자 할 것이다. 지갑에 든 돈 외에도 이렇게 교환의 매개로 사용될 수 있는 물건을 생각한다면, 지불 수단이 되는 교환의 매개로서의 화폐로 옛날부터 여러 가지 물건이 사용되었음을 알 수 있다.

유럽인들의 아메리카 대륙 이주 이전에 북아메리카의 동부와 중심부의 인디언들은 교환의 매개물로 띠나 벨트에 매달린 희고 푸른 구슬을 사용했고, 서부 해안에서는 흔히 발견할 수 있는 조개껍데기가 사용되었다. 그리고 고대 로마에서는 소금을 교환의 매개물로 사용하기도 했다. 또한 남태평양의 어떤 섬에서는 큰 화강암이 수세기 동안 특정 거래를 위해 사용되기도 했다. 이러한 종류의 물건들은 유용성은 별로 없지만, 익숙해진 탓으로 화폐로 사용되어온 것이다.

북아메리카의 옛날 프랑스 식민지에서 발견된 화폐는 좀더 특이하다. 1600년대 후반의 뉴프랑스에서는 유럽으로부터의 장시간의 항해 때문에 은화가 부족해지자, 프랑스에서 새로운 은화가 도착하면 교환한다는 조건이 붙어 있는 카드가 화폐로 유통되었다. 그 카드는 금액의 크기에 따라 반으로 잘렸고, 다시 4분의 1로 잘렸는데, 잔돈용으로 쓸 때는 대각선으로 더 잘렸다.

이러한 화폐의 역사에서 알 수 있듯이 화폐로 통용되기 위해서는 그 화폐가 사회적으로 얼마나 인정되고 있는가가 중요하다. 한 예로 1970년대 초반 시장정보에 대한 기사를 과장하기로 유명했던 한 미국의 주간지가 중앙은행의 금고실이 사람들이 믿는 것보다 실제로

화폐는 각종 재화나 서비스에 대한 대가를 지불하는 데 통용되는 수단이다. 지불수단이 되는 교환매개로서의 화폐로 여러 가지 물건이 사용되어왔다.

더 비어 있다고 보도했다. 이러한 일이 일어나자 불안해하는 국민을 안심시키기 위해 미국 의회 대표들은 연방은행 금고실을 찾아가 금이 충분히 있음을 확인하기도 했다.

이 이야기를 뒤집어 생각하면, 금고실이 비어 있다는 것이 발견되지만 않는다면, 화폐의 신용은 문제될 것이 없었다는 얘기다. 화폐의 생명은 신용이다. 신용에 의한 호환성을 가지기만 하면 어떤 것도 화폐 역할을 할 수 있는 것이다. 소금이나 카드, 또는 오늘날 통용되는 화폐처럼 설사 아무런 가치가 없는 것이라도 그 사회로부터 신용만 얻는다면 그것은 화폐로서 통용될 수 있다.

물론 이러한 신용에는 여러 가지 문제가 따를 수 있다. 예를 들어 오늘날과 같은 지폐의 경우, 종이나 잉크가 부족하지 않으므로 중앙은행은 지폐의 공급을 무제한으로 늘릴 수 있다. 만약 금의 부족으로, 정부가 지폐호환성의 중요성을 깨닫고 모든 지폐는 정부가 갚기를 보장하는 '공적인 빚'이라 선언했다 하자. 이러한 지폐를 '법화法貨'라 한다. 여기서 정부가, 법화를 받지 않는 것을 불법으로 규정하고 액면에 표시되어 있는 값만큼 화폐를 사용하도록 강제한다면, 이러한 법화는 모두 사용될 것이다.

만일 이러한 화폐로 표시된 금액의 상품량을 살 수 있다면 누가 구태여 내재적 가치가 표시된 금액과 일치하는 다른 화폐대용물을 찾으려 하겠는가? 이때 '화폐의 호환성acceptability'이란 동등한 가치를 지닌 화폐가 동시에 유통되기 위해서는 일반적으로 그것이 화폐로 인정되어야 할 뿐만 아니라, 같은 금액으로 표시된 것은 똑같이 받아들여져야 함을 의미하는 것이다.

우리는 지금까지 사회적인 신용과 호환성이란 측면을 생각하면서 여러 가지 형태의 화폐들을 살펴보았다. 그런데 오늘날 이 화폐의 형태는 기술의 발전과 함께 지금까지와는 전혀 다른 형태를 띠고 있다. 예를 들어 오늘날 많은 사람들은 물건을 구입하기 위해 은행에서 발행한 신용카드를 사용하고, 공과금 역시 신용카드나 계좌이체를 통해 자동 납부한다. 미래에는 칩이 내장된 휴대전화기나 컴퓨터가 지금의 화폐를 일정 부분 대신할지도 모른다. 이렇게 되면 눈에 보이지 않는 화폐가 우리의 경제생활을 이끌어나가게 될 것이며, 이 경우 수입과 지출을 중심으로 자신의 경제활동을 잘 기록하고 정리하는 것이 매우 중요하게 될지도 모른다.

그런데 실제로 경제학자들 사이에서는 어떤 자산이 일반적인 화폐로서의 호환성을 지니며, 또한 어느 정도까지를 그 사회에서 통용되는 화폐의 일부로 생각해야만 하는가라는 문제에 대해서 의견이 일치하지 않다. 물론 거의 모든 경제학자들은 현재 유통되고 있는 주화와 지폐를 매우 핵심적인 화폐로 생각한다(현금통화). 또한 대부분은 매우 다양한 지불 수단인 당좌수표나 이를 발행할 수 있는 기반인 당좌예금(또는 수시출입식 저축예금)도 역시 화폐에 포함시킨다(이를 M_1이라 부른다). 또한 M_1에 은행의 저축성예금, 양도성 예금증서CD, 환매체RP와 같은 시장형

금융상품, 수익증권이나 금전신탁과 같은 실적배당형 금융상품 등도 약간의 이자나 배당을 포기하면 신속하게 지불청산할 수 있으므로 화폐(이를 M_2라 부른다)로 여겨야 한다는 견해도 있다. 한편 다른 경제학자들은 화폐의 범위에, 유동성이 상대적으로 떨어지는 상업어음 매출, 표지어음매출 등의 금융자산도 어느 정도의 유동성을 지니고 있으므로 화폐에 포함시켜야 한다고 주장한다(이를 M_3 또는 총유동성이라 부른다).

그러나 이 장에서는 일반인들이 흔히 생각하는 바와 같이 주화나 지폐 및 당좌예금, 저축성 금융상품 등을 중심으로 한 화폐(M_2)를 중심으로 이야기하기로 한다. 이는 최근의 자본자유화와 금융자유화 등으로 인해 금융자산이 매우 다양해지고 금융시장의 구조가 급격히 변화하고 있음과 무관하지 않다.

이러한 화폐는 위에서 언급한 교환의 매개로서의 역할 이외에도 몇 가지 중요한 역할을 더 수행하고 있다. 우선 언급할 수 있는 하나는 화폐가 재화나 용역의 가치를 측정할 수 있게 해준다는 것이다. 즉, 우리는 오늘날 원화w를 사용함으로써 재화나 용역의 상대적인

도표 68 | 우리나라의 통화지표(2004년 8월 평균잔고 기준)

구성내역	총량(조 원)	GDP 대비(%)
현금통화	23.2	3.2
M_1	303.3	42.0
M_2	930.3	129.0
M_3	1,265.8	175.5

* 한국은행, 《조사통계월보》, 2004년 10월호 요약

교환가치를 측정할 수 있다. 그리고 이러한 재화와 용역의 상대적 가치는 시장에서의 가격으로 나타난다. 예를 들어 일당 5만 원을 받는 근로자가 6만 원짜리 티셔츠를 보고 가격이 너무 비싸다고 했다면, 이때 그 근로자는 화폐를 가치의 척도로 사용한 것이라 할 수 있다.

이와 함께 화폐는 가치를 저장하는 수단이다. 이것은 화폐가 가지고 있는 구매력은, 당장 사용하지 않더라도, 그대로 남아 있음을 의미하는 것이기도 하다.

또 하나 언급할 수 있는 화폐의 역할은 지불연기의 척도가 된다는 점이다. 우리는 "물건은 지금 가져가고 돈은 나중에 주셔도 됩니다"라는 말을 자주 접한다. 이는 바로 화폐가 지불연기의 기준으로 사용되었음을 표현하는 말이다. 즉, 화폐는 우리들이 신용으로 물건을 구입하는 것을 가능하게 한다. 때때로 우리는 컴퓨터와 같은 값비싼 물건을 구입하고 몇 개월에 걸쳐 그 값을 치르는데, 이는 화폐가 지불연기의 기준으로 사용되기 때문에 가능한 것이다.

화폐의 창조와 은행제도

우리는 일반적으로 주화나 지폐 등의 현금뿐만 아니라 당좌예금, 저축성 금융상품 등과 같이 즉시 지급받고 통용될 수 있는 것도 화폐(M_2)로 취급한다. 여기서 당좌예금과 같은 요구불예금을 화폐로 여긴다는 사실은 은행과 같은 금융기관들이 화폐를 만들 수 있다는 결론을 유도할 수 있게 해준다. 그런데 사람들은 흔히 은행을 화폐 창조

은행은 예금자와 대출자를 연결하는 업무를 하면서 자신의 이익을 극대화하기 위해 노력한다. 중개역할을 하고 이에 대한 보상으로 이윤을 얻기도 하며, 직접 투자활동에 관여하기도 한다.

기관이라기보다는 장사하는 기업이라고 생각한다. 즉 예금자들로부터 낮은 이자율로 예금을 받아 차용자들에게는 더 높은 이자로 빌려주는 기관이라고 생각한다.

여기서 좀더 깊이 은행의 역할을 이해하기 위해 우리는 은행이 하는 일을 자세히 생각해볼 필요가 있다. 은행이 돈을 빌려주는 것은 빚을 화폐로 만드는 것과 같다. 그 과정을 통해 은행은 화폐를 창조하게 된다. 은행은 기업이나 소비자에게 해주는 대출 또는 대부를 그 은행의 예금으로 바꾸어 빌려준다. 이러한 은행의 예금은 일반적인 지불수단으로 인정되므로 화폐임이 분명하다. 여기서 우리는 은행이 개입해 통화공급을 증가시킨다는 것을 쉽게 이해할 수 있다.

예를 들어, 은행이 1억 원을 예금으로 받았다고 하자. 그러면 은행은 1억 원의 예금통장을 고객에게 만들어주고, 일단 1억 원의 현금을 가지게 될 것이다. 여기서 예금은 은행으로서는 지불해야 할 부채이며, 예금된 1억 원의 현금은 은행자산의 증가가 된다. 이는 은행의 계정(T계정)으로 보면 도표 69와 같이 나타난다(이러한 T계정은 은행의 자산과 부채의 변동을 잘 표현해준다).

여기서 은행에 예금된 1억 원 중에서 500만 원을 예금자의 인출요구에 부응하기 위한 지불준비금으로 보유한다고 하자. 그러면 9,500만 원은 누군가에게 빌려줄 수 있게 된다. 이때 예금된 돈에서 은행의 대출을 어느 정도 제한하는 것은 예금주가 그 구좌에서 수표를 발행하거나 현금을 인출할 때, 은행이 그 돈을 지불해야 하기 때문이다. 이제 은행이 9,500만 원을 누군가에게 빌려주고 차용증서를 받았다고 하자. 그러면 은행은 앞에서 언급한 바와 같이 빌려준 돈을 그 은행의 예금형태로 가지게 될 것이고, 이를 통해 은행은 무려 9,500만 원을 새로이 통화화한 것이 된다.

은행에 의한 화폐 창조는 여기서 끝나는 것이 아니다. 이제 9,500만 원을 빌린 사람이 그 돈으로 자신의 회사에서 쓸 버스를 한 대 구입했다고 하자. 그리고 버스를 판 상인이 그 대금으로 받은 당좌수표를 자신이 거래하는 은행에 예금했다고 하자. 이 경우 처음의 은행은 9,500만 원 전체를 그 상인이 거래하는 은행으로 이전시켜야 한다(이러한 일들은 어음교환소에서의 계산을 통해 이루어진다). 여기서 버스를 판 상인의 은행은 다시 9,500만 원 중 일정부분을 지불준비금으로 남기고, 그 나머지를 대출할 수 있게 되며, 이는 또한 새로운 화폐의 창

도표 69 | T계정

자산	부채
현금 1억 원	요구불예금 1억 원

조를 가능하게 한다. 이러한 과정이 계속되면서 은행에 의한 화폐 창조는 그 양이 없어질 때까지 계속될 것이다.

이러한 과정을 수식화하면 다음과 같다. 즉, 애초 1억 원이 예금(이를 H원이라 하자)되면, 처음에는 여기에서 법정 지불준비율(k=0.05라 하자)만큼을 뺀 나머지인 1억×(1-0.05)=9,500만 원을 대출할 수 있고, 이것이 기반이 되어 다시 1억×(1-0.05)×(1-0.05)=1억×(1-0.05)2원을 대출할 수 있을 것이다. 이러한 과정이 계속 되풀이된다고 생각하면 이는 다음의 식으로 나타날 수 있다.

$$통화창조 = H + H(1-k) + \mathrm{H}(1-k)2 + (H(1-k)3\cdots = H/(1-k)$$

여기서 1/(1-k)를 흔히 '통화승수money multiplier'라 한다. 즉, 통화승수는 애당초 늘려 공급한 화폐량이 은행의 예금창조 과정을 거치면서 최종적으로 증가한 통화량 사이의 비율을 말한다. 이 통화승수는 앞에서 본 바와 같이 법정 지불준비율의 크기에 따라 변화할 수 있다.

여기서 한 가지 주의할 것은 이러한 은행의 통화창조 과정에 의해 증가한 통화량이 부富의 증가를 의미하지는 않는다는 점이다. 예금액이 증가해 이에 따른 은행의 대출이 증가할 경우, 대출받은 개인이나 기업은 은행에 빚을 지게 되며, 늘어난 통화량에서 이러한 부채를 상쇄하고 나면 결국은 처음의 예금만 부의 증가를 의미할 뿐, 은행의 예금창조 과정을 통한 순자산의 증가는 없는 것과 같다. 물론 이러한 은행의 통화창조 과정을 통해 국민경제의 유동성이 증가한 것은 사실이다.

이와 같이 화폐는 처음의 예금을 기초로 하여 파생적으로 계속 창조(물론 그 금액은 계속 줄어들겠지만)될 수 있다. 이러한 과정에서 알 수 있듯이 각 개별은행들의 대출은 예금에 제한을 받지만, 전체 은행을 모두 생각해보면 최초의 예금증가분보다 훨씬 많은 액수의 돈을 빌려줄 수 있게 된다. 그리고 만약 지불준비율이나 일반인이 현금을 가지고 싶어하는 정도가 단기적으로 크게 변하는 것이 아니라면, 이러한 화폐의 창조에는 처음에 예금된 화폐의 크기가 매우 중요한 역할을 함을 알 수 있다. 이는 역으로 지불준비율을 조정함으로써 창조되는 화폐의 양을 조정할 수 있음을 의미한다.

여기서, 우리가 경제 전체의 현금통화와 은행의 준비금을 합해 본원통화라 한다면, 이 본원통화의 크기는 국민경제 전체 통화량의 결정에 매우 중요한 것이다. 즉, 본원통화는 중앙은행(우리나라의 경우 한국은행)의 창구를 통해 풀려나가는 일차적인 화폐공급을 의미한다. 중앙은행은 이러한 본원통화량을 조정함으로써 통화량을 조절해나갈 수 있다.

한편 은행은 예금자와 대출자를 연결하는 업무를 하면서 자신의 이윤을 극대화하기 위해 노력한다. 그런데 만일 은행과 같은 금융 중개기관들이 이러한 일을 하지 않고 예금자 스스로 돈을 빌리려는 사람을 찾으려 한다면 어떻게 될까? 이 경우 돈을 빌리려는 사람을 찾는 것으로 시작해서, 대부 채무관계를 상대방이 확실히 아는가, 차용자가 만기날짜를 똑같이 생각하는가, 빌려주려는 금액만큼을 원하는가 등의, 확인하고 해결해야 할 문제가 엄청나게 많이 발생하게 된다. 또한 이를 해결하기 위해서는 엄청난 비용이 들 것이다. 사실 이러한 이유는 은행이 존재하는 중요한 원인이 된다.

이러한 존재 이유를 바탕으로 성립된 은행은 그 업무를 수행하는 과정에서 다방면으로부터 수입을 얻게 된다. 은행은 중개서비스를 하고 이에 대한 보상으로 이윤을 얻기도 하며, 직접 투자활동에 관여하기도 한다. 이러한 일을 하기 위해서는 되도록 많은 돈이 필요하며, 또한 그 돈을 잘 이용해야 한다. 오늘날 은행이나 여타의 금융기관들이 자금을 끌어들이려 노력하고, 그것을 이용하는 것에 관한, 다양하고 복잡한 금융상품들을 개발하는 것도 바로 이러한 이유 때문이다.

은행이 중개역할의 영역으로부터 스스로 화폐를 창조할 수 있는 것은 기본적으로 다방면으로부터 파생되는 사람들의 소득 또는 이윤으로부터 형성되는 예금에서 비롯된다. 여기서 이러한 소득은 기본

돈의 공급 과정

적으로 화폐와는 구별된다. 소득은 상인이나 은행예금자, 또는 우리 자신이 매달 또는 매년 벌어들이는 것이다. 소득은 주로 화폐의 형태로 지불되고 화폐단위(원, 달러 등)로 계산된다. 그러나 소득은 주어진 시점에서 주화, 지폐, 수표의 형태로 갖는 것은 아니며, 이를 위해서는 일정한 기간이 필요하다. 즉, 소득은 매달 또는 매년 우리가 벌어들이는 것이며, 예를 들어 한 달에 200만 원 또는 연간 2,400만 원과 같은 개념이다. 이러한 소득이 어느 정도 화폐의 공급량(통화량)을 형성하는 기본이 됨은 물론이다.

경제학자들은 화폐를 저량stock의 개념으로 본다. 이에 반해 소득은 유량flow의 개념에 해당된다. 저량 개념은 시간 개념이 아니다. 어떤 시점에 측정되는 물탱크의 물의 양과 같이 화폐의 공급량은 일정 시점에 달러나 원으로 측정된다. 이와는 다르게 소득이 의미를 갖기 위해서는 시간 영역이 주어져야만 한다. 그것은 분당, 시간당 갤런처럼 수도꼭지나 배수관에서 쏟아지는 물과 같다. 200만 원의 소득은 연일 때와 월일 때 그 의미가 서로 다르다.

흔히 사람들은 주의 깊게 화폐와 소득을 구별하지 않기 때문에 다음과 같은 부적절한 질문을 하기도 한다. 즉, "당신은 얼마나 많은 돈을 버느냐?"라는 질문을, "당신은 얼마나 많은 돈을 갖고 있느냐?"라는 질문과 유사하게 사용한다. 그러나 여기서 우리가 유의해야 할 점은 일정 기간에 버는 것은 소득이며, 이는 지금 가지고 있는 돈의 양과는 분명히 다르다는 점이다.

중앙은행의 역할과 금융정책

오늘날 대부분의 국가들은 주로 은행이나 여타 금융기관들을 대상으로 하는, 즉 금융기관들의 은행인 중앙은행제도를 가지고 있다. 우리나라의 경우도 예금은행을 중심으로 하는 통화 금융기관과 개발, 투자, 보험 등을 중심으로 하는 비통화 금융기관이 있는데, 중앙은행인 한국은행은 통화 금융기관들과 직접적으로 연결되어 있다.

이러한 중앙은행은 국민경제에 있어서 화폐의 흐름과 관련해 여러 가지 중요한 일들을 수행한다. 중앙은행은 직접 화폐를 발행하기도 하며, 시중은행이 창출해낼 수 있는 화폐의 양을 조정하는 역할을 하기도 한다. 또 정부에 대해 은행의 역할을 해주기도 하며, 시중의 금융기관에 대부 등의 금융서비스를 제공하기도 한다. 이 중에서도 특히 자본시장이나 화폐시장(여기서는 금융시장을 화폐시장과 자본시장으로 나누었다. 이때 화폐시장은 예금, 단기대부, 할인, 콜시장 등을 말하며, 자본시장은 장기대부, 증권시장을 말한다. 그러나 때에 따라 금융시장과 화폐시장 및 자본시장을 비슷하게 사용하기도 한다)에서 화폐의 공급량과 금융서비스의 가격을 조정하는 일은 국민경제의 통화정책과 직접 관련되어 있는 매우 중요한 일이다.

흔히 중앙은행을 중심으로 한 통화당국은 국민경제에서의 화폐량의 조정과 관련해 두 가지 유형의 정책을 가진다. 하나는 정책효과가 국민경제 전반에 걸쳐 영향을 미칠 수 있도록 고안된 일반적 정책수단이며, 다른 하나는 정책효과가 국민경제의 어떤 특정 부분에만 선별적으로 영향을 미치는 선별적 정책수단이다. 예를 들어 우리가 위에서 보았던 지급준비율에 관한 조정이나 정부채권의 매각, 시중은행에 빌려주는 금리인 재할인율 등은 일반적 정책수단에 속하며, 국내 여신의 한도액을 정하거나 이자율을 제한하는 것, 특정 산업에 정책적인 금융지원을 새로이 신설하는 것 등은 선별적 금융정책에 속한다. 일반적으로 금융정책이 발달한 나라일수록 통화당국이 직접 개입하는 선별적인 정책보다 어느 정도 시장의 원리를 존중하는 일반적인 정책을 주로 사용하며, 우리나라도 이러한 방향으로 나아가기 위해 노력하고 있다.

중앙은행과 관련해 흔히 언급되는 세 가지의 일반적 정책수단을 조금 자세히 언급하면 다음과 같다. 주로 중앙은행이 가지는 지불준비율을 조정할 수 있는 능력, 시중은행에 대한 대출이자율을 조정할 수 있는 힘, 금융시장에 공개적으로 참여할 수 있는 자격 등이다.

지불준비율은 은행이 예금자들의 인출이나 여타의 부채를 해결하기 위해 반드시 가지고 있어야만 하는 현금의 비율을 말한다. 이러한 지급준비율이 낮으면(높으면) 은행으로서는 대출할 수 있는 돈이 더욱 많아(적어)지게 된다. 즉, 예를 들어 중앙은행이 지불준비율을 높이게 되면, 이는 은행으로 하여금 추가적인 대출을 줄이게 하며, 결과적으로 국민경제 전체의 화폐량은 감소하게 될 것이다. 이는 사실 국민경제 전체의 통화량을 조절할 수 있는 매우 강력한 힘이다. 그러나 오늘날 대부분의 국가들은 이러한 지급준비율을 함부로 변화시키지는 않는다.

중앙은행은 또한 시중은행에 자금을 대부할 수 있다. 이 경우 중앙은행은 시중은행에 대한 대출이자율(이를 재할인율이라 함)을 조정함

도표 70 | 중앙은행의 통화정책 수단

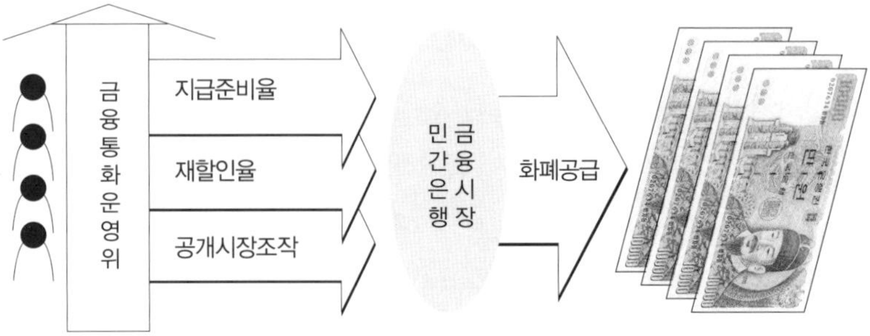

으로써 경제 전체의 화폐량을 어느 정도 통제할 수 있다. 만약 중앙은행이 이 이자율을 높인다면 시중은행으로서는 대부비용이 증가하는 것이 될 것이며, 이는 고객에 대한 대출을 줄이는 결과를 낳게 될 것이다. 그리고 이러한 과정을 통해 경제 전체의 화폐량은 그 증가속도가 느려질 것이다.

그러나 이 정책은 자주 사용되는 것은 아니다. 만약 중앙은행의 대부 이자율이 변하게 되면, 시장의 일반 이자율도 변화할 것이다. 그러므로 할인율의 변화는 금융에 관한 커다란 뉴스거리가 되며, 금융기관의 이자율 변화에 대한 일종의 신호로 사용되기도 한다.

또 하나 언급할 수 있는 중앙은행의 통화정책은 공개시장조작이다. 이는 중앙은행이 금융시장에서 국공채 등을 매매함으로써 경제 전체의 화폐량을 조정하려는 정책이다. 즉, 중앙은행이 더욱 많은 화폐를 보유해야 할 경우 이러한 국공채를 팔고 그 대신 화폐를 가지게 되며, 이때 민간의 화폐량은 줄어들게 될 것이다.

그리고 그 반대의 경우는 금융시장에서 국공채를 사들이게 되며,

이 경우 중앙은행의 돈은 민간의 국공채 보유자에게 흘러 들어가게 된다. 그리고 이 돈이 다시 은행에 예금되면 경제 전체의 화폐량은 크게 늘어날 수 있다.

이상에서 살펴본 바와 같이 지불준비율, 재할인율, 공개시장조작 등의 정책들을 바탕으로 한 중앙은행의 간접적인 통화정책과 경제 전체의 통화공급량과의 관계는 다음과 같이 표현될 수 있다. 즉, 지급준비율이나 재할인율을 내리거나 국공채를 매입하게 되면, 경제 내의 화폐공급량은 증가할 것이고, 반대로 지불준비율 및 재할인율을 올리거나 국공채를 매출하게 되면 화폐공급량은 줄어들게 될 것이다.

그런데 이 장에서는 중앙은행이 본원통화와 통화승수 등을 관리해 통화공급을 정책적으로 관리할 수 있다고 가정했다. 이 경우 통화공급은 중앙은행의 의지에 달려 있어, 이자율과 화폐의 수요 및 공급을 중심으로 하는 금융시장의 입장에서 보면 일종의 외생변수다. 그러나 실제로는 통화공급이 외생적이지 않을 수 있다. 예를 들어, 개인이나 기업 혹은 은행이 경제여건에 적응하기 위해 현금을 많이 보유하려 하면 할수록 통화승수의 크기는 더욱 작아질 것이다. 이러한 과정에서 이자율은 이러한 개별 경제주체들의 결정에 중요한 영향을 끼칠 것이다. 이렇게 보면 통화공급은 단순히 외생적인 것이 아니라 일정부분 내생적이라 할 수 있다(화폐공급의 내생성이라 함). 한 예로, 이자율이 오르면 은행은 가능한 한 대출을 늘릴 것이고 개인은 현금 보유를 줄일 것이므로 화폐공급량은 더 많아질 수 있다. 이런 경우 통화공급곡선은 이자율과 통화량 사이에서, 비록 이자율에 대한 통

도표 71 | 중앙은행의 정책과 통화공급 변화

중앙은행의 정책	통화공급 증가	통화공급 감소
지급준비율 상승		0
지급준비율 하락	0	
재할인율 상승		0
재할인율 하락	0	
국공채 매입	0	
국공채 매출		0

화공급 탄력성이 높지는 않다 하더라도, 우상향하게 될 것이다.

그러나 일반적으로 분석의 편의를 위해 흔히 통화공급은 중앙은행의 결정에 맡겨진 외생변수로 취급하는 경우가 많다. 이는 금융시장의 분석을 단순화하고 설명하기 쉽게 하려는 의도인 경우가 많다.

이러한 통화공급과 관련된 중앙은행과 함께, 금융기관 역시 금융시장에서 화폐의 수요 및 공급과 관련해 중요한 역할을 수행한다.■ 금융기관은 돈의 공급자와 수요자 사이에서 중개 역할을 담당하며, 돈의 흐름을 원활히 하고 각종 거래비용을 줄여주는 역할을 한다.

이러한 금융기관은 역사적으로 사회의 변화와 함께 발전해왔다. 금융산업은 전통적으로 은행업, 보험업, 증권업을 3대 축으로 하여 발전해왔다. 그러나 오늘날 세계의 금융산업은 전자통신기술의 발달과 함께 고객수요의 다양화, 규제 완화 등의 영향으로 대형화, 겸업화, 증권화 현상이 확산되고 있다. 특히 금융기관 간 인수 합병과 전

■ 이하 금융기관의 설명에 대해서는 『한국은행의 알기 쉬운 경제 이야기』(한국은행, 2004)를 참고.

도표 72 | 통화공급곡선

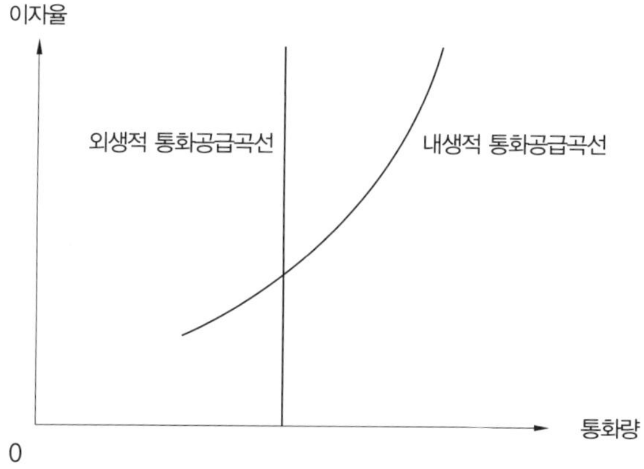

략적 제휴를 통한 겸업화가 급속히 확대되고 있고 이로 인해 은행, 증권, 보험 업무를 통합해 운용하는 금융서비스가 나타나고 있다. 우리나라 금융산업의 경우 1997년 말 외환위기를 겪으면서 개방화와 국제화가 가속화되었고 국제 수준의 금융기관들이 우리나라에 진출해 사업 영역을 확장하고 있어, 이러한 국내외 금융환경의 변화에 대응해 우리나라의 금융기관들도 대형화와 겸업화를 추진하고 있다. 공동상품 개발, 마케팅과 같은 업무제휴의 확대, 우리금융 및 신한금융 등과 같은 지주회사의 탄생, 은행에서 보험 상품을 판매하는 방카슈랑스bancassu rance의 시행, 해외 금융자본과 국내 우량은행 간의 포괄적 전략적 제휴 등이 그 사례라 할 수 있다.■ 예를 들어, 금융기관은 취급하는 금융서비스의 성격에 따라 은행, 은행과 유사한 금융상

■ 한국은행, 『한국은행의 알기 쉬운 경제 이야기』 2004.

도표 73 | 우리나라의 금융기관

은행	일반은행	시중은행, 지방은행, 외국은행 국내지점
	특수은행	대부분 정부계 은행, 한국산업은행, 한국수출입은행, 기업은행, 농업협동조합중앙회 신용사업 부문, 수산업협동조합중앙회 신용사업 부문
비은행 예금취급기관	종합금융회사, 자산운용회사, 상호저축은행, 신용협동기구, 우체국예금 등	
보험회사	생명보험회사, 손해보험회사, 우체국보험	
증권회사	자본시장에서 주식, 채권 등 증가증권의 발행 주선 및 매매 중개	
기타 금융기관	여신전문금융회사, 증권금융회사, 증권투자회사, 선물회사, 자금중개회사, 투자기관 등	
금융 중개 보조기관	신용보증기관, 신용평가회사, 예금보험공사, 한국자산관리공사(구 성업공사), 한국수출보험공사, 금융결제원, 한국증권선물거래소 등	

출처 〈'알기쉬운 경제이야기(한국은행, 2004)'외에 '알아두면 유익한 금융 이야기(금융감독원, 2003, 3장)'의 3장 참고〉

품을 취급하는 비은행 예금취급기관, 보험회사, 증권회사, 기타 금융기관 등 여러 가지 형태로 나뉜다. 도표 73은 이를 보여주는 표다.

그런데 금융시장 역시 자율적인 시장조정 기능을 갖고 있지만 그 기능이 제대로 작동하지 않을 수도 있다. 사실 금융은 우리 몸의 피와 같은 역할을 하는 것이어서 국민경제에 큰 영향을 미친다. 과거 1990년대 말의 IMF 구제시기의 한국경제에서도 본 바와 같이 금융시장의 위기는 전체 경제를 마비시키며, 국민경제에 치명적인 어려움을 남긴다. 따라서 대부분의 시장경제를 운영하는 나라에서는 금융감독제도를 두고 금융시장을 관리 감독하게 된다. 우리나라에서는 금융감독위원회와 금융감독원이 그러한 역할을 담당하는 주된 기관이며, 금융기관이 보유한 자산의 건전성 확립, 공정한 금융시장의 질서 확립, 금융소비자 보호 등의 업무를 하고 있다. 그리고 재정경제부는 금융관계법령을 관장하고, 한국은행과 예금보험공사도 일부분의 금융감독 기능을 수행하고 있다.

화폐의 수요와 공급

우리는 지금까지 화폐의 기능과 금융시장의 중요한 구성원인 은행이나 중앙은행에 대해 논의해왔다. 이러한 논의들은 금융시장을 이해하는 데 큰 도움을 줄 수 있을 것이다. 이제 이러한 논의를 바탕으로 금융시장에서의 화폐에 대한 수요와 공급에 대해 살펴보기로 하자. 여기서 화폐의 수요와 공급은 경제 전체를 이해하는 데 매우 중요하다. 즉, 금융시장의 화폐에 대한 수요와 공급의 균형을 통해 이자율이 형성되고, 이 이자율의 변화는 소득의 변화와 함께 우리가 앞에서 살펴본 생산물시장의 변화로 연결되기 때문이다.

그러면 우선 사람들의 화폐수요에 대해 알아보자. 하나 언급해야 할 것은 화폐수요는 주식이나 채권, 부동산, 예금, 화폐 등의 여러 형태의 자산 가운데에서 화폐를 얼마나 지닐 것인가에 대한 문제라는 점이다. 이 점에서 보면 화폐수요는 크게는 여러 종류의 자산 가운데에서 수익성과 위험성 및 유동성 등을 고려해서 화폐를 어느 정도 보유할 것인가 하는 일종의 포트폴리오portfolio의 문제로 생각할 수 있다.

화폐를 보유한다는 것은, 다음에 언급할 여러 가지 이익들을 가지는 반면 그에 대한 기회비용을 지불해야 함을 의미한다. 이 기회비용에 있어 기본적으로 중요한 것은, 화폐를 가지게 됨으로써 이자를 지급하는 다른 자산을 보유했을 때의 이익을 포기해야 한다는 점이다. 이 점에서 시중의 이자율은 화폐를 가질 것인가, 말 것인가를 결정하는 데 큰 영향을 미칠 수 있다. 예를 들어 이자율이 높아지면 사람들은 화폐를 보유하는 것의 기회비용이 증가하므로 화폐의 수요를 줄일 수 있는 것이다.

그러나 화폐를 보유하는 것은 사람들에게 편익을 제공한다. 이것은 사람들이 왜 화폐를 가지려 하는가, 즉 화폐보유의 동기와 관련되어 있다. 흔히 많은 경제학자는 사람들이 화폐를 보유하고 싶어하는 몇 가지 동기를 들고 있다. 이것들은 실제로 앞에서 우리가 살펴봤던 화폐의 기능과도 밀접하게 관련된 것이다.

우리는 돈을 벌기 위해 일을 하고, 번 돈으로 필요한 물건을 구입한다. 이것은 필요한 물건의 거래를 위해 돈이 필요함을 이야기하는 것이기도 하다. 화폐는 바로 이러한 물건의 거래를 쉽고 편리하게 해준다. 이와 같이 물건의 거래를 위해 화폐를 수요하게 되는 것을 화폐

도표 74 | 화폐의 수요 · 공급과 이자율

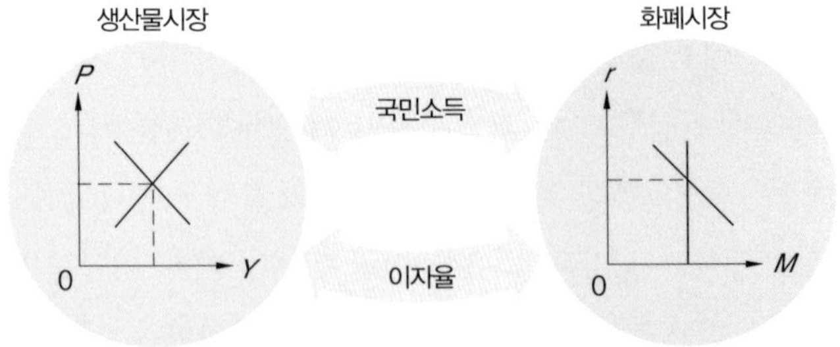

의 '거래적 수요transactional demand'라 한다. 이 경우 많은 상품을 사기 위해서는 지불해야 할 화폐가 많이 필요할 것이다. 여기서 이러한 동기에 의한 화폐의 수요는 주로 사람들의 소득 수준에 크게 달려 있다고 볼 수 있다. 사람들은 소득이 높아지면 필요한 물건들을 더 많이 구입할 것이고, 그러면 이를 위해 더 많은 돈이 필요하게 될 것이다. 물론 물가 수준이 높아져도 거래적 수요는 당연히 늘 것이다. 값이 오르면 사람들이 거래를 위해 더 많은 돈을 지니고 있어야 함은 당연하다.

뿐만 아니라 사람들은 갑자기 급한 일이 생겼을 때를 대비하기 위해서도 돈이 필요하다. 가족 중의 누군가가 갑자기 아프다든지, 자동차로 여행을 하다가 갑작스런 고장으로 차를 수리해야 한다든지, 데이트에서 만난 상대에게 갑자기 저녁을 사주고 싶을 때 등이 바로 그러한 경우다. 이를 '예비적 수요precautionary demand'라 한다. 아마도 소득 수준이 높을수록 만약의 일에 대비하려는 화폐의 수요는 커질 것이다.

이러한 유형의 동기와 함께 우리는 화폐를 자산의 일종으로 생각할 수 있다. 이것은 화폐가 가치의 저장 수단이 된다는 사실과 밀접한 것으로, 사람들은 이러한 자산으로서의 화폐를 가지고 있으려 할 것이다. 이를 흔히 '투기적 화폐수요speculative motive'라 한다. 실제로 많은 사람들은 항상 자신의 재산 중 일부를 화폐의 형태로 가지고 있고 싶어한다. 수익성이나 안정성의 측면에서 다른 자산보다 낫다고 생각하기 때문이다. 예를 들어, 채권과 주식이 크게 폭락할 것이라 판단되면, 현금을 갖고 있으면서 때를 기다리는 것이 낫다고 생각할 수 있다.

이 경우 물가나 이자율의 변화는 자산으로서의 화폐의 소유에 커다란 영향을 미치게 될 것이다. 예를 들어 이자율이 오르는 경우를 생각해보자. 일반적으로 이자율의 상승은 화폐를 보유하는 것의 기회비용이 증가함을 의미한다. 이러한 경우 화폐의 자산으로서의 매력은 떨어지게 되고, 그러면 사람들은 자산으로서의 화폐에 대한 수요를 줄이게 될 것이다. 또한 물가가 급속하게 오르는 경우, 화폐는 다른 형태의 자산(부동산 등)에 비해 상대적으로 덜 매력적인 자산이어서 사람들은 이 경우 화폐의 수요를 줄이고 다른 자산에 관심을 갖게 될 것이다.

이와 같은 여러 관점을 바탕으로 국민경제 전체의 입장에서 본다면 물가 수준, 물가상승율, 실질국민소득 및 이자율 등은 화폐의 수요를 결정하는 데 커다란 영향을 미친다 할 수 있다(이외에도 지하경제의 규모 역시 화폐수요에 중요할 수 있다. 지하경제는 주로 현금을 중심으로 거래가 이루어지기 때문에, 그 규모가 크면 화폐의 수요도 커진다고 할 수 있다. 그러나 여기서는 정상적인 경제를 가정해 지하경제

도표 75 | 화폐수요곡선과 곡선의 이동

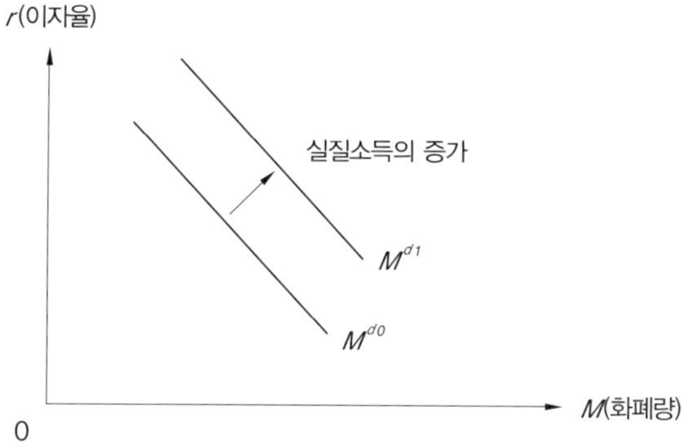

는 분석에 포함시키지 않았다). 예를 들어 실질국민소득의 증가 및 이자율의 하락 등은 거래적 수요의 측면에서 또는 자산으로서의 화폐의 측면에서 화폐에 대한 수요를 증가시킬 것이며, 이와는 반대로 실질국민소득의 감소 및 이자율의 상승은 주로 화폐보유의 거래적 동기를 감소시키고 화폐의 보유에 대한 기회비용을 증가시켜 화폐에 대한 수요를 줄일 것이다.

이러한 화폐의 수요에 영향을 미치는 여러 가지 요인 가운데 이자율은 특히 중요하다. 이자율은 일반적으로 화폐를 보유하는 것에 대한 비용을 구성하는 중요한 부분으로, 이미 앞에서 이자율의 상승은 화폐보유의 기회비용 상승으로 이어지며 이는 화폐수요를 감소시킬 것임을 논의했다. 여기서 화폐수요에 영향을 주는 다른 요인들은 일정하다고 전제하고 이자율과 화폐수요의 관계를 나타내는 것이 화폐수요곡선이다. 이 화폐수요곡선은 이자율이 높을수록 화폐수요량은 작아지며 이자율이 낮을수록 수요량은 많아진다. 물론 이때 외생변수인 실질소득이 증가하거나, 물가 수준이 높으면 우측으로 곡선 자체가 이동하는 등의 이자율 이외의 다른 요인들의 영향을 받을 것이다.

그러면 화폐의 공급은 어떠한가? 사실 이 논의는 어떠한 것을 화폐로 보느냐 하는 문제와 밀접하게 연결되어 있다. 예를 들어 우리는 당좌예금이나 저축성 예금까지를 화폐로(M_2) 생각할 수도 있을 것이며 그 폭을 더 넓힐 수도 있을 것이다. 여기서는 주로 M_2를 화폐의 개념으로 사용함을 이미 언급했다.

앞의 중앙은행의 역할과 금융정책에서도 살펴봤지만, 중앙은행은 이러한 화폐의 공급에 결정적인 영향을 미친다. 중앙은행은 여러 가지 금융정책을 통해 경제 내의 통화량을 조정한다. 또한 일정 시점에서 그 경제 내에 저장되어 있는 화폐량은 일정하다. 그러므로 여기서 우리는 이자율에 관계없이 일정한, 즉 도표 76과 같은 수직의 화폐공급곡선을 생각해볼 수 있다. 그리고 만약 중앙은행의 공개시장조작이나 재할인율 조정 등에 의해 화폐공급이 늘어나면 이 수직인 화폐공급곡선은 우측으로 이동하게 될 것이다. 이러한 화폐공급에 대한 부분은 이미 앞에서 언급한 바 있다.

이상과 같은 화폐의 수요와 공급이 만나는 곳에서 화폐시장의 균형이자율이 결정된다. 즉, 이것이 그 경제 내의 일반적인 수준의 이자율이다. 이렇게 화폐시장의 균형을 통해 이자율이 결정된다고 설명하는 이론을 흔히 케인스의 '유동성 선호이론liquidity preference theory'이라 한다. 그런데 만약 화폐공급이 일정하다고 생각한다면 화폐수요가 이자율의 결정에 매우 중요한 역할을 하므로, 이 점에서 유동성 선호이론은 사실상 화폐수요에 의한 이자율 결정 이론이라 할 수 있다.

도표 76 | 화폐공급곡선과 곡선의 이동

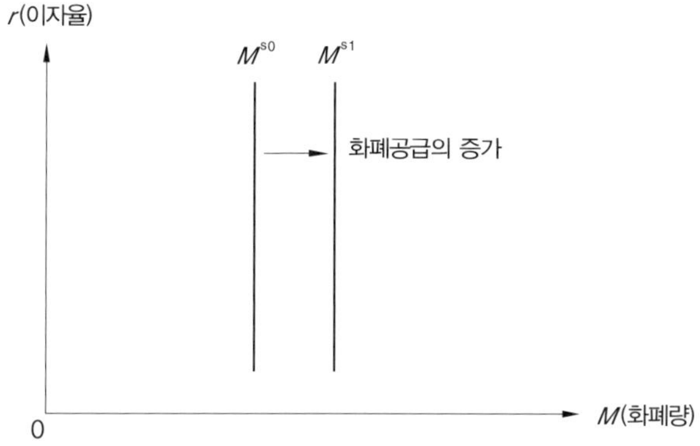

그러면 무엇이 이러한 일반적인 수준의 이자율을 변화시키는가? 아마도 화폐의 수요와 공급을 변화시키는 많은 요인들이 일반적인 이자율 수준을 변화시키는 요인이 될 것이다. 예를 들어 실질국민소득이 갑자기 상승하게 되면, 화폐의 수요는 늘어난다. 즉, 이것은 화폐수요곡선을 우상측으로 이동시킬 것이며, 화폐의 공급이 일정 수준에 머물러 있다면 화폐시장은 더 높은 이자율 수준에서 새로운 균형을 이루게 될 것이다.

또한 중앙은행의 금융정책 역시 화폐의 공급을 조정함으로써 화폐시장에서 이자율의 변화를 가져오게 하며, 이러한 이자율의 변화는 국민경제 내의 경제활동에 커다란 영향을 미치게 된다. 예를 들어 화폐공급의 증가에 의해 이자율이 낮아지게 되면 기업은 그들이 빌려쓰는 자금에 대한 금융비용이 낮아지고, 높은 이자율 수준에서보다는 더욱 많은 이윤을 얻을 수 있다고 생각하게 되어 투자를 늘려나갈 것이다. 그리고 이러한 투자의 증가는 국민경제의 활동을 증가시키

도표 77 | 화폐의 수요와 공급

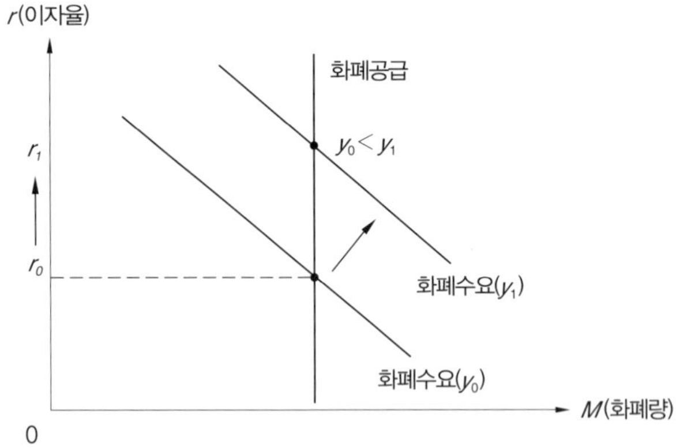

* 소득의 증가는 화폐시장에서 화폐수요를 변화시켜 이자율을 상승시킴

며 고용을 증가시키고 경제성장률을 높일 수 있다. 그러나 물론 이러한 과정에서 증가된 총수요는 인플레이션을 일으킬 수도 있다.

그러나 이러한 이자율의 변화와 투자의 관계에도 불구하고, 실제로 이자율이 변화했을 때 투자지출이 얼마나 변화하는가는 정확하지 않다. 어떤 사람들은 이자율이 투자 수준의 변화에 매우 큰 영향을 미친다고 하는 반면, 다른 사람들은 이자율의 변화는 투자 수준의 변화에 가벼운 정도의 영향을 미칠 뿐이라고 이야기한다. 그러나 여하튼 이자율의 변화가 투자 수준의 결정에 어느 정도의 영향을 끼친다는 점은 사실이라 할 수 있다.

화폐금융정책의 효과

이상에서 살펴본 바와 같이 화폐량의 변화가 이자율의 변화를 통해 경제 내의 총수요에 영향을 미칠 수 있음을 예측할 수 있다. 그러나 실제로 통화량의 변화가 가지는 경제적인 효과나 역할에 대해서는 여러 가지 견해들이 있다. 이는 곧 화폐량의 조정에 따른 금융정책의 효과에 대한 논의이기도 하다.

예를 들어 프리드먼M. Friedman과 같은 사람들은 화폐금융정책을 통한 화폐량의 변화는 경제 내의 생산 수준이나 고용 수준에는 지속적인 변화를 주지 못한다고 주장했다. 이들에 따르면 금융정책을 통한 화폐량의 변화는 주로 물가 수준에 크게 영향을 미치게 된다는 것이다. 이들은 $MV = PY$(M : 통화량, V: 유통속도, P: 물가 수준, Y: 산출량)의 관계를 상정하고, V가 일정하면 M의 변화는 직접적으로 PY의 변화를 가져온다는 것이다. 이들은 이러한 이유에서 화폐량의 증가는 실질경제성장률에 맞추어져야 한다고 주장한다. 그렇지 않으면 화폐량의 증가는 곧바로 물가의 상승으로 연결된다는 것이다.

이에 대해 다른 경제학자들은 화폐금융정책은 국민경제의 방향과 활동 수준을 조정할 수 있는 중요한 정책도구라고 생각한다. 이들은 금융정책은 다른 정책에 비해 그 변화의 크기를 쉽게 조절할 수 있을 뿐만 아니라, 정책결정을 비교적 빠른 시간inside time lag에 내릴 수 있기 때문에 다른 정책보다 유용성이 크다고 생각한다. 즉, 정책이 결정되어 실제로 효과가 나타나기까지의 시차를 정책시차policy lag라 하면, 이는 결정되기까지의 내부시차inside lag와 결정된 정책이 효과가 나타나기까지의 외부시차outside lag로 나눌 수 있는데, 통화정책은 내부시차가 극히 짧은 것으로 알려져 있다. 국회의 동의나 법적 절차 없이 중앙은행의 결정으로 통화정책이 가능하기 때문이다(이에 비해 재정정책은 국회의 동의와 여론 조정 등의 과정을 거치기 때문에 내부시차가 길고, 대신에 정책집행이 곧바로 총수요와 연결되기 때문에 외부시차가 짧은 것으로 주장되고 있다). 물론 다음에서 설명된 바와 같은 간접적인 통화정책의 전달경로를 생각하면 외부시차는 상대적으로 길 수 있다.

그런데 화폐금융정책의 효과를 믿는 사람들은 단기적으로는 통화정책이 이자율의 변화를 통해 상품시장의 투자지출 등의 변화를 불러 일으키고, 이것이 총수요를 변화시켜 국민소득의 변화로 이어진다고 생각한다. 이를 흔히 통화정책의 전달경로(물론 위에서 살펴본 통화론자들의 경우는 그 전달경로가 직접적이고 이자율의 매개가 없었다)라 한다. 예를 들어, 통화공급의 증가($M^{S0} \rightarrow M^{S1}$)는 화폐시장에서 이자율의 하락($r^0 \rightarrow r^1$)으로 이어지고, 이로 인해(투자비용의 하락과 이윤율 상승의 효과로) 상품시장에서 투자의 증가가 일어나며 이것은 승수효과를 통해 총수요의 증가($A^{d0} \rightarrow A^{d1}$)를 불러와 결국 국민소득의 증가($Y^0 \rightarrow Y^1$)로 이어진다. 물론 이러한 과정은 물가의 상승($P^0 \rightarrow P^1$)과 동반할 것이다.

이러한 전달경로에 대하여도 여러 가지 다양한 논의가 가능하다. 예를 들어, 위의 통화정책 전달경로의 1단계에서, 만약 장기적인 침체로 유휴생산 설비가 남아돌고 기업의 장래 수익에 대한 기대가 매우 낮은 상황이면, 기업이나 민간은 화폐자산을 상대적으로 유리하게 생각해 이를 보유하려는 생각이 매우 강하게 되어, 즉 화폐수요의

도표 78 | 통화공급의 증가와 국민경제

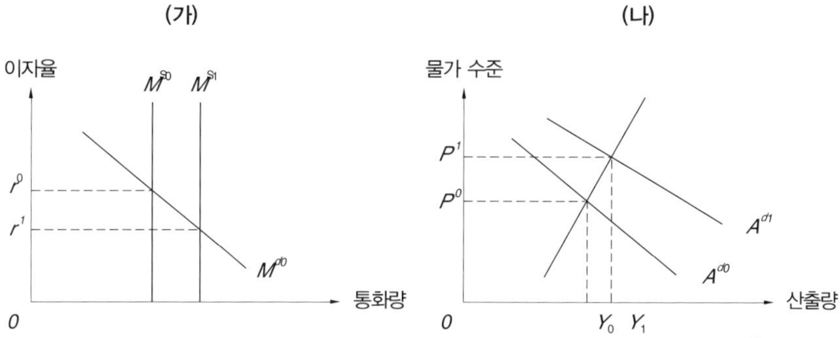

이자율 탄력성이 매우 커서, 화폐공급을 늘리더라도 이자율은 거의 떨어지지 않으며, 따라서 투자지출의 변화에 의한 총수요의 변화도 기대하기 어렵게 된다. 이러한 상황을 '유동성 함정'에 빠졌다고 말한다. 케인스는 이러한 유동성 함정을 전제해 통화정책의 무용성을 역설하기도 했다. 1990년대의 일본 역시 오랜 침체와 0에 가까운 명목이자율 수준에서 유동성 함정에 빠져 통화정책이 거의 효과를 발휘하지 못했다.

또한 2단계에서도 투자지출의 이자율 탄력성이 매우 낮으면, 이자율이 설령 떨어진다 해도 투자는 크게 증가하지 않는다. 만약 기업가들의 투자가 이익기대에 대한 동물적 본능animal spirit에 주로 의존한다면 투자결정에서 이자율의 중요성은 상대적으로 줄어들 것이며, 이 경우에는 투자의 이자율 탄력성이 낮아 통화정책의 효과가 반감하게 될 것이다.

이와 같이 단기적으로 통화정책은 논란이 있기는 하지만 일정 정

도표 79 | **통화정책의 전달경로**

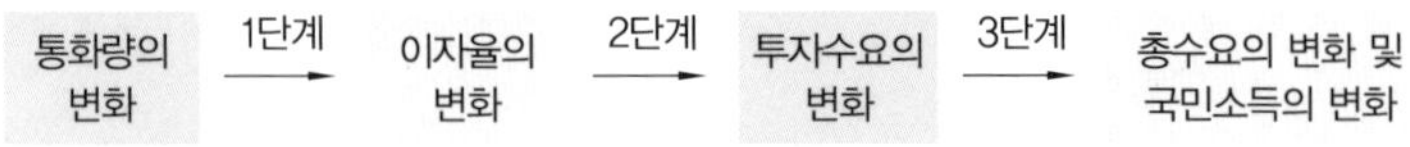

도표 80 | **유동성 함정의 경우: 통화량 증가와 이자율**

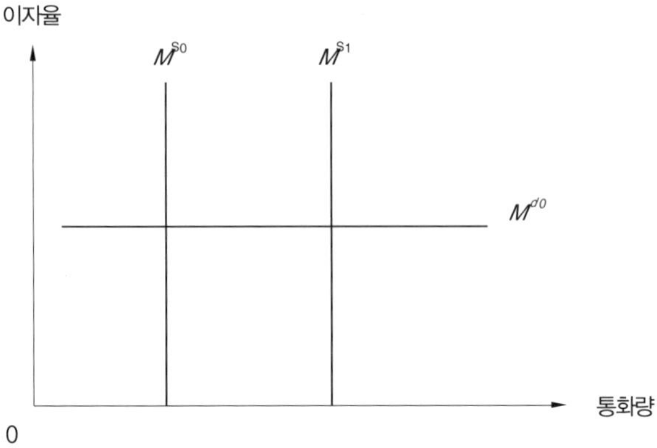

도 총수요의 변화에 영향을 끼치는 것으로 생각된다. 그런데 이러한 효과가 장기적으로 지속되기는 어렵다. 예를 들어, 통화증가로 인한 총수요 확장은 물가를 상승시킬 것으로, 이로 인해 거래적 화폐수요가 커지고 명목이자율 역시 커질 것이다. 결국 이자율은 제자리로 돌아오고 투자지출 역시 원래 수준으로 되돌아갈 것이다.

이처럼 장기적으로 보면, 통화공급의 증가는 실물변수(즉 투자량, 실질국민소득 등)에는 영향을 끼치지 못하고 물가의 변화만을 초래한다. 이러한 현상을 흔히 '화폐의 장기 중립성long-run neutrality of money'이라 한다(신고전파라 불리는 사람들은 장기에서뿐만 아니라 단기에서도 임금의 신축적 조정 등으로 인해 화폐가 중립적이라 주장하기도 한다). 이는 통화정책으로는 경기를 조절할 수 없다는 생각과 깊이 연결된다 하겠다.

보통 통화량의 지속적인 증가는 물가상승을 유발하는 것으로 생각되고 있다. 화폐량과 물가의 관계에 대한 여러 의견에도 불구하고 많은 장기간의 역사적 자료들이나 세계 여러 나라의 자료들은 이 두 가지 변수가 어느 정도의 관계를 가지고 있음을 보여주고 있다. 물론 화폐량의 변화가 인플레이션의 유일한 변수는 아니라는 것도 사실이다.

요약

우리는 이 장을 통해 국민경제를 설명하는 커다란 개념인 화폐에 관련된 여러 가지 논의들을 살펴보았다. 즉, 화폐의 기능과 은행제도 및 화폐의 창조, 그리고 중앙은행의 금융정책 등이 그러한 것이었다. 그리고 이러한 여러 가지의 화폐와 관련된 사항들은 국민경제에 커다란 영향을 미치게 되며, 이는 화폐시장의 수요와 공급에 따라, 그리고 이를 통한 물가나 생산과의 관계를 통해 이야기될 수 있었다. 이러한 화폐에 관한 논의는 앞으로의 물가나 실업을 논의하는 데 하나의 기초가 될 것이다.

중요개념

- 화폐의 기능
- 화폐의 형태
- 은행제도
- 화폐의 수요와 공급
- 거래적 수요, 예비적 수요, 투기적 수요
- 화폐 및 금융정책
- 유동성 함정
- 화폐의 장기 중립성

더 깊이 이해하기

1) 신화폐수량설

실제로 물가와 통화량과의 관계에 관한 논의는 오래전부터 있어왔다. 심지어 그것은 아리스토텔레스의 글에서도 나타난다. 그러나 최근 들어 이에 관한 중요한 이론으로 등장한 것이 프리드먼의 신화폐수량설이다.

이는 화폐수요에 결정적인 것이 이자율보다는 항상소득이며, 통화의 공급이 늘면 균형을 위해 화폐수요가 증가하는데, 이는 곧 명목소득의 증가를 의미한다는 주장이다. 또한 화폐의 유통속도는 상수는 아닐지라도 비교적 정확히 예측할 수 있는 것이어서 화폐공급량이 변화할 때, 명목소득의 변화 역시 예측할 수 있다고 주장해, 화폐의 공급과 화폐의 유통속도를 곱한 것은 실질GNP와 물가의 곱과 같다는 원래의 화폐수량설을 종국적으로는 인정했다는 점에서 이를 신화폐수량설이라 한다. 이러한 생각에 따르면 화폐의 공급은 결국 물가와 명목소득의 변화에 커다란 영향을 미친다.

2) 신용이란 무엇인가

신용이란 돈을 빌려 쓰고 약속한 대로 갚을 수 있는 능력을 말한다. 우리나라의 경우, 개인 신용불량자가 2004년 말 기준으로 361만 명을 넘어섰다고 한다. 실제로, 가계 부채의 증가와 신용카드의 무분별한 사용 등으로 신용불량자가 크게 늘어나 커다란 사회문제로 등장한 것이다.

그런데 신용은 개인이나 일반 기업뿐만 아니라 금융기관과 국가에도 매우 중요하다. 즉, 현대경제에서는 나라 안에서뿐만 아니라 외국에서 돈을 빌려 쓰는 경우가 많아졌기 때문에 국제기준에 맞는 신용을 유지해야 한다.

세계 각국은 서로 수출입 또는 금융거래를 하면서 국제금융시장에서 돈을 자주 빌리고 있으며, 이에 따라 국제적 신용평가회사는 돈을 빌리려는 기업이나 국가의 신용을 평가해 등급을 발표하고 있다. 국가의 신용등급은 외채규모, 외환보유고, 재정상태, 경제성장률, 물가상승률 등 그 나라의 경제상황뿐만 아니라 경제 외적인 안보와 정치상황 등이 반영되어 결정된다.

신용평가등급 체계는 기업어음과 채권에 따라 다른데, 신용도에 따라 A1에서 D까지 6개의 등급으로 구성되어 있다. A1에서 A3까지는 적기상환능력이 인정되는 투자등급이고, B에서 C까지는 환경변화에 따라 적기 상환 능력이 크게 영향을 받을 수 있는 투기등급이며, D는 상환불능 상태다. A2에서 B까지는 동일등급 내에서의 우열을 나타내기 위해 '+, −' 부호를 부가한다.

실제로, 신용평가회사가 한 국가의 신용등급을 낮추면 그 나라 정부는 물론 금융기관과 일반 기업이 해외에서 돈을 빌릴 때 조건이 까다로워진다. 차입금리가 높아짐은 물론 심지어 돈을 빌릴 수 없게 된다. 반대로 신용등급이 오르면 돈을 빌리기가 좀더 수월해진다. 예를 들어, 우리나라가 외국에서 빌린 돈, 즉 외채가 2004년 9월 말 기준 1,700억 달러 정도이므로 만약 국가 신용이 하락해 금리가 1.0% 포인트 오른다면, 연간 17억 달러를 이자로 더 지불해야 하는 것이다.

이렇게 기업과 국가의 신용도를 조사 · 분석해 평가하는 것을 전문으로 하는 회사가 있다. 바로 신용평가회사다. 이들 회사는 일반 기업과 금융기관이 발행한 채권이나 기업어음 등 채무증서별로 신용도를 조사해서 상환능력이 높은 순으로 등급을 매겨 공개하고 있다. 우리나라의 전문적인 신용평가회사로는 한국기업평가, 한국신용평가, 한국신용정보, 서울신용정보 등이 있으며, 평가의 공정성이나 정확성 면에서 국제적으로 인정받은 신용평가회사로는 스탠더드앤드푸어스Standard&Poor's와 무디스인베스터스서비스Moody's Investors Service, 피치 IBCA Fitch International Bank Credit Analysis 등이 있다.

— 한국은행, 『한국은행의 알기 쉬운 경제 이야기』, 2004, 해당 부분 내용을 요약 재구성함

경제학자 이야기 13

시카고학파와 밀턴 프리드먼

Milton Friedman(1912~)

밀턴 프리드먼은 미국 뉴욕에서 태어나 시카고 대학과 러트거스 대학을 다녔으며, 1946년 컬럼비아 대학에서 박사학위를 얻었다. 그후 미네소타 대학에서 1년을 가르치다가 시카고 대학에서 줄곧 가르쳤으며, 경제통계청과 재무성에서 일하기도 했다. 그는 시카고 대학에서 Pall Snow den Russell 석좌교수였으며, 후버연구소의 수석연구원으로도 일했다. 그의 저서로는 『인플레이션: 원인과 결과』(1963), 『화폐분석의 이론적 틀』(1972) 등이 있으며, 안나 스와르츠와 공저인 『미국화폐사 1867~1960』에서 그는 통화공급의 변화와 물가 및 경제활동 사이의 상관성을 증명했으며, 시카고학파의 중심인물로 오랫동안 그 축이 되었다.

시카고학파 경제학자들의 공통점 중 하나는 시장기구에 대한 신뢰와 정부개입에 대한 일종의 자유주의적 입장이다. 그들이 시장에서 일시적인 불균형이 나타나도 시장기구의 힘에 의해 곧바로 균형으로 돌아갈 것이란 강력한 믿음을 갖고 있다. 단기의 불균형도 충분한 시간이 흐르면 시장의 자동조정 메커니즘에 따라 경제는 완전고용 상태로 회복될 것이라 믿었다. 이러한 신뢰는 자연스럽게 정부의 시장개입을 반대하는 자유주의적 입장으로 이어졌으며, 이는 케인스학파 경제학자들과는 상반되는 것이었다.

또한 시카고학파 경제학자들은 인간의 합리적 선택에 대한 강한 신뢰를 갖고 있었으며, 경제학적 행동 이외에조차도 이러한 경향을 믿었다. 그들은 가족, 결혼, 종교, 범죄, 예술, 스포츠 등의 다양한 분야의 현상도 이러한 합리적 선택의 개념으로 설명하려 했기 때문에 시카고학파 경제학자들은 학문적 제국주의의 성향을 보이고 있다는 말을 듣기도 한다.

도표 4-4 | 외부성과 시장의 실패

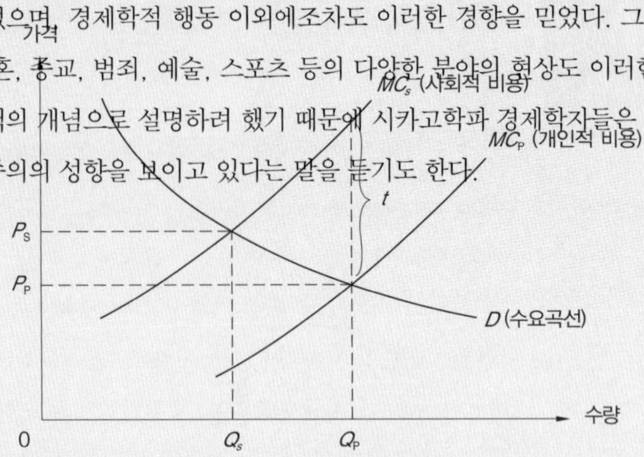

성과 비경합성)이 잘 드러난다. 즉, 경찰이 사회 전체의 치안질서를 유지하는 경우 그 혜택은 모든 경제주체들이 공동으로 얻게 되며, 새로 사람이 태어나거나 외국인이 들어오더라도 치안서비스의 정도는 변하지 않는다.

공공재가 필요할 때, 공공재의 공급을 시장기능에 맡겨놓으면 시장의 실패가 발생한다. 공공재가 일단 공급되면 각 개인은 공짜로 이용할 수 있기 때문에, 아무도 실제로 비용을 부담하지 않으려 할 것이다. 예를 들어, 도로를 건설하는 데 상당한 비용이 들지만, 각 개인에게 그 비용을 내라고 하면 어떤 사람도 자발적으로 내지 않을 것이다. 도로가 만들어지는 경우 공짜로 혜택을 누릴 수 있으므로, 다른 사람들이 비용을 내어 도로를 건설하기를 기다릴 것이기 때문이다. 이와 같이 다른 사람의 부담에 의해 생산된 공공재에 편승하려고 하

5 인플레이션, 무엇이 문제인가

하지 않으며, 이제까지 고려하지 않은 많은 요인들로 인해 시장기구의 작동이 원활하게 되지 않을 수도 있다. 예를 들어 독점이 존재할 때, 생산량은 사회적으로 최적인 상태보다 적게 생산될 수도 있다. 또한 비록 완전경쟁에 가까운 상태에 있더라도, 한 개인의 경제 행위가 시장기구를 통하지 않고 직접 다른 개인의 행위에 영향을 준다면 효율적인 자원배분이 힘들어진다. 이와 같이 모든 경제 행위를 시장기구를 통해서 할 경우, 오히려 바람직한 결과가 실현되지 못하는 현상을 '시장의 실패market failure'라고 한다.

시장기구를 통해 성공적인 성과가 나타나지 않고 실패가 발생하는 요인에는 여러 가지가 있는데 대체로 외부성, 공공재, 시장의 불완전성과 불확실성, 소득의 불공정성 이렇게 네 가지로 나눌 수 있다.

첫째, '외부성externality'이란 어떤 경제 행위의 결과가 행위자 자신에게는 아무런 대가나 비용도 주지 않으면서 다른 사람의 경제 행위에 이익이나 손해를 끼치는 경우를 말한다. 다른 사람에게 이익을 주는 경우를 '외부경제external economy', 다른 사람에게 손해를 주는 경우를 '외부불경제external diseconomy'라고 하는데, 어떤 경우든지 시장기구를 통한 거래가 아니라 시장기구의 외부에서 효과가 발생한다는 점에서 '외부효과'라고 한다.

외부경제의 예를 들면, 과수원 옆에 양봉원이 있는 경우를 생각할 수 있다. 과수원에서 사과 꽃이 많이 피면 벌들도 꿀을 많이 생산할 수 있[illegible]하지 않고 과수원에서 생기는 외부효과를 자신의 이익으로 얻게 된다. 이때 과수원에서 발생되는 사회적 이익은 사실상 사과에서 얻는 것과 벌

읽을거리

1920년대 독일의 초인플레이션

물가가 폭락하고 생산과 국제무역이 격감하며, 대량의 실업이 발생하는 1930년대의 대공황과 같은 것도 무서운 일이지만, 고율의 인플레이션 역시 오늘날의 경제사회에서는 매우 무서운 존재다.

제1차 세계대전 후 독일이 겪은 인플레이션 이야기는 유명하다. 패전 후 독일은 전쟁배상을 위해 화폐를 마구 발행했고 이로 인해 물가가 크게 올랐다. 특히 1923년 후반에는 1년 사이에 물가가 무려 1,800만 배 이상 상승함으로써 경제의 저축이 휴지조각이 되어버렸다. 한때 우표 한 장의 가격이 90억 마르크였으며, 노동자의 한 달 월급은 480조 마르크까지 되었다. 이때에는 이쑤시개 한 개를 사는 데도 한 바구니의 돈이 필요했으며, 어떤 할머니가 이쑤시개 한 개를 사기 위해 돈 바구니를 내려놓고 잠시 한눈을 파는 사이에 돈은 놓아두고 바구니만 훔쳐갔다는 일화도 있다.

또한 사람들은 식당에서 식사할 때에도, 식사하는 동안의 인플레이션을 걱정해 주문과 동시에 음식값을 지불하기도 했다고 한다.

이처럼 극심한 인플레이션은 교환매개 수단으로서의 화폐기능을 마비시키고 화폐경제 자체를 파괴시키며 사람들의 생활을 극도로 불안정하게 만든다. 이것이 우리가 인플레이션을 잡아야 하는 하나의 이유인 것이다.

인플레이션과 국민경제

흔히 일반적인 물가 수준이 지속적으로 오르는 것을 인플레이션이라 한다. 이렇게 물가가 오르는 기간 동안에는 전체 상품가격의 평균 수준도 상승하게 된다. 물론 인플레이션 기간 중에도 가격이 떨어지는 상품이 있을 수 있다. 예를 들어 인플레이션 기간 중이라 하더라도 같은 성능을 가진 개인용 컴퓨터의 값은 지난달에 비해 크게 떨어질 수도 있다. 그럼에도 불구하고 인플레이션 기간 중에는 오르는 상품가격들이 내리는 상품가격들을 능가하게 된다. 그럼으로써 평균적인 가격 수준은 올라가게 되는 것이다. 그리고 이렇게 되면 일반적으로 사람들은 일상생활에 지금까지보다는 더욱 많은 비용을 지불해야 할 것이다.

이러한 인플레이션은 예상된 경우와 그렇지 못한 경우에 그 효과가 다를 수 있다. 예를 들어, 사람들이 인플레이션을 예상하면, 근로자들은 실질임금이 떨어지는 것을 막기 위해 임금인상을 요구할 것이며, 명목이자율은 실질이자율에 예상된 인플레이션율을 더한 값과 같아질 것이다. 즉, 이러한 경우에는 명목이자율이나 명목임금 등의 명목변수에만 영향을 주고, 고용이나 실질소득 등의 실질변수에는 커다란 영향을 미치지 않는다.

물론 이렇게 인플레이션이 예상된 경우에도 어느 정도의 비용은 있을 수 있다. 예를 들어, 메뉴비용이나 인플레이션이 예상될 때, 사람들이 금융기관을 더욱 잦게 방문하게 됨에 따라 발생하는 거래비용의 증가를 의미하는 구두창 비용 등은 예상된 인플레이션에서도 발생하는 비용이다. 그러나 그 크기는 그리 크지 않을 수 있다.

인플레이션이 적당하게 일어나면, 국민경제의 활동에 활력을 불어넣을 수 있다. 물론 이 기간에도 많은 재화와 용역의 가격은 조금씩 오를 것이다. 그러나 예를 들어 임금 등의 생산요소가격이 산출물의 가격보다 적게 올랐다면, 기업은 지금까지보다 더 많은 이윤을 기대할 수 있을 것이고, 더욱 많은 상품을 생산하기 위해 고용을 늘릴 것이다. 또한 새로이 고용된 노동자들은 자신의 소득을 바탕으로 지출을 늘려갈 것이며, 이것은 경제 전체의 총수요 수준을 증가시키고 성장을 촉진시킬 수 있다.

그러나 이와는 달리 예상치 못한 인플레이션이 극심하게 되면, 대규모 실업을 유발할 수 있다. 사람들의 수입에 비해 물가가 크게 오르게 되면, 이는 사람들의 실질소득이 줄어들었음을 의미하고 그러다 보면 사람들은 물건의 구입을 줄이게 된다. 이는 경제 전체의 입장에서 보면 총수요의 감소를 의미하며, 따라서 실업이 발생하게 될 것이다. 한편 임금이 물가를 상회하는 경우에 기업은 당연히 고용을 줄이려 할 것이기 때문에 이는 실업을 더욱 부채질하게 될 것이다.

또한 많은 사람들은 지나친 인플레이션이 합리적 경제 행위 자체를 저해한다고 주장한다. 실제로 물가상승이 모든 상품에 고르게 일어나지는 않는다. 그러므로 소비자와 생산자가 이러한 가격구조의 변화에 대응해서 자신의 경제 행위를 바꾸지 못하면, 이것이 그 경제의 효율성을 더욱 낮추게 될 것이다. 또한 상대가격이 달라져서 자원배분이 달라지면 효율성이 추구되는 방향이 바뀌게 되며, 이 변화 과정에서 많은 비용이 수반될 수도 있다. 뿐만 아니라, 인플레이션으로 곧 네 가지 공리를 모두 갖춘 합리적이고 민주적인 사회후생함수가 존재하기 어려움을 의미한다.

애로의 이러한 불가능성 정리는 다수결 의사결정 방법만을 잘 정하면 바람직한 결과가 나오리라는 낙관적 생각이 근거 없음을 보여준다. 즉, 올바른 사회적 의사결정을 위해서는 구성원의 심사숙고, 의사소통 협상 등 많은 노력이 들어감을 의미한다.

그러면 이러한 공공선택과 관련해 다수결의 원칙이 지배하는 민주주의 사회에서 선택은 얼마나 효율적인가? 이와 관련해 애로나 뷰캐넌J. Buchanan 등은 흥미로운 문제를 제기했다. 우선, 다수결에 의한 공공선택의 문제에 대한 것은 아니지만, 이미 언급한 바와 같이 애로는 불가능성 정리를 통해 민주사회의 바람직한 특징(합리성, 민주성 등)들을 모두 충족시키는 사회후생함수는 존재하지 않는다는 사실을 입증했다. 이렇게 보면, 우리가 어떤 특정한 사회후생함수를 전제로 하여 경제사회를 분석하거나 설명한다는 것은 일면 사회구성원들이 바라는 모든 것들이 아닌, 어떤 특정한 사회적 가치를 염두에 두고 있음을 말하는 것인지도 모른다.

이러한 애로의 문제 제기가 있기는 하지만, 오늘날의 민주사회에서는 다수결majority voting rule에 의해 많은 공공의 문제를 결정하고 있다. 그런데 과반수 찬성에 의한 결정 방식에도 몇 가지 문제가 있다. 그 중 하나는, 이 방식은 투표자들 사이의 선호의 강도를 고려할 수 없다는 점이다. 예를 들어, 특정 사안에 대해 다른 사람은 사실상 무차별하고 어떤 사람은 강렬히 원하는 경우라도, 모든 사람의 표는 동등하게 취급되기 때문에 각자가 지닌 선호의 특수성은 결정에 반영

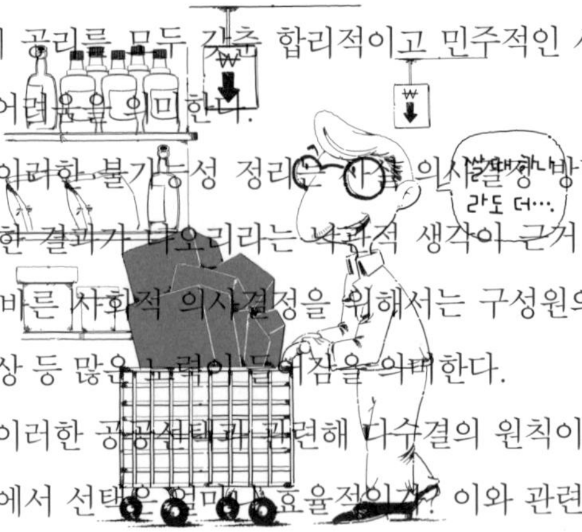

실질구매력이 하락했다는 것은 화폐가치의 하락을 의미하므로 극심한 인플레이션은 화폐경제의 신뢰성 상실을 의미하게 된다. 더구나 인플레이션이 심각하여 화폐를 통한 거래 자체가 중단될 정도가 되면, 화폐사용을 통한 거래의 편의성이 사라지고, 경제활동의 규모도 줄어들 가능성이 있다.

또한 인플레이션은 어떤 특정 상품을 중심으로 일어날 때, 투기를 유발시킬 수 있다. 투기는 사람들이 나중에 높은 가격으로 다시 팔기 위해서 많은 양의 상품을 구입할 때 발생한다. 적당한 투기는 공급량이 많아져서 값이 쌀 때 사 두는 것이므로 가격을 안정시키기도 하지만, 매점매석과 같이 공급량을 조절하는 경우에는 문제가 심각해지기도 한다.

예를 들어 오늘날 우리 경제에서 커다란 문제가 되어 있는 부동산 투기처럼 땅이나 아파트의 가격이 크게 오를 것이 기대될 때, 사람들이 자신에게 당장 필요하지 않은 아파트나 땅을 구입하려고 하는 경

을 바로 이러한 투기의 예다. 일반적으로 이러한 유형의 투기는 비생산적일 뿐만 아니라 시장의 자원배분 기능을 왜곡시킨다.

이에 더하여 예상치 못한 인플레이션은 장기계약의 체결을 매우 불안정하게 한다. 즉 인플레이션이 자주 일어나면 채권자와 채무자는 장기계약을 기피하게 된다. 예를 들어 은행의 경우 장기대출을 회피하게 될 것이며 이는 장기투자가 필요한 기업에는 큰 타격이 될 수 있다.

뿐만 아니라 인플레이션은 국제무역에도 커다란 영향을 미친다. 예를 들어 우리 상품의 전반적인 가격 수준이 다른 나라의 그것에 비해 더 높이 상승하면 외국의 소비자들은 우리 상품의 구입을 포기하게 될 것이며, 이는 곧 우리 수출이 감소함을 의미한다. 이는 때때로 우리 산업발전에 장애가 되기도 하며 경제성장 또한 이에 큰 영향을 받을 수 있다.

그런데 이러한 인플레이션은 정부에 의해 일어날 수도 있다. 정부는 치안, 국방, 일반행정, 사회복지 등과 같은 국가사업을 하는 데 필요한 자금을 주로 세금을 부과하거나 국채를 발행해 조달한다. 그런데 필요한 자금을 충당하기 위해 정부가 화폐공급을 늘려 시중에 돈이 풍부해져 인플레이션이 일어나는 경우를 '인플레이션 조세inflation tax'라 한다. 정부가 돈의 양을 늘리면 물가 수준이 상승하고 우리가 갖고 있는 화폐의 가치가 이전보다 떨어지게 되기 때문이다. 이런 인플레이션 조세는 특정 부문에서 거두는 일반 세금과 달리 불특정한 모든 사람들에게 세금을 부과하는 것과 같다.

여 아무도 비용을 부담하지 않으려 하는 문제를 '무임승차자free rider의 문제'라고 한다.

무임승차자의 가능성이 있을 때는, 아무도 자발적으로 공공재를 공급하려 하지 않을 것이므로 사회적으로 필요한 수량보다 공공재가 적게 공급될 것이다. 따라서 정부는 조세를 통해 얻어진 재원을 바탕으로 공공재인 공원, 도로, 경찰, 일기예보와 같은 재화나 서비스를 공급해야 한다.

셋째로, 시장정보의 불완전성과 불확실성 때문에 시장기능을 통해 자원의 효율적인 배분이 일어나지 않을 수 있다. 소비자의 선호나 생산기술 면에서 걷잡을 수 없이 변화가 심한 경우, 민간기업이 위험을 기피하거나 적절한 투자를 하지 않음으로써 적절한 생산과 경제성장이 잘 이루어지지 않는 경우도 있다. 이때 정부는 기술개발에 대해 세제상의 혜택이나 보조금을 줌으로써 더 효율적인 생산이 되도록 유도할 수 있다.

시장정보의 불완전성과 불확실성으로 인해 발생하는 문제 중 특히 심각한 것으로, 실업과 유휴시설이 생기는 불황이 있다. 각 개인이나 기업이 시장에서 모든 정보를 신속하게 얻어서 자원을 적재적소에 잘 이용하면 문제가 없을지 모른다. 현실경제에서는 정보의 취득과 해석에 차이가 있으며 모든 정보를 개인이 갖고 있지 않으므로 경제활동 수준 자체가 급격히 떨어질 가능성이 있다. 이와 같은 문제는 거시경제학의 주제로서 앞으로 상세히 설명할 것이다.

마지막으로, 시장기구에 의해 경제를 운영할 때 발생하는 문제로서, 소득의 불공정성을 들 수 있다. 시장경제에서는 구매력이 있는

인플레이션, 누가 이익이고 누가 손해인가

그러면 이제 인플레이션이 그 경제사회의 여러 집단들에게 어떻게 영향을 미치게 되는지 한번 생각해보자. 인플레이션은 때때로 노동조합의 관계자들에게 임금을 올릴 명분을 제공하기도 한다. 그래서 임금이 재화가격의 상승률보다 더 상승하면 단기적으로는 노동조합의 조합원들이 이익을 얻게 된다. 그러나 이러한 임금의 상승으로 상품가격이 다시 올라가게 되면, 결국 이러한 임금의 상승은 물가의 상승으로 연결되게 된다.

돈을 빌린 채무자 역시 인플레이션으로 인해 이익을 보게 될 것이다. 즉 인플레이션이 일어나면, 갚을 때의 그 돈의 가치는 그것을 빌렸을 때의 가치보다 적을 것이기 때문에 채무자가 이익을 보게 되는 것이다. 예를 들어 18평 아파트를 구입하기 위해, 20년 후 상환을 조건으로 은행으로부터 주택자금을 융자받은 경우를 생각해보자. 만약 1,000만 원을 융자받았으면, 지금의 1,000만 원은 18평 아파트의 주택구입자금으로 상당한 몫을 할 수 있을지 모른다. 그러나 20년 후의 아파트값이 10배가 되었다면, 그 1,000만 원은 아파트값에 비해 별게 아닌 것이 되어버리므로 융자받은 사람은 그만큼 유리해지는 것이다.

또한 평균적인 물가상승율보다 더 크게 값이 오르는 부동산이나 자산을 소유한 사람들 역시 인플레이션으로부터 이익을 얻을 수 있다. 예를 들어 물가의 평균적인 상승율은 10%인데 20% 오른 부동산을 가진 사람은 인플레이션에 의해 그것을 가지지 못한 사람보다 크게 이익을 보게 된다. 그러나 그렇지 못한 사람들은 상대적인 손해를 보게 되는 것이다. 최근에 우리나라에서 문제된 부동산투기는 바로 이러한 경우와 직접적으로 연관되어 있다. 즉, 부동산의 가격상승이 일반적인 물가상승보다 매우 크기 때문에 많은 사람들이 가격이 오르리라 기대되는 부동산을 사기 위해 많은 자금을 동원했던 것이다.

이에 대해 일정한 봉급을 받는 사람들이나 연금생활자들은 인플레이션으로부터 손해를 보게 된다. 한 달에 50만 원을 받는 연금생활자의 경우를 예로 들어보자. 만약 연간 10%의 인플레이션이 일어난다면 지금 50만 원으로 구입할 수 있는 것도 1년 후에는 55만 원이 들 것이다. 즉, 그가 받는 연금의 구매력은 인플레이션에 의해 크게 떨어진다. 실제로 많은 연금생활자들은 이러한 문제에 직면하고 있다.

이는 은행에 돈을 저축한 사람이나 일정 이율의 채권을 산 사람의 경우에도 마찬가지다. 만약 은행의 이자율이 연 10%이고 인플레이션율이 9%라면 실제로 1%를 제외한 나머지는 인플레이션에 의해 깎여나간다. 그리고 인플레이션율이 은행이나 채권의 이자율을 상회하게 되면, 저축이나 채권을 가진 사람들은 실제로는 자신이 처음에 맡겼던 돈의 구매력보다 더 적은 구매력을 가지게 되는 것이다.

이와 함께 앞에서도 잠시 언급했지만, 인플레이션이 실업률을 높인다는 점은 많은 사람들에게 커다란 해가 될 수 있다. 실제로 기업은 불안정한 경제보다 안정적인 경제상황을 좋아하며, 높은 인플레이션 아래서는 투자를 꺼리게 된다. 이는 자연적으로 더 적은 생산과 더 적은 고용 수준을 의미하므로 사람들은 일자리를 잃을 수 있다. 그렇지 않다 하더라도 일자리가 없는 사람들은 직업을 찾는 데 종전

요약

이 장에서는 시장기구를 통한 자원배분이 효율적으로 이루어질 가능성이 많음을 먼저 설명했다. 즉 소비자의 효용 최대화와 기업가의 이윤 최대화라는 개인이익의 추구를 통해, 경제에서 주어진 자원이 가장 쓸모있게 배분된다는 것이다.

그렇지만 외부성이 존재하는 경우나 공공재의 경우, 시장기능을 통해서 사회적으로 최적인 생산량이 꼭 생산되는 것은 아니므로, 정부가 조세나 보조금과 같은 조치를 통해 효율성을 높여야 함을 알 수 있다. 또한 시장이 불완전하거나 불확실성이 많은 경우, 정부가 경제정책을 통해 시장의 실패를 극복해야 한다. 나아가 시장기구를 통해 효율성이 달성되었다고 해서 공평성이 보장되는 것은 아니므로, 소득재분배정책이 필요하다.

그런데 정부가 경제에 개입하더라도 정부의 실패 등으로 인해 의도한 목표가 반드시 달성되는 것은 아니므로, 지나친 경제개입을 해서는 안 된다는 사실도 알 수 있다.

중요개념

- 파레토 최적
- 시장의 실패, 정부의 실패
- 외부성
- 공공재
- 효율성과 공평성
- 불가능성 정리
- 투표의 역설

보다 더 큰 어려움을 경험하게 될 것이다. 이것이 대부분의 국가가 인플레이션을 통제하려는 이유이다.

인플레이션의 측정: 물가지수

인플레이션은 물가지수에 따라 측정될 수 있다. 여기서 물가지수는 어떤 연도를 기준으로 한 해의 물가를 비교할 수 있는 수치를 말하며 이에는 여러 가지 종류가 있다. 이러한 물가지수는 우리 몸의 온도를 재는 일종의 체온계와 비슷한 것이다. 우리는 흔히 몸이 불편하면 체온계로 재어본 뒤 체온이 높으면 일단 건강에 이상이 있다고 판단하고 그 원인의 발견과 치료를 위해 병원이나 약국을 찾는다. 이와 마찬가지로 물가지수의 크기가 갑자기 변화하면, 우리는 경제활동에 어떤 문제가 있다고 보고 그 원인의 발견과 대책을 논의하게 된다.

사실 물가의 변동은 소비, 투자, 저축, 생산, 국제거래 등 한 경제의 모든 경제활동을 반영하는 것이기 때문에 경제의 동향을 파악하거나 경제정책을 수립하는 데 매우 중요한 기초자료가 될 수 있다. 예를 들어 공급이 일정한 상태에서 수요가 증가하면 물가는 상승하며 물가지수 역시 올라가게 될 것이다. 이 경우 우리는 경기의 변화를 물가지수의 변화로 판단해볼 수 있으며, 정부는 총수요 억제를 위한 경제정책을 생각할 수도 있을 것이다. 그리고 이러한 물가의 변동을 알려주는 물가지수는 화폐구매력의 변화를 알려주기도 한다. 예를 들어 물가지수가 지속적으로 상승하면 이는 화폐의 가치가 하락해 구매력이 떨어졌음을 표시해주는 것이기도 하다.

그러면 이러한 물가지수는 어떻게 계산되는가? 여기에는 여러 가지 방법이 있지만 소비자물가지수CPI는 시장에서의 거래액이나 소비지출액을 중심으로 선정된 중요 품목을 대상으로 그 가격을 조사하고, 이에서 다시 생활에 미치는 영향의 정도를 중심으로 가중치를 고려해 기준 연도와 대비해 계산하고 이를 산술평균한다. 예를 들어 생활에 커다란 영향을 미치는 쌀이나 배추, 무 등은 그 비중을 높게 하고, 그렇지 않은 고급 오디오나 오락 등은 그 가중치를 낮게 하여 계산한다.

참고로 소비생활에 필요한 재화나 용역의 종합적인 가격 변동을 파악하기 위해 작성되는 우리나라의 소비자물가지수의 경우를 보자. 우리나라의 소비자물가지수는 생활에 필요한 516개의 제품을 대상으로 소매가격을 조사하고, 이에 다시 각 상품의 가중치를 계산한 다음, 기준 연도(2000년)를 100으로 보고 그해의 물가 변화를 계산한다. 예를 들어 쌀의 가중치는 전체를 1,000으로 보았을 때 약 24.3이며, 전세금은 93.5이고 돼지고기는 7.2, 이동통신료는 23.7의 가중치를 지니고 있다. 만약 여기서 전세금이 기준 연도에 비해 10% 올랐으면 소비자물가지수에는 약 0.9%($=\frac{10\times93.5}{1000}$)의 영향을 미치게 된다.

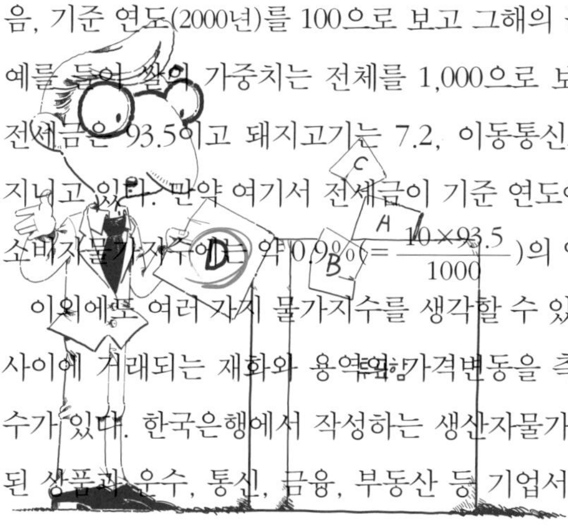

이외에도 여러 가지 물가지수를 생각할 수 있다. 예를 들어 기업들 사이에 거래되는 재화와 용역의 가격변동을 측정하는 생산자물가지수가 있다. 한국은행에서 작성하는 생산자물가지수는 국내에서 생산된 상품과 운수, 통신, 금융, 부동산 등 기업서비스가 국내시장에 출

도표 81 | 물가지수 상승률 추이

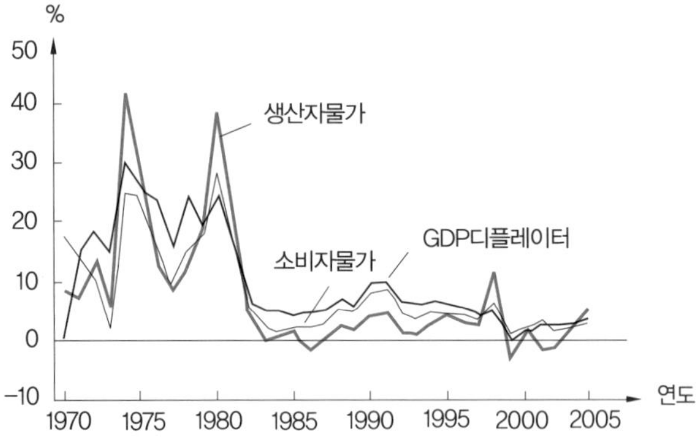

출처 〈한국은행, 2001-2006, 통계자료(한국은행 경제통계시스템)〉

하되어 1차 단계에서 기업 상호 간에 이루어진 거래가격의 변동을 측정한 것이다. 이러한 생산자물가지수는 다른 물가지수에 비해 조사대상 범위가 넓고 전반적인 상품의 수급동향을 반영한다는 점에서 일반 물가 수준을 잘 나타낸다. 또한 GDP디플레이터나 수출입물가지수 등의 물가지수들을 생각할 수도 있다.

그러나 이러한 물가지수가 여러 가지 한계를 가지고 있음도 사실이다. 예를 들어 위에서 살펴본 소비자물가지수는 일반적인 소비생활비용의 지표는 될 수 있어도, 어느 개인의 생계비를 이야기해줄 수는 없다. 이는 개인이 시장에서 사는 물건과 통계국에서 계산되는 물건이 다르기 때문이며, 개인이 생각하는 가중치와 통계국의 가중치가 다르기 때문이기도 하다. 예를 들어 도시 지역의 가계는 집값이나 식료품 가격의 변동에 커다란 관심을 가지지만, 농촌의 가계는 오히려 의료나 오락 등에 더 큰 비중의 관심을 둘 수 있다. 이 경우 통계국의

도표 82 | 주요 품목의 가격변화 비교

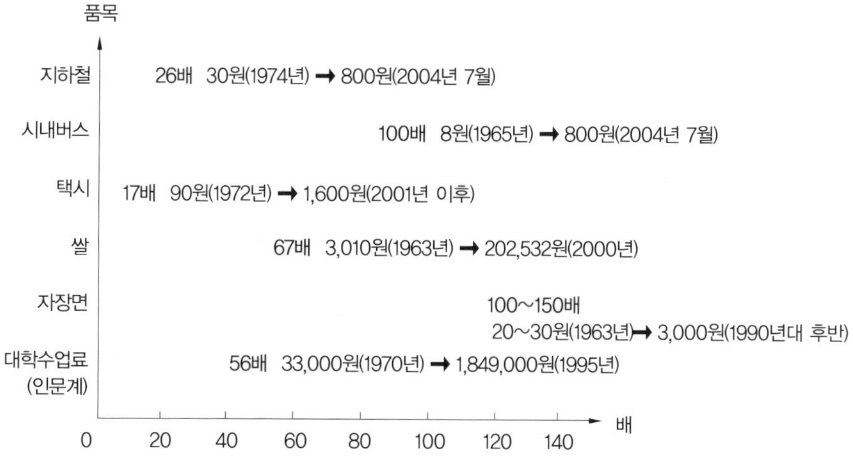

* 서울시정개발연구원 2004년 8월 자료

지수는 개인의 감각과는 크게 차이가 있게 된다. 즉, 이러한 피부물가와 지수물가 사이에는 커다란 괴리가 있을 수 있는 것이다.

또한 소비자물가지수는 단지 시장에서 판매되는 품목만을 포함하고 있으며, 정부나 가정의 서비스 등은 포함되어 있지 않다. 게다가 소비자물가지수는 단순히 가격의 변동을 표현할 뿐, 그것의 품질변화는 고려하지 않는다. 실제로 많은 경우에 어느 정도의 가격상승은 제품 질의 변화를 수반하지만, 이것이 소비자물가지수에는 고려되지 않는다. 또한 소비 패턴이 변한 것을 물가가 오른 것으로 생각하게 되는 경우도 있는데, 두루마리형 화장지를 쓰던 사람이 그보다 값이 비싼 티슈형 화장지를 쓰면서 화장지 값이 올랐다고 느끼는 경우를 예로 들 수 있다.

여러 가지 한계점에도 불구하고 물가지수는 우리 경제의 동향을 파악하고, 경기의 변동상황을 알려주며, 여러 가지 경제정책 수립에 대단히 중요한 자료가 되는 것임은 틀림없다.

무엇이 인플레이션을 일으키는가

무엇이 인플레이션을 일으키는가에 대해 경제학자들은 여러 가지 견해를 제시하고 있다. 그중 하나의 설명은 공급 수준의 증가에 비해 높은 수준의 총수요 증가가 인플레이션을 일으킨다는 것이다. 예를 들어 현재의 가격 수준에서 생산되는 상품량보다 가계나 기업의 수요가 더욱 크다면 가격 수준은 상승하게 될 것이다. 전쟁 중에 있는 국가에서 전쟁수행을 위한 높은 지출 수준 때문에 인플레이션이 일어나는 것이 바로 총수요 증가에 의한 인플레이션의 한 예다. 이를 흔히 수요견인 인플레이션이라 한다.

이처럼 과도한 수요에 의해 발생하는 인플레이션을 총수요 · 총공급의 그래프로 표시하면 다음과 같다. 즉, 도표 83에서 보는 바와 같이 처음에 가격 수준 P_1과 산출 수준 Q_1에서 균형을 이루고 있었던 경제에서, 이제 전쟁이나 기타 다른 이유로 총수요가 크게 증가하게 되었다고 하자. 그러면 총수요곡선은 우측으로 이동한다. 그리고 이러한 이동의 결과 경제는 총수요와 총공급이 다시 만나는 점에서 새로운 균형을 이루게 되며, 이때 가격 수준은 P_2이고 산출 수준은 Q_2이다. 즉, 물가 수준은 P_1에서 P_2로 높아진 것이다. 이것이 바로

도표 83 | 수요의 변화에 따른 인플레이션

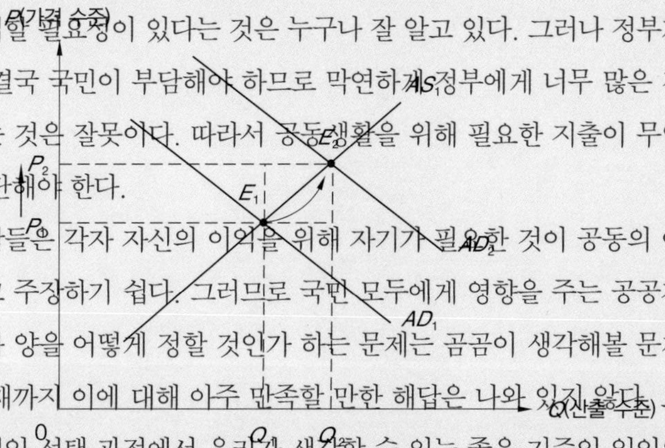

과도한 수요의 증가가 이끌어낸 인플레이션이다.

수요 측면에서 발생한 인플레이션은 화폐량이 크게 증가한 경우에도 발생한다. 흔히 '너무 많은 돈이 너무 적은 상품을 쫓고 있는 경우 too much money chasing too few goods'로 이야기될 때의 인플레이션은 일정한 상품 생산 수준에 대해 경제 내의 화폐량이 과도할 때 발생한다. 사실 이러한 인플레이션은 앞장에서도 본 것처럼 화폐량의 증가가 물가의 상승과 직접적으로 연결되어 있기 때문에 일어나는 것이라 할 수도 있다.

또 하나의 인플레이션에 대한 설명은 공급 측면에 관련된 것이다. 즉, 인플레이션은 상품을 만들거나 파는 비용이 증가함에 따라 일어날 수도 있다. 예를 들어 노동조합이 인플레이션 기간 동안에 잃었던 실질소득을 보상하기 위해 임금을 올리게 되면, 이는 생산비용의 증가로 나타날 수 있고, 이를 통해 소비자물가의 상승이 일어날 수 있다.

더 깊이 이해하기

시장경제에서 자원배분을 행할 때, 시장의 실패 가능성 때문에 정부가 경제에 개입할 필요성이 있다는 것은 누구나 잘 알고 있다. 그러나 정부가 쓰는 돈도 결국 국민이 부담해야 하므로 막연하게 정부에게 너무 많은 것을 기대하는 것은 잘못이다. 따라서 공동생활을 위해 필요한 지출이 무엇인지 잘 판단해야 한다.

보통 사람들은 각자 자신의 이익을 위해 자기가 필요한 것이 공동의 이익이 된다고 주장하기 쉽다. 그러므로 국민 모두에게 영향을 주는 공공지출의 대상과 양을 어떻게 정할 것인가 하는 문제는 곰곰이 생각해볼 문제이지만, 현재까지 이에 대해 아주 만족할 만한 해답은 나와 있지 않다. 오히려 공공적인 선택 과정에서 우리가 생각할 수 있는 좋은 기준인 일인의 독단적 결정금지, 일관된 결과 등 여러 기준을 동시에 만족시키는 선택방법은 존재하지 않는다는 애로의 불가능성 정리가 제시되어 있다. 이에 따라 국민 각자의 양식 있는 판단과 공정한 선거 등 국민들의 공동생활에 대한 상호 기여가 절실히 필요함을 알 수 있다.

도표 84 | 비용상승에 따른 인플레이션

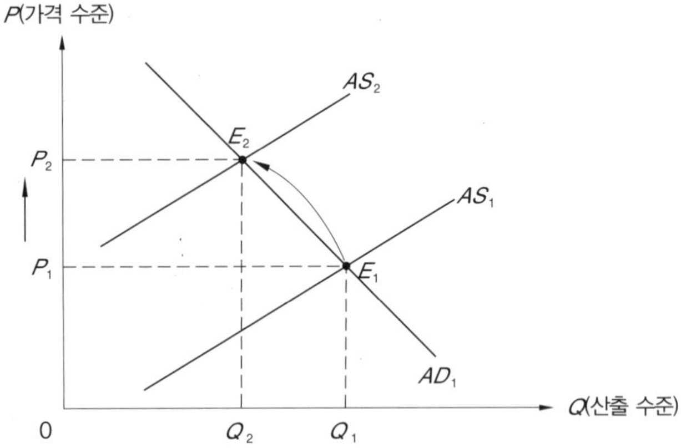

여기서 이러한 비용상승에 따른 인플레이션은 도표 84와 같이 나타날 수 있다. 즉, 처음의 경제상태(P_1, Q_1)에서 임금이나 원료가격의 상승 등에 의해 생산비용이 증가했다고 하자. 이 경우 기업은 같은 가격에서 더욱 적게 생산하게 될 것이고, 그러면 총공급곡선은 좌측으로 이동하게 될 것이다. 여기서 경제는 가격 수준 P_2와 생산 수준 Q_2의 새로운 균형에 이르게 된다. 이때 새로운 가격 수준은 처음의 가격 수준 P_1보다 높으며, 그 경제는 인플레이션을 경험하는 것이다.

인플레이션은 치유될 수 있는가

앞장에서 정부의 역할이나 금융정책을 논의할 때에도 이야기했지만, 흔히 사용하는 금융정책이나 재정정책을 통한 인플레이션의 억제는 주로 수요 측면의 인플레이션에 대한 대책이다. 예를 들어 물가가 급격히 상승할 때 정부가 통화량을 조절한다거나, 근검절약 캠페인을 벌이고, 과소비 억제운동을 전개한다거나, 사치성 업소나 산업에 대해 높은 세금을 부과하는 것 등은 바로 수요 측면의 인플레이션에 대한 대책들이다.

수요 측면의 인플레이션과는 달리 공급 측면의 인플레이션은 그 대책을 세우기가 매우 어렵다. 공급 측면의 인플레이션을 통제하기 위해서는 모든 생산요소에 대한 인위적인 압력을 없애야 한다. 그러나 이는 결코 쉬운 일이 아니다. 예를 들어 대형회사나 대규모 조직의 노동조합은 결코 그들의 힘을 포기하려 하지 않을 것이고, 독점적인 원료공급자는 시장지배력을 이용해 가격을 낮추지 않으려고 할 것이다. 이 경우 생산요소 가격의 상승을 완전히 막을 수는 없게 된다.

때로는 공급 측면의 인플레이션을 전혀 통제할 수 없는 경우도 생길 수 있다. 예를 들어 산유국들이 석유값을 크게 올린다면 우리로서는 당장 어찌할 수 없다. 이러한 에너지 가격의 상승은 우리 경제에 있어서 생산비용을 증가시키고 결국은 인플레이션을 일으키게 된다.

이러한 비용상승에 의한 공급 측면의 인플레이션에 대해 경제학자들은 생산성을 향상시키고, 생산원가를 절감해 총공급곡선을 우측으로 이동시켜야 한다고 주장한다. 아마도 이는 공급 측면의 비용상승에 의한 인플레이션을 막는 좋은 대책이 될 수 있을 것이다. 그러나 이러한 대책도 결코 달성하기 쉬운 일은 아니다.

흔히 인플레이션이 발생하면 정부는 민간부분의 가격결정 과정에 개입해 물가상승을 억제하려 노력한다. 임금협상에 개입하기도 하고 가중치가 높은 특정 상품이나 산업의 가격상승을 자제토록 요청하기도 한다. 이렇게 정부가 가격결정 과정에 개입해 인플레이션을 막으려는 노력 방식을 흔히 물가관리정책 또는 소득정책이라 한다. 그러나 이러한 방식은 단기적으로 시장의 상대가격을 왜곡시키고 장기적으로도 효과가 없는 것으로 알려져 물가억제정책으로 그렇게 큰 호응을 얻고 있지는 않은 것으로 보인다.

인플레이션은 확실히 현대 경제사회의 커다란 문제다. 사실 그것이 수요 측면에서 일어나는 것이든 공급 측면에서 일어나는 것이든, 인플레이션은 통제되어야 한다. 급격한 인플레이션은 무서운 것이다. 이미 앞에서 논의한 바와 같이 인플레이션은 사람들의 생활 수준을 낮추고, 전체 경제를 기능적으로 왜곡시킨다.

이러한 의미에서 프리드먼과 같은 경제학자는 인플레이션을 퇴치하는 것이 알코올중독자가 술을 끊거나 애연가가 담배를 끊는 것처럼 어렵다고 말했다. 인플레이션이란 어쩌면 모두에게 일시적인 위안을 주면서 결국에는 모든 사람들을 파멸로 이끄는 마약과도 같다고 할 수 있을지 모른다.

요약

이 장을 통해 우리는 인플레이션이 무엇이며, 그것이 왜 문제가 되는가, 그리고 그 원인은 무엇이며 해결책은 없는가 등에 대해 논의했다. 확실히 인플레이션은 현대 경제가 안고 있는 가장 중요한 문제다. 이러한 인플레이션 문제의 해결은 그 경제사회의 성장이나 안정을 위해서도 매우 중요한 일이라 하겠다.

중요개념

- 인플레이션
- 구두창 비용, 메뉴 비용
- 물가지수, 소비자물가지수, 생산자물가지수, GDP디플레이터
- 수요견인형의 인플레이션, 공급 측면의 인플레이션
- 소득정책

더 깊이 이해하기: 필립스곡선과 스태그플레이션stagflation

영국의 경제학자 필립스A. W. Phillips는 1861년에서 1957년까지의 명목임금상승율과 실업에 관한 자료를 중심으로 이들 양자는 부負의 관계에 있다는 사실을 발견했다. 그리고 이러한 관계는 명목임금상승율이 물가상승율과 밀접한 관계에 있다는 점을 고려한다면 물가와 실업의 관계로 이야기될 수 있다. 즉, 물가가 오르면 실업이 감소한다는 것이다. 이러한 물가와 실업과의 관계를 표시한 것을 필립스곡선이라 한다. 예를 들어 물가상승율을 세로축에 그리고 실업률을 가로축에 표시하면, 우리는 우하향하는 곡선을 그릴 수 있는데 이것이 필립스곡선이다.

그러나 1970년대를 지나면서 이러한 인플레이션과 실업률 사이의 안정

도표 85 | 필립스곡선

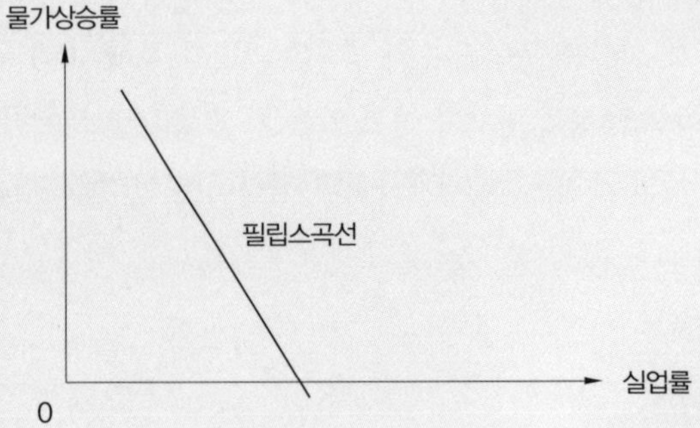

적인 역逆의 관계는 무너지게 되었다. 즉, 1970년대를 지나면서 경제침체로 생산활동이 위축되고 실업률이 높음에도 불구하고 인플레이션이 계속되는 상태가 계속되었다. 이러한 상태를 '스태그플레이션'이라 한다. 그리고 스태그플레이션은 오늘날 많은 국민경제가 겪고 있지만 그 현상의 원인이나 대책에 대한 설명은 지금도 그렇게 명쾌하지 못한 상태에 있다. 이를 두고 영국의 유명한 경제학자인 로빈슨 여사는 '경제학의 제2의 위기'라고 표현하기도 했다.

경제학자 이야기 14

토지공개념의 선구자, 헨리 조지

Henry George(1839~1897)

헨리 조지는 1839년 미국 필라델피아에서 영국 이민자의 아들로 태어났으며, 가난 때문에 3세까지밖에 공교육을 받지 못했다. 그 뒤 상선에서 근무하거나 인쇄공으로 일하기도 했으며, 1865년 이후 샌프란시스코 및 뉴욕의 신문사에서 일했다. 그는 1881년 《아이리쉬 월드Irish World》의 특파원으로 아일랜드에 파견된 후 유럽에서 자신의 견해를 펼칠 수 있었다. 그는 토지소유가 갖는 자연적 독점의 폐해를 강력히 피력했으며, 1879년 『진보와 빈곤Progress and Poverty』이란 그의 대표작을 출간했다.

그는 경제발전에 따른 토지수요의 급증으로 토지소유자는 아무런 활동 없이 부를 챙긴다고 생각했으며, 토지라는 요소에 배분되는 소득이 임금과 이자에 비해 상대적으로 너무 높아 소득분배의 불공정을 몰고 온다고 주장했다. 따라서 그는 토지의 사유를 부인하지는 않았지만, 과도한 토지소유는 제한하고 토지소유에 따른 이익을 사회에 환원해야 한다고 생각했으며, 그 일환으로 나머지 생산요소에 대한 세금은 폐지하고 토지에만 과세하는 단일세를 주장했다. 이러한 경향은 19세기 말 유럽에서도 크게 환영받았으며, 중화민국 건국 초기 쑨원도 이러한 주장에 동의했다. 또한 오늘날 세계 여러 나라에 헨리 조지 소사이어티가 있기도 하다.

6
실업, 무엇이 문제인가

읽을거리

실업의 비용

일반적으로 사람들은 실업의 비용으로 직장을 잃음으로써 벌 수 없게 된 돈의 크기를 따진다. 그러나 실제로 실업은 여러 가지 많은 문제들을 일어나게 한다. 때로는 가족 간의 갈등을 불러일으키고 때로는 사람을 술꾼으로 만들기도 하며, 심지어는 부부가 이혼하는 원인이 되기도 한다. 최근 어떤 나라의 통계수치는 실업이 1% 증가하면 920명 이상의 자살자가 생기고, 650명 정도의 살인자가 더 발생하며, 2만 명 이상의 심장병 환자와 4,000명 이상의 정신병자가 늘어남을 보여주고 있다. 실업의 고통에 대해 어떤 심리학자는 아주 친한 친구가 죽었을 때의 고통과 같다고도 했다.

출처 〈Ruffin R., & Gregory P., Principles of Economics, 15장, 1988〉

실업이란 무엇인가

인플레이션과 실업은 오늘날 대부분의 경제가 직면하는 가장 큰 문제들이다. 이것은 경제학자들뿐만 아니라 정치가들에게도 커다란 관심사다. 이 장에서는 주로 이 양자 중 실업에 대한 문제를 취급한다. 실업이 왜 발생하며, 실업의 폐해는 무엇이고, 우리는 그것을 어떻게 통제할 수 있는가 등이 바로 이 장의 주요한 관심사다.

실업이란 무엇인가? 직업이 없는 모든 사람을 실업자로 생각할 수는 없다. 예를 들어 5살 난 아동이나 95세의 노인을 실업자로 생각하는 것은 사실 매우 바보스러운 짓이다. 두 경우 모두 일할 능력이 없기 때문이다. 일반적으로 실업은 일을 할 수 있는 능력이 있을 뿐만 아니라 일할 생각을 가지고 있지만 일자리를 갖지 못한 상태를 말한다. 즉, 실업은 흔히 어떤 시점에서의 경제활동인구 가운데에서 일자리가 없는 사람의 비율로 계산한다.

여기서 경제활동인구는 한 나라의 경제에서 일할 의사와 능력을 가진 모든 사람들을 말하는데, 우리나라에서는 15세 이상의 인구 가운데에서 일자리가 있거나 적극적으로 일자리를 찾아다니는 사람들을 말한다. 경제활동인구의 대상을 15세 이상으로 잡은 것은 의무교육 기간이 끝나 취업이 시작되는 연령이기 때문이다. 이 인구에서는 일할 수는 있으나 일할 의사가 없는 학생이나 주부, 일을 할 수 없는 죄수, 환자, 정신병자 및 노약자 등은 물론 제외된다.

이러한 경제활동인구는 취업자와 실업자로 나뉜다. 취업자란 매월 15일이 속한 1주일(일요일~토요일) 동안 수입을 목적으로 1시간

이상 일한 사람을 말한다. 여기에는 자기에게 직접적으로 이득이나 수입이 생기지 않더라도 자기 가구에서 경영하는 농장이나 사업체의 수입을 위해 급료 없이 1주일당 18시간 이상 일한 가족과, 그 밖에 원래 직장이나 사업체를 가지고 있지만 조사대상 주간 중 일시적인 병, 일기불순, 휴가, 노동쟁의 등의 이유로 일을 하지 못한 일시 휴직자를 포함한다. 주부나 학생은 원래 경제활동인구에 포함되지 않지만, 주부가 파출부로 일하거나 학생이 자신의 학비를 벌기 위해 신문배달을 하는 경우 등은 경제활동인구에 포함되어 취업자로 계산된다.

실업자는 경제활동인구에서 취업자의 수를 뺀 부분이다. 이 경우 일자리를 얻을 수는 있지만 자신의 흥미나 자질에 맞는 직업을 선택하기 위해 일자리를 찾고 있는 사람도 실업자에 포함된다. 그들은 아마 자신에게 맞는 일자리가 생기면 즉시 일하려 할 것이다. 그러나 예를 들어 일하지 않아도 먹고 살 수 있을 만큼 충분한 재산을 가지고 있어서 일자리를 찾으려 하지 않는 28세의 젊은이가 있을 경우, 이 사람을 실업자로 생각하지는 않는다. 이 경우 그는 경제활동인구에서 제외된다. 즉, 일하기 싫어 스스로 직업을 가지지 않는 사람을 실업자라 생각할 수 없는 것이다.

실업의 측정: 실업률

이상에서 실업률은 실업자가 경제활동인구에서 차지하는 비율이다. 즉, 실업률은 다음과 같이 표시될 수 있다.

$$실업률 = \frac{실업자수}{경제활동인구수} \times 100(\%)$$

여기서 이렇게 정의되는 실업률을 도표 86과 같이 노동력의 흐름과 관련해 생각해보자. 원래 경제활동인구에 들어 있지 않던 사람이 새로이 경제활동인구가 되어 일자리를 찾아 나선다든지, 종전에 직업을 가지고 있던 사람이 직장을 잃거나 그 직장을 그만두고 새로운 일자리를 찾아나서는 경우에는 실업률이 증가한다. 그리고 직업을 가지고 있던 사람이 직장을 그만두고 더 이상 일하려 하지 않는 경우에도 경제활동인구가 줄어들기 때문에 실업률은 높아지게 될 것이

도표 86 | 노동력의 흐름: 진입과 탈퇴

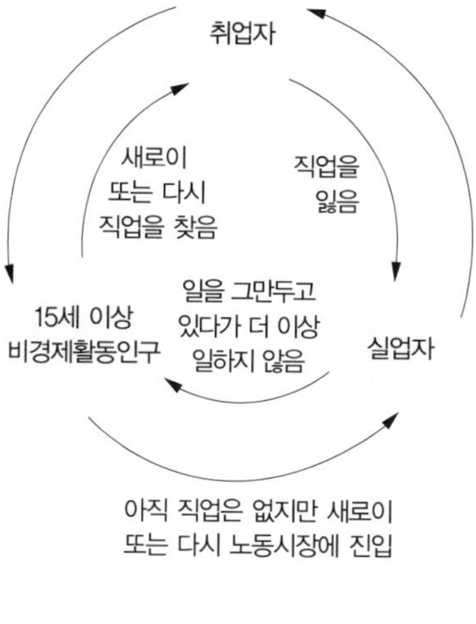

다. 물론 이러한 사람들이 새 직장을 가지게 되는 경우나 경제활동인구에 포함되지 않았던 사람이 새로이 경제활동인구에 포함되는 경우는 실업률이 감소할 것이다.

우리나라의 실업률은 2003년 기준 3.4% 정도이며, 1990년대 말 IMF 구제금융을 겪고 난 후 실업은 심각한 사회문제가 되고 있다. 2003년의 경우를 살펴보면 우리나라의 경제활동인구는 약 2,292만 명 정도였으며 실업자 수는 약 78만 명이었다. 위에서 언급한 실업률의 정의에 따라 우리나라의 2003년 실업률이 3.4%(=78만÷2,292만×100)로 집계된 것이다.

그러나 이러한 실업률은 각 지역마다 차이가 있을 수 있다. 예를 들어 어느 해 겨울 서울의 실업률은 4.1%였는 데 반해 인천은 2.5%였으며 대구와 부산은 2.6%였다. 이처럼 같은 대도시라 하더라도 실업

도표 87 | 경제활동인구 및 실업률 추이(2005년 5월 기준)

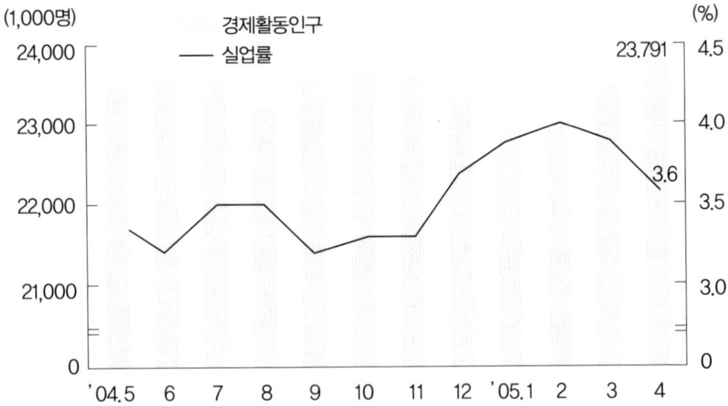

*통계청 자료

률은 서로 다를 수 있다. 사람들이 전국적으로 돌아다니지 않는다고 생각하면, 이러한 각 지역별 실업률이 오히려 그 지역에 있는 사람들에게는 더욱 의미 있는 수치가 될 수 있을 것이다.

그러나 이러한 실업에 대한 통계는 몇 가지의 중요한 문제점을 지니고 있기도 하다. 예를 들어 임시로 고용되어 있거나 시간제로 일하면서 정식으로 일하고 싶어하는 사람도 취업자로 취급되며, 오랫동안 일자리를 찾다가 지쳐서 직업 구하는 것을 당분간 포기한 사람(그러나 그는 역시 일하기를 원할 것임)도 실업통계에서 빠진다. 흔히 이 후자의 경우를 우리는 '숨겨진 실업hidden unemployement' 이라 부른다. 이러한 문제점들 때문에 실업통계에 나오는 실업률은 대체로 실제 실업률보다 낮게 측정되는 경향이 있다.

도표 88 | 경제활동인구 및 실업률(2005년 5월 기준)

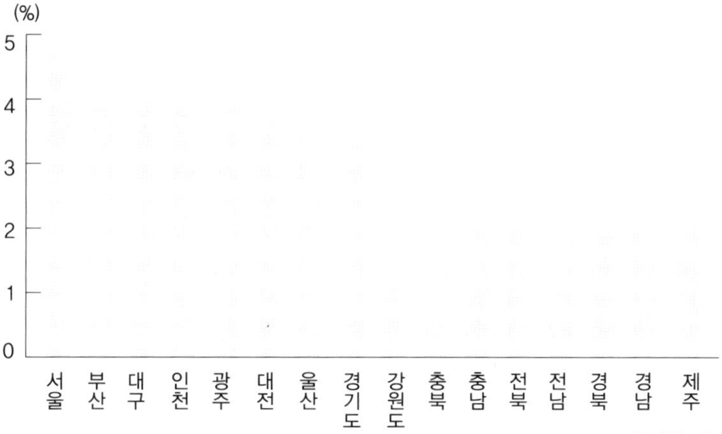

*통계청 자료

실업의 형태

앞에서 우리는 실업을 정의하고 그것을 어떻게 측정하는가에 대해 논의했지만 모든 실업이 다 똑같은 것은 아니다. 사실 어떤 경우의 실업은 다른 것만큼 심각하지 않을 수 있다. 여기서 우리는 실업을 몇 가지 종류로 나누어 생각할 수 있다. 즉, 구조적 실업, 경기적 실업, 마찰적 실업 등이 그것이다. 그리고 이러한 분류는 실업이 발생하는 원인을 이해하는 데 커다란 도움을 줄 수 있을 것이다.

'구조적 실업'은 기술의 발전으로 종래의 기술이 아무 쓸모가 없거나 기존의 산업이 사양화되거나, 또는 지역적으로 너무 떨어져 있어서 일할 기회를 갖지 못하는 경우에 발생한다. 예를 들어 글을 읽지 못하기 때문에 생겨나는 실업이 구조적 실업의 한 예다. 또한 첨단 산업의 경우 그 기술의 발전 속도가 매우 빨라 과거의 기술을 가지고 있는 사람이 다시 취직하려 할 때에는 이미 기존의 산업이 요구하는 기술 수준과 차이가 날 수 있으며, 이 경우에도 실업이 발생할 수 있다. 이 역시 구조적 실업의 한 예다.

때로는 일자리가 있는 곳과 일하려는 사람이 있는 곳이 떨어져 있어서 실업이 발생하기도 한다. 일반적으로 사람들은 멀리 이사하기를 싫어한다. 그것은 많은 비용이 소요될 뿐만 아니라, 자녀의 교육 문제 등 여러 가지 문제를 야기시키기 때문이다. 이러한 지역성에 의해 발생하는 실업 역시 구조적 실업이라 한다.

이러한 구조적 실업은 단기적으로는 정부의 총수요 증대정책 등에 의해 해소될 수도 있다. 즉, 구조적 실업의 일부는(예를 들어 단순 비숙런 노동자 등) 일자리가 크게 늘어나면 취업을 할 수 있을 것이다. 그러나 상당부분의 구조적 실업은 이러한 확대재정정책이나 금융정책과 같은 총수요증대정책에 의해서는 해소되지 않는다. 오히려 인력의 재훈련이나 산업구조의 조정 등이 이러한 구조적 실업을 해소하는 하나의 방안이 될 수 있을 것이다.

다음으로 '경기적 실업'을 들 수 있는데, 이는 주로 총수요의 부족으로 일어난다. 그래서 경기적 실업을 흔히 '수요결핍실업demand deficiency unemployment이'라 부르기도 한다. 이 실업은 경기의 순환 과정에서 재화나 서비스에 대한 수요의 부족으로 발생하며, 이러한 총수요의 부족은 곧 노동수요의 감소(실업)를 의미한다는 점에서도 이는 쉽게 이해될 수 있다. 즉, 노동에 대한 수요는 일면 파생적인 수요이며 이는 총수요의 변동과 밀접하게 연결되어 있다. 이러한 점이 경기적 실업을 발생하게 하는 주요 원인이 된다.

도표 89에서처럼 완전고용 수준에 있던 경제가 총수요가 줄어들어 새로운 균형으로 이동하면서 실업이 발생한다. 즉, 새로운 균형 Y와 완전고용 수준 Y_n 사이의 거리가 이러한 경기의 변동에 의해 발생한 실업이라 할 수 있다.

이러한 경기적 실업은 경기가 회복되면 어느 정도 해소된다. 그리고 1930년대에서 1970년대 초반까지 사람들은 재정정책이나 금융정책 등의 총수요 확대정책에 의해 이러한 경기적 실업을 해소할 수 있다고 믿었다. 그러나 최근 들어서는 이러한 생각이 점차 호소력을 잃어가고 있다.

'마찰적 실업'은 노동자가 자신의 기술에 알맞은 직업을 찾는 과정

도표 89 | 경기적 실업

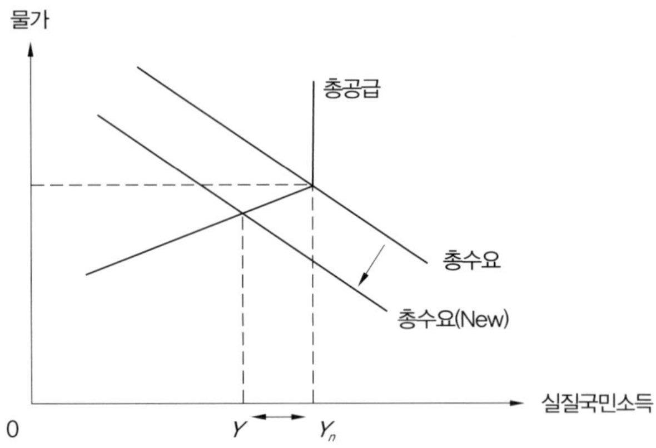

에서 생기는 실업이다. 예를 들어 직업기술학교 학생의 경우를 보자. 그는 졸업하면 자신이 가진 기술을 쓸 수 있는 직장을 찾을 것이다. 그러나 이러한 일은 대개 어느 정도의 시간이 있어야 한다. 어떤 회사원이 직장의 상사와 싸워 회사를 그만두었을 경우, 이 역시 마찰적 실업의 한 예가 될 수 있다. 이 기간에 발생하는 실업이 바로 마찰적 실업이다. 대개 이러한 마찰적 실업은 그 실업의 기간이 짧은 것이 보통이다. 마찰적 실업은 대부분 더 나은 일자리를 구하거나 자신에게 적합한 일자리를 탐색한다는 뜻에서 '탐색적 실업'이라 부르기도 하며, 스스로 실업상태를 택했다는 점에서 '자발적 실업'이라고 하기도 한다.

사실 이러한 종류의 실업은 대개의 자본주의 국가들에서 볼 수 있는 것이며, 전체 실업 가운데에서 약 3% 내지 4%가 이 마찰적 실업에 속한다. 마찰적 실업은 일시적인 것이기 때문에 실업문제에 관한 국가적 대책을 세울 때에는 그렇게 큰 관심을 두지 않는다. 사실 마찰적 실업은 좋은 것이라고 할 수는 없지만 그렇다고 완전히 없애야 하는 것도 아닐 수 있다. 어떻게 생각하면 이러한 실업은 어느 사회에서나 있을 수 있는 것이며, 일면 노동시장의 자유로운 기능을 위해서는 어느 정도 그 필요성이 인정되는 것이기도 하다. 그리고 이러한 마찰적 실업은 고용기회에 대한 정보의 흐름을 원활히 하고 직업의 탐색 과정을 줄일 수 있는 대책에 의해 어느 정도 해소될 수 있을 것이다.

또 하나 언급할 수 있는 실업의 종류는 '계절적 실업'이다. 이는 계절과 관련된 것으로, 예를 들어 스키장에서 일하는 사람들은 겨울에는 많은 일자리를 구할 수 있으나, 여름에는 실업인 경우가 많다. 또, 농촌의 경우에서 볼 수 있듯이 농번기에는 많은 일손이 필요하지만 농한기에는 그렇지 않다. 그러나 이러한 계절적 실업은 오늘날 우리 사회에서 그렇게 크게 문제되지는 않는다.

실업의 비용

실업은 그것을 경험하는 개인에게나 사회적으로 커다란 폐해를 끼친다. 그리고 이러한 실업의 폐해는 쉽게 계산할 수 있는 경제적인 것과 어느 정도는 주관적이고 정확히 계산하기 어려운 것으로 나누어 설명할 수 있다.

우선 쉽게 계산할 수 있는 실업의 경제적인 피해를 생각해보자. 실업은 일할 의사와 능력이 있는 사람이 일하지 못하는 상태이므로 경제적으로 실업이 증가한다는 것은 그 경제사회가 생산할 수 있는 재화와 용역의 양이 생산되지 못함을 의미하는 것이라 하겠다. 여기서 생산할 수 있는 데에도 불구하고 생산하지 못하는 재화와 용역의 양이 바로 실업의 경제적 손실이다.

다시 말해, 완전고용 상태에서의 국내총생산을 완전고용GDP라 하고 실제의 고용 수준(즉, 현실적인 실업 수준에서의) 아래서의 GDP를 실제GDP라 한다면, 실제GDP와 완전고용GDP의 차이가 바로 실업의 경제적 비용이라 할 수 있다.

그렇다면 완전고용이란 무엇인가? 완전고용은 엄밀하게 정의할 수는 없지만, 흔히 마찰적 실업만 있고, 구조적 실업이나 경기적 실업이 거의 없는 상태를 이야기한다. 나라마다 다르겠지만 실업률이 2% 내지 5% 정도면 대체로 완전고용이라 본다.

실업은 실제로 실질GDP의 감소를 불러일으키는 것으로 생각되고 있다. 미국의 경제학자 오쿤A. Okun은 경기적 실업의 경우 1%의 실업 증가가 약 3% 정도의 실질 GDP의 감소를 가져온다고 주장했다. 이를 '오쿤의 법칙'이라 부르기도 한다. 확실히 실업은 단기적으로 국민경제에 커다란 손실을 안겨준다고 할 수 있다.

실업은 이러한 경제적

손실과 함께 쉽게 계산될 수는 없지만, 그것을 경험하는 개인에게 실의와 좌절감을 안겨준다. 실업상태를 경험하는 개인은 자존심에 커다란 상처를 받게 되며, 또한 가족에게도 걱정을 안겨준다. 심지어 실업은 자녀의 교육이나 자신의 안전을 해하게 만들기도 한다. 예를 들어, 우리는 직장을 그만둔 뒤 알코올 중독의 상태를 경험하는 사람들을 발견하게 되며, 이러한 것들이 바로 실업의 비용인 것이다.

이처럼 실업문제는 개인적으로나 사회적으로 심각한 폐해를 가져오며, 이에 대부분의 국가에서 정부는 실업의 해소를 위한 여러 가지 정책을 개발 실행하게 된다.

어떻게 실업을 줄일 수 있는가

사실 실업에 있어서 크게 문제가 되는 것은 마찰적 실업이나 계절적 실업이 아니라 경기적 실업이나 구조적 실업이다. 마찰적 실업이나 계절적 실업은 단기간에 어떻게 할 수 있는 것이 아닐 뿐만 아니라 정부의 정책으로서도 그렇게 큰 효과를 거두기 어려운 것이다. 그러나 경기적 실업이나 구조적 실업은 정부의 정책이 유용할 수 있으며 또한 개인적으로도 해소해야 하는 종류의 실업이기도 하다.

그러면 우선 경기적 실업을 중심으로 생각해보기로 하자. 어떻게 실업을 줄일 수 있을까? 실업의 대책으로 어떠한 정책을 생각할 수 있을까?

이러한 질문에 관해서 여러 가지 대답을 생각해볼 수 있다. 미시적으로 생각하면, 정부가 공공취로 사업을 늘리고, 기업에게 고용 시 세금을 감면해주거나 보조금을 지급하는 등의 제도를 도입하고 기업의 기술훈련제도를 지원해 직장이동성을 높이는 방법 등을 예로 들 수 있을 것이다. 이러한 일들은 아마도 국가 전체적인 실업대책이라기보다는 특정 집단이나 산업 또는 계층과 관련된 구제대책이라 하겠다.

이에 더해, 국가 전체적인 차원에서 거시정책 수단을 사용해 실업을 감축시키는 노력을 기울일 수 있다. 그런데 이와 관련해서는 시장을 바라보는 생각의 차이에 따라 실업해소정책이 달라질 수 있다.

예를 들어 1930년대 전까지의 많은 경제학자들이 생각했듯이 비록 실업이 때때로 높은 수준에 이른다 하더라도, 이러한 현상은 일시적인 것이고 시장의 가격기구가 자동적으로 이를 해소시킬 수 있다고 믿을 수 있다. 따라서 이러한 경우 정부는 실업의 해소를 위한 특별한 정책을 시행할 필요가 없게 된다.

즉, 이들은 임금이나 물가 등의 가격변수가 시장에서 완전히 신축적으로 작용한다고 생각했다. 예를 들어 물가가 내려 실질임금 ($w=\frac{W}{P}$)이 올라가면 노동시장에서는 많은 사람이 일하려 하므로 노동의 초과공급이 발생한다. 이 경우 노동의 초과공급은 다시 명목임금(W)을 하락시키고 결국 실질임금이 하락해 노동의 초과공급은 사라지게 된다. 이것은 물가가 올라 실질임금이 하락하는 경우에도 비슷하다. 물가가 오르면 실질임금이 하락하고 그러면 노동시장에서는 초과수요가 발생할 것이다.

그러나 이러한 노동의 초과수요는 명목임금을 상승시키고, 이에서 실질임금이 상승해 초과수요는 사라지게 된다. 이러한 조정 과정은 매우 신속하게 일어난다. 이런 방식으로 생각하면 사실 정부는 실업을 해소하기 위해 특별한 정책을 실행할 필요가 없게 된다. 이것이 케인스 이전의 고전학파 경제학자들의 생각이었다.

고전학파 경제학자들의 생각에 대해 케인스학파 경제학자들은 실업이 시장의 자동적인 조정 과정에도 결코 해소될 수 없다고 생각했다. 이들은 임금이나 물가 등은 시장에서 그렇게 신축적이지 않다고 생각했다. 예를 들어 한번 오른 임금을 경기가 나빠졌다고 내릴 수도 없을 것이며, 노동조합이 결코 이에 동의하지도 않을 것이다. 또한 근로에는 장기계약이 있는 경우도 많을 것이며, 이 경우에도 임금은 계약기간 때문에 완전히 신축적일 수는 없을 것이다. 이들에 따르면 명목임금은 이처럼 밑으로 잘 떨어지지 않으려는 경향을 가지고 있다는 것이다.

이러한 경우 시장 자체의 힘만으로는 실업을 해소할 수 없으며, 실업의 제거를 위해서는 정부의 개입이 필요하게 된다. 예를 들어 어떤 요인에 의해 실질임금이 올라(w_e에서 w'로) 도표 90과 같이 L_s-L_d만큼의 노동의 초과공급, 즉 실업이 발생했다고 하자. 만약 고전학파의 생각대로라면 곧 노동의 초과공급으로 인해 명목임금이 하락하고 노동의 초과공급이 사라지기 시작한다. 즉, 노동시장의 보이지 않는 손이 실업을 해소시킬 수 있는 것이다. 그러나 명목임금이 아래로 내려가지 않으려는 경향을 가지고 있으면 시장의 힘만으로는 결코 실업을 제거할 수 없다. 이 경우 정부는 확대재정정책이나 금융정책을 실시해 총수요를 증대시키고(그러면 물가의 상승과 실질임금의 하락이 예상

도표 90 | 노동시장과 실업

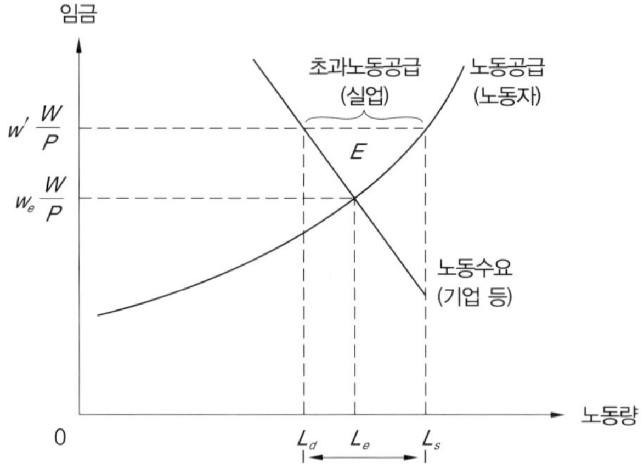

됨) 이를 통해 노동시장의 균형상태를 회복시킬 수 있을 것이다. 다시 말해 실업의 해소를 위해 정부는 적극적인 역할을 해야 하는 것이다.

그러나 이러한 정부의 개입에 의한 실업해소의 노력은 국민경제에 부작용을 일으킬 수 있다. 예를 들어 정부가 확대재정정책을 통해 총수요를 증가시켜 실업을 해소하려하면 이는 단기적으로 실업을 감소시킬 수 있을지 몰라도, 인플레이션을 일으킬 수 있다. 사실 실업은 어느 정도 자발적인 개인의 선택과 관련이 있지만, 인플레이션은 개인의 선택과 상관없이 소득분배와 자원배분을 왜곡시킬 수 있다. 이처럼 실업의 해소를 위한 정책은 인플레이션의 문제를 불러올지도 모른다는 위험성을 지니게 된다. 참고로 이러한 실업과 인플레이션의 관계에 대하여는 앞장의 필립스곡선에 대한 논의를 통해 소개한 바 있다.

그러면 이제 여기서 우리는 관심을 구조적 실업의 문제로 돌려보자. 오늘날 산업의 구조조정이 빨라지고 인력수요의 패턴이 변화하면서 구조적 실업은 커다란 증가세를 보이고 있다. 우리나라도 외환시장의 위기 이후 노동시장의 구조적인 변화로 인해 구조적 실업의 해결은 커다란 관심사가 되었다.

구조적 실업을 해소하는 여러 가지 방안이 제시되고 있다. 하나는 구조적 요인에 의해 실업상태에 놓여 있는 사람들을 위해 재교육을 실시하는 것이다. 많은 나라들이 운영하고 있는 직업교육훈련원 등은 바로 이러한 일을 위한 제도다. 또 하나의 방법은 취업의 조건을 낮추는 일이다. 예를 들어 대학 졸업을 전제로 한 취업기회의 제공을 고등학교 이상 졸업자로 낮추는 것은 이러한 방법의 한 예다. 또한 구조적 실업이 일어나는 것을 방지하기 위해 회사 자체가 사원을 재교육시키고 연수프로그램을 운영하는 것도 좋은 방법이 될 것이다. 이러한 노력들이 물론 구조적 실업 전부를 해소할 수는 없을 것이다. 그러나 구조적 실업을 줄이는 데 어느 정도 기여할 수는 있을 것이다.

요약

이 장을 통해 우리는 실업의 원인과 대책, 그리고 실업의 폐해에 대해 알아보았다. 실제로 오늘날의 대부분의 국가들은 실업의 해소를 위해 노력하고 있다. 이 장은 이러한 실업의 여러 가지 종류와 실업에 대한 정책을 이해하는 데 커다란 도움을 줄 수 있을 것이다.

중요개념

- 경제활동인구
- 실업률
- 마찰적 실업, 경기적 실업, 구조적 실업, 계절적 실업
- 완전고용과 실업대책

더 깊이 이해하기

우리나라의 실업률은 제1, 2차 석유파동기와 외환위기 이후 몇 년을 제외하면 대체로 2~3%대로서 선진국에 비해 매우 낮은 수준을 보여온 바, 이에 대해 일부에서는 실업 여부를 판단하는 기준에 문제가 있기 때문이 아니냐는 의문을 제기하기도 한다. 그러나 우리나라는 국제노동기구ILO의 권고에 따라 실업통계를 작성하고 있으며 실제로 많은 나라들도 우리와 같은 기준을 사용한다.

우리나라의 실업률이 다른 나라보다 낮은 것은 통계작성 방법상의 차이에도 일부 원인이 있지만, 더 근본적으로는 취업구조나 고용관행이 외국과 상당히 다른 데 있다고 할 수 있다.

먼저 통계작성 방법상의 이유를 보면 우리나라는 미국, 일본 등과 함께 노동력 표본조사통계를 이용하고 있어, 구직등록통계를 이용하는 유럽 국

가들에 비해 실업률이 상대적으로 낮게 나타난다. 노동력 표본조사통계를 이용할 경우, 조사 대상자가 본인의 실업상태를 적극적으로 밝힐 유인이 없기 때문에 실업자 수가 실제보다 적게 산정될 가능성이 있다. 이에 비해 구직등록통계를 이용할 경우엔 실업자들이 실업급여 수령을 위해 적극적으로 구직등록을 하기 때문에 실업자 수를 실제와 비슷하게 파악할 수 있다. 또한 우리나라는 실업자 여부 판정기준의 하나인 구직활동 기간을 일본이나 대만 등과 같이 조사대상 기간인 1주일로 정하고 있어 이를 조사대상 기간을 포함한 과거 4주간으로 정하고 있는 미국, 영국, 프랑스, 독일 등 대다수 OECD국가에 비해 실업자 수가 적게 나타난다.

다음으로 우리나라의 취업구조나 고용관행을 보면 외국에 비해 실업률이 낮게 나타나는 몇 가지 특징을 갖고 있다. 첫째, 농림어업 부문 취업자 비중이 주요국에 비해 훨씬 높다. 농림어업 부문은 제조업 등 비농림어업 부문에 비해 실업 발생 가능성이 낮기 때문에 전체 실업률을 낮추는 요인으로 작용한다. 둘째, 구멍가게 등과 같은 자영업주와 돈을 받지 않고 가족 일을 거들어주는 가족종사자의 비중이 다른 나라에 비해 상대적으로 높다. 셋째, 우리나라에는 실업보험 등 사회보장제도가 잘 발달되어 있지 않았기 때문에 노동자는 임금과 근로조건에 불만이 있더라도 가급적 현재의 직장에 계속 근무하려는 경향을 보이고 있다. 또한 실업상태인 경우에도 적극적으로 취업하거나 자영업주 또는 무급가족종사자로 전환하려는 경향이 강해, 이 역시도 실업률을 낮추는 요인으로 작용한다고 볼 수 있다. 마지막으로 우리나라 여성 중에는 고등교육을 받고도 가사노동에 전념하는 비경제활동인구가 많다. 우리나라 여성들이 외국처럼 적극적으로 일자리를 찾아 나선다면 실업률도 크게 높아질 것이다.

출처 〈한국은행, 알기쉬운 경제이야기, 2004〉

경제학자 이야기 15

거시경제정책의 체계적 입안자, 다산 정약용

茶山 丁若鏞(1762~1836)

정약용은 영조 38년 1762년 음력 6월 16일 남양주군 와부면 능내리에서 당시 목사였던 아버지 정재원과 어머니 해남 윤씨 사이의 넷째로 태어났다. 1783년 회시會試에 입격하여 벼슬을 시작했으며, 정조의 총애로 중앙의 여러 관직을 거쳤으나, 정조 사후 전남 강진 등지에서 18년의 유배생활을 했다. 그는 『목민심서』, 『경제유표』 등의 대표작을 남겼으며, 총 546권의 저서를 집필했다. 맏형의 처남은 우리나라 천주교 사상으로 유명한 광암 이벽이었으며, 사위가 백서사건의 황사영이었다.

그는 주례周禮에 따라 민생을 중히 여기고 국법이 받들어져야 한다는 목표 아래 한국의 실상에 맞는 사회 전반의 개혁을 주장했다. 그는 행정기구를 줄이고 건전한 재정을 기하여야 한다고 주장했으며, 경제에 불필요한 관의 개입을 줄일 것을 주장하기도 했다. 그의 정전제는 이러한 이상이 담긴 것이었다. 또한 그는 소금전매업 등의 민영화를 주장하기도 했으며, 통화 발행의 통일을 통한 화폐정책의 일관성을 주장하기도 하고, 사회간접자본의 건설과 그 유지를 통한 부국의 길을 모색하기도 했다. 이러한 다산의 사상은 가히 오늘날의 관점에서 보면 거시경제정책의 체계적 입안자라 할 수 있을 것이다.

7

국민경제의 성장과 발전

읽을거리

경기 변동 판단하기

어떤 나라의 경기가 앞으로 어떤 모습을 보이며 회복될까를 설명하면서 자주 V, U, L, W자 등이 인용되고 있다. 시간의 경과에 따른 경기순환의 모습을 그림으로 그렸을 때 그 모양에 따라 경기회복이 빠르면 V자, 다소 느리면 U자, 일본의 '잃어버린 10년'과 같이 장기불황의 경우에는 L자, 경기가 좋아졌다 나빠졌다를 반복하며 바닥을 두 번 친 경우를 W자 또는 더블딥double dip이라 한다. 또한 장기불황의 유형을 표현할 때 '일본형'과 '아르헨티나형' 등으로 구분하기도 한다. '일본형'이란 1990년대 초반의 주가, 지가 등 자산가격 버블의 붕괴(1980년대 자산가격이 약 4배 폭등한 후 1990년대에는 4분의 1로 폭락)에다 산업경쟁력 약화가 가세하여 발생한 경우고, '아르헨티나형'은 반시장 인기영합주의populism 경제정책에 따른 방만한 재정운용과 만성적인 재정적자, 그리고 구조조정의 실패와 정치 불안정에 따른 경기침체가 지속된 경우를 말한다.

— 『한국은행의 알기 쉬운 경제 이야기』 p. 177

경기변동, 경제성장, 경제발전

한 나라의 경제는 장기적으로 변하기도 하지만 단기적으로 기복을 가지고 순환적인 변동을 경험하기도 한다. 봄이 가면 여름이 오고, 가을이 지나 겨울이 가면 다시 봄이 오는 것과 같이 우리의 경제사회에도 이러한 순환적 변동이 매우 규칙적인 것은 아니지만 계속적으로 되풀이된다. 여기서 이 단기적 기복은 일정한 주기를 가지고 순환하는 것이 보통이다.

다시 말해 국민경제 내의 경제활동도 아무런 기복 없이 평탄하게 이루어지는 것이 아니라, 어느 정도의 규칙성을 가지고 굴곡을 경험하게 된다. 흔히 우리가 이야기하는 불황이니 호황이니 하는 것들은 바로 이러한 굴곡을 이야기해주는 경우가 많다. 이처럼 국민경제에 있어서 호황과 불황이 어느 정도의 규칙성을 가지고 연속적으로 이루어지는 것을 경기변동이라 한다.

이러한 경기변동은 도표 91에서 보듯이 대개 여러 가지 경제활동이 확대되는 호황의 국면과 그 다음의 경기후퇴 및 이어지는 불황, 그리고 그 다음에 오는 회복의 국면 등을 가지며, 이 회복의 국면은 다시 호황으로 이어지게 된다. 호황 국면에서는 소비와 투자가 증가하며 생산 수준도 높아지고, 물가 역시 총수요의 증가로 상승하게 된다. 이 시기에는 기업의 수익성도 좋아지고 은행의 대출이나 증권시장 역시 커다란 활기를 띤다. 호황 국면이 바뀌어 경기후퇴가 시작되면 소비 및 투자활동은 위축되고 고용 수준은 줄어들며, 물가 역시 하락하게 된다. 이러한 경향은 불황으로 이어지나 침체의 늪을 지나

도표 91 | 경제의 변동

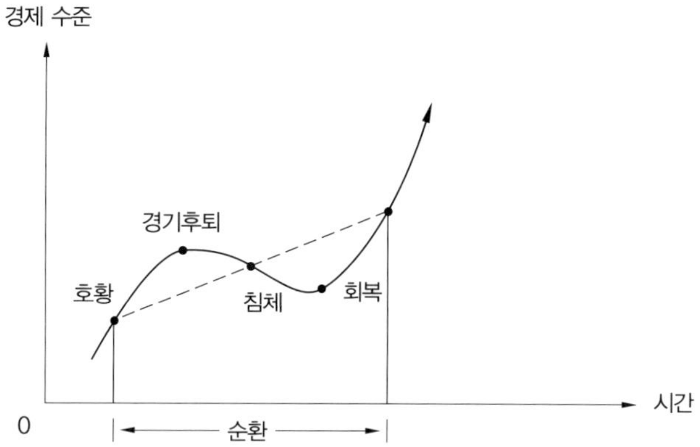

고 나면 경제는 다시 회복단계를 거치게 된다. 그리고 이 회복단계는 호황 국면과 유사한 양상을 지니게 된다.

이러한 경제의 순환적 변화를 일어나게 하는 원인은 무엇인가. 이에 대해 여러 가지의 설명이 있지만 그 중에서도 총수요 측면에서의 소비와 투자 및 은행의 대출여건 변화 등의 금융적인 요인이 경기변동의 원인으로 흔히 이야기되고 있다. 예를 들어 슘페터는 경기변동의 원인이 기업가의 기술혁신innovation 수행에 있다고 보고 이 혁신이 결국 투자를 유발하는 것으로 생각했다. 이와 함께 근래에 이르러서 사람들은 불확실한 경제상황 아래서 자신의 예상을 근거로 이익을 극대화하기 위해 행동할 것이며, 여기서 이 예상에 영향을 미치는 외부의 충격이 경기변동의 중요한 원인이 되는 것으로 보았다.

이상과 같은 경제활동의 순환적 흐름과 함께 대부분의 국민경제는 시간이 흐르면서 점차 그 생산 능력을 확대해나간다. 이와 같이 한 경제가 지속적으로 자신의 생산 능력을 확대해가는 것을 경제성장이라 한다. 이러한 지속적인 생산 능력의 확대는 국민경제의 활동 규모가 커지는 것을 의미하며, 국민경제의 활동 규모를 표시하는 하나의 지표로서 실질GDP를 사용한다. 이러한 이유로 실질GDP의 증가를 경제성장으로 이해하고 있다.

경제활동 규모가 어떤 속도로 증가하고 있는가 하는 것은 국민경제의 성장을 보여주는 중요한 역할을 할 수 있으며, 이를 경제성장률이라 한다. 경제성장률은 국민경제의 활동 규모를 표시하는 실질GDP를 사용해 다음과 같이 계산할 수 있다.

$$\text{실질경제성장률} = \frac{\text{금년도실질GNP} - \text{전년도실질GNP}}{\text{전년도실질GNP}} \times 100(\%)$$

이러한 국민경제의 성장은 여러 가지 방식으로 표시될 수 있다. 예를 들어 이 책의 첫 부분에서 살펴봤던 생산가능곡선을 이용해 생산가능곡선이 밖으로 이동하는 것으로도 나타낼 수 있지만, 총수요곡선과 총공급곡선을 이용해 실질GDP가 늘어난 곳에서 새로운 국민경제의 균형이 이루어진 것으로도 표시할 수 있다. 도표 92처럼 투자와 수출이 증가해 총수요곡선이 오른쪽으로 이동하고, 또한 취업인구가 증가하고 신기술이 개발되어 총공급곡선 역시 오른쪽으로 이동했다고 하자. 그러면 국민경제는 처음의 균형에서 실질GDP가 더 늘어난 새로운 균형을 가지게 될 것이다. 균형점 E_1은 경제성장으로 인한 새로운 균형을 표현해주는 것이다.

도표 92 | **경제성장과 총수요, 총공급**

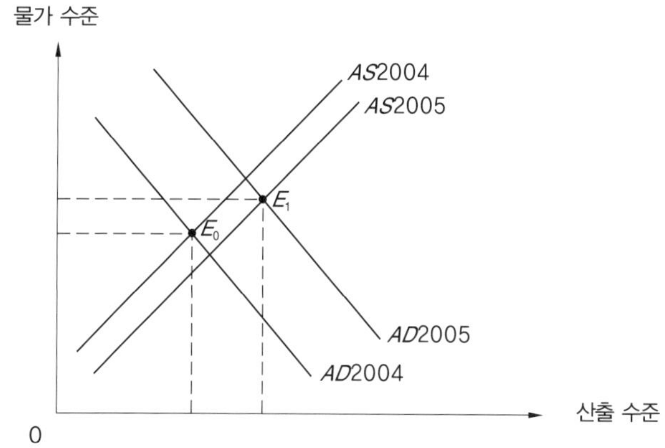

그러나 실질GDP가 크게 증가한다 하더라도 경제 내의 인구가 같은 비율로 증가한다면, 사람들의 평균적인 생활 수준은 변화하지 않을 것이다. 따라서 사람들의 생활 수준을 고려하면서 경제성장을 표현하기 위해, 앞에서 언급한 경제성장률 대신 1인당 실질GDP의 성장률을 흔히 사용하기도 한다.

도표 93은 GDP의 변화를 통한 우리나라의 최근 경제성장률을 보여주고 있다. 2000년 이후, 최근 들어 경제성장률이 지속적으로 정체하고 있음을 볼 수 있다. 이는 최근 한국경제에 대해 논란이 되고 있는 장기침체론과도 무관하지 않은 것으로 보인다.

이러한 국민생산 수준의 증가를 중심으로 하는 어느 정도 양적인 경제성장에 대해, 고용 수준의 감소 없이 1인당 노동생산성이 향상한다거나 공업화에 의해 산업구조가 조정되는 등의 기술적인 진보와 더불어, 제도적인 면을 포함한 생산환경이 더 바람직한 방향으로 바

도표 93 | 분기별 경제성장률(계절변동 조정계열)

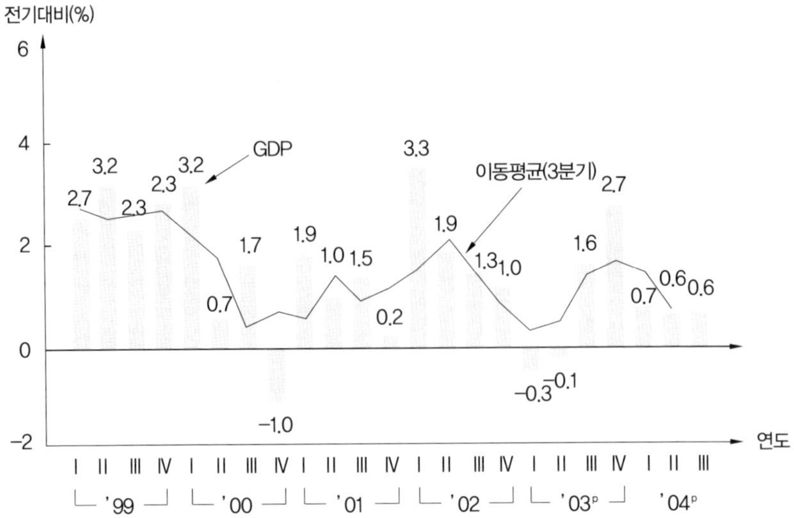

＊2000년 가격 기준, 2003년과 2004년은 잠정치

꿔어나가는 것을 강조하기 위해, 이를 경제성장이라 하지 않고 경제발전이라 부른다. 저자에 따라서는 전자의 경제성장을 선진경제의 발전문제로, 후자의 경제발전을 후진경제의 발전문제로 취급하기도 한다. 그런데 대체로 경제 규모가 커지면서 경제제도나 인간행동도 합리적으로 개선되므로 경제성장과 경제발전은, 넓은 의미에서 같은 용도로 쓰이기도 한다.

도표 94 | 경제활동 및 지출항목별 증감률 추이

	2003p					2004p			
	1/4	2/4	3/4	1/4~3/4	연간	1/4	2/4	3/4	1/4~3/4
국내총생산(GDP)	3.7	2.2	2.4	2.7	3.1	5.3	5.5	4.6	5.1
농림어업	-5.1	-1.3	-9.1	-5.2	-7.1	8.6	1.7	5.5	4.4
제조업	5.1	2.6	3.3	3.6	4.8	12.1	13.6	11.6	12.4
전기가스 및 수도사업	7.1	8.9	3.1	6.4	5.7	5.7	6.1	6.8	6.2
건설업	8.4	7.7	8.1	8.0	8.1	4.5	3.6	2.0	3.2
서비스업	1.9	1.1	1.6	1.5	1.8	1.5	1.7	1.3	1.5
최종 소비지출	0.9	-0.8	-0.9	-0.3	-0.5	-0.6	0.3	-0.1	-0.1
민간	0.3	-1.8	-1.9	-1.1	-1.4	-1.4	-0.6	-0.8	-0.9
정부	4.0	3.7	3.5	3.7	3.7	2.8	4.3	3.0	3.4
총고정자본 형성	4.6	3.7	2.6	3.6	3.6	1.8	4.5	3.0	3.2
건설	8.0	7.3	7.9	7.7	7.6	4.1	3.8	1.5	3.0
설비	1.9	-0.6	-5.0	-1.2	-1.5	-0.3	6.2	6.7	4.2
무형고정자산	-2.3	-3.8	0.2	-2.0	-1.3	-3.3	0.0	-3.4	-2.2
재화와 서비스의 수출	15.9	8.4	14.9	13.0	15.7	26.9	27.2	17.6	23.8
재화	20.1	10.6	18.4	16.2	18.7	29.2	29.5	17.8	25.3
재화와 서비스의 수입	14.2	5.2	7.7	8.9	9.7	11.8	20.6	12.0	14.7
재화	16.3	6.1	8.2	10.0	10.8	12.4	22.2	12.3	15.6
국내총소득(GDI)	0.3	1.6	2.2	1.4	1.8	4.6	4.5	3.5	4.2

*2000년 가격 기준, 원 계열, 한국은행 2004년 3~4분기, GDP추정치(전년동기대비, %), 서비스업은 도소매 및 음식숙박업, 운수창고 및 통신업, 금융보험업, 부동산, 기타서비스업 포함 및 사업서비스업, 공공행정국방 및 사회보장, 교육서비스업, 보건 및 사회복지사업

경제성장의 요인과 장애물

경제는 왜 장기적으로 대부분의 국가에 있어서 성장하는가. 왜 국가마다 경제성장의 속도가 다른가. 이러한 질문에 답하는 방법은 여러 가지일 수 있다. 세계 여러 나라의 발전유형을 분석해 경험적인 방법으로 이를 설명할 수도 있지만, 한 국가의 경제구조에 대한 가정적인 생각을 중심으로 한 이론적 방법으로 이 질문에 답할 수도 있다.

쿠즈네츠와 체너리H. Chenery 등은 세계 수십 개국의 경제발전 유형을 분석한 뒤, 국민총생산의 확대와 산업구조에 대한 상당히 현실성 있는 경험적인 설명을 해주고 있다. 이들은 경제발전에서 산업을 초기단계의 산업(식료품, 섬유 등), 중기단계의 산업, 성숙단계의 산업(내구성소비재, 금속기계 등) 등으로 구분하고, 이러한 산업유형의 성장에는 그 나라의 역사적 경험이나 부존자원의 개발 등이 큰 영향을 미친다고 주장했다.

특히 쿠즈네츠는 선진국의 경제성장을 분석한 후, 다음과 같은 특징을 발견했다. 그에 따르면 실질국민총생산의 증가와 함께 인구 역시 증가하며, 노동생산성도 크게 증가한다. 경제구조 역시 농업 부분에서 비농업 부분으로, 소규모 개인기업에서 대규모 회사기업으로, 그리고 농촌에서 도시로의 변동이 일어난다. 또한 사회경제적인 제도와 이념의 변화 역시 경제성장을 수반하며, 시장과 생산요소(원료 등)의 확보를 위한 대외진출 성향 역시 두드러진다. 이러한 쿠즈네츠의 분석은 실제로 우리나라의 경우와도 어느 정도 일치하는 것으로, 우리 경제 역시 성장 과정에서 인구증가, 노동생산성의 향상, 도시화, 국제무역의 급성장 등을 경험했다.

이러한 경험적인 설명과 함께 경제성장의 요인들은 이론적으로도 설명될 수 있다. 우리는 앞에서 경제성장은 결국 국내총생산GDP이나 1인당 GDP의 증가로 나타남을 이야기했다. 그리고 이러한 총생산은 우선 생산요소의 양에 의해 결정된다. 즉, 생산을 가능하게 하는 노동이나 자본 및 자연자원의 공급이 증가되면 총생산 수준은 확대될 수 있다. 여기서 토지를 비롯한 자연자원의 양은 대개 한 경제 내에서는 일정하게 한정되어 있는 것이 보통이며, 생산요소에 의한 생산량의 증가는 주로 노동이나 자본의 변화를 중심으로 논의된다.

그러면 노동이나 자본이 국민경제의 생산 수준의 증가, 즉 경제성장에 각기 어느 정도 공헌하는가. 이 문제에 대해 일반적인 정답은 없다. 자본과 노동의 경제성장에 대한 기여도는 그 경제 내에 존재하는 생산요소의 부존상황에 따라 상이하다. 예를 들어 자본에 비해 노동이 상대적으로 풍부한 나라에서는 노동보다는 자본이 더욱 중요시된다. 이와는 반대로 자본이 상대적으로 풍부한 경제에 있어서는 노동이 경제성장에 더욱 중요한 요인이 된다. 이처럼 각 생산요소의 경제성장 기여도는 그 경제 내의 노동과 자본의 상대적인 부존 상태에 따라 달라질 수 있다.

이러한 생각들에 기초해 한 경제의 생산함수를 생각할 수 있다. 여기서 생산함수란 일정량의 생산요소(자본, 노동, 자연자원 등)를 사용해 생산할 수 있는 생산량의 최대치와 그 생산요소와의 관계를 보여주는 함수다. 이러한 정의에 따르면 생산함수는 그 경제의 잠재적인 생산 수준이나 완전고용 수준을 나타내준다. 그리고 일정 생산요소로 생산할 수 있는 산출의 최대치는 생산자의 기술적 지식에 크게 의존한다. 즉, 기술의 진보는 생산함수 그 자체를 변화시킨다. 다음은 이러한 성격을 가지는 생산함수를 보여주는 수식이다.

$$Y = f(K, L, N)$$

Y : 최대산출 수준

f : 함수(기술 수준에 따라 결정됨)

K : 자본

L : 노동

N : 토지를 포함한 자연자원

이와 같이 생산함수는 그 경제의 장기적인 생산 능력의 확대인 경제성장에서 핵심적인 부분이다. 즉, 생산함수의 정의 그 자체에 의해 경제성장은 두 가지 원천을 가질 수 있다. 우선 경제는 노동이나 자본 등의 생산요소가 증가할 경우 성장할 수 있다. 또한 경제는 새로운 생산방법이 개발되거나 기존의 생산방법이 개선될 경우에도 성장하게 된다.

가장 단순한 형태로 저축률과 생산기술이 경제성장에 미치는 영향을 고찰하는 방법은 1940년대에 해러드R. Harrod와 도마E. Domar에 의해 고안되었다. 즉, 해러드와 도마는 경제성장률($dY/Y=g$)은 자본-산출계수($K/Y=k$)의 역수($1/k$)와 저축률($S/Y=S$: 자본의 증가=투자, 국민경제의 균형에서 투자=저축)의 곱으로 나타남을 이론화했다. 해러드와 도마의 모형에 따르면 경제계획 담당자는 성장률을 결정할 수 있고, 이 경우에 필요한 저축(및 투자량)이 결정된다.

$$g = s/k$$

$g = dY/Y$: 경제성장률

$s = S/Y$: 저축률

k(상수) $= K/Y$: 자본–산출계수(자본의 생산성을 표시함)

그러나 해러드와 도마의 모형은 왜 자본–산출계수가 경제마다 서로 다른지에 대해서는 구체적으로 설명하지 못했다. 해러드와 도마의 모형을 보완해 솔로R. Solow 등은 투입되는 요소의 생산성을 고려한 더욱 일반적인 생산함수를 만들어 경제성장을 분석했다. 그 결과 그들은 생산요소의 효율성은 경제성장에 크게 기여하며, 자본은 기대했던 것보다 성장의 원천으로서의 역할이 크지 않고, 오히려 생산요소의 적절한 사용비율과 기술진보가 더 중요하다고 주장했다. 그러나 물론 개발도상국에 있어서 자본은 경제성장에 매우 중요한 역할을 한다. 이는 자본 그 자체가 자본의 증가를 유인하기도 하지만, 기술혁신을 이끌기도 하기 때문이다.

이상과 같은 경험적 측면과 이론적 측면을 고려해보면, 노동이나 자본 및 자연자원, 그리고 기술의 진보 등이 경제성장의 요인으로서 매우 중요함을 알 수 있다. 여기서 노동이나 자본 및 자연자원의 증가에 의한 생산량의 증가는 생산함수에 따른 성장이지만, 기술진보에 의한 생산량의 증가는 생산함수 자체의 변화에 의한 것이다. 즉, 각각의 생산요소를 증가시키고, 기술 수준을 발전시킴으로써 경제성장을 촉진할 수 있다.

예를 들어 중요한 생산요소의 하나인 노동력을 증가시킴으로써 생산 수준을 높일 수 있다. 실제로 경제성장의 상당부분은 노동력의 증가에 의해 이루어졌다. 그러나 이 경우 노동력뿐만 아니라 노동력이 지니고 있는 지식이나 기술, 즉 노동의 질 역시 생산량의 증가에 매우 중요하다. 교육의 기회를 확대하고 직업훈련을 실시하는 것은 바로 노동의 질을 높이기 위한 노력의 일종이다. 오늘날 우리나라나 중국 등의 아시아 국가들이 높은 경제성장률을 기록하고 있는 것도 질 높은 노동력이 존재하기 때문이라고 생각하는 사람들이 많다.

또한 자본은 생산에 사용되는 기계, 건물 및 재고 등을 말한다. 그리고 이 자본은 투자되어 국민소득 수준을 증대시킬 수 있을 뿐만 아니라, 자본 자체를 확충하는 역할을 하기도 한다. 대부분의 개발도상국들은 상대적으로 노동보다는 자본의 부족을 경험하고 있다. 이러한 점에서 자본은 경제성장의 결정적 요인이 되기도 한다. 여기서 이러한 자본의 형성에 기초가 되는 것이 국민들의 저축이다. 많은 후진국들이 저축의 중요성을 강조하는 것도 바로 이러한 성장의 토대가 되는 자본을 확충하기 위한 것이다.

자연자원 역시 경제성장에 중요한 요소다. 때때로 풍부한 자연자원의 존재는 그 경제의 높은 성장을 가능하게 한다. 오늘날 중동의 산유국들이 이룬 경제성장은 바로 풍부한 자연자원에 의해 가능한 것이었다. 그러나 지연자원이 비교적 풍부한 남미나 동남아시아의 여러 나라들 가운데 빈곤한 나라도 많은 것은, 경제성장도 결국 각 국민의 노력과 그것을 뒷받침하는 경제제도의 개선이 중요함을 의미한다.

이러한 생산의 요소들과 함께 기술진보 역시 경제성장의 중요한 요소다. 기술혁신과 새로운 기술의 개발은 사실상 경제성장을 주도한다. 실제로 오늘날 선진국의 대부분은 기술 수준에 있어 여타의 국가들을 능가하고 있다.

그러면 어떻게 기술진보를 이루어낼 수 있는가. 자본주의 국가에 있어서 기술진보는 이윤추구나 지적 호기심 또는 편리함을 찾는 과정에서 일어난다. 그리고 기술진보와 관련된 발명이나 발견 및 기술의 개선은 대학이나 기업의 연구 담당부서를 중심으로 일어나며, 때때로 기업 내 근로자들의 제안에 의해 이루어지기도 한다. 이러한 기술진보를 위해 오늘날 많은 국가들은 GDP의 상당부분을 연구 및 개발을 위해 투자한다.

우리나라도 기술 수준의 제고를 위해 많은 투자를 하고 있지만, 아직 그 노력과 실적은 선진 여러 나라에 비해 매우 낮은 편이다. 우리나라는 미국을 100으로 했을 때, 약 5 이하의 연구비를 투자하고 있으며 이는 일본이나 프랑스 등의 선진국에 비해서 투자 정도가 매우 낮은 편이다. 오늘날 우리 경제에서는 기술진보를 위한 투자 수준을 높여, 기술진보를 이루어내는 일이 다음 단계의 경제 도약을 위해 매우 중요한 일로 여겨지고 있다.

지금까지 경제의 성장과 발전을 위한 여러 가지 요인들에 대해 이야기했다. 그러나 앞서 언급한 모든 요인들이 존재해야 경제가 성장하는 것은 아니다. 어떤 경우에는 자본이 부족하다 하더라도 높은 교육 수준이나 기술혁신의 욕구 등에 의해 높은 성장이 이루어지기도 한다. 물론 성장을 위한 요건들이 많이 부족한 경우는 경제성장이 매우 어렵거나 불가능할 수도 있다. 그러나 한두 개의 장벽이나 선행조건들은 성장에 그리 큰 장애가 되지는 아니다.

그런데 오늘날 많은 저개발국가들은 성장의 경제적인 조건들이 상당히 갖추어졌음에도 불구하고 가난에서 헤어나지 못하고 있다. 이는 경제적인 장애요인뿐만 아니라 여러 가지 다른 요인들이 개입되어 있기 때문이다. 불안한 정치적 상황이나 정부의 신뢰성 상실, 기업가 정신의 부족, 불평등한 소득분배구조 등은 바로 이러한 비경제적인 영역과 관련된 성장과 발전의 장애요인들이다. 이러한 관점에서 오늘날 저개발국의 성장과 발전의 문제는 경제적인 면뿐만 아니라, 정치 및 사회적 측면을 포함하는 종합적인 연구가 필요한 것으로 이해되고 있다.

지속적 경제성장

한편 성장이론과 관련해 또 하나의 주요한 관심사는 아시아의 네 마리 용(한국, 타이완, 싱가포르, 홍콩)과 같이 1960~1990년 사이의 30여 년간 6% 이상의 성장률을 기록한 국가들이 있는 반면, 다른 나라들은 그러지 못했다는 것이다. 즉, 이들 국가의 경우에 무엇이 지속적인 성장을 가능하게 했느냐가 커다란 관심이 된 것이다. 이를 설명하는 모형을 흔히 '내생적 성장이론'이라 부른다. 사실, 이러한 점은 기존의 신고전파 모형에서의 외생적 기술진보라는 개념만으로는 설

아시아의 네 마리 용

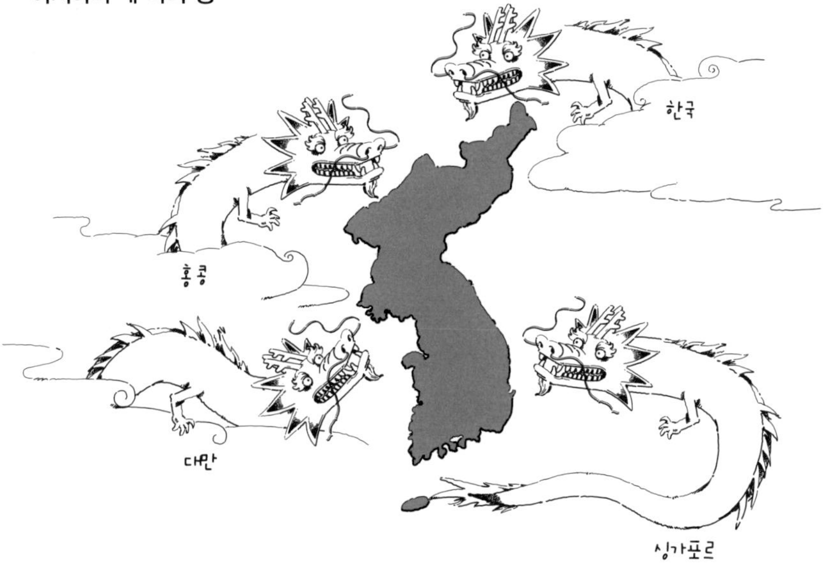

명하기 어려운 것이었다.

이러한 상황에서 경제학자들은 기술진보라는 외생변수 대신, 경제 내에서 내생적으로 결정되는 몇 가지 요인에 주목하기 시작했다. 즉, 생산성이 내생적으로 향상되면 성장률이 지속적으로 유지되고, 이로 인해 높은 성장률이 지속적으로 이루어지는 국가들의 경우를 설명할 수 있다고 생각했다. 예를 들어, 연구개발투자나 국제무역 및 인적자본에 대한 투자와 같은 것이 그러한 내생변수로서 주목받게 되었다. 연구개발은 그 산업이나 기업뿐만 아니라 다른 산업에서도 효과를 보게 되며, 또한 후속 연구에서 일종의 외부경제를 제공하기 때문에 경제 전체의 생산성 향상에 기여해 한계생산체감을 뛰어넘는 지속적 성장을 가능하게 한다. 국제무역의 진흥 역시 선진기술을 습득하도록 하고 시장을 전세계로 확대함으로써 규모의 경제를 가능하게 해준다는 것이다. 또한 인적자본에 대한 투자 역시, 인적자본이 지니는 공공재적 외부성 때문에 인적자본에 의한 새로운 부품의 개발은 한계생산체감에 의하지 않는 지속적인 성장을 가능하게 한다는 것이다.

물론, 이러한 설명에는 경제 내의 생산성을 대표하는 지식자본의 특성이 전제되어 있다. 예를 들어, 특정의 지식자본은 관련 상품에서 배제불가능non-excludability하며, 또한 다른 것과 경합적이지 않고non-rivalry, 다른 산업이나 기업에 외부경제를 제공하는 특성을 지니고 있다. 그러므로 이를 통한 개발이나 품질의 향상은 전체 경제의 생산성을 증가시켜 지속 가능한 성장을 이루게 하는 것이다.

그런데 여기서 현실경제의 성장에 관련된 각 요소를 분해해 각각의 기여도를 알아낼 수 있다. 이때 경제성장과 관련된 각 요인을 분석하는 것을 '성장회계growth accounting'라 한다. 예를 들어, 경제성장의 경우에, 단순한 노동력 증가에 의한 부분, 자본증가에 의한 부분〔노동의 자본장비율(K/L) 증가〕, 그리고 기술진보 및 제도와 환경의 개선에 의한 부분 등으로 성장의 각 기여 부분을 분해할 수 있을 것이다. 이 경우, 흔히 처음의 두 가지는 양적 성장에 관련된 것이며, 마지막의 기술진보를 포함한 부분은 질적 성장이라 부른다.

그런데 이러한 성장 회계의 측면에서 보면, 과거 아시아 네 마리 용들의 성장은 높은 저축률(자본기여)과 노동시간의 연장(노동기여) 때문이었다는 주장이 제기되기도 했다. 예를 들어 1960년대에서 1990년에 이르기까지의 자료를 분석하면, 한국은 평균 10.3(100%)의 성장과 이중자본 기여는 4.1(40%), 노동기여는 4.5(44%), 그리고 질적 성장인 생산성 증가에 따른 기여는 1.7(16%)에 불과했다는 것이다. 그리고 다른 세 마리의 용들 역시 약간의 차이는 있으나 비슷한 경향을 보인 것으로 나타났다. 그러나 미국의 경우는 이와는 달리 3.6%의 연평균 성장에서 자본기여 19%, 노동기여 39%, 생산성 향상기여 42%라는 수치를 보여주었다.

이로부터 아시아의 기적이라 불린 경제성장 국가들의 성장이 주로 양적 성장에 입각해 있었다고 주장할 수 있을지 모른다. 물론 양적 성장이 나쁜 것은 아니다. 그렇지만 질적 성장이 더해질 때, 지속적인 성장이 가능하다는 점은 유의해야 한다.

효과적인 경제발전전략

일반적으로 후진경제에서 선진경제로 나아가는 데는 몇 가지 단계를 거치는 것으로 여겨지고 있다. 예를 들어 클라크C. Clark는 경제가 선진화될수록 농림수산업 중심의 1차산업에서 제조업 중심의 2차산업으로, 그리고 2차산업에서 금융 등의 서비스업 중심의 3차산업으로 그 중심이 이행해나간다고 했다. 또한 로스토R. Rostow는 경제는 이륙 및 도약단계를 거쳐 고도대중 소비단계로 이행해나간다고 이야기하기도 했다.

물론 이러한 유형의 발전단계에 대한 생각은 모든 나라에 일반적으로 적용될 수는 없다. 그러나 후진경제의 성장에 있어 미래의 모습에 대한 전망을 제시해줄 수 있는 것이어서 그 나름대로 중요성을 가진다. 그리고 발전단계에 대한 생각은 정부가 어떤 발전전략을 가질 수 있는가에 대한 시사점을 준다는 점에서도 그 나름의 의의를 지닌다.

일반적으로 효과적인 경제성장을 위한 단일모형은 존재하지 않지만, 많은 경제학자들에 의해 주장된 성장모형은 주로 두 가지로 분류될 수 있다. 그 하나는 '균형성장론' 에 의한 것이고 다른 하나는 '불균형성장론' 에 의한 것이다.

균형성장론은 처음에 넉시R. Nurkse에 의해 주창되었다. 그는 후진국들은 가난하며 이에서 연유하는 낮은 소득 수준이 낮은 수요와 작은 시장(수요의 측면) 및 낮은 저축 수준과 저자본(공급의 측면)으로 연결되어 낮은 생산이 일어나고 이는 다시 낮은 소득 수준을 만들어내는 '빈곤의 악순환vicious cicle of poverty' 을 되풀이한다고 주장했다. 여기서 모든 산업에 고루 투자해 각 산업 간의 상호수요를 진작시키고, 이에서 국내시장을 개발 확대해 빈곤의 악순환을 끊을 수 있다고 생각했다. 즉, 이는 경제의 모든 부분이 골고루 성장해 서로 보완적인 수요를 일으킴으로써 산업별 초과수요와 초과공급에 의해 발생하는 낭비를 막고 경제 내의 수요와 공급을 바로 균형 잡아주자는 것이다.

이러한 균형성장이론은 다시 '수요중심성장이론' 과 '공급중심성장이론' 으로 나누어진다. 수요중심성장이론은 한 나라의 산업발전이 그 경제 내의 소비자와 투자자의 수요에 의해 크게 좌우된다고 보고, 많은 수요의 창출을 위해 균형된 산업발전을 꾀하고자 하는 것이다. 한편 공급중심성장이론이란, 한 산업이 생산설비를 갖추고 생산을 시작하기 위해서는 철강, 운송시설 등의 생산재가 매우 필수적인데,

도표 95 | 넉시의 빈곤의 악순환

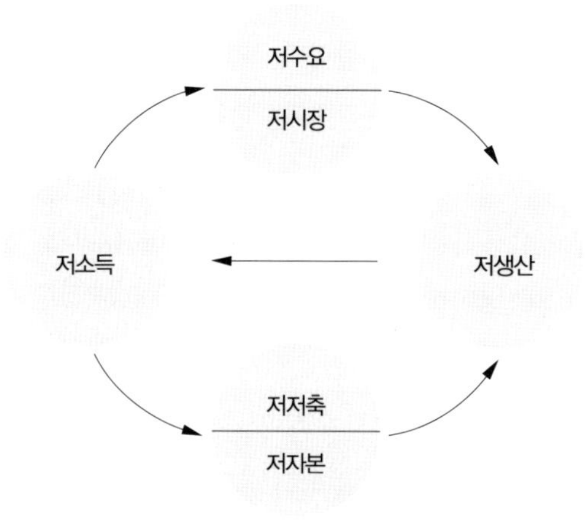

후진국의 경우 이들이 병목현상을 일으키기 때문에 이의 해소를 위해 생산재 산업을 중심으로 한 균형된 성장이 필요하다는 것이다. 그러나 이러한 균형성장이론은 국민소득이 낮고 축적된 기술이나 자본이 없는 후진국에 있어서 그 자신의 힘만으로는 이루어내기가 거의 불가능하다. 여기서 후진 경제는 균형성장의 추진을 위해 거대한 자본이 필요하며, 흔히 외국자본의 도입을 통해 이 자본을 마련하는 경우가 많다.

이상과 같은 균형성장이론에 대해 허쉬먼A. Hirschman은 불균형성장론을 주장한다. 허쉬먼은 균형성장이론이 실제로 후진국의 입장에서는 적용되기 힘들며, 또한 이는 산업마다 서로 다른 연관효과(어떤 산업에 대한 투자가 다른 산업의 성장과 투자를 유발하는 효과)를 가지고 있다는 점을 간과하고 있다고 비판했다. 이에서 그는 후진국은 어떤 특정한 산업에 집중투자해 이의 연관효과에 의해 경제개발을 촉진할 수 있다고 주장했다. 이 경우 한 경제에서 커다란 연관효과를 가지는 특정 산업을 '선도산업' 이라 한다.

여기서 특정 산업이 가지는 연관효과를 '전방연관효과' 와 '후방연관효과' 로 나눌 수 있다. 전방연관효과는 어떤 산업의 투자가 그 산업의 제품을 사서 사용하는 산업의 성장과 투자를 유발하는 효과를 말한다. 예를 들어 철강산업에 대한 집중투자로 강철의 공급이 늘고 그 가격이 하락하면 그것을 중요한 원료로 사용하는 자동차 산업의 수익성을 높여주어, 자동차 산업의 성장과 투자를 유발할 수 있게 된다. 이러한 것이 바로 철강산업의 집중투자가 가지는 전방연관효과다.

이에 대해 후방연관효과는 어떤 산업이 다른 산업의 제품을 생산의 투입물로 사용함으로써, 그 산업에 대한 집중투자가 투입물로 사용되는 제품을 생산하는 산업에 대한 투자와 성장을 유발하는 효과를 말한다. 예를 들어 방금 언급한 자동차 산업에 대한 집중투자는 많은 수의 자동차 부품과 자동차의 몸체를 구성하는 철강제품의 생산을 부추기고 성장시키게 될 것이다. 즉, 철강을 예로 들면, 초기에는 자동차의 생산을 위해 철강을 수입하게 되겠지만, 이로 인한 국내 철강수요의 증가는 국내 기업으로 하여금 철강생산에 매력을 느끼게 하고 이에 대한 투자를 유도하게 될 것이다.

이상에서 우리는 후진국의 경제발전을 위한 균형성장론과 불균형성장론을 살펴봤다. 그러나 실제로 이 두 가지의 성장론은 저개발 상태에서 선진국으로 가는 빠른 방법이 무엇인가를 나타내는 강조점의 차이에 관한 것이므로, 보기보다 그리 대립적이지는 않다. 결국 선진국에서는 모든 산업 분야가 고루 발전하지 않고서는 경제적 성장이 불가능한 것이다. 문제는 정부가 어떤 정책을 선택해 균형 있는 경제 발전을 이룩하느냐 하는 점이다.

우리나라는 1962년부터 실시된 경제개발에 있어 허쉬먼의 주장과 같은 공업 우선의 불균형성장이론을 채택했다. 그리고 이러한 불균형성장론이 해결해야 하는 하나의 문제인, 생산된 제품의 수요문제는 해외시장의 개척에 의한 수출촉진정책으로 해결해왔다.

여기서 우리나라는 수출산업을 우선적으로 육성하고 이를 통한 파급효과로 내수산업도 함께 발전시킬 수 있는 수출주도형 전략을 사용했다. 이는 경제의 자립도를 높이기 위해 수입대체산업을 육성하고 내수시장의 성장에 주안점을 두는 수입대체전략과는 다른 것이었다. 각 전략은 그 나름의 장단점을 지니고 있지만 우리나라가 채택한 수출주도형 전략은 성공적이었던 것으로 평가받고 있다.

그 결과 우리 경제는 1960년대 이후 연평균 9%를 웃도는 고도의 성장을 지속해왔으며, 최근 들어 IMF 구제금융의 시기를 거치기는 했지만, 국민적 노력으로 이를 극복하고 세계무역에서 커다란 비중(2000년대 초 기준, 무역량 세계 10~12위)을 차지해가고 있다. 그러나 이러한 과정에서 수출산업과 국내 내수용 산업, 농업 부문과 공업 부문, 농촌과 도시 등의 산업 간 및 지역 간의 상당한 불균형을 초래했으며, 이는 우리 경제가 해결해야 할 커다란 과제가 되었다.

인간의 복지와 경제발전

경제의 성장과 발전은 그 경제의 구성원들에게 어떤 의미를 지니는가. 경제성장이 사람들의 생활여건을 개선시켜주었는가. 경제의 성장과 발전은 사람들에게 어떤 영향을 끼쳤는가. 이러한 것과 관련해 흔히 논의되는 것은 소득분배에 관한 연구다.

국민경제의 복지 수준을 평가하는 하나의 방법으로 소득분배의 문제를 생각할 수 있다. 그리고 이러한 소득분배는 각 생산요소의 경제적 기능에 따라 분배되는 이윤, 지대, 이자 등의 소득의 기능적 분배와 소득을 가지는 개인을 중심으로 하는 소득의 인적분배로 나눌 수 있다. 보통 우리가 말하는 소득분배는 후자를 가리키는 것이며, 이는 형식적으로는 각 개인이 그 사회의 경제생산에 제공하는 각종 생산요소의 양과 그것의 가격에 의해 결정된다 할 수 있다. 그러나 물론 그 배후에는 각종 생산요소의 수급관계와 소유관계를 규정하는 각종 제도들이 소득분배의 커다란 요인으로 작용한다.

이러한 소득분배를 표시하기 위해 보통 통계적으로는 소득계급별 수취인원의 분포를 다루게 된다. 예를 들어 소득분배의 정도를 알아볼 때, 흔히 언급되는 로렌츠곡선(5장 내 몫과 남의 몫 참고)은 한 사회의 구성원을 소득이 가장 낮은 사람에서 높은 사람의 순으로 나열할 때, 하위 몇 %의 사람들이 차지하는 전체 소득에서의 비율을 모아놓은 곡선이다(도표 96 참고). 이 경우 45도선에 가까이 위치할수록 더 평등한 분배구조를 의미하는 것이다.

그러나 이 로렌츠곡선은 서로 교차하지 않고 하나가 다른 것보다

도표 96 | 로렌츠곡선

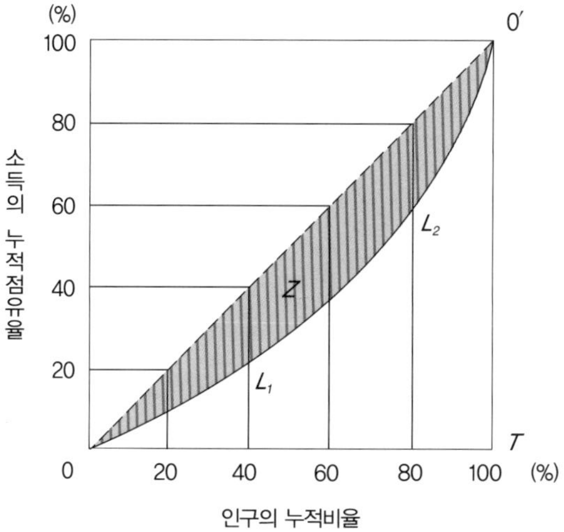

45도선에 더욱 가까이 있는 경우에만 사용할 수 있다. 예를 들어 2개의 곡선이 서로 겹치게 되면, 어느 것이 더 평등한 소득분배를 표시하는 것인지 쉽게 판단할 수 없다. 이러한 점 때문에 일반적으로 로렌츠곡선과 45도선 사이의 면적을 45도선 이하의 전체 면적으로 나눈 값인 지니계수Gini coefficient($\frac{a}{a+b}$)를 많이 사용한다. 이 경우 지니계수는 작을수록 평등한 소득분배를 나타내는 것이다.

이러한 지니계수와 함께 십분위 분배율도 소득분배를 표시하는 방법의 하나로 널리 사용되고 있다. 여기서 십분위 분배율은 저소득층이라 할 수 있는 하위 40% 계층의 소득이 고소득층이라 할 수 있는 상위 20% 계층의 소득에 대해 어느 정도의 비율인가를 표현해주는 수치를 말한다. 여기서 이 비율의 수치가 높을수록 소득분배가 더욱 평등하다고 할 수 있다.

참고로 우리나라의 지니계수(통계청, 도시가계조사 기준)는 1990년 0.295에서 외환위기 이후인 1999년 0.320으로 높아져 소득분포의 불균등 정도가 심화되었으나 2003년에는 0.306에 머물고 있다. 이러한 지니계수 수준은 일본(0.301, 1999년)과 비슷한 수준이지만 미국(0.448, 2002년), 영국(0.380, 2001년)에 비해서는 비교적 낮은 수준이어서 지니계수로 본 우리나라의 분배상태는 다른 선진국에 비해 그리 나쁜 편은 아니라 할 수 있다.

이상에서 소득분배에 대해 언급했다. 확실히 오늘의 자본주의 경제에 있어서 소득분배의 문제는 심각한 사회문제가 되고 있다. 실제로 루이스W. Lewis의 주장처럼 오늘날 많은 개발도상국들은 급속한 경제성장과 함께 더욱 심각해지는 소득의 불평등을 경험하고 있다. 다시 말해 많은 개발도상국(예: 남미의 여러 국가들)들은 경제의 발전을 위해 선성장후분배의 전략을 결과적으로 취해왔다.

이러한 고전적인 선성장의 경제발전전략에 대해 몇 가지의 대안을 생각할 수 있다. 하나의 급진적인 모형으로 아시아의 사회주의 국가에서처럼 자본가와 지주의 재산을 재분배한 후 평등한 발전을 위해 노력할 수 있다. 사실 이러한 유형의 발전 방식은 현대사에서 우리가 경험한 것이기도 하다. 해방 후 우리 경제는 적산불하와 농지개혁 등으로 사람들 사이에서 부의 원천으로 인식되었던 토지를 재분배하고 그 이후 성장의 전략을 수립했다. 이는 타이완의 경우에도 마찬가지다. 타이완 역시 초기에 강력한 토지분배정책을 실시했으며 그후 성장우선의 정책을 실시했다. 그리고 이러한 점에 연유해 한국이나 타이완은 남미의 국가들에 비해 상대적으로 평등한 소득분배 수준을 유지하고 있다.

성장과 더불어 재분배의 입장을 취할 수도 있다. 이의 기본적인 생각은 저소득 생산자와 소비자에게 소득획득의 기회를 제공해주고, 이를 통해 필요한 자본 및 생산성과 구매력을 마련해 발전의 기반으로 삼자는 것이다. 이는 가난한 나라에서도 급진적인 사회혁명을 통하지 않고 복지가 개선될 수 있음을 사람들에게 보여주기를 원하는 사람들에게 매우 매력적인 방안이라 할 수 있다. 그리고 이의 한 변형으로서 가난한 사람들에게 기본적인 생활필수품과 서비스를 재분배하고 성장의 기반으로 삼자는 생각도 있다. 이러한 생각은 기본적으로 경제발전에 있어서 인적자원의 중요성에 기반을 두고 있으며, 교육과 건강 등의 인적자본의 질을 높이고 이를 이용하는 것은 경제발전에 매우 유리하다는 점을 크게 강조하고 있다.

실제로 언급한 바의 성장과 분배의 형평을 유지하는 일은 오늘날의 많은 개발도상국에 있어서 중요한 국가적인 과제로 되었으며, 이는 한국의 경우에서도 마찬가지다.

경제성장은 사실 인간생활에서 직접적으로 인간의 행복을 증진시킨다기보다는, 사람들이 사용할 수 있는 경제적인 재화나 용역의 선택의 폭을 넓혀주는 것이다. 실제로 재화의 양적 증가가 반드시 인간의 행복을 보장해주지는 않는 것처럼 경제성장 역시 그 자체가 인간의 복지를 그대로 향상시켜주지는 않는다.

여기에서 우리는 경제성장이 그 이면에 상당한 비용을 수반하고 있음을 생각할 수 있다. 우선 자본주의 경제사회에서의 경제성장은 사람들로 하여금 상당 정도로 물질적인 부의 축적에 집착하게 한다. 결국 그 경제사회가 지니는 정신적인 측면에서의 수많은 가치들은 크게 상처받게 될 것이다.

또한 자본주의 사회의 경제성장은 개인주의적인 풍토를 조성하는 데 결정적인 역할을 할 수 있다. 애덤 스미스의 '보이지 않는 손'에 의한 경제 행위는 결국 개인의 이익을 추구하게 하는 것이기 때문이다. 이러한 개인주의적인 사고방식의 확산은 전통적인 미풍양속과 협동적인 의식을 상실케 한다.

그리고 산업의 발전과 공장의 건설 등의 공업화를 진행하는 과정에서 자연환경을 파괴하고 공해를 발생시키는 것 역시 경제성장이 가지는 커다란 비용이라 하겠다. 자연은 인간에게 필요한 정서적인 공간을 제공하고, 인간의 삶을 건강하게 유지하는 데 매우 중요하다. 이러한 자연환경의 파괴는 경제성장이 가지는 심각한 비용이 아닐 수 없다. 이것은 공해의 경우에도 마찬가지다.

이러한 경제성장이 지니는 비용 역시 실제로 우리가 성장의 과정에서 고려해야 하는 매우 중요한 요소다. 오늘날 우리 사회에서 이야기되고 있는 도덕성의 회복이나 환경오염 및 공해의 문제 등은 이러한 경제성장의 비용이란 측면과 밀접하게 연결된 것이라 하겠다.

요약

이 장을 통해 우리는 경기변동과 경제성장을 구별하고, 무엇이 경제성장을 가능하게 하는가, 경제성장을 위한 전략은 무엇인가, 그리고 경제성장은 인간의 복지와 어떤 관련을 가지고 있는가 등에 대해 알아보았다. 이 장은 우리나라의 경제성장 과정을 이해하는 데에 도움을 줄 수 있을 것이며, 앞으로의 우리의 과제를 파악하는 데에도 커다란 도움을 줄 수 있을 것이다.

중요개념

- 경제성장, 경기변동
- 성장이론, 내생적 성장이론
- 빈곤의 악순환
- 균형성장과 불균형성장
- 수출주도전략, 수입대체전략
- 경제성장의 비용

더 깊이 이해하기

일반적으로 한 나라의 경제가 성장하면 일자리가 늘어난다. 그러나 뉴욕 연방준비은행에 따르면 미국경제는 1990년대 이후 고용 없는 경기회복을 1991년과 2001년 이후 두 차례에 걸쳐 경험했다고 분석했다. 이 가운데 2001년 이후가 더욱 심각했는데, 그 원인으로 노동시장의 구조가 바뀐 데다 산업구조 변화와 생산성의 향상으로 노동수요가 예전에 비해 크게 줄어든 것을 들고 있다.

먼저 노동시장의 구조 변화를 살펴보면 미국은 최근 물가상승률이 현저히 낮아지는 상황에서도 노동비용이 의료보조, 연금급여 등 간접경비를 중심으로 크게 늘어남에 따라 기업들이 수익감소에 대응해 고용을 축소하고 있다. 또 비용을 절감하고 효율성을 높이기 위해 상용 근로자를 최소화하는 대신 필요할 때마다 임시직 또는 계약직 근로자를 충원하는 적시고용 관행이 점차 확산되고 있으며 인력수요와 국외 외주도 늘어나고 있다.

산업구조 변화로는 1990년대 후반 이후 과잉투자 등으로 구조적으로 고용이 감소하는 업종이 늘어나고 있다. 1990년대까지 미국의 고용증가를 주도했던 18개 산업 중 전자장비업, 통신서비스업, 기업서비스업, 항공수송업, 주식 · 상품중개업 등 7개 산업이 2001년 고용감소 산업으로 돌아섰다.

이 밖에 IT혁명에 힘입은 생산성의 향상 역시 기업들이 고용증대보다 IT 투자를 선호하도록 함으로써 고용부진을 초래하는 원인이 되고 있다고 설명하고 있다.

우리나라에서도 2003년 실질GDP 성장률이 3.1%를 기록한 반면, 취업자 수가 3만 명 감소한 것을 들어 고용 없는 성장jobless growth이 이루어지고 있다는 주장이 제기된 바 있다.

—『한국은행의 알기 쉬운 경제 이야기』, p. 151

경제학자 이야기 16

경제발전과 기업의 옹호자, 죠셉 슘페터

Joseph Alois Schumpeter (1883~1950)

슘페터는 1883년 2월 8일, 체코의 모라비아에서 직물제조업을 하던 아버지에게서 태어났으나, 부친의 사후로 어머니가 육군장성에게 재가하면서 비엔나의 기숙학교에서 비교적 우울한 소년시절을 보냈다. 그는 비엔나 대학 법학부에서 당시 거장이었던 뵘바베르크, 비저 등의 거장 경제학자들의 지도를 받았으며, 1906년 법학박사를 받았다. 1907년 24세 연상의 여성과 결혼했으나 실패하고, 1925년 두 번째 부인과 재혼했으며, 두 번째 부인이 출산으로 사망하자 세 번째 미국 부인과 결혼했다. 그라츠 대학과 본 대학을 거쳐 1932년 하버드 대학으로 자리를 옮겨 1950년 타계할 때까지 폴 새뮤얼슨, 리처드 머스그레이브 등의 세계적인 거장을 배출했다. 1939년의 『경기변동론Business Cycles』과 『자본주의, 사회주의, 민주주의Capitalism, Socialism and Democracy』는 그의 대표작에 속한다.

슘페터는 경제학의 범사회과학적 학문관을 유지하면서 경기변동을 회복기, 상승기, 후퇴기, 그리고 침체기 등으로 분류했으며, 경기의 파장을 3년의 키친파, 8~11년의 쥬글라파 및 30년 이상의 콘드라티에프파 등으로 나누었다. 특히 30년 이상의 장기파장에서는 기업인의 개혁과 발명이 매우 중요하며, 이러한 장기추세로 역사를 바꾸어나가는 데에는 무엇보다 기업의 역할이 중요하다고 역설했다. 그는 특히 자본주의는 붕괴될 만큼의 내재적 모순을 갖고 있지 않으며, 오히려 기업인의 의지 쇠퇴와 지식인의 자본주의에 대한 비판성 때문에 쇠잔할 가능성이 있다고 진단했다. 슘페터는 이러한 과정을 거쳐 사회는 생산 규모가 커지고 독점화되면서, 의사결정에서 공적 절차가 강조되고 민주주의 절차에 따라 운영되는 체제로 전환될 것이라 주장했다.

8

국제무역의 이론과 실제

읽을거리

자취생의 분업

창호와 영수 두 사람은 함께 자취를 하고 있다. 두 사람이 일을 반으로 나누어 하고, 누가 더 일을 많이 하느냐와 상관없이 각각 방청소와 빨래를 마치는 데 드는 시간이 다음과 같을 때, 두 사람이 어떻게 일을 분담하는 것이 가장 시간을 적게 들이는 방법일까?

- 방청소 시간: 창호 15분, 영수 10분
- 빨래 시간: 창호 20분, 영수 15분

답부터 말하면, 창호가 먼저 빨래를 하고 영수가 먼저 방청소를 했을 때, 시간이 가장 적게 들 가능성이 있다. 첫째, 창호와 영수가 함께 방청소와 빨래를 할 경우에는 방청소하는 데 $(15+10)\times\frac{1}{2}$분이 걸리고, 빨래하는 데 $(20+15)\times\frac{1}{2}$분이 걸리므로, 총 30분이 소요된다. 둘째, 창호가 방청소를 하고 영수가 빨래를 하면 각 15분씩 총 30분이 소요된다. 셋째, 답으로 제시된 바와 같이 영수가 방청소를 하고 창호가 빨래를 할 경우 언뜻 (10+20)분의 시간이 소요될 것으로 보인다. 그러나 이때 방청소를 10분 만에 끝낸 영수가 창호가 미처 반밖에 못 끝낸 빨래를 같이 한다면, 창호와 영수가 빨래를 4분의 1씩 하는 데, 걸리는 시간인 $(20+15)\times\frac{1}{4}=8.75$분만 더 소요되므로, 총소요시간은 28.75분, 즉 '영수의 청소시간(10분)+창호가 빨래 반을 하는 시간(10분)+같이 빨래의 반을 하는 시간(8.75분)'의 합이 된다. 이러한 분업발생의 원리는 국제무역에서도 적용된다.

국제무역은 왜 발생하나?

국제무역international trade이란 국가 간에 재화나 용역을 교환함으로써 자국의 이익을 증진시키는 행위를 말한다. 그렇다면 이와 같은 국가 간의 교역이 왜 발생하는가를 설명해야 한다. 이에 대해 경제학의 아버지 애덤 스미스는 각국이 다른 나라보다 생산비가 저렴한 재화에 생산을 특화하여 생산비가 저렴한 물건을 수입함으로써 이익을 볼 수 있다고 말했다. 예를 들어, 한국과 미국에서 직물과 콩을 생산하는 데 노동만 필요하며, 각 재화 1단위를 생산하는 데 필요한 노동시간이 도표 97과 같다고 하자.

도표 97 | 한미 양국의 콩과 직물생산(1)

	직물	콩
한국	1시간	3시간
미국	2시간	1시간

이때 한국이 직물만을 2단위 생산해서, 미국에서 생산된 콩 1단위와 교환한다면, 2시간의 노력을 들여서 직물과 콩 1단위씩 소비할 수 있다. 한국이 자국 내에서 직물과 콩을 모두 생산하는 데 필요한 4시간보다 적은 노력이 들게 되므로, 미국과 교역을 하는 것이 이익이 된다. 반대로 미국에서는 콩만을 2단위 생산하고, 직물 1단위를 수입하면, 역시 2시간의 노력을 들여서 직물과 콩 1단위씩 소비할 수 있으므로 이익이 된다.

이와 같이 절대적으로 생산성이 있는 재화를 생산하고 이 재화를 수출하기 때문에 국제무역이 발생한다는 스미스의 설명을 '절대우위설theory of absolute advantage' 이라고 한다.

그런데 만약 한국은 미국보다 직물과 콩 모두에서 생산성이 낮아서 도표 98과 같이 각 재화의 생산에 노동시간이 소요된다고 하자.

도표 98 | 한미 양국의 콩과 직물생산(2)

	직물	콩
한국	4시간	3시간
미국	2시간	1시간

도표 98에서 보듯이 미국은 한국에 비해 두 상품 모두에서 절대우위를 가지므로, 스미스의 설명에 따르면 국제무역이 발생하지 않을 것이다. 그러나 곰곰이 생각해보면, 절대적으로 생산성이 낮은 한국에서도 상대적으로 생산성이 덜 낮은 재화가 무엇인가를 찾아서 그 재화를 생산하고, 미국에서도 상대적으로 생산성이 더 높은 재화를 찾아서 생산한다면 양국 모두 이익을 볼 가능성이 생긴다.

상대적으로 생산성이 높은 특성을 '비교우위relative advantage' 라고 하는데, 도표 98에서는 한국이 직물생산에, 그리고 미국이 콩생산에 비교우위를 가지고 있다. 같은 1시간에 생산할 수 있는 직물과 콩의 양을 계산해보면, 미국은 직물생산에 있어서 한국보다 생산성이 2배 높은 반면, 콩생산에 있어서는 생산성이 3배 높기 때문이다.

이제, 어떻게 한국이 직물생산에 특화하고 미국이 콩생산에 특화해서 교역을 해야 상호 이익이 되는지 생각해보자. 무역을 시작하기 전에 콩가격과 직물가격의 비율은 미국의 경우 1시간/2시간=$\frac{1}{2}$이고, 한국의 경우 3시간/4시간=$\frac{3}{4}$이다. 이때 만약 국제시장에서 무역을 행해 콩가격과 직물가격의 비율이 $\frac{2}{3}$가 되었다고 하자. 이는 콩 1단위가 직물 $\frac{2}{3}$단위와 교환된다는 것이다.

이와 같은 교환비율 아래서, 한국은 $6\frac{2}{3}$시간을 사용해 직물을 생산하면 직물을 $1\frac{2}{3}$ 단위만큼 생산할 수 있으므로, 직물 1단위를 자체 소비하고 남은 $\frac{2}{3}$단위를 미국산 콩 1단위와 교역해 이익을 볼 수 있다. 7시간을 들여야 직물 1단위, 콩 1단위를 소비할 수 있었던 교역 전의 상태보다 적은 시간이 들었기 때문이다. 반대로 미국은 $2\frac{1}{2}$시간을 투입해 콩 $2\frac{1}{2}$단위를 생산할 수 있는데, 콩 1단위를 자체 소비하고,

남은 콩 $\frac{3}{2}$단위를 한국산 직물 1단위와 바꾸면 적은 시간을 들이고도 직물과 콩 1단위를 소비할 수 있다. 교역 전과 교역 후에 직물과 콩을 각각 1단위씩 소비하기 위해 필요한 시간을 계산한 결과는 도표 99와 같다.

위와 같은 수치를 그림을 통해 알아보기 위해, 한국과 미국에서 각기 이용 가능한 노동시간을 600시간이라고 하고, 각국에서의 생산가능곡선을 그려보자. 한국의 경우, 도표 100의 (가)에서 보듯이 600시간을 모두 직물생산에 투입하면 150단위를 생산할 수 있고, 모두 콩생산에 투입하면 200단위를 생산할 수 있다. 한편, 미국의 경우 600시간을 모두 직물생산에 투입하면 직물 300단위를, 모두 콩생산에 투입하면 600단위의 콩을 생산할 수 있다.

만약 앞에서 설명한 대로 국제시장에서의 교역비율이 한국의 생산

도표 99 | **한미 양국의 교역과 이익**

	교역 전	교역 후	무역에 따른 이익
한국	4+3=7(시간)	$4+4\times\frac{2}{3}=\frac{20}{3}$(시간)	$\frac{1}{3}$(시간)
미국	2+1=3(시간)	$1+1\times\frac{3}{2}=\frac{5}{2}$(시간)	$\frac{1}{2}$(시간)

도표 100 | **생산가능곡선과 국제무역**

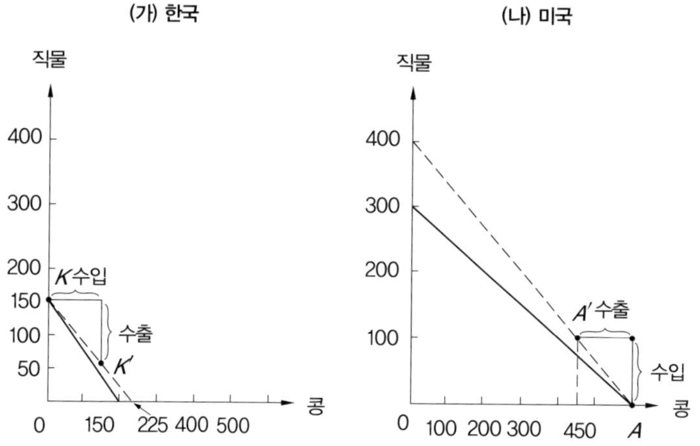

가능곡선의 기울기인 $\frac{3}{4}$과 미국의 생산가능곡선 기울기인 $\frac{1}{2}$의 사이에서 정해진다면, 양국은 비교우위가 있는 재화만을 생산하고 다른 재화는 국제시장에서 수입함으로써, 같은 노동시간을 들이고도 교역전보다 더 많은 재화를 소비할 수 있게 된다.

도표 100에서 보듯이, 한국이 비교우위가 있는 직물생산에 특화하

고, 국제시장에 직물을 100단위 수출하는 대신 미국산 콩을 150단위 수입하면, 교역 전에 소비할 수 있는 것보다 많은 K' 점에서 소비할 수 있게 된다. 반면, 미국은 콩생산에 특화해 콩을 150단위 한국에 수출한 대신 한국산 직물을 100단위 수입함으로써, 교역 전에 소비할 수 있는 것보다 많은 A' 점에서 소비할 수 있다.

그런데 콩가격과 직물가격의 비율이 $\frac{1}{2}$과 $\frac{3}{4}$ 사이에 있으면 한국과 미국이 국제무역을 통해 이익을 볼 수 있는 것인지, 왜 꼭 그 가격비율이 $\frac{2}{3}$가 되어야 하는지에 대해서는 설명을 하지 않았다. 또한 국제시장에서 콩과 직물의 거래량이 얼마가 될지를 결정하는 요인에 대해서도 정확히 설명하지 않았다. 이에 대해 알기 위해서는 한국과 미국에서 상대방의 수출품에 대한 수요가 얼마만큼인지를 알아야 한다. 이 설명은 영국의 경제학자 밀J. S. Mill에 의해서 시도되었다. 밀의 '상호수요reciprocal demand이론'에 따르면, 국제무역에서 재화의 가격비율 또는 교역조건terms of trade은 교역당사국이 상대방 국가의 수출품에 대해 얼마만큼 수요하는가, 또한 상대방 국가는 교역당사국의 수출품에 대해 얼마만큼 수요하는가에 따라 영향을 받는다.

무역패턴의 결정요인

국제무역에서 주로 비교우위가 있는 상품이 수출된다고 했는데, 그러면 비교우위가 발생하는 원인은 무엇일까?

그 원인은 다양하다. 나라마다 천연자원, 노동, 자본, 노동의 숙련도, 기술 등이 다르며, 이러한 것들이 합쳐져서 그 나라의 생산조건을 다르게 만든다. 그중 가장 특징적인 요인으로서 스웨덴의 경제학자 헤크셰르E. Heckscher와 올린B. Ohlin은 두 나라 사이에서 다른 조건이 모두 같더라도 생산요소의 부존비율이 다르면 이로 인해 비교우위가 발생한다고 주장했다. 즉, 무역당사국은 상대적으로 풍부한 생산요소를 더욱 집약적으로 쓰는 재화에 비교우위를 가진다는 것이다. 예를 들어 다른 생산요소에 비해 상대적으로 노동이 풍부한 나라에서는 노동을 상대적으로 많이 써서 생산하는 재화를 수출하게 된다.

이와 같이 생산요소 부존비율의 차이도 국제무역의 패턴을 설명해주는 데 큰 요인임에 틀림없다. 이것은 특히, 자연적 조건이 아주 다른 국가 간에 무역이 발생하는 것을 잘 설명해준다. 예를 들어, 토지가 비옥하거나 광대한 나라는 농산물을 수출하고, 노동력이 풍부한 나라는 노동력을 이용한 가공상품을 많이 수출하는 사례를 볼 수 있다.

그렇지만 비슷한 경제적 여건을 가진 국가 간에도 국제무역이 발생하는 것을 이해하려면, 스미스가 말한 절대우위라는 개념도 유용하다. 예를 들어, 규모의 경제가 작용하는 경우 어떤 나라는 한 재화를 국내수요 이상으로 생산함으로써 생산비를 절감시킬 수 있다. 이때, 다른 나라에서 규모의 경제가 있는 다른 재화를 많이 생산해 교역한다면 두 나라 모두 이익을 볼 수 있다.

나아가 비교우위라는 개념이 국제무역의 발생과 그 패턴을 설명하는 데 유용한 개념이라 하더라도, 또한 어떤 물건이 어떤 시기에 비교우위가 있다고 해도 그 재화가 계속 비교우위 상태에 있다고 생각해서는 안 된다. 어떤 시점에서는 비교열위에 있다 하더라도 기술개발과 숙련도의 증가에 따라 비교우위를 획득할 수 있으므로, 국제무역의 패턴변화를 이해할 때, 기술의 도입과 전파 과정도 함께 고려해야 한다. 예를 들어, 선진국에서만 생산되던 공산품이 점차 기술이 표준화됨에 따라 후진국에서도 생산하게 될 경우, 후진국도 공산품을 수출하게 되는 것이다.

다시 말하면, 국제무역의 패턴을 이해하기 위해서는 요소의 부존비율뿐만 아니라, 각 산업의 기술적 특성이나 기술의 발달 과정 등도 함께 고려되어야 한다.

한편 이러한 비교우위론을 중심으로 하는 무역이론 이외에 오늘날에는 실제무역이 선진국 사이에서 많이 이루어지고 또 같은 산업 내에서 이루어지는 경우가 많기 때문에 새로운 이론들이 나타나기 시작했다. 산업내무역이론으로서 크루그만P. Krugman의 독점적 경쟁시장이론을 중심으로 하는 '상품차별화'의 개념이나 버논R. Vernon의 '제품생애주기이론' 등은 여기에 속한다.

크루그만은 독점적 경쟁이론을 바탕으로 오늘날의 공산품 생산에서는 상품차별화가 광범위하게 이루어진다는 사실에 주목했다. 즉, 한국에서 미국이나 일본 또는 유럽의 캐딜락, 벤츠, BMW 등의 고급자동차가 팔리고 동시에 한국의 중저가 자동차는 미국과 유럽 등지에서 팔리는 것이다. 이를 설명할 수 있는 것은 바로 이들의 상품 차별화이다. 이처럼 동일한 상품을 서로 사고파는 형태의 무역을 흔히 산업내무역이라 부른다.

또한 버논은 어떤 상품이 개발 초기에는 그것을 개발한 나라가 주요한 수출국이 되나 대량생산의 단계로 넘어가면 싼 임금으로 생산할 수 있는 나라가 수출의 주역으로 등장한다는 것이다. 이는 마치 사람이 생애의 각 단계를 거치는 것과도 같아 이를 제품생애주기이론이라 부른다. 이를 통해 국제무역에서 상품의 수출 주도국이 경제적 환경의 변화와 함께 바뀌어가는 것을 설명할 수 있다. 물론 이러한 설명이 주로 공산품을 대상으로 하고 있음에는 주의를 요한다.

정부와 무역정책

국제무역에 관한 정책에 대해서는 자유무역론과 보호무역론이 대립해왔다. 자유무역론은 영국의 경제학자인 스미스나 리카도 이래 주장되어온 것으로, 자유롭게 무역을 하면 각국이 자신의 이익에 따라 교역을 하게 되므로 효율적인 자원배분이 된다는 주장이다. 반면, 보호무역론은 영국보다 경제발전이 느렸던 19세기의 독일이나 미국에서 주장되었던 것으로, 외국과의 무역활동을 어느 정도 제한함으로써 유리하게 경제발전을 도모할 수 있다는 주장이다. 지금도 이 두 견해가 함께 주장되어오고 있으며, 세계경제 전체를 볼 때 이념적으로는 자유무역을 주장하면서도 각국별로는 각종 규제를 통해 무역을 제한하고 있는 것이 현실이다.

먼저, 자유무역을 통해 어떻게 시장의 균형이 변화하고 경제 전체적으로 어느 정도 이익이 증가될 가능성이 있는지 생각해보자.

도표 101에서 보듯이 국제무역이 있기 전의 어떤 물건에 대한 수요곡선은 $D_K D_K$이며, 국산품 공급곡선은 $S_K S_K$라고 하자. 이때 시장에서

도표 101 | 자유무역과 경제적 후생

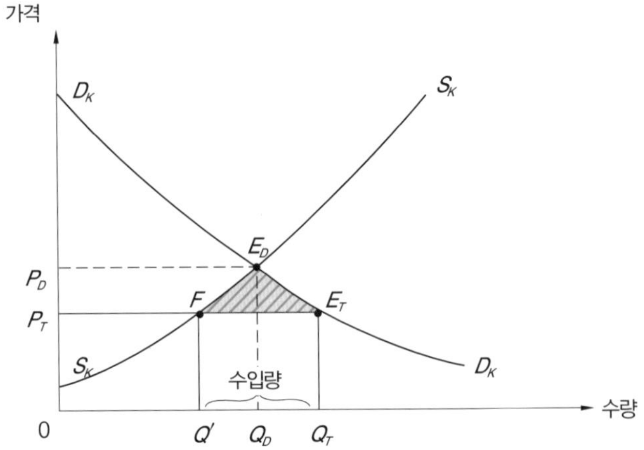

의 균형가격과 균형거래량은 각각 P_D, Q_D로 정해진다. 만약 세계시장에서 국내가격보다 싼값 P_T만큼 수입품이 들어온다면, 국내의 가격도 P_T로 낮아지므로, 수요량은 Q_T로 증가한다. 이때 국산품 생산은 Q'로 줄어들고, $Q'Q_T$만큼의 국내수요가 수입품에 의해 충당된다.

교역 전과 교역 후의 경제적 후생을 비교해보면, 빗금친 E_DFE_T만큼 경제적 후생이 증가함을 알 수 있다. 교역 전에는 국내 균형가격인 E_D보다도 높은 값을 지불할 용의가 있었던 소비자들의 이익을 표시하는 $D_KE_DP_D$와, 다른 사람보다 싸게 생산비를 들여 생산한 후 균형가격인 E_D에서 판매함으로써 국내생산자가 얻게 되는 이익인 $P_DE_DS_K$의 합이, 모든 경제적 이익이었다. 이에 비해 교역이 발생된 후에는 가격인하로 인해 소비지의 이익인 '소비자 잉여consumer's surplus'는 $D_KE_TP_T$로 증가하지만, 국내생산 위축으로 인해 '생산자 잉여producer's surplus'는 $P_T F S_K$로 감소한다. 따라서 교역 전과 교역 후의 상태를 비교하면 국민경제 전체적으로는 빗금친 부분만큼 이득이 발생할 가능성이 있다.

말하자면 국제시장에서 싼 제품이 수입됨으로써 증가한 소비자 잉여가 국내생산의 위축으로 감소한 생산자 잉여보다 크기 때문에 수입자유화는 이익이 된다는 것이다. 그렇지만 만약 국제시장에서 들어온 싼 수입품으로 인해 국내생산 자체가 너무 위축된다면, 소비자들이 소비하는 데 밑바탕이 되는 국내소득 자체가 감소할지도 모른다. 이 경우 전체적인 후생도 상당히 줄어들 우려가 있다.

이러한 측면에서 국내산업을 적극 육성하기 위해 정부가 수입을 제한하고 수출산업을 지원해야 한다는 주장도 일리가 있다. 이러한 주장을 '보호무역주의protectionism'라고 한다. 특히, 현재는 외국과의 경쟁력이 없지만 정부의 지원에 의해 경쟁력이 생길 수 있는 유치산업infant industry에 대해서는 정부의 육성정책이 필요하다고 주장된다. 또한 국민경제의 안정을 위해 꼭 필요한 기간산업이나 방위산업, 식량생산 등은 자유무역을 허용해서는 안 된다는 주장도 있다. 이러한 주장에는 일리가 있지만, 그렇다고 해서 장래에 발전가능성이나 경쟁력이 생길 가능성이 없는 산업을 과보호하는 것은 국민경제의 다른 부문에 부담을 지우는 것이 되므로, 보호해야 할 대상을 잘 선정할 필요가 있다.

보호무역을 위한 대표적인 정책수단으로는 수입되는 가격에 관세tariff를 매기는 방법과 수량을 규제하기 위해 할당량quota을 정하는 방법이 있다. 정부가 시장상황에 대해서 잘 알지 못하고 강력한 규제를 해야 하는 경우에는 수입할당량을 책정하는 방법이 주로 사용되지만, 무역마찰을 일으킬 소지가 있으므로 관세를 매겨서 수입량을 조절하는 방법도 많이 쓰이고 있다.

도표 102를 통해 수입품에 대해 관세가 매겨진 경우, 어떤 효과가 있는지 생각해보자. 만약 국제시장에서의 가격 P_T에 대해 관세가 매겨져, 수입품의 가격이 P_T'가 되었다고 하자. 이때 국내생산은 Q'에서 Q_D'로 증가하는 반면, 외국으로부터의 수입은 Q_T에서 Q_T'로 줄어든다.

이 경우 국내 생산자 잉여는 동그라미 지역안 $P_T'FF'P_T$ 면적만큼 증가하고, 수입된 물건의 양인 $Q_D'Q_T'$에 대해 부과된 관세에서 얻는 정부의 수입은 사각형 (나)의 면적만큼 확보된다. 반면, 소비자 잉여는 큰 삼각형 $D_K E_T P_T$에서 작은 삼각형 $D_K E_T' P_T'$로 줄어들게 되므로, 단기적으로 볼 때, 사회 전체의 경제적 후생은 빗금 친 (가), (나)

도표 102 | 관세의 효과

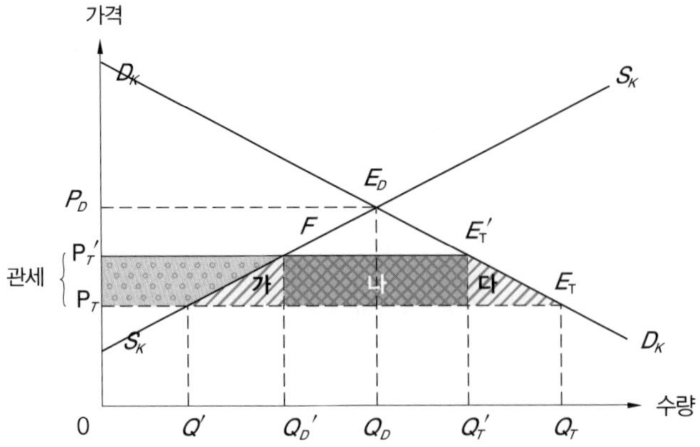

출처 Mankiw N, Gregory, Principles of Microeconomics, 2nd ed(New York: Worth Publishers), Boston, 1997. 해당 부분

와 (다)만큼 줄어든다. 물론 이때 확보된 관세수입 (나)만큼을 유용하게 써서 수출산업을 도와준다면, 장기적으로 볼 때 경제적 후생이 증가할 수도 있다.

이렇게 볼 때, 자유무역론과 보호무역론은 이론적인 면에서는 나름대로 근거가 있는 주장이라 하겠다. 그러나 실제에 있어서 장기적으로는 가능한 한 자유무역을 통해서 효율적인 경제운영이 가능하도록 하되, 단기적으로는 보호에 의해 경쟁력이 생길 수 있는 산업을 정부가 적절히 선택해 지원하는 전략을 택하는 경우가 많다.

국제무역 환경과 한국경제

제2차 세계대전 이후 세계경제가 회복되면서 각국 간의 교역도 증가되었다. 1948년에는 미국의 주도하에 23개국이 '관세 및 무역에 관한 일반협정 General Agreement on Tariffs and Trade: GATT'을 맺게 되었다. 1967년에 우리나라가 가입한 이 협정은 자유무역이라는 목적을 지향하고 있었다. 예를 들어, 이 협정의 조항인 최혜국대우조항 the most favored national clause에 따르면, 이 협정의 가맹국들 중 일부 국가 간의 관세상 특혜조치를 금지해, 협정가맹국 중 두 나라 사이에 관세협정이 맺어져도, 그 협정의 내용과 효력은 다른 가맹국에 모두 적용되어야 한다. 또한 이 협정은 몇 가지 예외적인 경우를 제외하고는 관세 이외의 수량할당, 수입허가 등 어떠한 수량규제도 두어서는 안 된다.

이와 같은 GATT의 취지에도 불구하고, 1970년대 전반기와 후반기에 두 번의 석유파동을 겪으면서, 각국은 자신의 산업보호를 위해 보호무역정책을 크게 강화했다. 이에 따라 1986년 9월, 우루과이에서 제8차 다자간 무역협상이 시작되었는데, 이를 '우루과이라운드Uruguay Round'라 한다. 이 협상은 포괄적인 다자간 무역협상으로서 농산물, 자원, 섬유와 같은 재화뿐만 아니라 금융, 지적 소유권intellectual property 등 서비스의 교역까지 다루고 있다.

이 결과 1995년 세계무역기구WTO가 창립되었다. WTO는 GATT와는 달리 국제기구로서의 조직과 체계를 강화하고 분쟁해결기구를 설치한 강력한 힘을 지닌 기구로 등장했다. WTO는 도하 각료회의 이후, 공산품과 농업, 서비스 등의 시장자유화, 반덤핑, 보조금 등 국제규범 개선, 환경을 신규의제로 채택하는 등의 의결사항을 도출했다. 현재 우리나라는 이러한 WTO 체제 아래서 산업 간 갈등을 해소하고 세계 여러 나라와 자유무역협정FTA을 맺어야 하는 과제를 안고 있다.

과거 GATT에 의해 세계무역에서 전반적으로 자유무역과 관세인하의 방향이 설정되었는데, 이러한 정책이 선진국에게는 유리하지만 후진국에는 불리하다는 주장이 제기되었다. 이에 따라 1964년에 결성된 'UN무역개발회의United Nations Conference on Trade and Development: UNCTAD'에서도 선진국과 후진국 간의 격차를 좁히는 방안이 모색되었다. 이른바 '남북문제North-South problem'라고 일컫는 이 문제를 해소하기 위해 UNCTAD에서는 후진국에서 좀더 유리한 관세제도를 인정하기로 해, 후진국에게만 적용되는 '일반특혜관세제도Generalized System of Preference: GSP'를 실시하기로 했다.

이러한 무역상의 기구 외에도 1945년에 '국제통화기금International

도표 103 | 우리나라와 주요국가의 교역규모(2003년 기준)

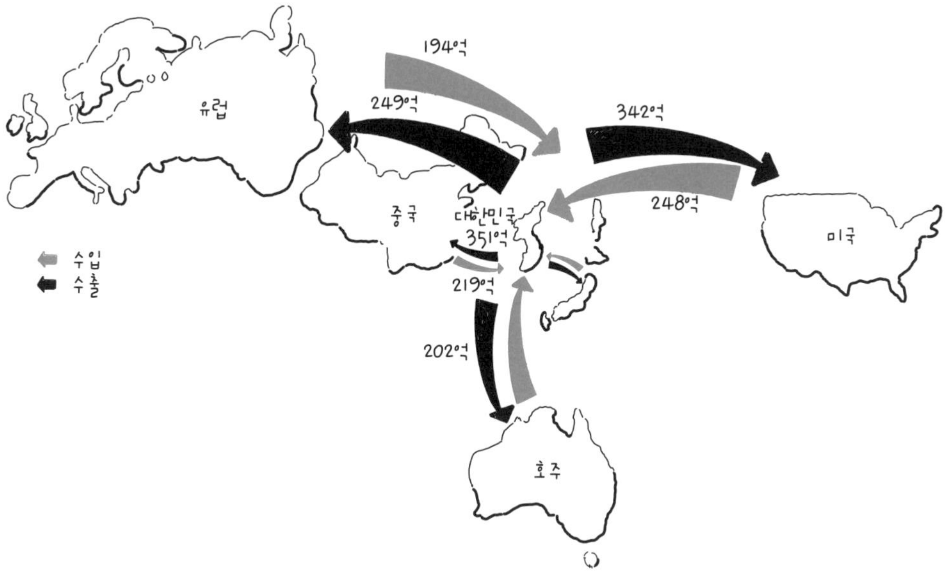

Monetary Fund: IMF'과 세계은행이라고 불리기도 하는 '국제부흥개발은행International Bank of Reconstruction and Development: IBRD'이 설립되어, 세계경제의 순조로운 발전에 기여하고 있다. IMF는 단기적으로 자금이 부족한 국가에 자금을 지원하는 것을 목적으로 하며, IBRD는 전후복구와 후진국의 개발을 위해 장기적으로 자금을 공급하는 것을 목적으로 한다.

이와 같은 국제환경하에서 우리나라는 대외지향적 산업화를 추구함으로써 수출과 수입을 모두 크게 늘려, 2000년 기준으로 수입과 수출의 총액이 세계에서 10위권에 가까운 교역국이 되었다. 수출과 수입을 포함한 총 교역규모는 2003년 기준으로 3,726억 달러로서 수출의 경우 1,938억 달러로 세계 총수출액의 2.6%를 차지하며 세계 제12위, 수입의 경우 1,788억 달러로 세계 총수입액의 2.3%를 차지하며 세계 제14위다.

이와 아울러, 수출품의 구조를 보더라도 1960년에 수산물, 텅스텐, 견직물 등을 주로 수출하던 상태에서, 1980년대 이후에는 전자제품, 조선, 강철, 자동차 등 상당한 기술이 필요한 공산품도 수출하게 되었다. 최근 우리나라는 이동통신과 전자, 조선 등의 최첨단 산업에서도 수출을 늘리고 있으며, 특히 이동통신과 전자는 세계적인 수출국으로 부상했다.

이와 같은 수출증가 및 수출상품 고도화와 함께, 우리 경제가 국내 및 국제경제에서의 책임도 커지게 되었으며, 수입자유화, 자본시장 및 금융시장 개방 등 국내시장도 점차로 개방되어 외국과의 경쟁이 치열하게 되었다. 특히, 1990년대 말 IMF의 구제금융 시기를 거치면서 이러한 경쟁은 더욱 치열해졌다.

요약

국제무역의 발생원인은 주로 각국이 생산 면에서 비교우위가 있는 상품을 수출함으로써 상호 이익을 올릴 수 있다는 데 있다. 비교우위가 생기는 요인은 주로 자원의 부존비율에 있고, 이 밖에 기술개발과 규모의 경제에도 있다. 국제시장에서 상품 간의 교역조건은 생산비의 차이뿐만 아니라, 각국이 상대방의 재화에 대해 얼마만큼 강한 수요를 가지는가에도 달려 있다.

국제무역 정책 면에서 볼 때, 대체로 자유무역을 하게 되면 경제적 효율성이 증가되지만, 유치산업과 같이 정부의 지원에 따라 경쟁력이 생기는 산업은 보호무역을 통해서 동태적으로 효율성이 얻어지기도 한다. 따라서 각국은 제2차 세계대전 이후 전반적으로 자유무역이 추구되는 가운데에서도 보호무역정책을 부분적으로 취하고 있다.

중요개념

- 절대우위, 비교우위
- 상호수요
- 교역조건
- 자유무역, 보호무역
- GATT, UNCTAD, IMF, IBRD, WTO

더 깊이 이해하기

앞에서는 한국이 직물을 수출하고 미국산 콩을 수입함으로써, 한국과 미국이 국제무역을 통해 서로 이익을 볼 수 있음을 설명했다. 비교우위에 따른 이와 같은 국제무역의 원리는 상품이 여러 개 있는 경우에도 적용될 수 있다. 예를 들어, 미국과 한국 간에는 도표 104와 같이 비교우위의 순

도표 104 | 한미 간 비교 우위 순위

미국 — 콩 — 비행기 — 컴퓨터 — 자동차 — 장난감 — 직물 — 한국

서가 있다고 생각해볼 수 있다.

따라서 미국과 한국 간에 행해지게 될 각 물건에 대한 구체적인 수출입의 수량은 공급 면에서의 비용의 차이와 수요 면에서의 선호의 차이에 따라 정해지게 될 것이다. 만약 한국이 비용 면에서 경쟁력을 크게 가진다면 직물, 장난감, 자동차 등의 순서로 미국쪽으로 수출하는 물건이 많아질 것이며, 미국이 경쟁력을 가진다면 콩, 비행기, 컴퓨터 등의 순서로 수출을 늘려나가게 될 것이다.

한편, 두 국가 간의 교역뿐만 아니라 여러 국가 간의 다자간 무역도 생각해볼 수 있다. 예를 들어, 중동국가가 한국에 석유를, 한국이 미국에 자동차를, 미국이 중동국가에 기계류를 파는 경우, 세 국가 모두 이익이 되는 경우가 생긴다.

도표 105 | 다자간 무역

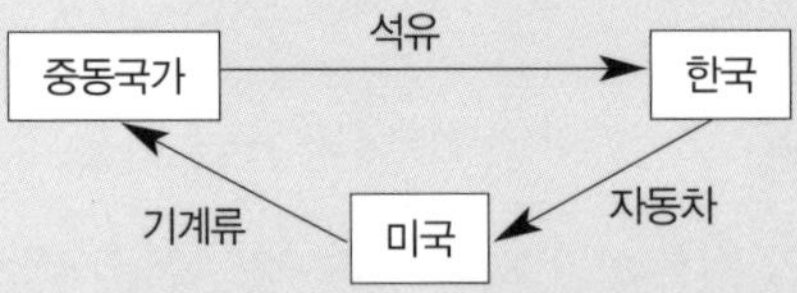

여기에서 한 가지 조심할 점은 국제무역을 통해 각 나라가 이익을 볼 수 있다는 것은, 무역을 하지 않는 것보다 이익이 된다는 뜻이지, 반드시 수입액보다 수출액이 커서 흑자를 본다는 것은 아니다. 경우에 따라서 국제

무역의 결과 적자를 보는 수도 있으므로, 각국에서는 가능한 한 흑자를 보기 위해 경쟁력이 있는 상품의 종류가 많아지도록 경쟁력을 높이기 위한 각종 노력을 하게 되는 것이다.

현재 우리나라의 경우에도 후발 공업국가인 아시아 지역의 타이, 말레이시아 등의 추격으로 인해 경쟁력이 계속 떨어지는 한편, 선진국가와의 격차를 좁히지 못해 국제무역에서 적자가 발생할 소지가 생기고 있어서 우려의 목소리가 높다.

통계로 본 세계 속의 한국

- 국내총생산은 전년보다 10.7% 증가한 6,052억 달러로 세계 11위
- 경제성장률은 OECD 국가 중 터키(5.9%), 그리스(4.3%), 슬로바키아(4.2%), 아이슬란드(4.0%) 등에 이어 3.1%로 5위
- 수출은 1,938억 1,700만 달러로 세계 총수출액의 2.6%를 점유해 세계 12위 수준
- 수입은 1,788억 2,700만 달러로 세계 총수입액의 2.3%를 차지해 세계 13위 수준
- 무역의존도는 61.6%로 OECD 국가 중 8번째 높은 수준. 참고로 가장 낮은 나라는 미국으로 18.5%
- 외환보유액은 1,553억 5,500만 달러로 세계 4위 수준
- 소비자물가상승률은 3.6%로 OECD 국가 중 5번째 수준
- 에너지 총소비량은 세계 10위, 1인당 소비량은 17위 수준
- 자동차생산량은 세계 6위
- 선박건조량은 세계 총건조량의 32.4%를 차지해 세계 1위
- 조강생산량은 4,631만 톤으로 세계 총생산량의 4.8%를 점유해 세계 5

위 수준

- 전자제품 생산액은 698억 달러로 미국(3,021달러), 일본(1,799달러)에 이어 세계 3위 수준
- 쌀생산량은 615만 톤으로 세계 총생산량 1.0%에 해당, 세계 13위 수준
- 인구 100명당 인터넷 이용자수는 60명으로 세계 2위. 참고로 1위는 100명당 67명꼴인 아이슬란드
- 총인구는 4,793만 명으로 세계 총인구의 0.8%를 차지해 세계 26위

—통계청 자료

출처 〈한국은행, 알기쉬운 경제이야기, 2004〉

경제학자 이야기 17

선의의 경쟁자, 리카도와 맬서스

David Ricardo(1772~1823), Tomas Robert Malthus(1766~1834)

리카도는 차액지대설과 비교우위설을 엄밀하게 이론화해 제시한 학자로 잘 알려져 있다. 그는 유대인으로서 채권을 중개해 큰 재산을 모았으며, 의회에도 진출했다. 또한 자유무역을 옹호해, 영국이 외국으로 싼 곡물을 수입하는 것이 경제발전에 도움이 된다고 주장했다.

리카도는 『정치경제와 조세원리Principles of political economy and taxation』라는 책을 남겼으며, 그의 자유무역에 대한 옹호는 당시 남아 있던 중상주의의 풍토에서는 매우 혁명적인 것이었다.

맬서스는 『인구론An Essay on the Principle of Population』의 저자로 더 잘 알려져 있다. 그는 식량의 공급은 급격히 늘어날 수 없는데, 인구는 계속 증가하므로 인구문제가 생긴다고 했다. 또한 사회의 안전과 국내시장 육성을 위해 농산물의 수입은 제한해도 좋다고 했다.

리카도와 맬서스는 경제문제에 대해 많은 견해 차이를 가졌지만, 서로 만나서 토론하고 편지를 주고받으면서 서로의 이론개발에 도움을 주었다. 아마 이들은 경제학에서 서로 존경하면서 논쟁을 벌였던 가장 신사적인 두 사람으로서 높이 평가될 것이다.

9
국제수지와 환율

읽을거리

햄버거의 가격

오늘날 햄버거는 세계 41개국 이상에서 비슷한 가격으로 팔리는 상품으로서 일종의 국제적인 표준화폐의 구실을 한다고 볼 수 있다. 그러나 햄버거를 중심으로 한 화폐의 구매력은 실제화폐가 가지는 교환비율(이를 우리는 환율이라 한다)과는 차이가 있다.

예를 들어 일본에서는 햄버거 한 개가 370엔이고 미국에서는 1.6달러다. 이 경우 햄버거를 중심으로 한 달러화의 구매력은 일본의 엔화에 대해 약 231배의 크기를 가진다. 그러나 엔화와 달러화의 환율이 실제로 1:154라면 일본의 엔화는 햄버거로 계산되었을 때보다 33% 정도 낮게 평가되는 것이다. 또 한국에서 햄버거가 1,000원이면 햄버거를 중심으로 한 달러화의 구매력은 한국의 원화에 대해 625배의 크기를 가진다. 그러나 실제의 환율이 1:700(달러:원)이면 한국의 원화는 햄버거라는 상품으로 계산되었을 때보다 약 12% 정도 높게 평가되는 것이다.

이처럼 구체적인 상품을 중심으로 한 구매력과 비교해서 그 나라의 화폐가 어떻게 평가되고 있느냐 하는 것은 상품의 구매와 관련해 커다란 의미를 지닌다. 이제까지 이야기한 햄버거의 경우 일본에서는 740엔으로 햄버거를 2개밖에 살 수 없지만, 740엔을 달러로 바꾸어(4.8달러가 됨) 미국에 가면 3개나 먹을 수 있다.

출처 〈금융감독원, 청소년을 위한 금융 이야기(2003) I–6절 참고 및 재구성〉

국제수지표

우리는 앞에서 국가 간의 경제적인 거래가 가질 수 있는 무역의 이익이나 무역정책에 대해 알아보았다. 관세나 여타의 무역정책들은 사실 국제무역이 가지는 기본적인 특성, 즉 무역에 관계되어 있는 기업이나 소비자가 서로 다른 나라에 살고 있다는 점에서 연유하는 것이었다.

이와 함께 국제무역은 또 하나의 중요한 특성을 지닌다. 그것은 거래를 하는 소비자나 기업이 서로 다른 화폐를 사용한다는 사실이다. 예를 들어 미국에서 한국산 자동차를 사는 사람들은 달러화로 구입하고자 하지만, 한국의 자동차 회사나 근로자들은 원화로 지급받기를 원한다. 여기서 국제거래는 반드시 대금 결제의 문제를 취급해야 하며, 이러한 점에서 논의되는 것이 바로 환율이다.

이 장에서는 이러한 환율의 문제를 다루기 전에 국가 간의 여러 가지 경제적 거래를 기록하는 방법에 관한 이야기를 먼저 하기로 한다. 이러한 국제교역의 기록방법을 이해하는 것은 국제무역의 작동원리나 국제금융의 원리를 이해하는 데 기초가 되는 것이다.

여기서 나라 사이의 모든 경제적 거래를 체계적으로 기록한 표를 국제수지표라 한다. 좀더 정리해 표현하면 국제수지표는 국제수지를 복식부기의 원리에 의해 작성한 통계표라 할 수 있다. 이때 국제수지란 일정 기간에 한 나라의 거주자(가계, 기업, 및 정부)와 세계의 나머지 부분 사이의 모든 경제적 거래를 말한다. 이러한 국제수지는 국내총생산과 같은 유량의 개념으로서 대개 1년을 기준으로 작성된다. 그리고 한 나라의 거주자는 그 나라에 거주하고 있는 외국인이나 외국인 기업도 포함하는 것이다. 그러나 다른 나라에 있는 해외지사나 현지법인은 거주자에 포함되지 않는다. 이러한 국제수지는 위에서도 언급했듯이 복식부기의 원리에 의해 표현되는데, 이는 국제수지표상의 모든 거래가 수취란과 지급란의 양쪽에 똑같은 금액이 동시에 기록되어 국제수지표 전체로는 양변의 합계가 항상 일치함을 뜻한다.

이러한 국제수지는 주로 경상수지와 자본수지로 나누어지고, 경상수지는 다시 상품수지, 서비스수지, 소득수지, 그리고 경상이전수지로 구분된다. 상품수지는 상품의 수출과 수입의 차이를 나타낸다. 서비스수지는 외국과 서비스를 거래해서 벌어들인 돈과 지급한 돈의 차이를 나타내며, 운수, 여행, 통신, 보험, 특허권 사용료 등이 이에 해당된다. 소득수지는 외국과 자본, 노동 등 생산요소를 거래해서 벌어들인 돈과 지급한 돈을 기록하며, 배당, 이자, 급료 및 임금이 여기에 해당된다. 경상이전수지는 거주자와 비거주자 사이에 아무런 대가 없이 주고받은 거래의 수지 차이며, 즉 해외송금, 자선단체의 기부금과 구호물자, 정부 간의 무상원조 등의 수입과 지급의 차이를 말한다.

자본수지는 투자거래, 기타 자본거래, 준비자산증감 등으로 구분되는데, 각 경제 주체들이 돈을 외국으로부터 차입하거나 외국에 빌려줌으로써 발생한 외화의 유출입 차이를 나타낸다. 여기서, 투자거래는 직접투자와 증권투자 등을 말하며, 기타 자본거래는 국외 이주비 특허권 등의 자산거래를 말하고, 준비자산증감은 통화당국이 보유하는 외환, 금, 그리고 SDR의 증감 등을 말한다.

도표 106 | **국제수지표**

	차변(credit)	대변(debits)	수지(balance)
경상수지	2,453	2,333	119
상품수지	1,973	1,753	220
서비스수지	330	404	-74
소득수지	72	68	3
경상이전수지	79	108	-29
자본수지	275	136	139
투자수지	274	121	153
기타 자본수지	1	15	-14
준비자산증감	-	-	-258

지금까지 국제수지에 대해 살펴보았다. 대개 사람들이 이야기하는 국제수지는 경상수지인데, 이는 경상수지가 국제거래에서 수출과 수입의 가장 중요한 부분을 담고 있기 때문이다.

여기서 경상수지가 흑자일 때는 상품의 수출이 늘어나고 국내 생산이 증가하기 때문에 국민소득 역시 증가하게 된다. 또한 이러한 흑자로 인해 외화자산이 늘어나면 외채를 갚을 수도 있고, 안정적인 원자재의 확보나 무역마찰을 피하기 위해 국외에 직접 투자할 수도 있다. 그리고 외국으로부터의 수입이 급증하는 경우에도 그리 큰 염려를 하지 않아도 된다. 이와 같이 국제수지의 흑자는 대외거래에 여유를 주기 때문에 경제정책의 선택 폭이 넓어져 국민경제를 더욱 건실하게 운영할 수 있게 해준다. 그러나 이러한 국제수지의 흑자가 항상 좋은 것만은 아니다. 경상수지의 흑자는 국내 통화량의 증가를 가져와 인플레이션을 일으킬 수 있으며, 무역 상대국의 수입규제를 강화시킬 수도 있다.

한편 경상수지의 적자는 우리 상품의 경쟁력 약화로 인한 수출의 감소와 수입의 증가를 의미하므로, 이로 인해 국내 생산은 감소하고 국민소득이 줄어들며, 실업이 발생하게 된다. 또한 국제수지의 균형을 유지하기 위해 외화부채를 가지게 되면 원리금의 상환부담이 증가하고, 결국 국민경제의 안정을 해치게 된다. 뿐만 아니라 국제수지의 적자는 경제정책의 폭을 좁히게 되어 건실한 국민경제의 운영에 커다란 장애요인으로 작용한다. 그래서 많은 국가들이 국제수지를 되도록 균형적인 상태로 유지하고 흑자로 만들기 위해 노력하는 것이다. 최근 우리나라가 경험했던 국제수지 적자에 대한 염려도 이러한 맥락에서 이해될 수 있다.

외환시장과 환율

국내시장에서 물건을 사거나 팔 때에는 자국의 화폐를 사용한다. 그러나 통용되는 화폐가 다른 외국과의 경제적 거래에서는 자국의 화폐를 그대로 사용할 수 없다. 예를 들어 우리나라의 수출업자가 미국시장에 자동차를 파는 경우를 생각해보자. 이 경우 미국의 소비자들은 달러로 자동차를 구입하게 될 것이지만, 한국의 수출업자는 이 달러를 자신의 거래은행에 팔고 이를 원화로 바꾸어 가져야 한다. 이처럼 외화가 구매되는 시장을 외환시장이라 한다. 좀더 일반화해 말하면 국제거래가 이루어지기 위한 교역국 간의 각기 다른 통화가 교환될 수 있는 시장이 외환시장이며, 외환을 취급하는 각종 상업은행이나 중앙은행 등은 외환시장을 구성하는 중요한 행동주체들이다. 그리고 이 외환시장에서의 외환의 수요와 공급은 균형외환의 수급량 및 외환의 균형가격 형성과 밀접한 관계가 있다.

이 외환시장에서 외환의 가격은 두 화폐가 어떻게 교환되는가의 문제에 연결된 것이며, 이러한 교환비율을 나타내주는 것이 바로 외환의 가격이라 할 수 있는 환율이다. 환율은 두 가지 방법으로 표시될 수 있다. 첫째로 외국의 단위화폐를 얻기 위한 자국의 화폐가 얼마인가를 중심으로 표시하는 방법이다. 예를 들어 우리가 흔히 접하게 되는 1달러를 1,000원이라 이야기하는 것은 바로 이러한 방법이다. 둘째는 자국화폐 1단위에 대한 외국화폐의 교환비율을 표시하는 방법이다. 위의 경우 우리 화폐 1원은 0.001달러와 교환될 수 있다. 그러나 보통 전자의 경우를 환율의 표시방법으로 이용하고 있다.

이 경우 만약 환율이 1달러당 1,000원에서 1,200원으로 올랐다고 해보자. 이러한 환율의 상승은 우리의 원화가 달러화에 대해 그 가치가 떨어졌음을 의미한다. 이처럼 자국통화가 다른 나라의 통화에 비해 그 가치가 떨어진 경우를 '평가절하depreciation'라 한다. 그리고 이와는 반대로 자국통화가 다른 나라 통화에 비해 그 가치가 상승한 경우를 '평가절상appreciation'이라 한다. 예를 들어 우리나라의 환율이 미국의 달러화에 대해 기존의 1달러당 1,000에서 900원으로 떨어졌다면, 이는 원화의 달러화에 대한 가치의 상승을 의미하며 우리는 이를 평가절상이라 부를 수 있다.

이러한 환율의 상승과 하락은 수출과 수입에 커다란 영향을 미친다. 예를 들어 환율이 상승해 원화가 평가절하되었다고 해보자. 이 경우 외국상품에 대해 우리나라 사람이 치러야 할 원화는 더욱 많아진다. 즉 이는 외국상품의 가격이 상승한 것과 같은 효과를 가져오게 된다. 예를 들어 환율이 달러당 1,000원일 때에는 6,000달러짜리 미국산 컴퓨터를 600만 원에 살 수 있지만, 환율이 달러당 1,200원으로 오르면 같은 컴퓨터에 대해 720만 원을 지불해야 한다. 이렇게 되면 자연히 미국산 컴퓨터에 대한 수요량은 줄어들고 대체재인 국산 컴퓨터의 수요가 증가할 수 있다.

이처럼 환율의 상승은 외국상품의 수입수요를 감소시킬 수 있다. 대신 외국 사람들의 경우에 있어서 이러한 환율의 상승은 우리의 상

환율의 상승은 외국상품의 수입수요와 직결된다. 예를 들어 미국인이 우리나라의 600만 원짜리 고급 TV를 살 경우, 환율이 달러당 1,000원일 때는 6,000달러를 지불해야 하지만, 환율이 달러당 1,200원으로 상승하면 5,000달러만 지불하면 된다.

도표 107 | 환율변동이 경제 각 부문에 미치는 영향

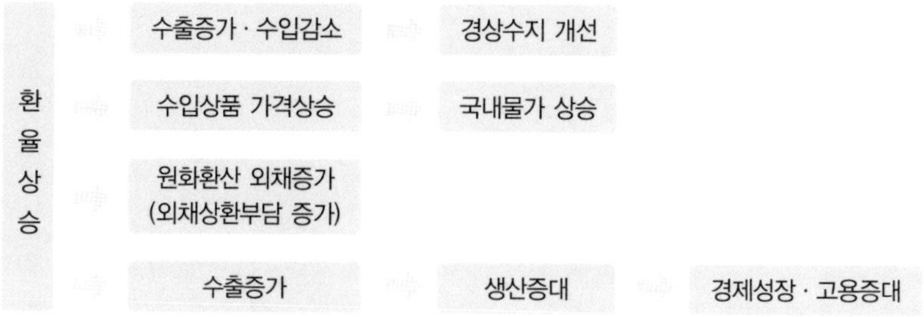

품가격이 싸지는 것과 같은 효과를 가져온다. 예를 들어 미국인이 600만 원인 우리나라의 컬러 TV를 살 경우, 환율이 달러당 1,000원일 때에는 6,000달러를 지불해야 하지만, 환율이 달러당 1,200원으로 상승하면 5,000달러만 지불하면 된다. 이 경우 미국의 컬러 TV 수요자들은 가격의 하락으로 인해 더욱 많은 컬러TV를 구매하려 할 것이다. 이처럼 환율이 상승하면 수출은 늘고 수입은 줄어 국제수지의 개선에 큰 도움을 줄 수 있다. 그렇지만 지속적인 환율의 상승은 장기적으로 그 화폐를 사용하는 국가의 물가를 상승시키는 등의 여러 가지 문제를 낳을 수 있다.

여기서 환율의 상승은 수출의 증가를 가져오고 이에 따라 수출업자는 그 대금인 외환을 외환시장에 내놓고 이를 우리나라 화폐(자국화폐)로 바꾸어가려 할 것이다. 때문에 외환시장에서는 외환의 공급량이 증가하게 된다. 이러한 견지에서 보면 외환시장에서 우상향하는 공급곡선을 생각할 수 있다. 한편 환율의 상승은 수입의 감소에 따라 외국상품을 사기 위한 외환의 수요를 감소시킨다. 이에 환율의

도표 108 | 물가의 상승과 외환시장의 수요 · 공급

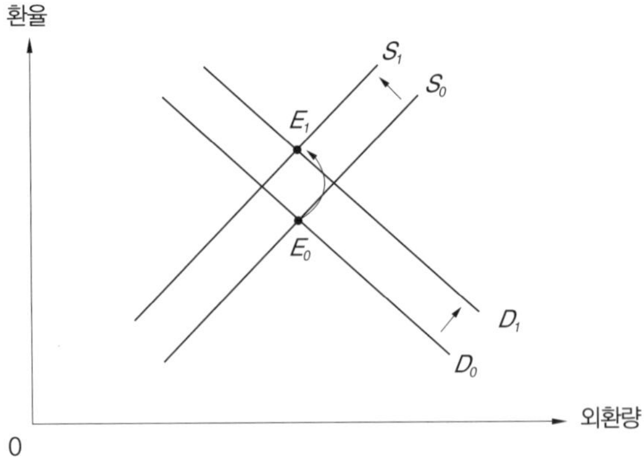

변화와 반대 방향으로 변하는 외환시장의 외환수요곡선을 생각할 수 있으며, 이는 우하향하는 수요곡선을 의미한다. 이상에서는 환율이 상승하는 경우를 중심으로 논의해보았다. 환율이 하락하는 경우는 이와는 반대되는 결과를 예상해볼 수 있다.

결국 외환시장에서는 우상향하는 공급곡선과 우하향하는 수요곡선이 만나 균형환율과 균형외환 수급량이 결정된다. 그리고 이러한 외환의 공급곡선과 수요곡선은 여러 가지 요인에 의해 이동하게 되며, 이에 따라 균형환율은 변화할 수 있다.

예를 들어 우리나라의 물가가 상승해 수출품의 가격이 상승한 경우를 살펴보자. 이 경우 수출품 가격의 상승은 외국시장에서의 우리 상품의 수요를 줄어들게 할 것이며(외국시장에서의 가격경쟁력의 약화) 이는 외환시장에서의 공급감소를 의미한다. 즉 외환시장에서의 공급곡선이 왼쪽으로 이동하게 될 것이다. 한편 국내의 물가상승은 국내

상품과 대체재의 관계에 있는 외국상품의 수입을 증가시킬 것이며, 이는 외환시장에서의 외환수요의 증가로 나타난다. 이에 따라 외환의 수요곡선은 오른쪽으로 이동하게 될 것이다. 이 경우 외환의 거래량이나 균형환율의 상승폭은 외환수요곡선과 공급곡선의 이동의 폭에 따라 결정될 것이다(도표 108 참고). 그리고 우리와 교역하는 상대방 국가의 물가상승은 우리의 물가상승과는 반대로 생각할 수 있을 것이다.

이러한 국내외의 물가변동과 함께, 국민소득의 증가나 이자율 역시 외환의 수요와 공급을 변화시키는 중요한 요인이다. 만약 경기의 호환으로 국민소득이 높아지면 사람들의 소득 수준의 향상에 따라 외국상품에 대한 수입 역시 증가할 것이다. 이는 외환시장에서의 외환의 수요를 증가시키고, 외환수요곡선을 오른쪽으로 이동시킨다. 결과적으로 이에 따라 환율은 상승하게 될 것이다.

이자율 역시 환율 변화를 일어나게 하는 중요한 요인이다. 예를 들어 국내 이자율이 높아졌다고 생각해보자. 이 경우 사람들의 투자 및 소비수요는 줄어들고 수입 역시 감소하게 되며, 이에 따라 외환수요 역시 감소하게 된다. 그리고 국내 이자율의 상승은 자국화폐로 표시된 금융자산의 수익률이 높아질 것을 예상하게 해줌으로써 외국인들이 그 금융자산(예를 들어 채권, 예금 등)을 더욱 많이 수요하게 한다. 이는 곧 자국화폐의 수요를 증가시킴과 동시에 외환의 공급을 증가시킨다. 여기서 국내 이자율의 상승은 외환시장에서 수요곡선을 왼쪽으로 이동시키고, 공급곡선을 오른쪽으로 이동시키며 결과적으로 균형환율의 수준을 하락시킨다(도표 109 참고).

도표 109 | 이자율의 상승과 외환시장의 수요 · 공급

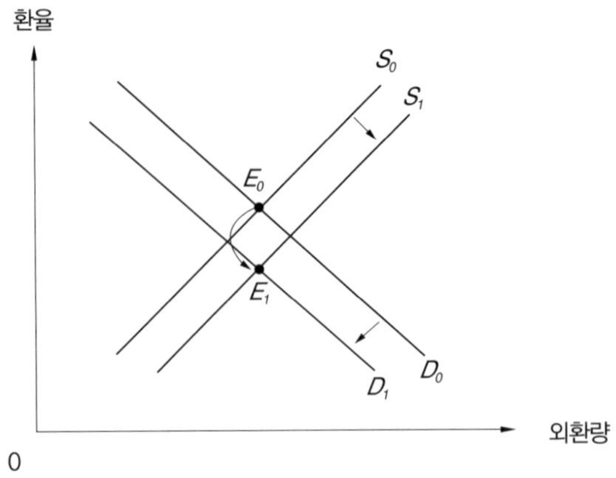

물론 이상에서 언급한 물가나 이자율 및 소득 수준을 변화시키는 여러 가지 재정 및 금융정책도 외환시장의 균형환율 형성에 커다란 영향을 미치게 된다. 이러한 재정 및 금융정책에 의한 외환시장의 수요 · 공급의 변화는 각각의 정책이 가져온 소득 수준, 물가, 이자율의 변화에 의해 앞에서 논의한 바와 같은 방식으로 설명될 수 있을 것이다.

환율제도와 국제통화제도

환율의 변동을 외환시장에 맡기고, 여기서 균형적인 환율을 통해 외환의 수요와 공급을 일치시켜주는(여기서 외환수요와 공급의 일치는 국제수지표에 있어서의 종합수지의 균형을 의미한다) 환율의 결정 방식을

'자유변동환율제도'라 한다. 그리고 이 제도하에서 균형된 환율 수준에서는 국제수지의 불균형이 존재하지 않는다. 즉, 지급란과 수취란으로 구성되어 있는 국제수지표에서 외환의 수요는 지급란에 표시되는 모든 거래에서 일어나며, 외환의 공급은 수취란에 기록되는 모든 거래에서 일어나는데, 수요와 공급의 일치는 곧 지급과 수취의 일치를 의미하므로 국제수지의 불균형은 일어날 수 없는 것이다.

이처럼 자유변동환율제도는 국제수지의 균형을 자동적으로 이루어나가는 장점을 가지는 대신에 단점도 가지고 있다. 예를 들어 단기적으로는 환율이 너무 불안정하게 움직일 수 있으며, 이렇게 위아래로 오르내리는 환율의 불안정성은 국제무역의 안정성을 해치기 쉽다. 또한 이러한 환율의 불안정성은 국제거래의 비용을 증가시키며, 세계무역에 참여하려는 많은 국가들의 진입에 장애가 될 수 있다.

이러한 자유변동환율제도에 대해 현실적으로 많은 국가들이 환율을 외환시장에 전임하기보다는 어느 정도 통제하는 경우가 많다. 이는 일면 환율이 생산, 실업, 물가 등 여타의 중요한 국민경제의 지표에 커다란 영향을 미치기 때문이다. 따라서 정부로서는 경제의 안정적 성장을 위해 다른 경제지표와 함께 환율 역시 어느 정도 통제하기를 원하는 것이다.

우리나라는 1990년 이후 어느 정도 외환시장의 수요와 공급을 반영하면서 정부가 일정 부분 개입할 수 있는 '시장평균환율제도'를 택하고 있었다. 시장평균환율제도 아래서는 시장평균환율이 외환 거래의 기준이 되었다. 시장평균환율이란 외환을 취급하는 주요 금융기관들이 모여 미니마켓(작은 외환시장)을 형성, 여기서 결정되는 환율을 말한다. 시장평균환율은 미국의 달러화에 대해서만 결정되고 나머지 외환은 국제금융시장에서 형성되는 달러화와의 비율에 따라 결정된다. 그리고 하루 변동 폭이 상하로 제한되어 있어 급격한 환율의 변동으로 인한 피해를 막을 수 있게 한다.

예를 들어 원화의 달러화에 대한 시장평균환율이 달러당 700원으로 결정되었고, 국제금융시장에서 독일 마르크화와 달러의 교환비율이 2대 1(달러당 2마르크)로 결정되었으면, 우리는 그것을 그대로 받아들여 마르크당 350원으로 독일 마르크화에 대한 환율을 결정하는 것이다. 물론 이러한 과정을 통해 한국은행은 미니마켓에서 커다란 비중을 차지하여 어느 정도 미니마켓 자체를 통제할 수 있으며, 따라서 어느 정도의 환율결정에 대한 권한을 가질 수 있다.

그러나 IMF 구제금융의 시기를 거치면서 우리나라의 환율제도는 자유변동환율제도에 가까워졌다. 환율의 변동에 대한 제한을 없앰으로써 사실상의 자유변동환율제도를 취하고 있는 것과 같다.

이상과 같은 환율제도에 대해 국가가 환율을 일정하게 정하는 고정환율제도를 생각할 수 있다. 이 고정환율제도하에서는 국제수지의 불균형이 자동적으로 해소되지 않으므로, 정부가 국제수지의 조정을 위해 일정한 정책을 취하게 된다. 예컨대 정부가 정한 환율하에서 외환의 초과수요가 발생하면, 정부는 외환시장의 불균형을 해소하기 위해 차관을 들여오거나 가지고 있던 외환을 시장에 공급해야 한다. 이러한 이 경우 국민경제의 안정적 성장을 위한 정책 시행의 폭이 상당히 줄어들기도 한다.

오늘날 세계 각국은 이상과 같은 다양한 환율제도를 자신의 특성에 맞게 채택하고 있는데, 이러한 것에 관한 기초적인 국제합의는 1976년 자메이카의 킹스턴에서 이루어졌다. 여기서 이루어진 합의의 기본 내용은 각국에게 그들의 경제 여건에 맞는 환율제도를 채택할 수 있는 재량권을 부여한다는 것이다. 이는 오늘날 많은 국가들이 시행하고 있는 자유변동환율제도와 고정환율제도의 중간적인 다양한 환율제도를 인정한 것이었다. 이러한 오늘날의 국제통화제도를 '킹스턴체제'라고 한다. 그리고 이는 과거의 달러화 중심의 고정환율제도가 붕괴된 후, 이를 대신할 만한 국제통화제도가 생겨나지 않은 상태에서 합의된 제도라는 점에서 과도기적 체제로 불리고 있다.

요약

이 장을 통해 국제거래의 결제 방식과 그 기록에 대해 논의했다. 그리고 이 과정에서 서로 다른 화폐의 교환비율인 환율과 그것의 결정 및 환율제도에 대해 알아보았다. 이러한 논의를 통해 흔히 신문이나 방송에서 접하게 되는 환율의 상승과 이에 따른 수출입의 문제, 우리나라 환율의 결정 등에 대해 이해의 폭을 넓혔다.

중요개념

- 국제수지표
- 경상수지
- 자본수지
- 외환시장
- 환율
- 자유변동환율제도
- 시장평균환율제도
- 고정환율제도
- 킹스턴체제

더 깊이 이해하기

1) 선물환시장과 NDF시장

경제개방화에 따라 외국과의 거래가 활발해지면서 환율의 변동이 외환거래 참가자의 손익에 큰 영향을 미치고 있다. 즉, 외국 돈을 가지고 있는 사람이 환율의 변동에 따라 예상 외의 이익이나 손실을 보는 경우가 빈번하게 발생하고 있다. 특히 자금의 차입과 대출이 주된 업무인 금융기관이나 외국과 무역을 하는 기업의 경우, 일반인보다 환율변동으로 인해 예상 외의 손익이 발생할 가능성이 더욱 크다. 이러한 예상치 못한 환율의 변동에 따른 위험risk을 피하기 위해 만들어진 금융상품이 파생금융상품financial derivatives이다. 선물환forward exchange은 가장 전통적인 파생금융상품으로 장래의 일정 시점 또는 일정 기간에 특정 통화를 일정 환율로 사거나 팔 것을 약정하는 거래다. 1970년대 세계적으로 각국이 변동환율제도를 채택한 이후 환율의 불안정성이 증가하자, 개인이나 일반기업들은 환율변동에 따른 환리스크를 회피하거나 환차익을 극대화하기 위한 투기수단으로 이를 이용하고 있다.

최근 차액결제선물환non-deliverable forward: NDF 거래의 비중이 높아지고 있다. 차액결제선물환이란 만기 시 당초 약정한 환율에 따라 특정 통화를 인도 또는 인수하는 일반적인 선물환거래와는 달리, 만기에 계약원금의 교환 없이 약정환율과 만기 시 현물환율인 지정환율 간의 차액만큼만 거래 당사자 간에 지정통화로 결제하는 거래를 말한다. NDF 거래는 차액만 결제하기 때문에 일반 선물환거래에 비해 결제위험이 작고, 적은 금액으로도 거래가 가능하므로 레버리지 효과가 높아 환리스크 해지수단은 물론 환차익을 얻기 위한 투기적 거래에도 많이 이용되고 있다.

파생금융상품이란 용어가 다소 낯설지만 일상생활에서도 쉽게 접할 수 있다. 예를 들어 겨울철 김장배추의 가격은 작황에 따라 크게 변동하는데, 따라서 배추 재배 농가의 수입도 기복이 심해진다. 농가의 입장에서는 불확실한 수입보다 적정한 수준의 평균 수입을 안정되게 유지하는 것이 더 나을 수 있다. 반면에 야채 중매인 중에는 그해 배추 작황을 예상하고 시세차익을 노리고 미리 배추를 사두고자 하는 사람이 있을 것이다. 이때 농가와 중매인 사이에 서로 만족할 수 있는 적정 가격이 성립되면 이른바 밭

떼기 계약이 체결된다. 물론 타 지역의 작황이 예상보다 나쁠 경우 중매인은 배추가격의 상승에 따라 큰 이득을 보게 되지만, 그 반대일 경우는 시세보다 비싸게 산 결과가 되어 손해를 보게 된다. 배추 재배 농가의 입장에서는 사전에 적정 수준의 판매가격이 보장됨에 따라 작황에 따른 가격 변동의 위험을 피할 수 있는 이점이 있다.

*차액선물환 | 만기 시에 당초 약정한 환율에 의해 특정 통화를 인도 또는 인수하는 일반적인 선물환거래와 달리, 만기에 계약원금의 교환 없이 약정환율과 만기 시 현물환율 간의 차액만큼만 거래당사자 간에 결제하는 거래

—한국은행, 『알기 쉬운 경제지표해설』, 2004, p. 274

2) J커브 효과

일반적으로 환율이 올라가면(고정환율제도에서는 이를 '평가절하' 라고 함) 경상수지를 개선시키는 것으로 알고 있다. 그러나 환율과 경상수지의 관계가 그렇게 단순한 관계만은 아니다. 현실경제를 분석한 결과에 따르면 환율상승이 경상수지를 개선시키는 효과가 작거나 때로는 악화시키는 경우도 있다고 한다. 환율이 올라간 직후에는 국제수지 흑자가 오히려 줄어들고 상당한 시간이 지나서야 늘기 시작하는 현상을 곡선으로 표시하면 J자 형태이므로 'J커브 효과' 라고 한다.

이러한 J커브 현상이 나타나는 이유로는 두 가지가 있다. 우선 환율이 올라가면 수출입 가격변화는 즉시 일어나지만 이에 따른 수출입 물량의 변화는 시간을 두고 일어나기 때문이다. 예를 들어 환율이 상승하더라도 처음에는 이미 체결한 계약에 따라 수출입이 진행되므로 수량변화가 그다지 크지 않을 수 있다. 또 소비자들이 가격변화에 따라 소비습관을 바꾸는 데는 상당한 시간이 걸리기 때문이다.

다른 이유로는 환율전가 효과가 불완전한 경우다. 즉 환율변화가 수입

품의 국내가격에 즉각적으로 반영되지 않기 때문이다. 예를 들어 환율이 5% 올라도 실제로 수입되는 미국산 자동차의 국내가격이 5% 오르지는 않는다. 자동차 수출업체가 매출의 감소를 우려해서 달러 표시 수출가격을 내릴 수도 있기 때문이다. 그러나 이러한 상황이 계속되어 이윤의 압박을 느낄 때가 되어서야 수출가격을 원래 수준으로 되돌리고, 그에 따라 수입품의 국내가격이 완전히(즉 5%) 상승하게 되는 것이다. 우리나라의 경우에는 환율이 상승할 경우 경상수지가 초기 약 6개월 동안에는 악화되다가 조금씩 회복되어 약 15개월이 지나면 개선된다는 연구결과가 있다.

한편, J커브 효과와는 달리 환율상승이 장기에도 경상수지를 개선시키지 못한다는 주장이 있다. 그 사례로 1980년대 미국이 만성적인 대일무역적자를 보이고 있을 때 달러화의 약세와 엔화의 강세를 유도했다. 그러나 1980년대에 계속 달러화가 약세를 보였음에도 불구하고 미국의 대일무역적자 폭이 어느 정도 시간이 흐른 뒤에는 감소할 것으로 기대했지만 오히려 증가했다. 그 이유는 수출국 통화의 가치가 하락할 때, 국내 수출기업들이 가격상의 유리한 점 때문에 제품의 질을 향상시키는 노력을 기울이지 않아 경쟁력이 오히려 떨어질 수 있기 때문이다.

* J커브 효과 | 환율변동과 경상수지의 관계를 나타낸 것으로 경상수지 개선을 위해 환율상승을 유도하더라도 그 초기에는 경상수지가 오히려 악화되다가 상당 기간이 지난 후에야 개선되는 현상

—한국은행, 『알기 쉬운 경제지표해설』, 2004, p. 284

경제학자 이야기 18

근대 국제무역이론의 선구자, 베르틸 올린

Bertil Ohlin (1899~1979)

올린은 1899년 4월 23일 스웨덴의 클리판에서 태어났으며, 1917년 코펜하겐 대학에서 수학, 통계학, 경제학으로 학위를 수여받고, 1919년 스톡홀름 경영대학에서 엘리 헤크셰르의 지도로 경제학 학위를 재취득했다. 1924년 구스타프 카셀의 지도로 경제학 박사학위를 받았고, 코펜하겐 대학과 스톡홀름 경제대학의 교수를 거쳤으며, 1977년 노벨경제학상을 수상했다. 1944년에서 1967년까지는 스웨덴 자유당 당수를 맡기도 했다. 대표적인 저서로는 『지역 간 및 국제 간 무역이론Interregional and international trade』이 있다.

올린은 케인스보다 앞서 실업의 극복에 유효수요가 중요하다는 점을 주장했을 뿐만 아니라, 나라마다 다른 부존자원의 차이 때문에 국내상품의 차이가 발생하고 수출입의 국제무역이 이루어진다는 점을 바탕으로, 은사 헤크셰르의 생각을 더욱 정교화하여 '헤크셰르-올린 정리'를 만들었다. 즉, 부존자원은 물론 기술, 문화, 상품의 선호도 등에 따라 국내의 한계생산비가 국제무역의 한계수입과 같아질 때까지 무역이 이루어진다는 그의 이론은, 그후 새뮤얼슨 등에 의해 상품에서뿐만 아니라 요소에 이르기까지 그 가격이 국제적으로 동일하게 된다는 후속 이론으로 확대되었다.

경제학 산책 참고문헌 목록

금융감독원, 알아두면 유익한 금융 이야기, (주)두산, 서울, 2003.

금융감독원, 청소년을 위한 금융 이야기, (주)두산, 서울, 2003.

김경환, 김종석 역, 맨큐의 경제학 2판, 교보문고, 서울, 2002.

박기혁, 경세학사, 법문사, 서울, 1991.

송병락, 글로벌 지식 경제시대의 경제학, 박영사, 서울, 2001.

_____, 한국경제론, 제3판, 박영사, 서울, 1992.

안국신, 신경제학개론, 제3판, 율곡출판사, 서울, 1998.

윤석범, 경세사상의 흐름: 그 시대, 그 사람, 그 학설, 세경사, 서울, 1998.

이근, 한국인을 위한 경제학, 박영사, 서울,2001.

이승훈, 경제학입문, 영지문화사, 서울, 1992.

이준구, 미시경제학, 제2판, 박문사, 서울, 1993.

_____, 미시경제학, 제4판, 법문사, 서울, 2002.

이준구, 이창용, 경제학원론, 제3판, 법문사, 서울, 2005.

이지순, 거시경제학, 제3판, 법문사, 서울, 2000.

정운찬, 거시경제론, 제5판, 율곡출판사, 서울, 2001.

정운찬, 김영식, 거시경제론, 제7판, 율곡출판사, 2005.

조순, 정운찬, 전성인, 경제학원론, 제7판, 율곡출판사, 서울, 2003.

조순, 정운찬, 전성인, 경제학원론, 법문사, 서울, 2006.

홍기현, 조영달, 경제학 산책, 김영사, 서울, 1992.

홍순영 외, 한국경제 리포트(2003), 삼성경제연구소, 서울, 2003.

한국은행, 알기쉬운 경제이야기, 한국은행, 서울, 2004

한국은행, 2001-2006, 통계자료(한국은행 경제통계시스템);

http://ecos.bok.or.kr/

통계청, 2001-2006, 통계자료(통계청 통계정보시스템)

Http://kosis.nso.go.kr

Ansel M. Sharp, Charles A. Register, Pal W. Grimes, Economics of Social Issues (McGraw-Hill), 1998.

Blaug, Mark and Paul Struges, ed., Who's who in Economics(Sussex: Wheatsheaf Books Ltd.), London, 1983.

Buchholz, Todd, New Ideas from Dead Economists, 1989, 이승환역, 죽은 경제학자의 살아있는 아이디어, 김영사, 서울, 1994.

Craig H. Petersen & W. Cris Lewis, Economics(South-Western Publishing), N.Y. U.S.A., 1988.

Daniel M. Hausman, Michael S. McPherson, Economic analysis and moral philosophy (Cambridge University Press), London, 1996.

Economics Department of University of Pennsylvania, Economics 1, Microeconomics: Readings and Problems, 4th ed(Massachusetts: Ginn Press), Philadelphia, 1983.

Economics Department of University of Pennsylvania, Economics 2, Macroeconomics: Readings and Problems, 4th ed, Philadelphia, 1983.

Fisher S., Dornbusch R., Schmalensee R., Introduction to Macroeconomic(2nd ed), McGrow Hill, NY, 1988

Frank R. & Bernanke B., Principles of Microeconomics(2nd), McGrow-Hill, Irwin NY, 2004 U.S.A.

Hirschman, A.O., Exit, Voice and Loyalty(Cambridege: Harvard University Press), Boston, 1970.

Holton J. Wison, & Clark J.R., Economics: The science of cost, benefit, & choice, 2th ed(South-Western Publishing), N.Y. 1988.

Karl E. Case, Ray C. Fair, Principles of Macroeconomics, 3th ed(New Jersey: Prentice Hall), N.Y. 1994.

Kenneth W. Brown, Allen R. Warner, Economics of our free enterprise system (McGraw-Hill & Visual education Corporation), N.Y., 1982.

Landreth H., Colander D., History of Economic Thought, Houghton Mifflin Company, Boston, 1994.

Maurice Levi, Thinking Economically, 1971, 조영달 역, 경제학적 사고의 이해, 집문당, 서울, 1992.

Mankiw N, Gregory, Principles of Microeconomics, 2nd ed(New York: Worth Publishers), Boston, 1997.

Mankiw N, Gregory, Macroeconomics, 3th ed(New York: Worth Publishers), Boston, 1997.

Parkin M., Economics(2nd ed), Addison-Wesley, NY, 1994.

Peter J. Dougherty, Who's Afraid of Adam Smith?, 2002, 송경모 역, 세상을 구한 경제학자들, 예지, 서울, 2005.

Peterson C., Lewis C., Economics: The Free Enterprise System, South-Western, Ohio, 1988

Richard R. Wilk, Economics and Cultures: Foundations of Economic Anthropology (Westview Press), London, 1996.

Robert Heilbroner, Teachings from the Worldly Philosophy(New York: W.W. Norton & Company), N.Y., 1996.

Ruffin R., & Gregory P., Principles of Economics(3rd ed), (Sanfransisco; Scot, Foreman and Company), 1988.

Willian A. Luker, David A. Martin, Geneva Jo Wimberley Luker, Economics for decision making(Massachusetts: D.C. Heath and Company), M.A., 1988.

Willian B, Walstad & Phillip Saunders, Teaching undergraduate Econnmics: a handbook for instructors(McGraw-Hill), N.Y., 1998.

참고문헌 해제

경제학 산책의 개정판을 기본적으로 1992년의 원판을 기초로 하고 있다. 그러나 〈읽을거리〉, 〈본문〉, 〈좀 더 생각하기〉 및 〈경제학자 이야기〉 등의 각 부분은 상당히 보완되었으며, 개정·보완의 과정에서 위의 참고문헌들은 큰 역할을 하였다. 위에 목록화한 참고문헌들은 많은 부분 집필을 위한 시사점을 제공하였으며, 때로는 내용의 해석적 요약이 본서의 내용으로 사용되기도 하였다. 예를 들어, 〈경제학자 이야기〉의 경우, 위의 참고문헌에서 나열한 박기혁(경제학사,1991), 윤석범(경제사상의 흐름, 1998), Blaug 외(Who's Who in Economics, 1983), Heilbroner(Teachings from the Worldly Philosophy, 1996), Landreth & Colander(History of Economic Thought, 1994) 등의 문헌들이 주로 참고되었으며, 그 내용들을 재조직하고 요약하였다. 그러나, 직접적인 인용을 제외하고는 본 서의 내용전개 과정에서 주석으로 처리하지는 않았다. 이는 언급된 내용들이 다른 대부분의 교과서 류의 책에서 이미 일반적으로 언급되는 것이기도 하거니와, 교과서류의 집필에서 보여지는 관례에 따른 측면도 있다. 뿐만 아니라 자세한 잦은 주석이 내용의 흐름을 방해하고 일반인의 독해력을 떨어뜨릴 것이라는 출판사의 충고를 받아들여, 상세한 각주 대신 본 서의 말미에 이와 같이 참고문헌 목록과 해제를 달아 참고문헌에 대한 인용과 출처를 밝히기로 출판사와 논의하였다. 〈본문〉의 전개과정에서도 일반적으로 경제관련 교과서류에서 흔히 사용하는 그래프나 그림표 등에 대하여는 개별적 주석을 달지 않았지만, 직접적으로 인용한 그래프 등에 대하여는 출처를 밝혔다. 그러나, 여러 문헌을 참고하여 저자들이 나름으로 요약하고 해석한 부분에 대하여는 특별한 출처를 생략하였다.

그리고 구성상 본문 전개과정에서 밝히지 못한 간접적 출처나 참고 사항은 위의 참고문헌 목록에 나열하였다. 특히, 160페이지 이하의 '전략적 상황과 게임이론'은 〈Frank & Bernanke, Principles of Microeconomics, 해당 부분〉을 2부를 참고했으며 197페이지 이하의 〈6. 시장의 정보가 불확실하다면?〉의 절은 〈Frank & Bernanke, Principles of Microeconomics, 해당부분〉을 참고하였다.

Wing
123